CLIVE CUSSLER
e DIRK CUSSLER

Uma aventura de Dirk Pitt

A CONSPIRAÇÃO

Tradução
Henrique Amat Rego Monteiro

Novo Conceito

Publicado sob acordo com Peter Lampack Agency, Inc.
350 Fifth Avenue, Suite 5300
New York, NY 10118 USA

Título original: Crescent Dawn

2ª Impressão - 2013

Produção Editorial:
Equipe Novo Conceito
Impressão e Acabamento Sermograf 221113

Este livro segue as regras da Nova Ortografia da Língua Portuguesa

Dados Internacionais de Catalogação na Publicação (CIP)
(Câmara Brasileira do Livro, SP, Brasil)

Cussler, Clive
A Conspiração / Clive Cussler e Dirk Cussler; tradução Henrique Amat Rego Monteiro. -- Ribeirão Preto, SP : Novo Conceito Editora, 2013.
Título original: Crescent dawn.
ISBN 978-85-8163-197-4

1. Ficção norte-americana I. Título.

13-08001 CDD-813.5

Índices para catálogo sistemático:
1. Ficção : Literatura norte-americana 813.5

Novo Conceito

Rua Dr. Hugo Fortes, 1885 — Parque Industrial Lagoinha
14095-260 — Ribeirão Preto — SP
www.editoranovoconceito.com.br

Para Teri e Dayna,

que tornam tudo divertido.

PRÓLOGO

HORIZONTES HOSTIS

327 d.C.
Mar Mediterrâneo

As batidas do tambor ecoavam secamente nas anteparas de madeira, reverberando em um *staccato* ritmado com precisão impecável. O *celeusta*, o oficial naval que comandava os remadores, com poder de castigá-los, batia metodicamente no seu tambor de pele de cabra, de modo uniforme e mecânico. Seria capaz de repetir o movimento por horas a fio sem perder o ritmo — a sua formação musical baseava-se mais na resistência do que na harmonia. Por mais que a sua capacidade de manter uma cadência constante fosse valorizada e reconhecida, a maior esperança do seu público de remadores das galeras era de que a apresentação monótona não demorasse para terminar.

Lucius Arceliano esfregou a palma suada da mão contra a perneira, depois tornou a empunhar com firmeza o pesado remo de carvalho. Puxando a pá através da água em um movimento uniforme, ele acompanhava os golpes prontamente, assim como os homens ao seu redor. Jovem nativo de Creta, alistara-se na Marinha romana seis anos antes, atraído pelo salário vantajoso e pela oportunidade de ganhar a cidadania romana na aposentadoria. Testado fisicamente durante todos aqueles anos, agora só aspirava à promoção a um posto menos penoso a bordo da galera imperial antes que os seus braços perdessem toda a energia.

Contrariamente ao mito hollywoodiano, não se usavam escravos a bordo das antigas galeras romanas. Os navios eram impulsionados por marinheiros alistados e pagos, recrutados em regiões tipicamente portuárias, governadas pelo império. A exemplo dos seus correspondentes legionários do Exército romano, os marinheiros alistados passavam por semanas de um treinamento extenuante antes de serem mandados ao mar. Os remadores eram magros e fortes, capazes de remar durante 12 horas por dia, se necessário. Mas a bordo da galera birreme do tipo liburniano, um navio de guerra pequeno e leve com duas ordens de remos de cada lado, os remadores atuavam como propulsão suplementar à grande vela armada sobre o convés.

Arceliano cravou os olhos no *celeusta,* um homenzinho careca que batia no tambor, com um macaco de estimação amarrado ao lado. Não pôde deixar de notar a incrível semelhança entre o homem e o macaco. Os dois tinham orelhas grandes e rostos ligeiramente arredondados. O homem do tambor mantinha uma expressão de divertimento constante, sorrindo ironicamente para a tripulação com um brilho malicioso nos olhos e revelando os dentes quebrados e amarelados. A sua imagem de algum modo amenizava o esforço das remadas, e Arceliano concluiu que o comandante da galera fizera uma sábia escolha ao selecionar aquele homem.

— *Celeusta* — gritou um dos remadores, um homem de pele escura proveniente da Síria. — O vento sopra com força e a água está agitada. Por que recebemos a ordem de remar?

Os olhos do homem do tambor se acenderam.

— Não me compete questionar os conhecimentos dos oficiais superiores, ou então eu mesmo vou acabar empunhando um remo — respondeu ele, dando uma boa risada.

— Eu seria capaz de apostar que esse macaco aí remaria mais rápido — replicou o sírio.

O *celeusta* lançou um olhar para o macaco com o rabo enrolado que estava ao lado.

— Ele até que é um sujeitinho bem forte — respondeu, fingindo concordar. — Mas, em relação à sua pergunta, não conheço a resposta. Talvez o comandante queira exercitar os tagarelas da tripulação. Ou quem sabe simplesmente deseja correr mais rápido do que o vento.

Em pé no convés superior a pouco mais de um metro acima da cabeça deles, o comandante da galera de tempos em tempos perscrutava o horizonte à popa. Dois pontos azul-acinzentados distantes oscilavam à superfície das águas agitadas, aumentando gradualmente de tamanho a cada minuto que passava. Ele se voltou e observou a sua vela enfunada pela brisa, com a esperança de poder correr muito, mas muito mais rápido do que o vento.

Uma voz grossa de barítono repentinamente perturbou a sua concentração.

— Será a cólera do mar que enfraquece os seus joelhos, Vitellus?

O comandante voltou-se para se deparar com um homem robusto trajando uma túnica sobre a armadura, que o observava com olhar zombeteiro. Era um centurião romano chamado Plautius, que comandava uma guarnição de trinta legionários designados para servir no navio.

— Duas embarcações se aproximam vindo do sul — respondeu Vitellus. — Piratas, estou quase certo.

O centurião fitou despreocupado os navios distantes e deu de ombros.

— Meros insetos — disse, com desprezo.

Vitellus não estava de acordo. Havia séculos, os piratas eram a ruína do comércio marítimo romano. Embora a pirataria organizada no Mediterrâneo tivesse sido aniquilada por Pompeu, o Grande, centenas de anos antes, pequenos bandos de ladrões independentes continuavam a praticar as suas pilhagens em mar aberto. Os navios mercantes solitários eram os alvos habituais, mas os piratas sabiam que as galeras birremes geralmente também transportavam cargas valiosas. Contemplando o carregamento do seu próprio navio, Vitellus imaginou se aqueles bárbaros teriam sido informados depois que seu navio zarpara do porto.

— Plautius, não preciso lembrar você da importância da nossa carga — afirmou ele.

— Sim, é claro — respondeu o centurião. — Por que acha que estou neste navio deplorável? Fui eu a ser designado com a responsabilidade de garantir a segurança até que seja feita a entrega ao imperador em Bizâncio.

— Um fracasso nosso nesta missão representaria consequências fatais para nós e nossas famílias — disse Vitellus, pensando na esposa e no filho em Nápoles. Correu o olhar pelas águas abertas do oceano à proa da galera, observando apenas as ondas sucessivas cor de ardósia.

— Ainda nem sinal da nossa escolta.

Três dias antes, a galera partira da Judeia com um grande navio trirreme de guerra como escolta. No entanto, os navios tinham se separado durante uma violenta ventania na noite anterior e o navio de escolta não fora mais visto desde aquele momento.

— Não tenho medo dos bárbaros — declarou Plautius. — Tingiremos o mar de vermelho com o sangue deles.

A petulância do centurião era parte do motivo pelo qual Vitellus sentira uma antipatia imediata em relação a ele. Mas não havia dúvida quanto à sua habilidade de lutar, e, por isso, o comandante era grato por tê-lo por perto.

Plautius e o seu contingente de legionários eram integrantes da *Scholae Palatinae,* uma força militar de elite normalmente designada para a proteção do imperador. A maioria deles era composta de veteranos testados em muitas batalhas travadas sob o comando de Constantino, o Grande, na fronteira e na sua campanha contra Magêncio, um césar rival cuja derrota levara à unificação do império despedaçado. O próprio Plautius ostentava uma horrível cicatriz ao longo do bíceps esquerdo, lembrança de um embate feroz com um espadachim visigodo que quase lhe custara o braço. Ele exibia orgulhosamente a cicatriz como sinal de força bruta, um atributo que ninguém que o conhecia ousaria questionar.

Enquanto os navios piratas idênticos se aproximavam, Plautius pôs os seus homens de prontidão no convés aberto, complementados pelos tripulantes sem um serviço direto no momento. Cada um estava armado com os apetrechos de batalha romanos mais modernos — uma espada curta de combate chamada *gladius,* um escudo laminado redondo e uma lança de arremesso, ou *pilum.* Rapidamente, o centurião dividiu os soldados em pequenos grupos de combate para defender os dois bordos da embarcação.

Vitellus mantinha o olhar fixo nos seus perseguidores, que agora se achavam a plena vista. Eram navios a vela e a remos menores, de dezoito metros de comprimento, aproximadamente a metade do tamanho da galera romana. Um exibia velas quadradas azul-claras e a outra, cinzentas, ao passo que os cascos dos dois eram pintados de um peltre uniforme, um misto de estanho, antimônio, cobre e chumbo, para se confundir com a cor do mar, um velho truque de camuflagem apreciado pelos piratas da Silícia, antiga região da Ásia Menor, no sudeste da península da Anatólia. Cada navio portava velas gêmeas, que eram responsáveis pela sua velocidade superior em ventos frescos. E, pela força do vento no momento, os romanos tinham poucas chances de fugir.

Um lampejo de esperança surgiu quando o vigia de vante gritou advertindo a visão de terra à frente. Perscrutando adiante da proa, Vitellus avistou o fraco perfil de uma costa rochosa ao norte. O comandante só podia especular sobre que terra seria. Durante a última tempestade, a galera fora desviada para longe do seu curso original, navegando basicamente por estimativa. Em silêncio, Vitellus esperou que estivessem próximos da costa da Anatólia, onde circulavam outros navios da frota romana.

O comandante voltou-se para um homem com a aparência de um buldogue, que controlava a pesada cana do leme da galera.

— Timoneiro, conduza-nos para terra e na direção de quaisquer águas a sotavento que possa encontrar. Se conseguirmos deixá-los sem vento nas velas, então talvez ganhemos a remo daqueles demônios.

No convés inferior, o *celeusta* recebeu ordem de bater em ritmo acelerado. Não se ouviu então mais nenhuma conversa entre Arceliano e os outros remadores, apenas o ruído áspero da sua respiração pesada. Chegara-lhes a notícia dos navios piratas em perseguição, e cada homem concentrava-se em puxar o seu remo da maneira mais pronta e eficiente possível, sabendo que a sua vida achava-se possivelmente em jogo.

Durante quase meia hora, a galera manteve distância dos navios perseguidores. Movido tanto a vela quanto a remo, o navio romano singrava as ondas a praticamente sete nós, ou pouco menos de quatorze quilômetros por hora. Entretanto, os navios piratas, menores e mais bem aparelhados, acabaram recuperando a vantagem. Os remadores da galera, levados à beira da exaustão, finalmente receberam permissão para espaçar os golpes, para conservar a energia. Quando a massa de terra marrom e arenosa ergueu-se diante deles, quase como se lhes acenasse, os piratas concluíram a aproximação e partiram para o ataque.

Com o seu companheiro de velas cinzentas mantendo-se à popa da galera, o navio de velas azuis ganhou vantagem à frente e depois, estranhamente, passou adiante da embarcação romana. No momento em que passou, uma horda heterogênea de bárbaros armados levantou-se no convés e lançou altos brados de provocação aos romanos. Vitellus ignorou os gritos, observando a linha costeira à frente. Os três navios achavam-se a poucas milhas da costa, e ele percebeu como o vento diminuía ligeiramente na sua vela quadrada. Temeu que ela fosse muito pequena. E então seria tarde demais para os seus remadores exaustos.

Vitellus correu o olhar pela paisagem vizinha, esperando conseguir encostar na praia e permitir que os legionários lutassem em terra firme, onde seriam mais eficazes. No entanto, a costeira era uma muralha íngreme de penhascos rochosos, que não permitia ver nenhum porto seguro para onde pudesse conduzir a galera.

Acelerando a uns seiscentos metros à frente, o navio pirata na liderança de repente cambou, mudando de rumo. Em uma manobra ágil, o navio deu uma volta quase completa sobre si mesmo e partiu em velocidade na direção da galera. À primeira vista, pareceu um movimento suicida. A estratégia romana no mar havia muito confiava em golpear com o esporão de proa como a sua tática de batalha básica, e até mesmo um pequeno birreme era equipado com uma pesada proa de bronze. Quem sabe os bárbaros confiassem mais na força física do que na inteligência, considerou Vitellus. O que mais gostaria era golpear violentamente com a proa e afundar o primeiro navio, considerando que o segundo provavelmente bateria em retirada.

— Quando ele virar de novo, se virar, siga em frente e golpeie-o com o nosso esporão como der — ele instruiu o timoneiro. Um oficial subalterno posicionado na escada estava pronto para receber ordens a serem transmitidas aos remadores. No convés, à espera do primeiro embate, os legionários empunhavam o escudo em uma das mãos e a lança na outra. O silêncio abateu-se sobre o navio enquanto todos aguardavam.

Os bárbaros manobraram a proa na direção da galera, até se encontrarem à distância de uns trinta metros. Então, como Vitellus previra, o adversário guinou bruscamente para bombordo.

— Golpeie agora! — gritou o romano, enquanto o timoneiro empurrava a cana do leme com toda a força. No convés inferior, os remadores inverteram as remadas várias vezes, girando a galera vivamente para boreste.

Com a mesma rapidez, eles inverteram a propulsão para a frente, somando-se aos outros remadores de bombordo em um esforço máximo.

O navio pirata, de menores dimensões, tentou esgueirar-se para fora do alcance do esporão na proa da galera, mas a embarcação romana virou junto com ele. Os bárbaros perderam impulso quando as suas velas afrouxaram ao dar o bordo, ao passo que a galera tomara impulso à frente. Em um instante, o caçador tornou-se a presa. Quando o vento tornou a enfunar as suas velas, o navio menor saltou para a frente, mas não rápido o bastante. O esporão de bronze da galera acertou o flanco à popa do navio pirata, rasgando uma fenda no costado da linha-d'água ao alto da borda. Com o impacto, o navio menor quase emborcou, mas depois voltou a se aprumar, a popa afundando a pequena distância da superfície da água.

Uma vibração de júbilo agitou os legionários romanos, enquanto Vitellus permitia-se um sorriso irônico, na crença de que a vitória pendera repentinamente a seu favor. Mas então se voltou para o segundo navio e no mesmo instante percebeu que haviam sido alcançados.

Durante o embate, o segundo navio avizinhara-se em silêncio. Enquanto o esporão da proa atingia o primeiro alvo, o navio de velas acinzentadas imediatamente aproximara-se por bombordo da popa da galera. O rangido dos remos estraçalhados encheu o ar enquanto uma saraivada de flechas e uma chuva de ganchos acordoados abateram-se sobre o convés da galera. Em questão de segundos os dois navios se aproximaram e se chocaram lado a lado, enquanto uma massa de bárbaros com as espadas em punho invadia por sobre a balaustrada lateral.

A primeira onda de invasores mal tocara o convés e já era espetada por uma barreira de lanças afiadas. Os lanceiros romanos eram letalmente precisos, e mais de uma dezena de invasores caiu morta para trás. No entanto, mal os primeiros atacantes foram detidos, mais outra dezena de bárbaros tomou o seu lugar. Plautius, que procurou manter os seus homens protegidos enquanto a horda invadia o convés, então se levantou e atacou. O clamor das espadas se chocando sobrepujava os gritos de morte e agonia, enquanto a carnificina continuava. Os legionários romanos, mais treinados e disciplinados, repeliram com facilidade os ataques iniciais. Os bárbaros estavam acostumados a atacar navios mercantes levemente guarnecidos, com soldados não tão bem armados, e titubearam diante da forte resistência. Fazendo recuar os invasores pela borda, Plautius ordenou que metade dos seus homens revidasse e liderou pessoalmente o ataque enquanto os romanos perseguiam os bárbaros de volta ao seu navio.

Os bárbaros logo ficaram desfalcados, mas depois se reagruparam ao perceber que eram muito mais numerosos do que os legionários. Atacando em grupos de três e quatro, eles visavam um único romano e conquistavam a sua posição. Plautius perdeu seis homens antes de rapidamente reorganizar os seus soldados em um grupo de combate quadrado.

No convés de popa da galera, Vitellus observou enquanto o centurião romano abria um homem em dois com a espada, cortando os bárbaros como uma foice. Durante a luta, o comandante virara corajosamente a galera em direção à costa, com seu perseguidor vergastado em seu costado. No entanto, o navio pirata lançou uma âncora de pedra, que acabou encontrando o fundo e fez os dois navios pararem bruscamente.

Enquanto isso, o navio de velas azuis fizera uma curva e tentava retomar o combate. Com a inundação proveniente do casco avariado retardando o seu avanço, ele apontou desajeitadamente para o flanco exposto no boreste da galera. Imitando o movimento do navio irmão, a embarcação aproximou-se ao longo do convés e sua tripulação rapidamente atirou as fateixas para enganchar-se na galera.

— Remadores às armas! Apresentem-se no convés! — gritou Vitellus.

No convés inferior, os remadores exaustos reanimaram-se com a ordem. Treinados antes de mais nada como soldados, os remadores, assim como os demais marinheiros a bordo, estavam preparados para defender o navio. Arceliano seguiu os companheiros em fila, enquanto bebiam um gole de água fria de uma moringa, depois correu para o convés com uma espada na mão.

— Mantenha a cabeça abaixada — ele disse para o *celeusta,* que acabara de distribuir as armas e agora se encaminhava para o fim da fila.

— Prefiro olhar nos olhos dos bárbaros quando os mato — replicou o homem do tambor com o seu sorriso peculiar.

Os remadores mal haviam conseguido entrar em combate quando uma segunda onda de piratas começou a invadir a amura de boreste. A tripulação da galera rapidamente enfrentou os atacantes em uma massa de aço e carne.

Quando Arceliano pisou no convés principal, ficou horrorizado com a carnificina. Corpos sem vida e membros decepados espalhavam-se por toda parte em meio a poças crescentes de sangue. Sem experiência em batalha, ele involuntariamente parou por um instante, até um oficial aproximar-se correndo e gritar com ele.

— Corte as cordas de abordagem!

Avistando uma corda esticada que partia da borda da galera, ele se lançou à frente e cortou-a com a espada. Observou quando a corda cortada chicoteou de volta para o navio de velas azuis, cujo convés achava-se a alguns metros abaixo do seu. Então olhou pela balaustrada da galera e notou mais meia dúzia de cordas de abordagem presas ao navio pirata.

— Cortem as cordas! — ele gritou. — Vamos soltar o navio dos bárbaros.

As palavras caíram em ouvidos surdos, enquanto ele percebia que praticamente todos os tripulantes a bordo estavam atracados com os bárbaros em uma luta de vida ou morte. À popa da galera, observou mais encorajado, apenas o *celeusta* acompanhava-o naquele esforço, golpeando as cordas de abordagem com uma machadinha. Mas não havia tempo. No navio pirata que afundava lentamente, os bárbaros faziam um esforço decidido para embarcar em massa, compreendendo que o seu navio tinha pouco tempo à superfície.

Arceliano passou por cima de um companheiro agonizante, alcançou a corda seguinte e sem perda de tempo ergueu a espada. Antes que a lâmina descesse, ouviu um assobio no ar e então uma flecha de ponta afiada cravou-se no convés a poucos centímetros do seu pé. Ignorando-a, ele desferiu a lâmina contra a corda, depois ocultou-se atrás da balaustrada, enquanto outra flecha silvava acima da sua cabeça. Observando por cima da borda, avistou seu atacante, um arqueiro siliciano escorado no topo do mastro do navio pirata. O arqueiro já desviara a atenção para outro ponto além do remador e apontava a próxima flecha em direção à popa. Arceliano olhou horrorizado quando percebeu que o arqueiro apontava para o *celeusta,* que se achava prestes a cortar uma terceira corda de abordagem.

— *Celeusta!* — gritou o remador.

A advertência partiu tarde demais. A flecha alojou-se no peito do homenzinho, enterrando-se perto da sua aljava. O homem do tambor ofegou, depois caiu de joelhos, enquanto um jorro de sangue banhava o seu peito de vermelho. Em um ato final de lealdade, ele ainda golpeou a corda com a machadinha e depois caiu desfalecido.

O navio bárbaro afundava completamente, incitando uma onda final de invasores em direção à galera. Restavam apenas duas cordas de abordagem entre os dois navios, e não fazia sentido aos piratas salvar o arqueiro. Ainda encarapitado no mastro, ele tornou a apontar e a disparar contra Arceliano, enviando outra flecha, que assobiou por cima da sua cabeça.

Arceliano viu que as cordas de abordagem restantes estavam presas a meia-nau, embora os dois barcos se tocassem na popa e o combate se espalhasse para a retaguarda. Resolvido a apostar tudo, o remador correu agachado junto à balaustrada, na direção da primeira corda. Um bárbaro agonizante jazia ali perto, a barriga aberta em uma massa de carne exposta. O forte remador aproximou-se e agilmente ergueu o homem no ombro, depois virou-se e aproximou-se da corda de abordagem. Imediatamente, sentiu um baque quando a flecha alojou-se nas costas do bárbaro. Com a mão livre, Arceliano brandiu a espada e cortou a corda em duas partes e já uma segunda flecha enterrava-se em seu escudo humano. O remador desmoronou sobre o convés, rolando o bárbaro agora morto para fora do ombro enquanto prendia a respiração.

Praticamente fora do seu alcance, Arceliano avistou a última corda, presa ao cunho de um pau de carga a pouco mais de três metros acima da sua cabeça. Por cima da balaustrada, avistou o arqueiro inimigo, que finalmente abandonara o posto no mastro e descia na direção do convés. Aproveitando a oportunidade, Arceliano saltou e correu pelo convés da galera, subindo até a travessa de onde pendia a corda de abordagem. Recuperando o equilíbrio, ele começou a brandir a espada, mas faltou-lhe o impulso para o golpe.

A força divergente dos dois navios presos lado a lado no mar agitado era demais para ser suportada por uma única corda, e a fateixa de ferro soltou-se da junção do pau de carga. Com a corda subitamente liberada da tensão, a fateixa disparou como um projétil, girando em um arco raso em direção à água. As farpas aguçadas zumbiram ao passar por Arceliano, quase lhe provocando um ferimento sangrento. No entanto, a corda fez uma volta ao redor da sua coxa e arremessou-o para fora da balaustrada, lançando-o à água bem diante da proa do navio pirata.

Sem saber nadar, Arceliano debateu-se ferozmente, tentando manter a cabeça acima da superfície da água. Agitando-se para todos os lados, ele sentiu algo firme na água e agarrou-o com as duas mãos. Um pedaço do costado de madeira do navio pirata soltara-se durante a colisão inicial, um destroço grande o bastante para mantê-lo flutuando. O navio pirata de velas azuis repentinamente assomou acima dele e ele bateu os pés freneticamente para sair de seu caminho. Foi arrastado para bem longe da galera no processo, levado por uma corrente forte demais para resistir no seu estado enfraquecido. Batendo os pés cansados para manter a posição, ele observou de olhos arregalados quando o navio pirata recebeu uma rajada de vento e acelerou na direção da praia, o convés se sustentando pouco acima da superfície da água.

Momentos antes, enquanto Arceliano cortava as cordas de abordagem do bordo de boreste, Vitellus e um oficial subalterno haviam soltado as cordas do costado de bombordo, com exceção de uma fateixa remanescente perto da popa. Inclinando-se contra a cana do leme, com uma flecha projetando-se do seu ombro, o comandante chamou o centurião no navio ao lado.

— Plautius, volte a bordo — disse, em voz debilitada. — Estamos soltos.

O centurião e os seus legionários ainda combatiam ferozmente no navio pirata, embora o seu número de combatentes tivesse diminuído. Plautius puxou a espada ensanguentada do pescoço de um bárbaro e lançou um olhar rápido para a galera.

— Prossiga com a carga. Preciso impedir os bárbaros — ele gritou, enterrando a espada em outro atacante. Não havia mais do que três legionários em pé com ele, e Vitellus percebeu que seu fôlego não duraria muito tempo.

— A sua bravura ficará na história — gritou o capitão, cortando a última corda. — Adeus, centurião.

Livre do navio atacante ancorado, a galera saltou para a frente quando a sua única vela enfunou-se com a brisa. Com seu timoneiro já morto, Vitellus moveu com força o remo do leme no sentido da terra, sentindo que a mão escorregava em seu próprio sangue. Um silêncio estranho abateu-se sobre o convés, fazendo-o cambalear até a antepara à frente e olhar para baixo. A visão o deixou estonteado.

Espalhada por todo o convés, via-se uma massa de corpos inanimados e desmembrados, romanos e bárbaros misturados, em meio a uma enxurrada vermelha. Um número aproximadamente igual de atacantes e tripulantes havia se atracado, combatendo até a rigidez final da morte. Era a maior cena de carnificina de todas que já presenciara.

Abalado com a imagem e fraco pela perda de sangue, ele ergueu os olhos para o céu.

— Defende-te para o teu imperador — ofegou.

Retornando à popa, ele correu os braços em volta da cana do leme e ajustou o ângulo. Gritos de ajuda ecoavam de homens que flutuavam na água, mas o capitão manteve os ouvidos surdos enquanto o barco passava. Com os olhos errantes voltados para a terra à frente, ele se segurou ao leme com as últimas energias e lutou pelos momentos finais da sua vida.

**

ARRASTADO PELAS ÁGUAS AGITADAS, Arceliano ergueu os olhos surpresos enquanto via o navio romano navegar livremente, de repente seguindo em sua direção. Gritando por socorro, ele observou angustiado enquanto a galera passava deslizando por ele, ignorando-o, em completo silêncio. Um instante depois, avistou o perfil do navio enquanto se virava e viu com horror que não havia uma única alma em pé no convés principal. Só a figura solitária do comandante Vitellus era visível, curvado sobre a cana do leme na popa elevada. Então as velas do navio se enfunaram com o vento e a galera de madeira disparou na direção da praia, logo desaparecendo completamente da vista.

Junho de 1916
Portsmouth, Inglaterra

O ESTALEIRO NAVAL FERVILHAVA DE ATIVIDADE, apesar da umidade penetrante causada por uma chuva fina e fria. Os estivadores da Marinha Real trabalhavam celeremente embaixo de um guindaste movido a vapor, içando enormes quantidades de alimentos, suprimentos e munições para bordo de um monstruoso navio acinzentado atracado na doca. A bordo, os caixotes eram cuidadosamente estocados no porão de vante, enquanto uma multidão de marinheiros em pesados casacos de lã aprontava a embarcação para sair para o mar.

O HMS *Hampshire* continuava mantendo uma aparência impecável de novo, apesar de mais de uma década no mar e de sua participação recente na Batalha da Jutlândia. Um cruzador-couraçado de dez mil toneladas da classe Devonshire era um dos maiores navios da Marinha britânica. Equipado com uma dúzia de grandes canhões de convés, era também uma das belonaves mais mortais.

Em um armazém a uns quatrocentos metros do cais, um homem de cabelo louro parado ao lado de um tapume aberto observava através de um binóculo de latão o carregamento do navio. Continuou segurando o binóculo diante dos olhos por aproximadamente vinte minutos até a chegada de um Rolls-Royce verde, que atravessou todo o estaleiro e estacionou em frente à prancha de embarque principal. Ele acompanhou atentamente quando um grupo de oficiais do Exército em uniformes cáqui aproximou-se de repente, cercando o veículo e depois acompanhando os ocupantes enquanto subiam pela prancha de embarque. Pelos trajes que usavam, ele classificou os dois recém-chegados como um político e um oficial militar de alta patente. Observando de longe o semblante do oficial, sorriu consigo mesmo ao notar que o homem usava um bigode espesso.

— Está na hora de fazer a nossa entrega, Dolly — disse em voz alta.

Ele recuou para as sombras, onde o esperava uma velha carroça desgastada pelo tempo a que estava atrelado um animal de carga. Enfiou o binóculo sob o assento, subiu ao banco do cocheiro e bateu as rédeas. Dolly, uma égua cinzenta já idosa, ergueu a cabeça, contrariada, depois arrastou-se para a frente, puxando a carroça embaixo da chuva.

Minutos depois, os trabalhadores do estaleiro mal prestaram atenção quando o homem manobrou a carroça ao lado do navio. Vestido com um casaco de lã puído e calças batidas, com um chapéu baixo enterrado até as sobrancelhas, ele lembrava as dezenas de pobres locais que sobreviviam com trabalhos incertos aqui e ali. No caso, esse era um papel interpretado, aprimorado pela barba por fazer e um forte cheiro de uísque barato respingado nas roupas. Quando chegou o momento de agir, ele tornou a sua presença conhecida, adiantando Dolly até a base da prancha de embarque, efetivamente impedindo o seu uso.

— Tire essa porcaria do caminho — praguejou um tenente de rosto avermelhado que supervisionava o carregamento.

— Tenho uma entrega para o *Hampshire* — balbuciou o homem em um forte sotaque londrino.

— Mostre-me os seus documentos — exigiu o tenente.

O entregador enfiou a mão dentro do casaco e estendeu uma folha amassada de papel de carta timbrado. O tenente franziu a testa enquanto lia, depois abanou a cabeça lentamente.

— Isso não é uma fatura adequada de carregamento — disse, observando com atenção o entregador.

— Foi o que o general me deu. Isso e mais um troco — o homem respondeu com uma piscadela.

O tenente deu a volta e inspecionou o caixote, que era aproximadamente do tamanho de um caixão de defunto. No alto, via-se uma inscrição pintada com tinta preta:

Propriedade da Marinha Real
Aos cuidados de Sir Leigh Hunt
Enviado Especial ao Império Russo
A/C Consulado da Grã-Bretanha
Petrogrado, Rússia

— Hum — o oficial fungou, olhando de novo para o documento. — Bem, está assinado pelo general. Muito bem — disse afinal, devolvendo a folha de papel ao homem. Depois gritou na direção do estivador mais próximo. — Você, venha cá. Ajude a levar este caixão para bordo. E você, tire logo esta carroça daqui.

Depois de passada uma corda em volta do caixão, o guindaste de bordo içou-o contra o céu, passando-o por cima da balaustrada e depositando-o no porão de vante. O entregador dirigiu um cumprimento zombeteiro ao tenente, em seguida conduziu lentamente o animal para a saída do píer e para fora do estaleiro naval. Virando em uma ruazinha enlameada ali perto, atravessou a passo lento um pequeno distrito portuário repleto de armazéns, entrou por uma ruazinha irregular e estacionou a carroça ao lado de um chalé dilapidado. Um ancião com a perna estropiada saiu mancando de um celeiro vizinho.

— Fez a entrega? — indagou ao condutor.

— Fiz. Obrigado por me deixar usar a carroça e o animal — respondeu o homem, tirando uma nota de dez libras da carteira e estendendo-a ao camponês.

— Desculpe, senhor, mas isso é muito mais do que vale a minha égua — gaguejou o ancião, segurando a nota nas mãos como se fosse um bebê.

— E é uma bela égua — respondeu o homem, dando um tapinha de despedida no pescoço de Dolly. — Tenha um bom dia — disse ao camponês, tocando a aba do chapéu e, sem dizer mais nada, seguiu de volta pela ruazinha.

Virou na rua principal e caminhou por alguns minutos até ouvir o ruído de um automóvel aproximando-se na sua direção. Um sedã de passeio Vauxhall azul dobrou a esquina, depois diminuiu a marcha até parar ao lado dele. O entregador aproximou-se enquanto a porta traseira do sedã era aberta e saltou para dentro. Um homem de aparência séria em uma indumentária de pastor anglicano escorregou para o lado no assento traseiro para ceder espaço. Olhou para o recém-chegado com apreensão velada nos olhos cinzentos e opacos, depois estendeu a mão para uma garrafa de conhaque alojada em um console ao lado do assento. Em um copo de cristal, serviu uma dose generosa e ofereceu ao entregador, depois orientou o motorista a descer pela mesma rua.

— O caixão está a bordo? — indagou secamente.

— Sim, padre — o entregador respondeu em tom de reverência sarcástica. — Eles engoliram a falsa fatura de entrega e carregaram o caixão no porão de vante. — Não havia mais nenhum vestígio do sotaque londrino em sua fala. — Em setenta e duas horas, pode dar adeus ao seu ilustre general.

As palavras pareceram perturbar o pastor, embora fosse isso o que esperava. Em silêncio, enfiou a mão por dentro do sobretudo, de onde tirou um envelope recheado de cédulas bancárias.

— Como combinamos. Metade agora, metade depois do... evento — disse, entregando o envelope enquanto as suas palavras diminuíam de volume.

O entregador sorriu ao ver o grosso maço de dinheiro.

— Imagino se os alemães pagariam tudo isso para afundar um navio e assassinar um general — disse ele. — Por acaso não está a serviço do Kaiser no momento, ou será que está?

O pastor abanou firmemente a cabeça.

— Não, este é um assunto teológico. Se você tivesse sido capaz de encontrar o documento, isso não seria necessário.

— Procurei no solar três vezes. Se estivesse lá, eu teria encontrado.

— Foi o que me disse.

— Tem certeza de que foi levado a bordo?

— Fomos informados de que o general agendou uma reunião com o padre superior da Igreja Ortodoxa Russa em Petrogrado. Há pouco que duvidar quanto à sua finalidade. O documento deve estar a bordo. Será destruído juntamente com ele e, assim, o segredo silenciará.

Os pneus do Vauxhall tocaram os paralelepípedos molhados quando eles chegaram às imediações de Portsmouth. O motorista dirigiu no sentido do centro da cidade, passando por diversos quarteirões contínuos de casas altas de tijolos enfileiradas. Chegando a um cruzamento, ele manobrou o automóvel até a entrada de uma alameda que seguia por trás de uma igreja de pedra construída no século XIX, identificada como "St. Mary Church", quando a chuva aumentou de intensidade.

— Gostaria que me deixasse na estação ferroviária — disse o entregador, observando o grande automóvel passar ao lado de um cemitério no pátio da igreja e parar atrás da casa paroquial.

— Pediram que deixasse um sermão — replicou o ministro. — Não vai demorar mais do que um minuto. Por que não me acompanha?

O entregador reprimiu um bocejo enquanto olhava pela janela molhada pela chuva.

— Não, acho que vou esperar aqui, para não me molhar.

— Muito bem. Volto em um instante.

O ministro e o motorista afastaram-se, deixando o entregador contando o seu dinheiro de sangue. Enquanto tentava somar as notas do Bank of England, ele teve um problema para identificar os números e percebeu que a sua visão estava nublada. Sentiu uma onda de fadiga dominá-lo e rapidamente guardou o dinheiro, recostando-se no assento para descansar. Embora lhe parecesse que haviam se passado horas, apenas alguns minutos tinham transcorrido quando os respingos de água fria atingiram-lhe o rosto e ele fez um esforço para abrir as pálpebras pesadas. O rosto sério do pastor o fitava de cima, em meio à ducha da chuva. A mente lhe dizia que o corpo estava se movendo, mas ele não conseguia sentir as pernas. Concentrou os olhos enevoados o bastante para ver que o motorista o carregava pelas pernas, enquanto o pastor o amparava sob os braços. Um sentimento mudo de pânico varreu sua cabeça, e ele se empenhou em tirar a pistola Webley Bulldog do bolso. Mas os membros recusaram-se a responder. O conhaque, pensou com uma clareza momentânea. Fora o conhaque.

Uma copa de folhas verdes encheu a sua visão enquanto era carregado para um bosque de carvalhos altos. O rosto do pastor ainda dançava acima dele, uma máscara taciturna de indiferença iluminada por dois olhos frígidos. Depois, o rosto se distanciou, ou foi ele quem caiu. Ouviu, mais do que sentiu, o corpo despencar dentro de uma trincheira, chocando-se duramente contra o fundo enlameado. Deitado de costas, ergueu os olhos para o pastor, que permanecia lá no alto, exibindo uma aura distante de culpa.

— Perdoai os nossos pecados, em nome do Pai, do Filho e do Espírito Santo — ouviu o pastor pronunciar solenemente. — Aqueles que levamos para o túmulo.

A parte de trás de uma pá surgiu de repente, seguida de um grosso punhado de terra que caiu e se espalhou sobre o seu peito. Outra pá de terra tornou a vir e depois mais outra.

Seu corpo estava paralisado e a voz sufocada, mas a mente continuava a funcionar e a raciocinar. Chocado de horror, imediatamente ele compreendeu que estava sendo enterrado vivo. Lutou de novo para mover os membros, mas não houve resposta. Enquanto a terra se acumulava na sua sepultura, seus gritos de terror ecoaram apenas no pensamento, até o seu último suspiro ser dolorosamente sufocado.

* *

O periscópio fez um arco preguiçoso em meio à água escura e efervescente, a sua presença praticamente invisível na noite negra. A mais de dez metros abaixo da superfície, um primeiro-tenente naval alemão, de rosto de bebê, chamado Voss, girou lentamente o visor em uma curva completa de trezentos e sessenta graus. Ele se demorou em algumas luzes piscantes que se elevavam a distância. Eram as luzes dos lampiões de algumas casas de fazenda espalhadas na região do cabo Marwick, uma extensão frígida e batida pelo vento nas ilhas Órcadas. Voss quase dera toda a volta na sua busca pelo periscópio quando percebeu um brilho diminuto no horizonte oriental. Calibrando as lentes de visão para obter um foco mais nítido, acompanhou pacientemente o movimento constante da luz.

— Alvo provável a zero-quatro-oito graus — ele anunciou, esforçando-se para conter a empolgação na voz.

Diversos outros marinheiros de serviço na apinhada sala de controle do submarino reagiram ao ouvir as suas palavras.

Voss rastreou o objeto por vários minutos mais e, durante esse período, uma lua crescente apareceu brevemente através de um grupo de grossas nuvens de tempestade. Por um instante fugaz, o brilho do luar lançou claridade sobre o objeto, expondo as suas dimensões contra as colinas da ilha atrás de si. Voss sentiu o coração bater mais forte e notou que as palmas das mãos tornavam-se molhadas de suor nas manoplas do periscópio. Piscando forte, ele confirmou a imagem visual, depois afastou-se das lentes. Sem dizer uma palavra, saiu correndo da sala de controle, abrindo caminho pelo corredor estreito do submarino. Ao chegar à cabine do comandante, bateu com força na antepara, depois abriu uma cortina delicada.

O comandante Kurt Beitzen estava dormindo em seu beliche, mas acordou no mesmo instante e acendeu uma lâmpada de cabeceira.

— *Kapitän,* avistei um grande navio aproximando-se de sudeste, a cerca de dez quilômetros de distância. Por um instante, consegui ver o seu perfil. Um navio de guerra britânico, possivelmente um encouraçado — relatou Voss, empolgado.

Beitzen inclinou a cabeça enquanto se sentava no beliche, pondo de lado um cobertor. Dormira vestido e rapidamente calçou um par de botas, depois acompanhou o imediato até a sala de controle. Oficial de submarino experiente, Beitzen fez uma demorada observação através do periscópio, depois gritou uma série de coordenadas.

— É um navio de guerra — confirmou sem mais delongas. — Este quadrante está livre de minas?

— Está — respondeu Voss. — A última deposição de minas foi a trinta quilômetros ao norte daqui.

— Preparar para o ataque — ordenou Beitzen.

Beitzen e Voss aproximaram-se de uma mesa de navegação de madeira, na qual plotaram um curso de interceptação preciso e distribuíram ordens ao timoneiro. Embora submerso, o submarino arfava e cabeceava em razão da agitação das águas acima deles, tornando a tarefa urgente mais estressante.

Construído nos estaleiros de Hamburgo, o U-75 era um submarino classe UE-1, projetado basicamente para colocar minas no fundo do mar. Além de um grande estoque de minas, carregava quatro torpedos e um poderoso canhão de convés de 105 mm. A sua missão de colocação de minas estava quase concluída, e nenhum dos tripulantes esperava um confronto com um navio de guerra inimigo.

Sob o comando de Beitzen, o U-75 estava apenas na sua segunda missão desde que fora lançado ao mar, seis meses antes. A singradura atual já alcançara um sucesso relativo, uma vez que as minas depositadas pelo submarino tinham afundado um pequeno navio mercante e duas traineiras de pesca. Mas agora era o seu primeiro contato com uma presa de maior estatura. Rapidamente, entre os tripulantes, espalhou-se a notícia de que tinham um navio de guerra britânico na mira, levando a concentração e a tensão aos mais altos níveis. O próprio Beitzen sabia que um feito desses lhe garantiria uma Cruz de Ferro.

O comandante alemão guiou cuidadosamente o submarino para uma posição perpendicular ao cabo Marwick. Se o navio de guerra mantivesse o seu curso, passaria dentro de uns seiscentos metros ao largo do submarino à espreita. Os torpedos dos submarinos só tinham um alcance preciso a menos de oitocentos metros, necessitando de uma posição de tiro preocupantemente próxima. Na Primeira Guerra Mundial, na realidade, a maioria dos navios mercantes foi afundada pelos canhões de convés dos submarinos. O U-75 não contava com essa opção contra o cruzador fortemente armado, em especial em águas tão agitadas como no momento.

Posicionado para o disparo, o comandante colocou-se ao periscópio, esperando a passagem da presa. Outro clarão do luar revelou que o *Oberleutnant* acertara quase na mosca. O navio parecia ser um cruzador-couraçado, um pouco menor do que os temíveis encouraçados *dreadnoughts.*

— Tubos um e dois, preparar para disparar — comandou Beitzen.

O cruzador achava-se agora a menos de dois quilômetros de distância, seu tamanho imponente praticamente ocupando todo o horizonte. Sem perda de tempo, Beitzen verificou de novo o perfil de disparo dos torpedos, depois voltou a observar o alvo. O navio aproximava-se rapidamente do seu alcance de impacto.

— Abrir as comportas — ordenou.

Segundos depois, a resposta ao comando varreu a sala de controle silenciosa.

— Comportas abertas.

— Tubos um e dois prontos.

— Preparados — foi a resposta.

Beitzen acompanhou o cruzador pelo periscópio, esperando pacientemente enquanto a tripulação em torno dele prendia a respiração. Continuou observando até que a grande superfície do navio assomasse diretamente à frente. Beitzen entreabriu os lábios para dar o comando de disparo quando um forte clarão de repente tomou conta das suas lentes. Um segundo depois, uma explosão surda reverberou pelas anteparas de aço do submarino.

Beitzen olhou perplexo através do periscópio enquanto as chamas e a fumaça brotavam do cruzador, iluminando o céu noturno com um clarão vermelho intenso. O grande navio de guerra estremeceu e balançou, e depois a sua proa embrenhou-se na escuridão das ondas. A popa ergueu-se rapidamente, pendeu suspensa no ar por breves instantes, depois seguiu a proa na descida para o fundo do mar. Em menos de dez minutos o cruzador gigantesco tinha desaparecido completamente da vista.

— Voss... você tem certeza de que não existem minas neste quadrante? — indagou o comandante, em voz rouca.

— Sim, senhor — respondeu o oficial, tornando a verificar uma carta de posicionamento de minas.

— O navio se foi — murmurou finalmente o comandante à tripulação ansiosa, à espera das suas ordens. — Fechem as comportas e mantenham a submersão.

Enquanto a tripulação desapontada executava as tarefas, o comandante continuou pendurado ao periscópio, olhando sem compreender através das lentes. Um punhado de sobreviventes escapara em barcos salva-vidas, mas ele não podia fazer nada para ajudá-los naquelas águas agitadas. Observando o mar negro e vazio à frente, ele fez um esforço para encontrar uma resposta. No entanto, nenhuma delas fazia sentido. Os navios de guerra não explodiam assim, simplesmente, por si mesmos.

Um longo tempo transcorreu até Beitzen recuar do periscópio e retornar em silêncio à sua cabina. Destinado a morrer posteriormente na guerra, ele nunca saberia o motivo verdadeiro pelo qual o *Hampshire* explodira. Mas até os últimos dias o jovem *Kapitän* jamais conseguiu afastar da lembrança as imagens finais do cruzador, quando o imenso navio de guerra fora a pique aparentemente sem motivo algum.

PARTE I

O SONHO OTOMANO

1

Julho de 2012
Cairo, Egito

O SOL DO MEIO-DIA ARDIA por toda a superfície da densa camada de poeira e poluentes que, como um cobertor sujo, pairava sobre a cidade antiga. Com a temperatura bem acima dos trinta e oito graus, poucas pessoas perambulavam sobre as pedras quentes que pavimentavam o pátio central da mesquita al-Azhar.

Situada na região leste do Cairo, a pouco menos de três quilômetros do Rio Nilo, al-Azhar era um dos prédios históricos mais antigos da cidade. Erigida originariamente no ano de 970 d.C. pelos conquistadores fatímidas, a mesquita fora reconstruída e ampliada ao longo dos séculos, acabando por alcançar a posição de quinta mesquita mais importante do islamismo. As rebuscadas gravações na pedra, os altos minaretes e as flechas com um domo em formato de cebola destinavam-se a chamar a atenção dos olhos, refletindo mil anos de perícia artística. No meio das suas muralhas de pedras como as de uma fortaleza, a peça central do conjunto era um amplo pátio retangular cercado por todos os lados por arcadas elevadas.

À sombra de um pórtico arqueado, um homem magro de calça bufante e camisa folgada limpou as lentes dos óculos escuros, depois correu os olhos pelo pátio. No calor do dia, apenas jovens em número reduzido caminhavam por ali, examinando a arquitetura ou perambulando em meditação silenciosa. Eram estudantes da adjacente Universidade de al--Azhar, uma importante instituição de ensino do islamismo no Oriente Médio. O homem tocou a barba espessa que cobria a sua face jovial, depois ergueu uma mochila gasta sobre o ombro. Com um *keffiyeh* de algodão branco atado ao redor da cabeça, ele passava facilmente por apenas mais um estudante de teologia.

Saindo para a luz do sol, ele atravessou o pátio na direção da arcada de sudeste. A fachada acima dos arcos em forma de quilha invertida formava uma série de medalhões ornamentados e nichos cortados no estuque, os quais, ele notou, tinham se tornado pontos de abrigo de alguns pombos locais e de formação dos seus ninhos. Ele se encaminhou na direção do arco central destacado, encimado por um alto painel retangular, que indicava a entrada do salão de orações.

O chamado para o *salat* ou oração do meio-dia acontecera quase uma hora antes, deixando o amplo salão de orações praticamente vazio. Do lado de fora do vestíbulo de entrada, um grupinho de estudantes achava-se sentado de pernas cruzadas no chão, ouvindo uma preleção de um professor universitário sobre o Alcorão. Contornando sem pressa o grupo, o homem aproximou-se da entrada do salão. Ali encontrou um porteiro idoso barbado, de túnica branca, que o observou com severidade. O visitante tirou os sapatos e ofereceu em silêncio uma prece a Maomé, depois continuou com um aceno com a cabeça para o porteiro.

O salão de orações era uma vastidão coberta de tapetes vermelhos e juncada por dezenas de pilastras de alabastro erguidas em direção ao teto iluminado. A exemplo da maioria das mesquitas, não se viam bancos ou altares ornamentados que proporcionassem alguma orientação. Os desenhos com a forma de cúpulas nos tapetes, delimitando as posições individuais dos fiéis, apontavam para a frente do salão. Notando que o porteiro barbado não prestava mais atenção à sua presença, o visitante rapidamente abriu caminho entre as pilastras.

Aproximando-se de vários fiéis ajoelhados em oração, ele avistou do outro lado do salão o *mihrab*, um nicho muitas vezes despretensioso escavado na parede das mesquitas, que indicava a direção de Meca. O *mihrab* de al-Azhar fora aberto na pedra macia e arqueado com um engaste ondulado de pedra negra e marfim que tinha um desenho quase moderno.

Avançando para o pilar mais próximo do *mihrab,* o homem abaixou a mochila, depois inclinou-se sobre o tapete em uma oração. Passados vários minutos, afastou delicadamente a mochila para o lado, até que ela encostasse na base do pilar. Avistando uma dupla de estudantes que se encaminhava na direção da entrada, ele se levantou e acompanhou-os até o vestíbulo, onde tornou a calçar os sapatos. Passando pelo ancião barbado, murmurou:

— *Allahu Akbar* — depois retornou rapidamente ao pátio.

Por algum tempo, fingiu admirar uma roseta na fachada, depois rapidamente seguiu seu caminho até o Portão do Barbeiro, que levava para a parte exterior do prédio da mesquita. A alguns quarteirões dali, acomodou-se em um pequeno carro alugado estacionado na rua e dirigiu no sentido do Nilo. Atravessando um bairro industrial encardido, entrou no estacionamento de um velho pátio de tijolos em ruínas e parou atrás de um pavilhão de cargas abandonado. Lá, despiu a calça folgada e a camisa, revelando a calça jeans e a blusa de seda que vinha usando por baixo. Em seguida tirou os óculos, juntamente com a peruca e a barba postiça. O estudante muçulmano deixava de existir, substituído por uma mulher atraente de pele olivácea com olhos escuros penetrantes e cabelo preto cortado em um esmerado penteado curto. Depois de atirar o disfarce dentro de um latão de lixo enferrujado, voltou a sentar-se no veículo e misturou-se ao trânsito arrastado do Cairo, afastando-se do Nilo na direção do Aeroporto Internacional, na região nordeste da cidade.

Ela se achava na fila do balcão de registro de embarque quando a mochila detonou. Uma nuvenzinha branca ergueu-se acima da mesquita al-Azhar quando o teto do salão de orações rompeu-se com a explosão e caiu despedaçado com o *mihrab* em uma pilha de escombros. Embora a detonação tivesse sido programada para acontecer na presença dos fiéis diurnos, vários estudantes e funcionários da mesquita foram mortos e mais algumas dezenas feridos.

Passado o choque inicial, a comunidade muçulmana do Cairo sentiu-se indignada. Antes de mais nada, a culpa pelo atentado foi atribuída a Israel e depois outros países ocidentais tornaram-se o alvo da sua ira quando ninguém reivindicou a autoria da explosão. Em algumas semanas, o salão de orações foi reconstruído e um novo *mihrab* reinstalado. Mas, para os muçulmanos de todo o Egito e do mundo inteiro, a indignação pelo ataque a um local tão sagrado perdurou por muito mais tempo. Poucos puderam perceber, porém, que o ataque fora apenas a primeira salva em uma conspiração estratégica que tentaria alterar o domínio sobre a região.

2

— Pegue a faca e corte de uma vez.

O semblante do pescador grego transformara-se em uma carranca de raiva quando estendera ao filho a faca serrilhada enferrujada. O adolescente tirou o calção, depois saltou pela borda do barco, a faca firmemente segura na mão.

Fazia quase duas horas que a rede de pesca da traineira enroscara-se no fundo, para surpresa do velho marinheiro grego, que tantas vezes, sem problema algum, pescara de arrasto naquelas águas. Ele conduzira o barco em todas as direções, esperando conseguir soltar a rede, praguejando em voz cada vez mais alta à medida que a sua frustração aumentava. Por mais que tentasse, a rede teimava em continuar enganchada. Cortar uma parte dela seria uma perda considerável, mas de má vontade o pescador resignara-se a um dos reveses típicos da sua ocupação e mandara o filho saltar pela borda da embarcação.

As águas da parte oriental do Mar Egeu, embora varridas pelo vento à superfície, eram mornas e transparentes, e a nove metros de profundidade o rapaz conseguia ver o fundo com relativa nitidez. No entanto, ainda estava além da sua capacidade física mergulhar àquela profundidade sem equipamento, assim deteve-se a certa altura da descida e atacou as malhas da rede com a faca. Foram precisos vários mergulhos até que o último cordão estivesse livre e o rapaz surgisse à superfície com as malhas danificadas, exausto e sem fôlego. Ainda lamentando o prejuízo, o pescador guinou o barco para oeste e zarpou na direção de Quios, uma ilha grega próxima ao continente turco, que se erguia das águas azul-turquesa a pequena distância dali.

A uns quatrocentos metros mais para o mar aberto, um homem observava com curiosidade os apuros do pescador. Era de compleição alta e esguia, ainda que robusta, a pele profundamente bronzeada pelos anos passados no mar. Baixando o antiquado telescópio de latão, exibiu um par de olhos verde-mar que cintilavam com inteligência. Eram olhos reflexivos, endurecidos pela adversidade e por numerosos encontros com a morte, ainda que se abrandassem facilmente com o humor. O homem correu a mão pelo cabelo espesso e escuro como o ébano, entremeado de fios acinzentados, depois entrou no passadiço do navio de pesquisas *Aegean Explorer*.

— Rudi, já investigamos um bom trecho do fundo entre esta nossa posição e Quios, não é? — perguntou.

Um homenzinho de óculos de armação de chifre ergueu os olhos da tela do computador e inclinou a cabeça, concordando.

— Sim, a nossa última grade cobria uma milha da costa oriental. Com a ilha grega situada a menos de cinco milhas da Turquia, nem faço mais ideia de em que águas nos encontramos. Tínhamos quase noventa por cento da grade concluída quando o sensor traseiro do AUV atingiu uma foca e encheu-se de água salgada. Vamos perder no mínimo mais duas horas até os técnicos consertarem as avarias.

O veículo subaquático autônomo, ou AUV, era um robô com o formato de um torpedo, recheado de equipamento sensor que era mergulhado pela borda lateral da embarcação de pesquisas. Com propulsão própria e pré-programado para seguir um percurso de investigação predeterminado, o AUV navegava pouco acima do leito do mar, coletando dados que eram periodicamente transmitidos para o navio-base na superfície.

Rudi Gunn retomou a sua atividade no teclado. Vestido como se encontrava, com uma camiseta gasta e calção xadrez, ninguém adivinharia que se tratava do vice-diretor da NUMA, Agência Nacional Marítima e Subaquática, uma importante organização do governo norte-americano, responsável pelo estudo científico dos oceanos em todo o mundo. Normalmente, Gunn mantinha-se confinado na sede da NUMA em Washington em vez de atuar a bordo de um dos navios de casco azul-turquesa que a agência usava para coletar informações sobre a vida marinha, as correntes marítimas e a poluição ambiental. Embora fosse um administrador competente, ele gostava de fugir da agitação da capital nacional e atacar com as próprias mãos o trabalho de campo, em especial quando essas escapadas se davam na companhia do chefe.

— Que tipo de contornos de fundo vimos nos baixios por aqui?

— O típico das ilhas locais. Uma plataforma inclinada estendendo-se até alto-mar por uma curta distância, para depois mergulhar abruptamente a profundidades de até uns cem metros. Por aqui, no momento, estamos com uma lâmina de água de cerca de trinta e seis metros. Pelo que me lembro, esta área tem o fundo todo arenoso, com poucas obstruções.

— Foi o que pensei — respondeu o homem, uma centelha faiscando no olhar.

Gunn percebeu a expressão do chefe e disse:

— Será que estou detectando uma trama complexa desenhando-se nos seus pensamentos?

Dirk Pitt deu uma risada. No cargo de diretor da NUMA, liderara dezenas de explorações subaquáticas, com resultados extraordinários. Desde içar o *Titanic* até a descoberta dos navios da perdida Expedição Franklin ao Ártico, Pitt tinha uma habilidade incomum para desvendar os mistérios das profundezas. Um homem serenamente confiante e com uma curiosidade insaciável, enamorara-se do mar desde a mais tenra idade. A atração nunca diminuíra e o arrastava para fora da sede da NUMA, em Washington, com certa regularidade.

— É um fato bem conhecido — disse, com ar divertido — que a maioria dos naufrágios próximos da costa foi encontrada pelas redes dos pescadores locais.

— Naufrágios? — retrucou Gunn. — Segundo me lembro, o convite do governo turco para nós foi para localizar e estudar o impacto da maré vermelha registrada nas suas águas costeiras. Não houve nenhuma menção à busca de naufrágios.

— Eu apenas deixo as coisas acontecerem naturalmente.

— Bem, oficialmente, estamos sem o que fazer no momento. Quer que baixe o ROV pela borda?

O veículo submarino operado remotamente, ou ROV, era um minissubmarino não tripulado e acionado de bordo, utilizado na exploração e pesquisa até grandes profundidades.

— Não, a rede do nosso vizinho pescador ficou presa ao alcance de um mergulho.

Gunn consultou o relógio.

— Pensei que fosse partir dentro de duas horas para passar o fim de semana em Istambul com a sua esposa.

— Há tempo mais do que suficiente para um mergulho rápido a caminho do aeroporto — disse Pitt com um sorriso maroto.

— Então imagino o que isso significa — respondeu Gunn, abanando a cabeça resignadamente. — Devo ir acordar o Al.

* *

Vinte minutos depois, Pitt atirava a mochila, com a bagagem necessária para uma noite fora, para dentro de um inflável Zodiac que balançava ao longo do costado do *Aegean Explorer,* e em seguida descia pela escada retrátil até o bote. Assim que se sentou, um homem baixo e atarracado na popa do barco acionou o acelerador do motor de popa e o bote de borracha afastou-se rapidamente do navio.

— Quanto acha que deve dar até o fundo? — gritou Al Giordino, as teias de aranha da *siesta* da tarde ainda se desfazendo nos olhos castanho-escuros.

De acordo com o rumo visual que calculara usando vários pontos de referência em terra na ilha vizinha, Pitt orientara Giordino para perto da costa em um ângulo bem definido. Eles haviam seguido a motor por uma curta distância até Pitt ordenar que cortasse a aceleração. Depois atirara uma pequena âncora pela proa, amarrando-a assim que o cabo afrouxara.

— Pouco mais de trinta metros — observou, lançando um olhar para uma fita vermelha amarrada ao cabo que era visível embaixo da água.

— E exatamente o que espera encontrar lá embaixo?

— Qualquer coisa, desde uma pilha de pedras até o *Britannic* — respondeu Pitt, referindo-se ao navio gêmeo do *Titanic,* que fora afundado por uma mina no Mediterrâneo durante a Primeira Guerra Mundial.

— Aposto tudo nas pedras — respondeu Giordino, vestindo o traje de mergulho azul, cujas costuras eram conhecidas dos seus ombros e bíceps bronzeados.

Intimamente, Giordino sabia que deveriam encontrar algo mais interessante do que uma saliência de pedras no fundo. Pela antiga convivência que tinha com Pitt, devia acreditar no inequívoco sexto sentido do amigo quando se tratava de mistérios subaquáticos. Os dois se conheciam desde a infância, no sul da Califórnia, onde haviam aprendido a mergulhar ao largo de Laguna Beach. Após servirem juntos na Força Aérea, acabaram sendo designados para um recém-criado departamento federal destinado à pesquisa dos oceanos. Um grande número de projetos e aventuras depois, Pitt agora chefiava a imensamente ampliada agência, conhecida como NUMA, enquanto Giordino continuava a acompanhá-lo, no cargo de diretor de Tecnologia Subaquática.

— Vamos fazer um círculo de busca alongado a partir do cabo da âncora — sugeriu Pitt, enquanto afivelavam os tanques de ar comprimido. — O meu rumo considerou o ponto de enrosco da rede um pouco mais para perto da costa em relação à nossa posição.

Giordino aquiesceu, depois acomodou o registro regulador na boca e deixou-se cair de costas pela borda do Zodiac, mergulhando na água. Pitt submergiu um segundo depois e os dois homens seguiram o cabo da âncora até o fundo.

As águas azuis do Mar Egeu eram admiravelmente límpidas, e Pitt não teve dificuldade para ver até uns quinze metros ou mais à frente. Quando se aproximaram do fundo um pouco às escuras, ele constatou com alguma satisfação que o leito do mar era plano, em uma combinação de cascalho e areia. A avaliação de Gunn estava correta. O mar parecia naturalmente livre de obstruções.

Os dois homens se distanciaram, afastando-se pouco mais de dez metros logo acima do leito do mar, e nadaram formando um arco folgado pelo mar ao redor do cabo da âncora. Um pequeno cardume de robalos passou pelos mergulhadores, observando-os com desconfiança, e depois dardejou para longe em direção ao alto-mar. Enquanto eles guinavam em direção a Quios, Pitt notou que Giordino lhe fazia sinais com a mão. Batendo as pernas com alguma violência, Pitt nadou rapidamente para perto dele e encontrou o parceiro apontando para uma grande forma à frente.

Era uma sombra alta amarronzada, que parecia oscilar na semiobscuridade. A imagem lembrou a Pitt uma árvore inclinada pelo vento, os ramos com as folhas projetando-se em direção ao céu. Nadando mais para perto, ele concluiu que não se tratava de uma árvore, mas dos remanescentes da rede do pescador, oscilando preguiçosamente na correnteza.

Atentos para não se enroscar, os dois mergulhadores aproximaram-se cautelosamente, posicionando-se a montante da correnteza. Pitt notou que a rede enganchara-se em um ponto isolado, que se destacava logo acima do leito do mar. Em meio a uma vala rasa aberta no fundo de cascalho e areia, projetava-se verticalmente o que parecia ser um mastro, no qual a rede permanecia enroscada. Aproximando-se da obstrução, ele viu que se tratava da haste de uma âncora de ferro corroída, com o formato de um "T" e pouco mais de um metro e meio de comprimento. A âncora achava-se inclinada para um lado, uma das patas, ao redor da qual a rede do pescador enroscara-se sem salvação, apontando em direção à superfície, enquanto a outra pata continuava enterrada no leito do mar. Pitt esticou o braço e espanou com a mão a areia ao redor da base, revelando que a pata enterrada encaixava-se entre uma viga grossa de madeira e uma estrutura transversal de menor espessura. Ele já havia explorado suficientes naufrágios para reconhecer a viga grossa como sendo a quilha de um navio.

Contornando com cuidado a malha da rede, observou o sulco largo e raso que fora escavado recentemente no leito do mar. Giordino já pairava sobre o sulco, acompanhando-o até o ponto onde principiava. A exemplo de Pitt, ele já deduzira o que acontecera. A rede de pesca se enroscara na âncora em uma extremidade dos destroços e a arrastara ao longo da linha da quilha até ficar presa em uma caverna do casco e imobilizar-se naquele ponto. Inadvertidamente, a ação expusera grande parcela de um naufrágio antigo.

Pitt nadou em direção a Giordino, que espanava a areia de uma saliência comprida. Afastando os sedimentos que a encobriam, seus dedos revelaram diversos trechos das cavernas da embarcação, as peças curvas que davam a forma do casco presas à quilha. Com uma expressão radiante, Giordino olhou para dentro da máscara de Pitt e abanou a cabeça. Graças à sua sensibilidade para tesouros subaquáticos, Pitt farejara um naufrágio, e bem antigo, pelo que podiam observar no momento.

Descobrindo partes e peças enquanto varriam todo o perímetro, eles conseguiram avaliar que a embarcação devia ter uns quinze metros de comprimento e que o convés superior se desmanchara havia muito tempo. Na realidade, a maior parte do navio desaparecera, apenas algumas partes do casco foram poupadas da decomposição. À popa, porém, partes de diversos compartimentos podiam ser adivinhadas sob a areia macia. Por toda parte viam-se restos do naufrágio: pratos de cerâmica, azulejos e fragmentos de cerâmica não vitrificada, embora não se pudesse precisar qual teria sido a carga verdadeira do navio.

Com o tempo de mergulho se esgotando, os dois retornaram à popa do navio e afastaram mais algumas partes da superfície de cascalho e areia, em busca de algo que os ajudasse a identificar o barco destroçado. Cutucando uma área entre madeiras soltas, Giordino deu com os dedos em um objeto chato coberto pela areia e escavou um pouco mais até encontrar uma pequena caixa de metal. Levantando-a à altura da máscara, identificou um mecanismo de ferrolho incrustado na frente, com o pino praticamente todo comido pela corrosão. Guardando cuidadosamente a caixa dentro de uma sacola de mergulho, ele consultou o cronômetro e depois nadou para perto de Pitt, fazendo sinal de que pretendia subir à superfície.

Quando Giordino se aproximou, Pitt acabara de descobrir uma fileira de potes de barro quase intactos. No momento em que se virou para acompanhar Giordino à superfície, um pequeno lampejo na areia chamou-lhe a atenção. A cintilação provinha do outro lado dos potes, onde as suas nadadeiras tinham levantado algum sedimento do fundo. Pitt nadou até lá e espanou mais um pouco da areia, expondo uma extensão plana de cerâmica. Embora a peça estivesse coberta de concreções, ele pôde ver que o desenho apresentava um motivo floral rebuscado. Mergulhando os dedos na areia, concluiu que segurava as bordas de uma caixa retangular, que com cuidado puxou para fora.

O recipiente de cerâmica tinha quase o dobro do tamanho de uma caixa de charutos, os lados planos decorados com um desenho azul e branco que combinava com a tampa. A caixa parecia pesada para o seu tamanho, e Pitt guardou-a com cuidado embaixo de um braço antes de bater as nadadeiras rumo à superfície.

Uma brisa vespertina constante soprava do noroeste, levantando cristas espumosas da água do mar. Giordino já se encontrava a bordo do Zodiac, recolhendo a âncora, quando Pitt apareceu. Ele saltou sobre a borda do bote de borracha e estendeu a caixa a Giordino, depois subiu a bordo e se desvencilhou do equipamento de mergulho.

— Acho que está devendo uma caixa de ouzo àquele pescador — disse Giordino, dando a partida no motor de popa.

— Com certeza, ele nos indicou um destroço interessante — respondeu Pitt, secando o rosto com uma toalha.

— Não chega a ser um destroço carregado de ânforas da Idade do Bronze, mas ainda parece bem antigo.

— Possivelmente medieval — supôs Pitt. — Uma criança, segundo os padrões de naufrágios mediterrâneos. Vamos até a praia ver o que encontramos.

Giordino acelerou o motor, manobrando o Zodiac sobre as ondas, depois guinou na direção da ilha vizinha. Quios propriamente dita ficava a umas duas milhas de distância, mas eles preferiram subir mais três milhas pela costa e entrar pela enseada calma de uma modorrenta aldeia de pescadores chamada Vokaria. Depois de atracarem no velho píer carcomido, que parecia ter sido construído durante a Era da Vela, Giordino atirou uma toalha por cima do pavimento, onde Pitt estendeu os dois artefatos.

Os dois itens achavam-se cobertos por uma camada de concreção arenosa, acumulada ao longo de séculos sob a água. Pitt encontrou uma mangueira de água doce perto dali e cuidadosamente esfregou uma parte do muco acumulado sobre a caixa de cerâmica. Livre da sujeira e levantada à luz do sol, ela brilhava diante dos olhos. Um desenho floral intrincado nas cores azul-escuro, roxo e turquesa se destacava de um fundo muito branco.

— Parece um tanto marroquino — disse Giordino. — Dá para abrir a tampa?

Cuidadosamente, Pitt puxou com os dedos a tampa para cima. Encontrando uma leve resistência, ele a forçou a abrir-se. Dentro, a caixa estava tomada por água suja, juntamente com um objeto oblongo que emitia um brilho fraco através do líquido escuro. Com delicadeza, Pitt inclinou a caixa para um lado, para drenar o conteúdo.

Com a outra mão, puxou para fora um objeto semicircular pesadamente incrustado. Para seu espanto, conseguiu ver que se tratava de uma coroa. Pitt ergueu-a com cuidado, sentindo o peso da sua constituição de ouro sólido, o metal brilhando nas partes livres de sedimentos.

— Já viu uma coisa dessas? — maravilhou-se Giordino. — Parece uma coroa saída diretamente da época do rei Artur.

— Ou quem sabe de Ali Babá — respondeu Pitt, olhando para a caixa de cerâmica.

— Aquele deve ser o naufrágio de um navio mercante incomum. Acha que poderia ser algum tipo de embarcação real?

— Tudo é possível — respondeu Pitt. — Parece que alguém importante viajava a bordo.

Giordino segurou a coroa e colocou-a na cabeça de um jeito alegre, jovial.

— Rei Al, a seu serviço — disse, com um aceno do braço. — Aposto que conseguiria uma bela moça local usando isto.

— Juntamente com alguns homens de jalecos brancos — caçoou Pitt. — Vamos dar uma olhada no seu cofre.

Giordino devolveu a coroa à caixa de cerâmica, depois pegou a caixinha de ferro. Assim que a segurou, o ferrolho corroído se abriu, caindo sobre a toalha.

— A segurança não era lá essas coisas — ele murmurou, devolvendo a caixa à superfície.

Imitando Pitt, ele forçou as bordas da tampa com os dedos, até fazê-la saltar com um pequeno estalido. Só uma pequena quantidade de água do mar ocupava o seu interior, pois o recipiente estava repleto de moedas quase até a borda.

— Acho que ganhamos na loteria — ele sorriu com sarcasmo. — Quem sabe conseguimos antecipar a nossa aposentadoria.

— Não, obrigado — respondeu Pitt. — Prefiro não passar os meus anos de aposentado em uma prisão turca.

As moedas eram feitas de prata e estavam bastante corroídas, várias delas grudadas umas nas outras. Pitt alcançou o fundo da pilha e puxou uma que rebrilhava, uma moeda de ouro solta, imune aos efeitos da corrosão. Ele levantou-a à altura dos olhos, observando um selo irregular, indicativo da cunhagem por forja. Os caracteres arábicos enviesados eram parcialmente visíveis dos dois lados, circundados por um anel serrilhado. Pitt só podia imaginar a idade e a origem da moeda. Os dois homens examinaram com curiosidade as outras, que nas suas condições revelavam poucos caracteres.

— Com base nas nossas evidências limitadas, acho que temos nas mãos um naufrágio otomano de algum tipo — declarou Pitt. — As moedas não parecem bizantinas, o que significa o século XV ou depois disso.

— Alguém deve ser capaz de datar esse material com precisão.

— As moedas foram um achado de sorte — concordou Pitt.

— Eu sugeriria que financiemos o projeto por mais um mês e assim não precisamos voltar a Washington.

Uma velha caminhonete Toyota aproximou-se do atracadouro, freando bruscamente diante dos dois homens. Um jovem sorridente de orelhas grandes saltou do veículo.

— Pediram uma corrida até o aeroporto? — perguntou, com hesitação.

— Sim, sou eu — disse Pitt, pegando a mochila do Zodiac.

— E quanto aos nossos achados? — perguntou Giordino, embrulhando cuidadosamente os objetos na toalha antes que o motorista pusesse os olhos neles.

— Vão comigo a Istambul, acho. Conheço o diretor de Estudos Marítimos do Museu de Arqueologia de Istambul. Ele encontrará o lugar certo para os artefatos e com certeza nos dirá o que encontramos.

— Acho que isso significa uma noite agitada em Quios para o rei Al — disse Giordino, entregando a toalha a Pitt.

Pitt olhou para a aldeia pacata ao redor do porto, depois saltou para dentro da caminhonete parada.

— Para ser franco — disse, enquanto o motorista engatava a marcha —, não sei se Quios está preparada para o rei Al.

3

O avião da ponte aérea pousou no Aeroporto Internacional de Atatürk, em Istambul, pouco antes do anoitecer. Contornando rapidamente uma grande quantidade de jatos Jumbo comerciais, como um mosquito em meio a um enxame de abelhas, o aviãozinho taxiou até se deter em uma vaga vazia diante de um terminal e estacionou.

Pitt foi um dos últimos passageiros a desembarcar do avião, mal entrara no terminal azulejado quando uma mulher alta e atraente de cabelo cor de canela atirou-se sobre ele.

— Você me deixou esperando aqui — disse Loren Smith, afastando-se depois de um abraço apertado. — Pensei que não viesse mais. — Seus olhos cor de violeta fulguraram de alívio enquanto admirava o marido.

Pitt prendeu-a com o braço em torno da cintura e deu-lhe um longo beijo.

— Um problema com o pneu do avião atrasou a nossa partida. Esperou por muito tempo?

— Menos de uma hora. — Ela enrugou o nariz e umedeceu os lábios. — Você está salgado.

— Al e eu encontramos um naufrágio a caminho do aeroporto.

— Eu devia ter adivinhado — disse ela, depois dirigiu-lhe um olhar de repreensão. — Não foi você quem disse que voar e mergulhar não combinam?

— É verdade. Mas o teco-teco em que viajei mal subia a mais de 300 metros de altitude.

— Apronte alguma comigo enquanto estivermos em Istambul e eu mato você — disse ela, aconchegando-se mais a ele. — O naufrágio tinha alguma coisa de interessante?

— Parece que sim.

Ele levantou a mochila em que levava os artefatos embrulhados.

— Encontramos dois artefatos que devem ser de grande interesse. Convidei o doutor Rey Ruppé, do Museu de Arqueologia de Istambul, para jantar conosco hoje à noite, esperando que ele possa lançar alguma luz sobre o assunto.

Loren ergueu-se na ponta dos pés e olhou fundo nos olhos verdes de Pitt, as sobrancelhas enrugadas.

— Ainda bem que eu sabia, quando me casei com você, que sempre teria de conviver com o mar como a sua amante — disse ela.

— Felizmente — respondeu ele com um sorriso irônico, puxando-a para si —, tenho um coração grande o bastante para as duas.

De mãos dadas, eles atravessaram a multidão que lotava o terminal, saíram do aeroporto e tomaram um táxi para um hotel no centro histórico de Istambul, no distrito de Sultanahmet. Depois de um banho rápido para trocar de roupa, embarcaram em outro táxi para uma corrida curta até uma área residencial sossegada a uns dez quarteirões dali.

— Balikçi Sabahattin — anunciou o motorista do táxi.

Na rua exótica de pedras arredondadas, Pitt ajudou Loren a saltar do táxi. Do outro lado, em frente, ficava o restaurante, instalado em uma casa pitoresca de estrutura de madeira construída na década de 1920. O casal passou por algumas mesas do lado de fora até chegar à porta da frente e entrar em um vestíbulo elegante. Um homem atarracado, com o cabelo rareando e um sorriso jovial, adiantou-se e estendeu a mão para cumprimentar.

— Dirk, que bom que conseguiu encontrar o lugar — disse, apertando a mão de Pitt com bastante força. — Bem-vindo a Istambul.

— Obrigado, Rey, é bom vê-lo de novo. Gostaria que conhecesse a minha esposa, Loren.

— É um prazer — respondeu Ruppé educadamente, apertando a mão de Loren com menos vigor. — Espero que possa perdoar a intrusão deste escavador no jantar desta noite. Precisarei viajar a Roma amanhã de manhã, para uma conferência sobre arqueologia, portanto esta era a minha única oportunidade para conversar com o seu marido sobre a descoberta subaquática.

— Não é nenhuma intrusão, absolutamente. Sou sempre fascinada pelo que Dirk encontra no fundo do mar — disse Loren com uma risada. — Além do mais, você fez a gentileza de nos convidar para um restaurante encantador.

— É um dos meus restaurantes de frutos do mar favoritos em Istambul — respondeu Ruppé.

Uma recepcionista apareceu para conduzi-los por um corredor até um dos diversos salões de jantar adaptados no interior da antiga residência. Eles sentaram-se em seus lugares a uma mesa forrada com toalhas de linho branco ao lado de uma ampla janela com vista para o jardim dos fundos.

— Quem sabe nos recomenda alguns pratos regionais de sua predileção, doutor Ruppé — disse Loren. — Esta é a minha primeira viagem à Turquia.

— Por favor, me chame de Rey. Sempre que vier à Turquia, não há como errar ao pedir peixe. Tanto o linguado quanto o robalo são sempre excelentes em toda a região. É claro, também nunca consigo passar sem a minha boa dose de *kebabs* — ele sorriu de lado, esfregando a barriga.

Depois de fazerem os pedidos, Loren perguntou a Ruppé se fazia muito tempo que morava na Turquia.

— Nossa, já está fazendo vinte e cinco anos. Cheguei aqui em um verão, vindo do estado do Arizona, para dar um curso na área de arqueologia marinha e nunca mais voltei. Localizamos um antigo mercado bizantino em escavações que fizemos no litoral de Kos e desde essa época tenho sempre muito o que fazer.

— O doutor Ruppé é a maior autoridade em antiguidades marinhas bizantinas e otomanas do Mediterrâneo oriental — disse Pitt. — Os seus profundos conhecimentos especializados têm sido inestimáveis em muitos dos nossos projetos na região.

— Assim como acontece com o seu marido, os destroços de naufrágios são a minha paixão — disse ele. — Desde que assumi o posto à frente dos estudos marítimos no Museu de Arqueologia, sempre lamento passar menos tempo em campo do que gostaria.

— O fardo da administração — concordou Pitt.

O garçom serviu à mesa um grande prato de mexilhões com arroz como entrada, que todos rapidamente experimentaram.

— Não resta a menor dúvida de que você trabalha em uma cidade fascinante — observou Loren.

— É verdade, Istambul faz jus ao apelido de "Rainha das Cidades". Nascida entre os gregos, criada entre os romanos e amadurecida entre os otomanos. Seu legado de antigas catedrais, mesquitas e palácios entusiasma até o historiador mais entediado. Mas, com uma população atual de mais de doze milhões de pessoas, também apresenta os seus desafios.

— Ouvi dizer que o clima político é um deles.

— Está mudando o propósito da sua viagem, congressista? — indagou Ruppé, com um sorriso irônico.

Loren Smith sorriu diante da alusão. Embora tivesse um longo tempo de serviço como representante do estado do Colorado no Congresso norte-americano, ela não era exatamente o que se poderia chamar de uma política inveterada.

— Na verdade, só vim a Istambul para visitar este meu marido fujão. Estava participando de uma viagem de passeio com uma delegação do Congresso pelo sul do Cáucaso e aproveitei para dar uma paradinha no caminho de volta para Washington. Um enviado do Departamento de Estado comentou no avião que havia preocupações nos Estados Unidos com relação à segurança, diante do fortalecimento do movimento fundamentalista na Turquia.

— Ele estava certo. Como sabe, a Turquia é um Estado secular que é noventa por cento muçulmano, sendo a maioria destes pertencentes à tradição religiosa sunita. Mas tem-se observado um movimento crescente sob a liderança do *mufti* Battal, concentrado aqui em Istambul, reivindicando reformas fundamentalistas. Não sou especialista nesses assuntos, portanto não posso lhe precisar a extensão atual da influência dele. No entanto, a Turquia vem sofrendo com a crise econômica, a exemplo de outros países, o que alimenta a insatisfação e o descontentamento em relação ao poder dominante. As dificuldades do momento parecem ter caído como uma luva nas mãos do *mufti*. A sua visibilidade tem aumentado nos últimos dias, em que vem atacando diretamente o presidente em exercício.

— Além de perturbar as alianças com o Ocidente, não posso deixar de considerar que uma mudança da Turquia no sentido do fundamentalismo transformaria todo o Oriente Médio em uma região ainda mais perigosa — respondeu Loren.

— Com o Irã controlado pelos xiitas investindo cada vez mais nas suas forças militares, receio que as suas preocupações sejam muito bem justificadas.

O jantar começou a ser servido, Loren recebendo um prato de robalo assado e Pitt um de garoupa grelhada, enquanto Ruppé jantou um linguado do Mar Negro.

— Desculpem estragar a refeição com a política; esse é um risco que se corre na minha profissão — desculpou-se Loren. — O robalo está soberbo, tenho o prazer de anunciar.

— Não tem importância, e estou certo de que Dirk está acostumado com isso — disse Ruppé com uma piscadela. Ele se voltou para o amigo. — E então, Dirk, conte-me sobre o seu projeto no Egeu.

— Estamos investigando uma série de zonas circunscritas de baixa oxigenação no Mediterrâneo oriental — respondeu Pitt entre mordidas. — O ministério turco do Meio Ambiente nos indicou diversas zonas mortas na região do Egeu onde a recorrência de infestação de algas tem suprimido toda a vida marinha. É um problema cada vez mais abrangente que temos observado em muitas regiões por todo o planeta.

— Soube que essa tem sido uma grande preocupação na Baía de Chesapeake, na costa do nosso próprio país — comentou Loren.

— As zonas mortas de Chesapeake aumentaram muito nos últimos meses de verão — reconheceu Pitt.

— Tudo isso por causa dos poluentes? — indagou Ruppé.

Pitt inclinou a cabeça, concordando.

— Na maioria dos casos, as zonas mortas localizam-se nas regiões de delta dos grandes rios. Os níveis inferiores de oxigênio normalmente são uma consequência direta da poluição dos nutrientes, basicamente na forma do nitrogênio das descargas agrícolas ou industriais. Os nutrientes na água inicialmente provocam um crescimento em massa do fitoplâncton, conhecido como “maré vermelha”. Por fim, quando as algas do fitoplâncton morrem e descem para o leito, o processo de decomposição elimina o oxigênio da água. Se o processo alcança uma massa crítica, a água torna-se anóxia, matando toda a vida marinha e criando uma zona morta.

— O que descobriram até o momento em águas turcas?

— Confirmamos a presença de uma zona morta de tamanho moderado entre a ilha grega de Quios e o continente turco. Estamos dando continuidade aos trabalhos de pesquisa na região e vamos acabar mapeando o perímetro e a intensidade da zona.

— Conseguiram localizar a causa? — indagou Loren.

Pitt abanou a cabeça.

— O ministério turco do Meio Ambiente está nos ajudando a identificar os poluidores industriais e agrícolas da região, mas não estamos nem perto de identificar a causa, ou causas, no momento.

O garçom apareceu e retirou os pratos do jantar, depois trouxe uma bandeja com damascos frescos e três cafés, que distribuiu sobre a mesa. Loren ficou surpresa ao descobrir que o seu café já estava adoçado.

— Dirk, o seu naufrágio está localizado na zona morta? — indagou Ruppé.

— Não, mas não muito distante dela. Na verdade, estávamos fazendo um conserto no nosso equipamento de sensores quando descobrimos o local. Um barco pesqueiro que agora está sem uns bons metros de rede foi que nos deu a dica.

— No seu telefonema você mencionou a retirada de alguns artefatos...

— É verdade, aliás eu os trouxe comigo — respondeu Pitt, inclinando a cabeça na direção de uma sacola preta que deixara aos seus pés.

Os olhos de Ruppé se iluminaram, então ele olhou para o relógio no pulso.

— Já passa das onze e eu tomei demais o seu tempo. Mas o museu fica a poucos minutos daqui. Eu adoraria dar uma olhada nas peças e depois vocês poderiam deixá-las na segurança do meu laboratório, se estiverem de acordo.

— É claro que concordamos — Loren falou em voz ansiosa, antecedendo-se à potencial decepção do marido. — Estamos morrendo de curiosidade para ter a sua avaliação.

— Ótimo — Ruppé sorriu. — Vamos terminar o nosso café e depois podemos ir ao meu escritório e dar uma boa olhada no que encontraram.

Depois de esvaziar as xícaras de café e pagar a conta, o trio caminhou para fora do restaurante e saiu para a rua. Ruppé parou em frente a um Volkswagen Karmann Ghia conversível verde estacionado junto ao meio-fio.

— Peço desculpas pela falta de espaço para as pernas; sei que o assento de trás é bem apertado — disse ele.

— Adoro esses Volkswagens antigos — disse Loren. — Não vejo um tão bem conservado há séculos.

— Este está ficando velhinho, mas ainda anda como se tivesse acabado de sair da fábrica — disse Ruppé. — Achei-o ótimo para andar pelas ruas congestionadas de Istambul, mas sinto falta de um ar-condicionado.

— Quem precisa de um com a capota abaixada? — caçoou Pitt, ocupando o assento do passageiro, depois de Loren ter se encaixado com as pernas encolhidas no banco de trás.

Ruppé dirigiu de volta para o centro da cidade, depois manobrou para passar por um grande portão sob uma arcada.

— Estamos entrando nas terras de Topkapi, o velho palácio otomano — explicou ele. — O nosso museu está localizado próximo à entrada do pátio interno. Vocês devem fazer uma visita ao palácio, se tiverem oportunidade. Mas cheguem cedo, pois é um passeio muito concorrido entre os turistas.

Ruppé manobrou ao longo de uma espécie de parque cercado por prédios históricos. Subindo por uma ligeira rampa, parou em uma vaga de um estacionamento para funcionários nos fundos do Museu de Arqueologia de Istambul. A meio quarteirão dali erguia-se a muralha elevada que circundava o Palácio de Topkapi.

Depois de se desencaixarem do espaço confinado do veículo, Loren e Pitt acompanharam Ruppé na direção de um edifício volumoso em estilo neoclássico.

— O museu, na realidade, abrange três prédios — explicou Ruppé. — Em torno do prédio da frente fica o Museu do Antigo Oriente, em seguida vem o Quiosque Azulejado, que abriga o Museu de Arte Islâmica. Eu trabalho aqui no prédio principal, que abriga o Museu de Arqueologia.

Ruppé os conduziu por uma escada nos fundos do edifício adornado com colunas, construído no século XIX. Depois de abrir a porta de trás, eles foram recebidos por um vigilante noturno de serviço logo à entrada.

— Boa noite, doutor Ruppé — disse o guarda. — Trabalhando até mais tarde de novo?

— Oi, Avni. Viemos apenas para uma rápida visita com os amigos e não vamos nos demorar muito tempo.

— Não se apresse. Somos só os grilos e eu.

Ruppé conduziu os hóspedes por um corredor principal, repleto de estátuas e esculturas antigas. Salões de exposição em ambos os lados exibiam túmulos trabalhados de todo o Oriente Médio. O arqueólogo parou e indicou um imenso sarcófago de pedra coberto com gravuras em baixo-relevo.

— O sarcófago de Alexandre, o nosso artefato mais famoso. As cenas gravadas nas laterais retratam Alexandre, o Grande, em batalha. Ninguém sabe quem está lá dentro de verdade, embora muitos acreditem ser um governador persa chamado Mazaeus.

— Lindo trabalho artístico — murmurou Loren. — Qual a idade dele?

— É do século quarto antes de Cristo.

Ruppé guiou-os por um corredor lateral até um escritório espaçoso apinhado de livros. Uma grande mesa de laboratório ocupava uma parede, a superfície de aço inoxidável coberta por artefatos em variados estágios de conservação. Ruppé acendeu um grupo de luzes do teto, que iluminaram todo o aposento.

— Vamos dar uma olhada nos seus pertences ensopados — disse ele, puxando um par de banquetas para junto da mesa.

Pitt abriu o zíper da sacola e tirou de dentro a caixa de ferro de Giordino, desembrulhando-a cuidadosamente da toalha.

— O cofrinho de alguém, acredito — disse ele. — O fecho saiu sozinho — explicou, com um sorriso de culpa.

Ruppé colocou óculos de leitura e examinou a caixa.

— Sim, a aparência é equivalente a um cofre, bastante antigo pela aparência.

— O conteúdo poderia ajudar a datá-lo com mais facilidade — observou Pitt.

Ruppé arregalou os olhos quando abriu a tampa. Estendendo um tecido sobre a mesa, ele despejou com cuidado as moedas de prata e de ouro, sete ao todo.

— Eu devia ter deixado que pagasse o jantar — disse ele.

— Minha nossa, isso é ouro mesmo? — indagou Loren, pegando a moeda de ouro e sentindo o seu peso.

— Sim, parece ser de uma casa da moeda otomana — respondeu Ruppé, examinando a inscrição gravada. — Existiram várias delas funcionando em todo o império.

— Você consegue entender o que está escrito? — indagou ela, admirando a sinuosa escrita arábica.

— Parece ser uma representação de *"Allahu Akbar"*, ou "Deus é grande".

Ruppé atravessou a sala e correu os olhos por uma estante repleta de livros, finalmente retirando um volume grosso da prateleira. Folheando as páginas, ele parou em uma fotografia de diversas moedas antigas. Comparando a imagem com uma das moedas, inclinou a cabeça, satisfeito.

— Encontrou uma correspondência? — indagou Pitt.

— Na mosca. Moedas idênticas conhecidas por terem sido cunhadas na Síria, durante o século XVI. Parabéns, Dirk, você provavelmente descobriu os destroços de um naufrágio otomano da época de Suleiman, o Magnífico.

— Quem foi Suleiman? — indagou Loren.

— Um dos mais importantes e admirados dentre os sultões otomanos, talvez só superado pelo fundador do império, Osman I. Durante seu reinado, em meados do século XVI, ele expandiu o Império Otomano até o sul da Europa, o Oriente Médio e o norte da África.

— Talvez isso fosse um presente ou oferenda ao sultão — disse Pitt, tirando a caixa de cerâmica da sacola e desembrulhando-a lentamente.

Os olhos de Loren brilharam ao ver o desenho intrincado azul, roxo e branco que adornava a tampa.

— Mas que linda obra de arte — observou ela.

— Os velhos artesãos muçulmanos faziam maravilhas com os azulejos e a cerâmica — disse Ruppé. — Mas eu nunca vi algo assim antes.

Ele segurou a caixa sob a luz e examinou-a atentamente. Havia uma pequena rachadura irregular em uma lateral, sobre a qual ele esfregou um dedo.

— O desenho é semelhante aos itens que vimos como artigos de Damasco — disse ele. — É um desenho saído de um dos bem conhecidos fornos antigos de Iznik, na Turquia.

Com muito cuidado, abriu a tampa, depois retirou de dentro a coroa incrustada.

— Minha nossa — disse Loren, inclinando-se para ver melhor.

Ruppé estava igualmente impressionado.

— Não é uma coisa que se veja todo dia — disse ele, segurando a coroa para examiná-la sob uma luminária portátil. Depois pegou um pequeno instrumento de dentista e esfregou ligeiramente uma partícula de sedimento.

— Isto pode ficar bem limpo com uma boa escovada — disse ele. Examinando a peça um pouco mais atentamente, semicerrou os olhos com as sobrancelhas franzidas. — Mas que estranho — disse.

— O que foi? — indagou Loren.

— Parece haver uma inscrição na borda interna. Só consigo decifrar algumas letras, mas acho que está em latim.

— Isso não faz muito sentido — disse Loren.

— Não mesmo — concordou Ruppé. — Mas acho que, depois de algum trabalho de conservação, vamos conseguir descobrir. Devemos ser bem capazes de descobrir a sua origem.

— Sabia que tínhamos vindo ao lugar certo — disse Pitt.

— Estou achando que o seu naufrágio pode conter mais do que um mistério — disse Ruppé.

Loren olhou para a coroa com os olhos cansados, depois conteve um bocejo.

— Receio que tenha prendido vocês até muito tarde — comentou Ruppé, guardando a coroa em um cofre na parede e, depois, pondo o cofrinho, as moedas e a caixa de cerâmica em um recipiente de plástico cheio de água doce. — Não vejo a hora de examinar estes artigos com a ajuda dos meus assistentes, assim que voltar de Roma.

— Eu gostaria de saber o que uma coroa de ouro com uma inscrição em latim estaria fazendo em um naufrágio otomano — disse Pitt.

— Pode ser que nunca venhamos a descobrir, mas estou curioso para ver o que mais possa haver nesse naufrágio — respondeu Ruppé. — Por mais estranho que pareça, na realidade são poucos os naufrágios otomanos descobertos no Mediterrâneo.

— Se puder informar as autoridades turcas sobre a nossa descoberta, faremos o que estiver ao nosso alcance para ajudar — disse Pitt. Ele estendeu a Ruppé uma carta náutica com a localização do naufrágio assinalada em vermelho. — Fica bem perto de Quios, portanto os gregos poderiam querer reivindicar alguma coisa a respeito.

— Darei um telefonema amanhã de manhã, antes de qualquer outra coisa — disse Ruppé. — Existe alguma possibilidade de você e o seu navio começarem a fazer uma investigação completa do local?

Pitt sorriu.

— O que mais gostaria agora seria de entender exatamente o que descobrimos. Vou providenciar para desviar o nosso navio por um ou dois dias. Temos um arqueólogo a bordo que pode ajudar a orientar os trabalhos.

— Ótimo, ótimo. Tenho um bom relacionamento com o ministro da Cultura turco. Ele ficará contente em saber que os destroços estão em boas mãos.

Ele olhou para Loren, que fazia um esforço para manter os olhos abertos.

— Minha querida, perdoe as minhas divagações históricas. É muito tarde e preciso deixar que voltem ao seu hotel.

— É bom mesmo, antes que eu vá dormir dentro de algum sarcófago lá fora.

Ruppé trancou o escritório, depois acompanhou-os até o posto do guarda e à saída do prédio. Quando estavam descendo a escada do museu, duas explosões abafadas eclodiram a distância, e de repente diversos alarmes dispararam na vizinhança, ecoando nas altas muralhas de Topkapi. O trio parou, surpreso, e ouviu as vozes distantes de homens gritando e depois viram o clarão de armas de fogo disparando no meio da noite. Mais tiros foram disparados, os sons aproximando-se deles. Segundos depois, a porta do museu se abriu atrás deles e o guarda aproximou-se correndo com uma expressão horrorizada no rosto.

— O palácio está sendo atacado! — ele gritou. — A Câmara das Relíquias Sagradas de Topkapi foi assaltada e os guardas de Bâb-ür Selâm não estão respondendo. Devo ir verificar se o portão está bloqueado.

Bâb-üs Selâm, ou o Portão das Saudações, era o ponto de entrada principal para o santuário no interior do Palácio de Topkapi. Era uma cerca fortificada com torres semelhantes a um castelo da Disneylândia, onde os turistas faziam fila pela manhã para visitar o palácio e os domínios dos grandes sultões otomanos. Um posto de guarda ficava localizado logo na entrada do portão, que abrigava diversos guardas do Exército turco designados para a vigilância noturna. Situado no fim da rua, o portão estava visivelmente escancarado e não se viam guardas à sua entrada.

O vigia do museu, Avni, passou correndo por Ruppé e atravessou o estacionamento. A aproximadamente cem metros do portão, ele passou por um furgão branco estacionado ao lado da rua. O motor do furgão imediatamente foi acionado e funcionou, soltando fumaça.

Os faróis do furgão se apagaram, provocando uma sensação desagradável em Pitt. Percebendo que devia haver algo errado, ele instintivamente correu atrás de Avni.

— Eu já volto — grunhiu, então saiu em disparada.

— Dirk! — Loren gritou, confusa ante a reação inesperada do marido.

Mas ele não se incomodou em responder quando percebeu que o furgão branco tinha começado a se mover.

Pitt sabia o que estava para acontecer mas não tinha como impedi-lo. Quando o furgão partiu cantando os pneus e com um ronco forte do motor, ele só pôde observar como se fosse uma cena de filme em câmara lenta. O furgão seguiu na direção do vigia do museu e rapidamente ganhou velocidade. Correndo o máximo que pôde, Pitt lançou uma advertência.

— Avni! — gritou ele. — Atrás de você!

Mas foi uma tentativa inútil. Com os faróis ainda apagados, o furgão avançou e atingiu o vigia do museu pelas costas. O corpo dele voou por cima do capô do veículo, depois estatelou-se sobre o pavimento com um ruído surdo. O furgão continuou acelerando, depois parou derrapando os pneus na frente do portão aberto.

Pitt continuou correndo, aproximando-se rapidamente do vigia caído. Pela forma grotesca da cabeça do homem, Pitt diria que o crânio fora esmigalhado, matando-o instantaneamente. Sem nada poder fazer pelo homem no momento, Pitt continuou na direção do furgão.

O motorista achava-se sentado à direção, olhando ansiosamente através do portal aberto de Bâb-ür Selâm. Com o motor funcionando, não ouviu os passos de Pitt, que se aproximava, até ele se encontrar ao lado do veículo. O homem virou-se para olhar pela janela aberta e foi colhido por um par de mãos que o alcançaram e agarraram pelo colarinho. Antes que sequer pensasse em resistir, sua cabeça e tronco tinham sido arrancados pelo vão da janela.

Pitt ouviu passos de outras pessoas se aproximando, mas só percebeu uma sombra pelo canto dos olhos enquanto dominava o motorista à força. Havia lhe passado o braço em volta do pescoço e estava quase arrancando a sua cabeça. O motorista recobrou os sentidos e lutava para se libertar do aperto de Pitt, debatendo-se com os joelhos embaixo da direção e abanando os braços. Mas Pitt conseguiu exercer pressão na garganta do homem até que lhe faltasse o ar e depois ele começou a se imobilizar sob o seu braço.

— Solte já esse homem — uma voz feminina bradou de repente.

Pitt virou-se para o corpo caído do vigia do museu, mas sem soltar o aperto no pescoço do sufocado motorista do furgão. Loren e Ruppé tinham partido atrás dele pela rua para ajudar Avni e no momento achavam-se parados ao lado do homem morto. Ruppé estava inclinado sobre um joelho, com a mão suspensa sobre um corte sangrento na testa, enquanto Loren permanecia de lado, olhando para Pitt com o medo estampado nos olhos.

Parada atrás deles achava-se uma mulher baixinha usando um gorro de esquiar mascarado preto, blusão e calças. Ela estava com o braço estendido, apontando uma pistola para a cabeça de Loren.

— Solte já este homem — ela repetiu para Pitt — ou a mulher morre.

4

O Palácio de Topkapi foi a imponente residência dos sultões otomanos por praticamente quatrocentos anos. Um extenso labirinto de edifícios adornados com azulejos e câmaras construídas em um conjunto sobre a colina, com vista privilegiada para o Corno de Ouro, o palácio continha um tesouro da formidável história da Turquia. Os passeios guiados, muito concorridos por multidões de turistas, davam uma ideia da vida pessoal dos sultões governantes, ao mesmo tempo que exibiam uma impressionante coleção de obras de arte, armamentos e joalheria. No entanto, em meio à opulência real, o palácio continha uma importante coleção de relíquias islâmicas sagradas, adoradas em todo o mundo. E eram esses objetos o alvo da atenção dos ladrões.

Um furgão de entregas de mantimentos contrabandeara um pequeno arsenal de armas e explosivos plásticos para dentro do terreno do palácio vários dias antes. Os ladrões simplesmente entraram no conjunto como turistas, no fim do dia, e afastaram-se discretamente da multidão, escondendo-se em um galpão usado pelos funcionários. Aproveitando-se da escuridão da noite, muito tempo depois que os últimos turistas tinham saído e as entradas haviam sido fechadas, os ladrões encontraram as armas e entraram na Câmara das Relíquias Sagradas, onde muitos dos objetos venerados eram guardados.

O assalto todo transcorrera em menos de um minuto, enquanto eles abriam caminho através de uma muralha lateral com o uso de explosivos e depois dispararam até eliminar toda a guarda local. Então, rapidamente reuniram as relíquias desejadas, antes de escapar através do rombo na muralha.

Para distrair a atenção, os ladrões haviam orquestrado diligentemente uma série de pequenas explosões em diversos pontos ao redor do complexo, enquanto seguiam para a saída sul a pé. Depois de passar pelo portão principal, ele seriam retirados do local pelo furgão à espera. Levaria apenas alguns minutos de lá até chegar ao labirinto de ruas sinuosas de Sultanahmet e perder-se no meio da noite.

As sirenes da polícia soavam a distância enquanto dois homens em roupas pretas atravessaram correndo o Bâb-üs Selâm, cada um carregando uma sacola de lona. A mulher que apontava a arma para Loren imediatamente gritou ordens cifradas para os homens enquanto eles se aproximavam do furgão. Os dois ladrões lançaram as sacolas pela porta traseira do furgão, depois arrastaram o motorista semiconsciente e o colocaram lá dentro. Um dos homens correu pela frente do furgão e sentou-se no assento do motorista, enquanto o segundo pegava a própria pistola e apontava-a para Loren. A mulher gritou novamente para Pitt.

— Você. Afaste-se do furgão — ordenou, apontando a arma para Pitt. — Esta mulher vem conosco. Se quiser vê-la com vida outra vez, diga à polícia que fugimos pelo portão do parque Gülhane. — Ela gesticulou com a arma, apontando para o lado nordeste do complexo.

Pitt fechou os punhos com força e seus olhos dardejaram chamas de raiva, mas não havia nada que pudesse fazer. A mulher percebeu a emoção e apontou a arma para a sua cabeça.

— Nem pense nisso — disse ela.

O outro assaltante agarrou Loren pelo braço e arrastou-a com violência para a porta traseira do furgão, depois entrou e fechou a porta atrás deles. A mulher caminhou de costas até a porta do passageiro à frente, mantendo a arma apontada para Pitt até saltar para dentro. O novo motorista imediatamente engatou a marcha e o furgão saiu derrapando e deixando atrás de si a fumaça dos pneus.

Pitt rapidamente correu até Ruppé, que se levantara cambaleante, ainda atordoado com o golpe na cabeça ministrado pela mulher.

— Seu carro — disse Pitt com ansiedade.

Ruppé apressou-se a pegar as chaves no bolso.

— Vá você. Eu só iria atrapalhar.

— Você está bem?

— Foi só um arranhão — respondeu ele com um sorriso fraco, olhando para a mão ensanguentada. — Vou ficar bem. Não perca tempo; eu vou informar a polícia quando chegar.

Pitt concordou, pegando as chaves e saindo em disparada na direção do Karmann Ghia. O velho Volkswagen pegou na primeira tentativa. Pitt imediatamente engatou a marcha e saiu cantando os pneus na mesma direção do furgão.

As áreas externas de Topkapi estendiam-se na forma aproximada de um "*A*" inclinado, com um portão de entrada na base de cada perna. Prevendo uma perseguição mais provável da polícia pelo portão do parque Gülhane ao norte, os ladrões tinham seguido pelo caminho do Portão Imperial, ao sul. Apesar do movimento diário de ônibus de turistas para o palácio, as ruas arborizadas em toda a área eram estreitas e curvas, limitando a velocidade.

Pitt tomou a rua principal pela qual o furgão tinha saído, mas esse carro estava completamente fora de seu campo de visão. Passando por diversas ruas laterais menores, Pitt sentiu o coração bater mais forte, com medo de não ser capaz de localizar o veículo. Os ladrões profissionais normalmente não eram assassinos, tentou se convencer enquanto dirigia. Provavelmente, deixariam Loren livre na primeira oportunidade. Mas então os seus pensamentos voltaram em um relance para a imagem do guarda do museu sendo intencionalmente atropelado. Também tinha ouvido numerosos disparos por todo o palácio. Uma dor desagradável o atingiu ao pensar que os ladrões podiam não se deter diante de um assassinato.

Ele pressionou o acelerador ao máximo, provocando um ronco doloroso do motor refrigerado a ar do Volkswagen. O Karmann Ghia estava longe de ser um automóvel rápido, mas seu tamanho e peso faziam dele um veículo ágil de manobrar. Pitt pressionou o automóvel ao limite, mudando constantemente entre a segunda e a terceira marchas enquanto descia em disparada pelas ruas curvas. Uma vez exigiu um pouco mais do veículo, fazendo com que uma calota se soltasse e mergulhasse em uma cerca viva quando uma roda traseira acertou o meio-fio.

A rua ficou reta por uma breve extensão e em seguida terminou em uma encruzilhada. Pitt pisou no freio com força, derrapando no cruzamento deserto, enquanto escolhia o caminho a seguir. Uma olhada de relance para todos os lados não revelou sinais de movimento nem sombra do furgão. Pitt lembrou-se do comentário da mulher sobre o Portão Gülhane. Não fazia ideia de onde ficava, mas lembrou-se de como ela apontara com a pistola. Apesar das curvas e guinadas que dera, estava certo de que ela apontara para a direção à sua direita. Engatando violentamente a primeira marcha, pisou fundo no acelerador e disparou cantando os pneus para a rua pavimentada à esquerda.

As amplas copas dos antigos carvalhos ficaram zumbindo para trás, acima da sua cabeça, quando ele acelerou ao máximo, seguindo pela estrada enquanto essa se fechava para a direita. Descendo por uma colina, chegou a outro cruzamento. Dessa vez, avistou uma placa de trânsito em inglês: "Saída", com uma seta apontando para a direita. Diminuindo a velocidade apenas ligeiramente, ele fez a curva a toda velocidade. Com um guincho dos pneus, o Volkswagen derrapou na entrada da rua, que felizmente não tinha nenhum trânsito.

A rua abria-se em uma ampla alameda reta que levava ao Portão Imperial. Pitt pôde perceber um aumento na luz irradiando-se à frente, enquanto as árvores e os arbustos da área do palácio davam espaço para a urbanização populosa do antigo centro da cidade de Istambul. Olhando para a rua, Pitt percebeu o clarão de luzes traseiras virando logo depois do portão.

Era o furgão.

Pitt sentiu um lampejo de esperança enquanto mantinha o pedal no fundo e acelerava na direção do portão. Os ladrões deviam estar certos, pensou. Se a polícia de Istambul estivesse respondendo ao alarme, não teria tempo de chegar até o Portão Imperial. Quando se aproximou do portão, avistou o que pareciam ser os corpos de dois soldados turcos caídos ao lado da rua.

Ignorou a visão, passando em disparada pelo portão e fazendo uma curva fechada à direita, diminuindo para evitar que os pneus cantassem muito alto. Um olhar à frente revelou que o furgão seguira para o sul, descendo por um bulevar perpendicular. Pitt rapidamente fez o mesmo, desligando os faróis ao fazer uma curva fechada, depois aproximou-se do furgão.

Uma massa congestionada de veículos e pessoas durante o dia, o centro histórico Sultanahmet da cidade estava estranhamente quieto tarde da noite. Pitt acelerou para contornar um velho táxi, depois diminuiu a marcha quando viu o furgão parar em um semáforo.

Estavam passando por Santa Sofia, um dos grandes monumentos remanescentes da época bizantina. Construída como uma basílica pelo imperador romano Justiniano e depois convertida em mesquita, fora o maior edifício com cúpula do mundo por quase mil anos. Seus afrescos e mosaicos antigos, juntamente com a arquitetura imponente, faziam dela um dos marcos históricos e culturais mais importantes de Istambul.

O furgão virou à direita novamente, atravessando a praça Sultanahmet e o pátio externo de Santa Sofia, onde um grupo de turistas se aglomerava, tirando fotos do exterior iluminado. Pitt tentou aproximar-se um pouco mais do furgão, mas foi impedido por dois táxis que partiram do meio-fio.

O furgão diminuiu a velocidade para evitar a atenção de um camburão da polícia que passava em disparada por uma rua perpendicular, com as luzes piscando e a sirene tocando, encaminhando-se para a subida da colina de Topkapi. O pequeno comboio de veículos avançou para fora da praça e seguiu por mais um quarteirão antes de parar em um sinal vermelho. Um enferrujado caminhão de lixo veio se arrastando do cruzamento, depois parou próximo da esquina para recolher uma pilha de sacos de lixo. O caminhão bloqueou o furgão por um instante, que tinha um dos táxis na sua lateral.

Parado dois carros atrás, Pitt observou um lixeiro atacar a pilha de lixo sem a menor pressa e concluiu que a situação lhe dava uma possibilidade de agir. Sem hesitação, saltou do Karmann Guia e correu na direção da traseira do furgão, agachando-se quando passou pela lateral dos táxis, para não chamar a atenção. As portas traseiras do furgão tinham as janelas pintadas, mas Pitt conseguiu divisar uma figura sentada do lado direito que, ou tinha um cabelo muito curto, ou estava usando um gorro de esquiar.

A luz do semáforo mudou para verde e o furgão moveu-se para a frente, depois parou, forçado a esperar enquanto o vagaroso lixeiro lentamente recolhia os volumes da enorme pilha de sacos de lixo. Pitt aproximou-se do furgão agachado e colocou um pé no seu para-choque, depois agarrou a maçaneta da porta com a mão direita. Escancarando a porta, investiu para dentro, o punho esquerdo fechado pronto para entrar em ação.

Foi um movimento arriscado, que poderia causar a morte tanto dele quanto de Loren. Mas ele contava com o elemento surpresa do seu lado e corretamente imaginou que o pistoleiro de trás havia baixado a guarda e confiava no sucesso do roubo. No fundo, havia outro motivo para abandonar a cautela. Pitt sabia que, se algo acontecesse com Loren, jamais poderia conviver com a ideia de ter deixado de agir.

Com a porta escancarada, Pitt examinou o compartimento traseiro ao mesmo tempo que se punha em ação. Seu palpite estava certo: encontrou o pistoleiro não ferido sentado em um banco à direita. No lado oposto achava-se o antigo motorista do furgão, que recuperava as cores aos poucos. Loren estava sentada ao lado dele, encolhida contra a divisória que separava a parte traseira do compartimento do motorista. Na fração de segundo em que fizeram contato visual, Pitt percebeu a expressão de medo nos olhos da esposa.

A surpresa era completamente sua, uma vez que o bandido nem sequer estava com a pistola apontada contra Loren, mas a mantinha abaixada ao seu lado. Através da máscara de esquiar, ele dirigiu a Pitt um olhar de completa surpresa, mas então o punho de Pitt o atingiu no queixo. Com a descarga de adrenalina e a raiva controlada, Pitt provavelmente poderia ter acertado o punho no painel lateral do furgão se não tivesse apontado corretamente. O golpe pôs o homem imediatamente fora de ação, mandando-o cambaleante para o chão, sem sequer levantar a arma.

O outro homem reagiu rapidamente, talvez apreciando a oportunidade de retaliar contra o ataque anterior. Ele mergulhou por cima do corpo estendido de Pitt, empurrando-lhe o tronco contra o chão. O homem tinha uma arma no bolso, a qual fez um esforço para alcançar enquanto passava o outro braço ao redor de Pitt. Comprimido contra o chão, Pitt imediatamente ergueu-se com os braços, mas não conseguiu livrar-se do abraço do homem. Procurando todos os meios ao seu alcance para se levantar, Pitt encaixou um pé contra o para-choque traseiro, depois tentou mudar o seu peso para trás. Com o agressor grudado nas costas, Pitt arremessou-se com a ajuda dos braços e das pernas, atirando-se para trás e para fora do furgão.

O táxi estava parado a menos de meio metro atrás do furgão. Colidindo no ar, os dois corpos entrelaçados caíram para trás com um estrondo sobre o capô do táxi, o motorista do furgão preso embaixo de Pitt e recebendo toda a força do impacto. O homem ofegou quando expeliu o ar dos pulmões e Pitt sentiu o aperto sobre o corpo diminuir. Girando para se pôr de pé, Pitt empurrou o braço do homem para longe, depois empurrou o cotovelo de encontro à cabeça dele, desferindo-lhe sucessivos golpes. Foi o suficiente para conseguir a submissão do homem, que desmoronou sobre o asfalto antes de conseguir segurar a arma.

Controlando a respiração, Pitt ergueu os olhos para Loren, que saía do furgão em disparada. Na mão, ela segurava uma das sacolas pretas.

— Rápido, vamos embora — ele a apressou, segurando-a pelo braço e empurrando-a em direção à rua. Eles cambalearam até a calçada, Loren tendo dificuldade de acompanhá-lo.

— Não consigo correr com estes sapatos — queixou-se ela.

Pitt ouviu um grito vindo da direção do furgão, mas não perdeu tempo em verificar. Em vez disso, agarrou a esposa de qualquer jeito e empurrou-a na direção da entrada de um prédio baixo a alguns metros dali. Enveredou pela entrada atrás dela, enquanto dois rápidos disparos de pistola soaram na noite. Duas lascas de concreto voaram no ar quando as balas ricochetearam no chão perto deles.

A entrada do prédio era um bom abrigo, mas apenas temporariamente. Passariam só mais alguns segundos até que a mulher com a pistola descesse a rua o bastante para ter uma boa visão de tiro sobre eles.

— E agora, para onde vamos? — Loren ofegou de medo, o coração disparado.

Pitt rapidamente inspecionou uma velha e desgastada porta que havia acima de uma escadinha.

— Não temos muita escolha — respondeu, inclinando a cabeça para a porta. — Vamos entrar.

5

Dois bons chutes contra a porta de madeira foram suficientes para desalojar a velha fechadura do seu encaixe e forçá-la a se abrir. Loren e Pitt esgueiraram-se rapidamente para dentro de um salão modesto e vazio, com um balcão lateral sobre o qual havia uma máquina registradora. Aos fundos do aposento via-se uma escada larga e mal iluminada que levava a um nível inferior.

Atrás deles, de fora da porta, era possível ouvir o ruído de passos se aproximando. Pitt avistou a mulher de preto correndo depois de contornar o táxi, então virou-se e fechou a porta. Não teve tempo de observar o clarão da pistola quando ela disparou de novo, mas viu a bala enterrar-se na parede a poucos centímetros do seu rosto.

— Acho que devemos descer — disse ele, segurando a mão de Loren e correndo para a escada. Eles mal haviam descido alguns degraus escavados na pedra quando Loren puxou o braço.

— Não dá para continuar com esses saltos altos — disse ela olhando para a escada, que descia por uma distância considerável abaixo deles. Rapidamente descalçou os sapatos sociais e depois apressou-se a continuar descendo os degraus.

— Por que nunca pensam nos sapatos das mulheres com um espírito prático? — indagou Pitt, seguindo atrás dela.

— Só um homem mesmo perguntaria isso — ela resmungou, respirando com dificuldade por causa do esforço.

Eles continuaram a descer pela escada, que prosseguia por mais uns cinquenta degraus. A discussão sobre os sapatos se perdeu em meio a um sentimento de assombro quando chegaram a um espaço à frente quase totalmente às escuras.

Tinham descido para uma imensa caverna subterrânea escavada por mãos humanas. Era uma construção completamente inesperada e de algum modo bizarra para se encontrar bem no centro da movimentada Istambul. Os degraus terminavam em uma plataforma de madeira, da qual se avistava toda a profundidade da caverna. Pitt admirou uma verdadeira floresta de colunas de mármore de quinze metros de altura, que se estendiam às dezenas escuridão adentro, os seus capitéis sustentando o teto repleto de arcos. Um conjunto de luzes vermelhas no alto iluminava o espaço, emprestando-lhe uma aparência misteriosa e quase diabólica.

— Que lugar é este? — indagou Loren, sua voz ecoando nas paredes de pedra. — É impressionante em vários sentidos.

— Trata-se de uma cisterna subterrânea. Uma cisterna imensa, ao que parece. Os romanos construíram centenas delas embaixo das ruas de Istambul para armazenar água, que era trazida do interior através de aquedutos.

Eles se encontravam naquela que era na realidade a maior cisterna de Istambul, a Yerebatan Sarnici. Originariamente construída pelo imperador Constantino e posteriormente ampliada por Justiniano, a estrutura estendia-se por aproximadamente cento e cinquenta metros de comprimento. No dias atuais, o piso e as paredes estavam forrados de argamassa e eram capazes de armazenar quase 80 milhões de litros de água. Abandonada durante o reinado otomano, a cisterna tornara-se um pântano coberto de lama até ser restaurada pelo governo turco no século XX. Como um testemunho da perícia da construção romana, a base da caverna ainda armazenava alguns litros de água só para impressionar.

A imensa câmara permanecia praticamente silenciosa, a não ser pelos ecos da água que ocasionalmente gotejava do teto. O silêncio foi repentinamente rompido pelo ruído de passos acima deles quando a mulher de preto, armada, atravessou o salão superior e começou a descer pelos degraus de pedra. Imediatamente, Pitt e Loren começaram a correr, acompanhando uma rampa de madeira elevada que conduzia à outra extremidade da câmara.

A rampa por fim se dividia em uma passarela circular que permitia aos turistas apreciar a vista da infinidade de colunas esculpidas que sustentavam o teto da cisterna. Sob o teto alto, a água rasa e plana proporcionava um *habitat* para centenas de carpas coloridas que nunca viam a luz do dia. Pitt e Loren tiveram pouco tempo para admirar os peixes enquanto corriam para o outro lado da câmara.

As rampas de madeira estavam úmidas por causa do gotejamento do teto e Loren escorregou várias vezes em razão das meias finas que usava. Caindo quando faziam uma curva mais fechada, ela permaneceu no chão por um segundo, recuperando o fôlego, até que Pitt a ajudou a se levantar. O som dos calçados descendo pelos degraus de pedra atrás deles ecoava por toda a câmara.

— Por que ela ainda se preocupa conosco? — indagou Pitt em voz alta enquanto arrastava Loren por uma curva.

— Pode ser que tenha alguma coisa a ver com isto — ela respondeu, levantando a sacola preta que ainda carregava em uma das mãos. — Tirei-a do furgão. Pensei que poderia ser importante.

Pitt sorriu do instinto da esposa.

— Sim, provavelmente é — disse ele. — Mas não tão importante para morrermos por causa disso.

Os passos da perseguidora tinham chegado à base da escada, o tom dos ruídos mudando para uma batida surda sobre a rampa de madeira. Pitt e Loren correram por mais alguns metros, descendo por uma extensão que repentinamente terminava em um beco sem saída.

— Entreguem a sacola e podem seguir seu caminho.

A voz irada da mulher ecoou pela caverna em uma repetição aguda. Depois de uma pausa silenciosa, os seus passos recomeçaram em ritmo acelerado. Embora ainda estivesse fora da vista em razão da iluminação fraca, pelos ruídos dos passos dava para concluir que se aproximava cada vez mais.

— Vamos para a água — Pitt sussurrou, agarrando a sacola de Loren enquanto a empurrava para a balaustrada. Com o vestido longo, ela subiu desajeitadamente na balaustrada, depois deixou que Pitt a ajudasse a descer em silêncio para a água, que lhe chegava à cintura. Ela estremeceu involuntariamente, tanto pela água fria quanto pela ameaça iminente.

— Vá para trás da coluna mais distante e permaneça fora da vista até eu chamá-la — orientou Pitt em voz baixa.

— Aonde você vai?

— Vou devolver a sacola para ela.

Ele se inclinou sobre a balaustrada e deu-lhe um rápido beijo, depois observou enquanto ela avançava por diversas fileiras de colunas de mármore antes de desaparecer da vista. Satisfeito ao ver que a esposa escondera-se em segurança, ele se voltou e retornou pela plataforma. Um estrondo fez com que parasse imediatamente, ao mesmo tempo que um pedaço da balaustrada de madeira se espatifava a menos de um metro à frente dele e caía na água. A figura da atiradora achava-se a uns trinta metros de distância e ele rapidamente correu para frente até que uma fileira de colunas bloqueasse a visão dela.

Seus pensamentos dispararam nos poucos instantes de proteção que tinha. Ele rapidamente olhou para a sacola preta, cujo peso era causado por dois objetos separados. Não havia lugar onde se esconder nas rampas de madeira vazias, então ele percorreu com o olhar ansioso a parte superior das colunas mais próximas. Observou que a cada três colunas, mais ou menos, havia uma instalação com uma lâmpada vermelha perto da coroa, montada ali como as demais para a iluminação da cisterna. Com os passos da mulher se aproximando, Pitt levantou a sacola e dividiu os dois objetos pelo tato. Então torceu o tecido frouxo do centro até que a sacola se parecesse com um haltere, tendo um objeto pesado de cada lado.

— Solte isso! — ouviu a mulher gritar.

Na luz fraca, Pitt apostou que ela ainda estava longe demais para um tiro preciso, então deu dois passos rápidos na direção da balaustrada. A pistola disparou de novo, dois clarões gêmeos visíveis no canto do olho de Pitt enquanto os ruídos ressoaram pela câmara. Uma das balas atingiu a balaustrada e a outra passou assobiando pela sua orelha. Já em movimento, tudo o que ele podia fazer era continuar em frente.

Com um terceiro passo, ele balançou a sacola de baixo para cima e atirou-a para o alto com toda a força. Sem perder o ritmo, agarrou a parte de cima da balaustrada e atirou-se para o lado. A sacola girou como um cata-vento e ainda seguia em direção ao teto quando Pitt chegou à água. Ele imediatamente girou sob a superfície na direção da rampa, para baixo dos suportes, impulsionando-se na direção da mulher. Com um esforço controlado, nadava suavemente na água rasa, tentando não sair à superfície. Depois de tantos anos acostumado com o mergulho livre, não teve dificuldade para cobrir os vinte metros antes de emergir silenciosamente para respirar.

Pitt manteve-se perfeitamente imóvel, prendendo a respiração embaixo da rampa enquanto verificava a posição da mulher. Como tinha calculado, passara por ela embaixo da rampa enquanto ela corria em direção ao ponto onde ele mergulhara antes. Observando da superfície da água, ele a viu passando pelo outro lado, a arma apontada para a água.

Deslizando para trás sob a rampa, ele acompanhou-a cautelosamente na outra direção até fazer uma volta brusca. Havia mais iluminação na área do que ele preferia, mas a inclinação oferecia um ponto de ocultamento tanto quanto um local para o ataque. Mal tinha começado a tomar impulso apoiado a uma viga de suporte, ouviu uma nova sequência de passos descendo pela escada de pedra. Uma buzina de carro soou ao fundo na rua.

— Senhorita Maria, precisamos ir embora — gritou uma voz masculina em turco. — A polícia está começando a dar buscas fora de Topkapi.

Pitt recuou na água enquanto a mulher saía correndo na sua direção. Com os passos dela acima da cabeça, ele se manteve completamente imóvel, escutando enquanto ela começava a subir os degraus de pedra. Aproximando-se da saída, ela hesitou por um instante, depois uma voz estridente ecoou por toda a cisterna.

— Não vou me esquecer de vocês! — ela guinchou.

O ruídos dos passos dela foram diminuindo e a buzina parou de tocar. Pitt permaneceu imóvel na água fria, ouvindo o eco sombrio das gotas de água que pingavam do teto. Certo de que os assaltantes tinham ido embora, subiu para a rampa e encaminhou-se para a parte dos fundos, chamando o nome de Loren pelo caminho.

Quase congelando, a esposa apareceu de trás de uma das colunas e abriu caminho para a rampa, onde Pitt a içou. Embora tivesse o cabelo desfeito, o vestido todo ensopado e tremesse de frio sem parar, Loren ainda pareceu radiante para Pitt.

— Você está bem?

— Sim — disse ela. — Eles foram embora?

Pitt inclinou a cabeça, segurou-lhe a mão e eles seguiram pela rampa.

— Gente mais repugnante — disse ela. — Quantas pessoas será que mataram durante o assalto?

Pitt só podia especular.

— Eles a machucaram? — indagou ele.

— Não, mas ficou bem claro que não hesitariam em matar. Não pareceram preocupados quando eu disse que era uma congressista americana.

— Devem ter menos consideração pelos políticos aqui do que nos Estados Unidos.

— Você entregou a sacola?

— Não, desta vez ela teve de partir com as mãos vazias. Como você ouviu, ela não pretende nos esquecer.

— Onde você a escondeu?

Pitt parou e apontou na direção da coroa de uma coluna de mármore que se erguia da água a poucos metros dali. Enganchada em uma instalação de luz no alto da coluna, a sacola preta torcida permanecia pendurada sobre a água.

— Não está escondida — disse ele, provocando um risinho em Loren. — Só a coloquei fora do alcance.

6

OUTRA XÍCARA de chá, xeque?

O convidado inclinou a cabeça ligeiramente enquanto o anfitrião tornava a encher a sua xícara com chá preto. Com pouco menos de trinta anos de idade, o xeque era o mais jovem dos cinco filhos homens nascidos em uma das famílias reais que governavam os Emirados Árabes Unidos. Com uma compleição esguia, usava uma cobertura imaculadamente branca na cabeça, com um *agal* de fios de ouro trançados, ainda assim mal sugerindo os múltiplos bilhões de petrodólares que a sua família controlava.

— O movimento do *mufti* parece ter evoluído na Turquia — disse ele, pousando a xícara. — Estou contente com os progressos que me relatou.

— O *mufti* Battal tem seguidores dedicados — respondeu o anfitrião, olhando para o retrato de um homem com aparência sábia usando túnica e turbante pretos pendurado na parede ao longe. — O momento e a conjuntura têm contribuído para a expansão do movimento, e a popularidade pessoal do *mufti* aumenta sem parar. À nossa frente temos uma verdadeira oportunidade de mudar a Turquia e o seu papel perante o resto do mundo. Mas a mudança, como sabe, requer recursos consideráveis.

— Estou tão comprometido com a causa aqui como com a da Irmandade Muçulmana no Egito — respondeu o xeque.

— A exemplo dos seus irmãos egípcios, nos manteremos unidos no caminho de Alá — respondeu o anfitrião, com uma reverência.

Levantando-se, o xeque atravessou o gabinete de pé-direito alto, parecido com o interior de uma mesquita. Pequenos tapetes *kilim* de oração alinhavam-se em um espaço aberto, de frente para um *mihrab* azulejado voltado para Meca. Na parede oposta, uma estante alta ostentava uma coleção admirável de exemplares antigos do Alcorão. Uma imensa janela panorâmica gradeada era a única fonte de iluminação do interior austero e reverente.

O xeque aproximou-se da janela e admirou a paisagem que se descortinava à sua frente. O prédio de escritórios estava situado sobre a margem asiática do Bósforo e oferecia uma vista impressionante da velha Istambul na margem europeia, imediatamente à frente do estreito. O xeque apreciou a distância os minaretes elevados da mesquita Süleymaniye.

— Istambul tem o mais sincero respeito pelo seu passado, como deve — disse ele. — Não se pode alcançar a grandeza sem considerar o passado.

Ele se voltou para o anfitrião.

— Os meus irmãos todos têm formação ocidental. Eles usam ternos confeccionados na Inglaterra e gostam de automóveis de luxo — disse, com desdém.

— Mas o senhor não é como eles.

— Não — respondeu o xeque, pensativo. — Frequentei a Universidade Islâmica em Medina. Desde criança, sempre me dediquei a Alá. Não há maior propósito na vida do que interpretar as palavras do Profeta. — Ele se voltou vagarosamente da janela, com um olhar distante e pensativo. — As ameaças aos nossos costumes não cessam nunca — continuou. — No Cairo, os sionistas bombardearam al-Azhar, mas não tive notícias de uma indignação mundial em relação ao atentado.

— O *mufti* Battal e eu nos sentimos indignados.

— Assim como eu — disse o xeque. — Uma afronta dessas não pode ser ignorada.

— Devemos fortalecer o alicerce da nossa casa para resistir às forças externas.

O xeque inclinou a cabeça, concordando.

— Como sabe, fui abençoado com uma fortuna considerável. Continuarei a apoiar o caminho da suna aqui. Identifico-me com a sabedoria de Istambul em venerar o nosso passado.

— Acima de tudo, devemos louvar imensamente a Alá.

O xeque encaminhou-se para a porta.

— Providenciarei a transferência dos fundos em breve. Por favor, transmita os meus louvores ao *mufti* Battal.

— Ele ficará agradecido e encantado. Louvado seja Alá.

O xeque respondeu de acordo, depois reuniu-se com a comitiva que o esperava do outro lado da porta. Assim que o contingente árabe deixou o vestíbulo, o anfitrião fechou a porta e retornou à sua escrivaninha, de onde tirou uma chave da primeira gaveta. Aproximando-se de uma porta lateral dissimulada na decoração, girou a chave na fechadura e passou para outro escritório adjacente, com aproximadamente três vezes o tamanho do anterior. O salão não era apenas grande, mas também de aparência majestosa, e com uma decoração praticamente contrária. Bastante iluminado, exibia uma coleção estilizada de arte contemporânea e pinturas clássicas a óleo, tapetes tribais singulares e móveis europeus do século XIX. Os aspectos mais destacados do aposento, acentuados pelas luzes direcionadas do teto, eram fileiras opostas de prateleiras embutidas, repletas de antiguidades e relíquias valiosas da época otomana, incluindo vasos de porcelana, tapeçarias finamente decoradas e armas incrustadas de pedras preciosas. No centro de uma prateleira achava-se a peça capital da coleção, uma túnica tecida com fios de ouro trajada por um manequim dentro de uma caixa de vidro embutida. Uma placa no interior da caixa identificava a túnica como tendo sido usada por Mehmed I, um sultão otomano que governara no século XV.

Uma mulher franzina, de cabelo preto cortado curto, encontrava-se sentada sobre um divã, lendo um jornal. A sua presença provocou uma reação de aborrecimento no rosto do homem, e ele passou por ela sem dizer uma palavra. Alcançando uma escrivaninha de madeira lavrada ao lado da janela, ele despiu a *keffiyeh* e a túnica preta, revelando a camisa e a calça esportiva que usava por baixo.

— A reunião com o xeque foi produtiva? — indagou a mulher, abaixando o jornal.

Ozden Aktan Celik inclinou a cabeça em resposta.

— Sim, o bobalhão raquítico da prole real concordou com outra injeção de dinheiro. Vinte milhões, para ser exato.

— Vinte? — respondeu a mulher, arregalando os olhos. — A sua capacidade de persuasão é mesmo impressionante.

— Trata-se simplesmente de uma questão de jogar um árabe mimado rico contra outro. Quando o nosso benfeitor do Kuwait souber da contribuição do xeque, será forçado a suplantá-la só por uma questão de ego. É claro, a sua recente visita ao Cairo ajudou a aumentar as apostas.

— Impressionante como a ameaça sionista pode render tantos lucros. Pense bem no dinheiro que seria poupado se árabes e israelenses se beijassem e fizessem as pazes.

— Eles encontrariam outro bode expiatório com que rivalizar — disse Celik, sentando-se atrás da escrivaninha.

Ele era um homem bem proporcionado, com o cabelo escasso dos lados da cabeça penteado para trás. Seu nariz era largo, mas tinha um rosto forte e não pareceria estranho na capa de uma revista elegante de moda masculina. Só os olhos escuros sugeriam uma personalidade caprichosa, capaz de acrobacias emocionais constantemente oscilando de intensidade. Seus olhos estreitaram-se irados ao focalizar a mulher.

— Maria, eu preferiria que não aparecesse assim tão depressa. Ainda mais considerando o seu desempenho caótico de ontem à noite. — Os olhos centraram-se nela com uma intensidade luminosa.

Quaisquer que fossem as intenções de intimidação que ele tivesse em mente pareceram não exercer o menor efeito sobre a mulher.

— A operação transcorreu perfeitamente conforme planejamos. Só aconteceu que o surgimento inesperado de uns transeuntes intrometidos atrasou um pouco a nossa partida.

— E subverteu a aquisição dos artefatos de Maomé — sibilou ele. — Você devia tê-los matado na hora.

— Talvez. Mas revelou-se que dois deles eram funcionários do governo norte-americano, incluindo uma congressista. Sua morte seria uma ameaça ao nosso objetivo. E o nosso objetivo, por ora, parece ter sido alcançado. — Ela dobrou o jornal que estava lendo e atirou-o a Celik.

Era um exemplar do *Milliyet,* um diário turco, cujas manchetes proclamavam: "Ladrões Assassinos Atacam Topkapi e Levam Relíquias Sagradas".

Celik concordou.

— Sim, li a reportagem. A mídia culpa assaltantes locais por roubar e profanar as relíquias sagradas muçulmanas do nosso país. Exatamente a manchete que pretendíamos. Mas você se esquece de que compramos o enfoque da notícia de alguns jornalistas locais. Será que a polícia acredita mesmo nisso?

Maria tomou um gole de água de um copo ao lado antes de responder.

— Disso não podemos ter certeza. O meu informante no departamento só conseguiu obter uma cópia eletrônica do relatório sobre o incidente esta manhã. Parece que não têm suspeitos concretos, embora a mulher americana tenha dado algumas descrições físicas e relatado que a nossa equipe parecia estar falando árabe.

— Eu lhe disse que não gostava da ideia de usar agentes iraquianos.

— Eles foram bem treinados, meu irmão, e, se fossem pegos, ainda nos proporcionariam um bode expiatório seguro. Um ladrão xiita, mesmo sendo do Iraque, é quase tão produtivo para os nossos interesses quanto um infiel ocidental. Eles são bem pagos para manter a boca fechada. Além do mais, acreditam falsamente que estão trabalhando para os seus irmãos xiitas. Eu não conseguiria isto aqui sem a ajuda deles — acrescentou ela, abrindo uma maleta que tinha junto aos pés.

Vasculhando o conteúdo, de dentro ela tirou um objeto achatado, embrulhado em papel marrom. Aproximando-se da escrivaninha, depositou o pacote sobre o tampo à frente de Celik. Os olhos faiscantes dele focaram o pacote de imediato e em seguida, com os dedos trêmulos, começou a desembrulhá-lo. Afastando o papel, descobriu uma sacola verde de tafetá. De dentro da sacola, retirou delicadamente o seu conteúdo: uma bandeira negra desbotada de que faltavam pedaços nas bordas. Admirou a bandeira por praticamente um minuto antes de pegá-la e segurá-la reverentemente no ar.

— Sancak-i Şerif. O estandarte sagrado de Maomé — sussurrou assombrado.

Aquela era uma das relíquias mais valiosas de Topkapi e talvez a mais importante historicamente. A bandeira preta de lã, criada com base no turbante de um inimigo derrotado, servira como estandarte de batalha para o profeta Maomé. Ele o carregara consigo na estratégica Batalha de Badr, na qual a vitória proporcionara o próprio surgimento do islamismo.

— Com isto Maomé mudou o mundo — disse Celik, os olhos faiscando em um misto de reverência e encantamento. — Devemos fazer o mesmo.

Carregando-a consigo, ele a guardou na caixa de vidro que abrigava a túnica do sultão Mehmed.

— E quais foram as outras relíquias perdidas? — indagou ele, voltando-se para encarar a mulher.

Maria baixou os olhos para o chão, refletindo sobre uma resposta.

— A mulher americana levou a segunda sacola quando escapou do furgão. Eles a esconderam na Yerabatan Sarnici. Fui forçada a partir antes de conseguir recuperá-la — acrescentou com desdém.

Celik manteve-se em silêncio, mas seus olhos demoraram-se sobre a mulher como um par de feixes de raios laser. De novo, suas mãos tremeram, mas dessa vez de raiva.

Maria, em silêncio, tentava controlar uma explosão.

— Ainda assim a missão foi um sucesso. Mesmo que não tenhamos conseguido todas as relíquias que queríamos, o impacto foi o mesmo. A invasão e o roubo do estandarte da batalha vão gerar uma desejada reação no público. Lembre-se do nosso plano estratégico. Este é apenas um passo na direção do nosso objetivo final.

Lentamente, Celik foi se acalmando, mas ainda pensava em extrair uma explicação.

— O que aqueles turistas americanos estavam fazendo em Topkapi no meio da noite?

— De acordo com o relatório policial, tinham ido ao Museu de Arqueologia, perto do Portão Bâb-üs Selâm, para uma reunião com um dos curadores. O homem... o nome dele é Pitt... é um tipo de especialista subaquático do governo americano. Aparentemente, acabou de descobrir um naufrágio antigo próximo a Quios e discutia sobre os artefatos com a autoridade náutica do museu.

À menção ao naufrágio, Celik empertigou-se.

— Era algum navio otomano? — indagou, olhando para a túnica na caixa de vidro à sua frente.

— Não tenho mais nenhuma informação.

Celik admirou os fios coloridos da túnica antiga.

— O nosso legado deve ser preservado — disse em voz baixa, como se entrasse em um transe que o levava de volta no tempo. — As riquezas do império nos pertencem. Veja se pode descobrir mais sobre o naufrágio.

Maria concordou.

— Assim será feito. E quanto a esse homem, Pitt, e sua esposa? Sabemos onde estão hospedados.

Celik não desviou os olhos da túnica.

— Não me interessa. Mate-os se quiser, mas faça isso sem levantar suspeitas. Depois se prepare para o próximo projeto.

Maria aquiesceu, um sorriso frio cruzando os seus lábios.

7

Sophie Elkin correu a escova pelos fios lisos e negros do cabelo, em seguida deu uma olhada apressada no espelho. Vestida com calça cáqui gasta e camisa de algodão combinando, sem nenhuma maquiagem, era como se tivesse sido obrigada a apresentar-se com a aparência mais comum. No entanto, não havia como esconder a sua beleza natural. Tinha um rosto estreito, as maçãs do rosto salientes, nariz pequeno e olhos suaves da cor de água-marinha. A pele era lisa e sem falhas, apesar das muitas horas que passava ao ar livre. Os traços na maioria eram herança da mãe, uma francesa que se apaixonara por um estudante israelense de geologia que estava em Paris e com o qual acabara migrando para Tel Aviv.

Sophie sempre minimizara sua aparência e feminilidade. Desde criança, rejeitava os vestidos que a mãe lhe comprava, preferindo usar calça comprida para se juntar aos meninos da vizinhança nas suas atividades e brincadeiras. Filha única, sempre fora mais ligada ao pai, que chegara a se tornar o chefe do Departamento de Geologia da Universidade de Tel Aviv. A garota independente adorava acompanhá-lo em expedições a campo para estudar as formações geológicas nos desertos vizinhos, onde arrebatadamente absorvia as histórias que ele contava junto à fogueira sobre os eventos bíblicos acontecidos nos próprios locais onde acampavam.

O trabalho do pai a levara a estudar arqueologia na faculdade. Durante o curso, ficara abalada com a prisão de um colega por furtar artefatos do arquivo universitário. O incidente abrira-lhe os olhos para o mundo sombrio do comércio marginal de antiguidades, que passara a detestar por seu impacto na destruição de locais históricos e culturais. Após completar o doutorado, abandonara o meio acadêmico e entrara para a Autoridade das Antiguidades de Israel. Com paixão e dedicação pelo trabalho, em poucos anos chegara a chefe da Unidade de Prevenção ao Roubo de Antiguidades. Sua devoção deixava pouco tempo para a vida pessoal, então namorara com pouca frequência, preferindo passar a maioria das noites trabalhando até tarde.

Pegando a bolsa, ela deixou o pequeno apartamento em uma colina com vista para o monte das Oliveiras e dirigiu o carro rumo à Cidade Velha de Jerusalém. A Autoridade das Antiguidades estava instalada no Museu Rockefeller, uma ampla construção de pedra calcária branca situada na extremidade nordeste da Cidade Velha. Empregando apenas uma dúzia de pessoas, seu departamento era incumbido da responsabilidade quase impossível de proteger os cerca de trinta mil sítios antigos de bens culturais localizados ao redor de Israel.

— Bom dia, Sophie — cumprimentou o detetive sênior do departamento, um homem magro de olhos esbugalhados chamado Sam Levine. — Posso lhe trazer um café?

— Obrigada, Sam, eu agradeceria — disse ela, abafando um bocejo enquanto se espremia no escritório abarrotado. — Estavam trabalhando em um tipo de construção a noite inteira perto da minha casa ontem à noite. Quase não consegui dormir.

Sam voltou com o café e sentou-se do outro lado da mesa.

— Se não conseguiu dormir, podia ter-nos acompanhado na batida que demos ontem à noite — ele disse com um sorriso.

— Alguma apreensão?

— Não, os nossos ladrões de túmulos em Hebron devem ter tirado a noite de folga. Desistimos por volta da meia-noite, mas saímos com uma bela pilha de picaretas e pás.

Talvez a segunda mais antiga profissão do mundo, o roubo de túmulos classificava-se no topo da lista de transgressões criminosas da Unidade de Prevenção ao Roubo de Antiguidades. Várias vezes por semana, Sophie ou Sam conduziam emboscadas até tarde da noite em antigos túmulos de todo o país nos quais tivessem sido observados sinais de escavações recentes. Cântaros, joias e até os próprios ossos normalmente poderiam encontrar um comprador disposto a pagar alguma coisa no mercado marginal de antiguidades que grassava por toda parte em Israel.

— Agora que sabem que estamos de olho, provavelmente vão interromper as atividades por algumas semanas — disse Sophie.

— Ou mudar-se para outro lugar. Desde que tenham dinheiro suficiente para comprar algumas pás novas — ele acrescentou, sorrindo novamente.

Sophie correu os olhos por alguns relatórios e recortes de jornais sobre a mesa, em seguida passou um dos artigos para Sam.

— Estou preocupada com esta escavação em Cesareia — disse ela.

Sam leu rapidamente o artigo.

— Sim, ouvi sobre isso. É uma escavação das antigas instalações portuárias da cidade, patrocinada pela universidade. Diz aqui que descobriram alguns artefatos do século IV e um possível túmulo. Você acha realmente que o sítio está sendo alvo de ladrões?

Sophie engoliu o café, em seguida devolveu a xícara à mesa com um olhar apreensivo.

— O repórter poderia muito bem ter colocado uma bandeira e luzes piscando. Toda vez que a palavra "túmulo" sai impressa, é como um ímã. Já implorei mil vezes aos repórteres para evitar a divulgação dos locais de túmulos, mas eles estão mais interessados em vender jornais do que em proteger o nosso patrimônio.

— Por que não vamos até lá dar uma olhada? Programamos uma batida para esta noite, mas eu poderia mandar os rapazes darem um pulo lá. Aposto que eles adorariam uma viagem ao litoral.

Sophie consultou a agenda sobre a mesa, em seguida concordou.

— Estarei livre depois da uma. Acho que poderíamos ir lá verificar e ficar até à noite, se parecer que vale a pena.

— Assim é que se fala. Só por isso, vou lá roubar outra xícara de café para você — disse ele, saltando da cadeira.

— Tudo bem, Sam, negócio fechado. — Em seguida, ela o encarou com dureza. — Mas só não use a palavra "roubo" perto de mim!

* *

Situada na costa do Mediterrâneo, a aproximadamente cinquenta quilômetros ao norte de Tel Aviv, Cesareia era um enclave pouco povoado, geralmente ofuscada pelo seu passado histórico como sede do poder romano. Construída pelo rei Herodes, o Grande, como uma cidade portuária fortificada no primeiro século antes de Cristo, Cesareia exibia as famosas marcas da arquitetura romana. Adornavam a cidade um templo de colunas altas, um grande hipódromo e um palácio ornamentado à beira-mar, que era abastecido com a água fria do interior através de aquedutos de tijolos maciços. A façanha de engenharia mais impressionante de Herodes, porém, não estava em terra. Ele projetara e construíra diques com enormes blocos de concreto, utilizando-os para criar o maior porto protegido do Mediterrâneo oriental. O sucesso do porto proporcionara a Cesareia importância maior como a capital da Judeia sob o domínio romano, e a cidade permaneceu por mais de trezentos anos como um centro de comércio importante.

Sophie estava bem familiarizada com os remanescentes históricos da antiga cidade, depois de passar um verão no local na época em que ainda frequentava a faculdade. Saindo da movimentada rodovia costeira, ela conduziu o carro por um condomínio residencial de luxo, em seguida entrou nas ruínas do sítio romano, que agora constituíam um parque estadual protegido. Os séculos não haviam sido gentis com as construções originais, os antigos prédios romanos havia muito vinham se desintegrando. No entanto, alguns exemplares remanescentes das construções antigas da cidade ainda continuavam intactos, incluindo um considerável trecho dos arcos do aqueduto, que se estendia pelas areias de cor ocre, não muito longe de um anfiteatro de tamanho razoável de frente para o mar.

Sophie parou o carro em um estacionamento no alto da colina, na entrada para algumas fortificações da época das Cruzadas.

— A equipe da universidade está escavando perto do porto — ela disse para Sam. — Fica a uma curta caminhada daqui.

— Eu me pergunto se vamos encontrar alguma coisa para comer. — Ele olhou com alguma ansiedade para as colinas estéreis do parque ao redor.

Sophie arremessou-lhe uma garrafa de água que tirou do banco traseiro do veículo.

— Estou certa de que há alguns restaurantes perto da estrada, mas por ora você vai ter de se contentar com uma dieta líquida.

Desceram em direção à praia por uma trilha sinuosa, a qual se alargava em vários pontos ao longo da ribanceira. Passaram por uma estrada abandonada ao longo do tempo, que já fora cercada de residências e pequenos comércios, os seus restos fantasmagóricos atualmente sendo pouco mais do que montes de pedra desordenados. Na descida pela trilha, logo o pequeno porto descortinou-se à frente deles. Pouca coisa restara para identificar os seus limites, uma vez que os quebra-mares originais tinham submergido séculos antes.

A trilha levava a uma clareira ampla, onde se viam pequenas pilhas de pedras espalhadas pelo campo em todas as direções. Um aglomerado de barracas de cor bege fora montado mais para baixo, e Sophie conseguiu distinguir algumas pessoas trabalhando sob um toldo grande no centro. A trilha continuava por mais cem metros abaixo da colina, onde as águas do Mediterrâneo banhavam a praia. Viam-se dois homens trabalhando em um pequeno prolongamento de terra em direção ao mar, ladeados por um par de geradores cujo zumbido se ouvia a distância.

Sophie encaminhou-se para o toldo principal, que ao que parecia fora erguido sobre uma área de escavação em atividade. Duas jovens estavam perto de um monte de terra, filtrando o sedimento por meio de uma caixa blindada. Aproximando-se mais, Sophie avistou um homem mais velho curvado dentro de uma trincheira, escavando o solo com uma espátula e um pincel. Com as roupas amarrotadas, a barba grisalha meio crescida e um par de óculos encarapitados na ponta do nariz, Keith Haasis tinha a aparência inconfundível de um distinto professor universitário.

— Quantos tesouros romanos já descobriu hoje, doutor Haasis?

O homem barbudo levantou-se na trincheira com uma expressão de irritação, que imediatamente se transformou em um largo sorriso quando reconheceu a autora da pergunta.

— Sophie! — exclamou em sua voz grossa. — Que bom ver você. — Ele saltou agilmente para fora da trincheira e correu até ela, dando-lhe um grande abraço de urso.

— Já faz muito tempo que não a vejo — disse ele.

— Mas estive com você há dois meses na conferência de arqueologia bíblica em Jerusalém — ela protestou.

— Como eu disse, é muito tempo — ele riu.

Em seus dias de estudante, Sophie frequentara vários seminários conduzidos pelo professor de arqueologia da Universidade de Haifa, e isso acabara levando a uma amizade profissional. Haasis era um contato muito importante, tanto como perito em arqueologia quanto como boa fonte de informações sobre os locais recém-descobertos e também sobre a atividade destrutiva.

— Doutor Haasis, este é o meu assistente, Sam Levine — ela disse, apresentando o companheiro.

Haasis, por seu turno, apresentou os alunos nas proximidades, depois levou Sophie e Sam para um círculo de cadeiras de campanha em volta de uma geladeira grande. O professor ofereceu-lhes latas de refrigerante gelado, depois enxugou a testa e se afundou em uma cadeira.

— Alguém bem que precisava virar a brisa do oceano hoje — ele disse, com um sorriso cansado. Então, olhando para Sophie, perguntou: — Devo presumir que esta seja uma visita oficial?

Tomando um gole da bebida, Sophie inclinou a cabeça em resposta.

— Alguma preocupação em especial?

— Um pouco de publicidade exagerada na edição de ontem do *Yedioth Ahronoth* — ela disse, pegando o recorte de jornal da bolsa a tiracolo. Entregou o artigo a Haasis e observou friamente enquanto Sam esvaziava a sua lata de refrigerante e arrebatava uma segunda lata da geladeira.

— Sim, um repórter local passou aqui há alguns dias para uma entrevista — disse Haasis. — Deve ter completado a história em Jerusalém. — Ele sorriu para Sophie enquanto devolvia o recorte. — Não há nada de errado com um pouco de publicidade para um trabalho honesto de arqueologia — comentou.

— Nada, exceto um convite descarado a cada ladrão que se disponha a usar uma pá — respondeu ela.

Haasis acenou com o braço no ar.

— Este sítio tem sido saqueado há séculos. Qualquer "tesouro romano" que estivesse enterrado por aqui se foi há muito tempo, receio dizer. Ou o seu agente não achou isso?

— Que agente? — Sophie perguntou.

— Eu tinha ido a Haifa para uma reunião, mas os meus alunos disseram que um agente de antiguidades passou por aqui ontem e inspecionou o local do projeto. Stephanie! — chamou ele por cima do ombro.

Uma das jovens que trabalhavam com a caixa blindada aproximou-se correndo. A aluna, uma jovem desengonçada de pouco menos de vinte anos, parou diante Haasis com uma expressão de devoção no rosto.

— Stephanie, informe-nos sobre aquele agente da Autoridade das Antiguidades que esteve aqui ontem — pediu ele.

— Ele disse que era da Unidade de Prevenção ao Roubo. Queria verificar a segurança dos nossos artefatos, então levei-o para conhecer todo o sítio. Ele parecia mais interessado na escavação do porto e do documento em papiro.

Sophie e Sam entreolharam-se com as sobrancelhas levantadas.

— Você se lembra do nome dele? — ela perguntou.

— Yosef alguma coisa. Era um tipo meio baixo, de pele escura, com cabelos encaracolados. Parecia palestino, para ser franca.

— E ele lhe mostrou alguma identificação? — perguntou Sam.

— Não, acho que não. Aconteceu alguma coisa?

— Não, de maneira nenhuma — disse Haasis. — Obrigado, Stephanie. Por que não leva algumas bebidas para os outros lá embaixo?

Haasis esperou até que a garota se afastasse com uma braçada de latas, em seguida virou-se para Sophie.

— Não era um dos seus agentes? — perguntou ele.

Sophie abanou a cabeça.

— Certamente não da Unidade de Prevenção ao Roubo.

— Talvez seja da autoridade dos parques nacionais ou um de seus próprios escritórios regionais. Esses jovens danados parecem não se lembrar de nada nestes dias.

— É possível — respondeu ela em tom vago. — Pode nos mostrar os seus sítios de escavação? Estou mais interessada no túmulo. Como você sabe, os ladrões de túmulos ao redor de Jerusalém têm criado uma indústria com isso.

Haasis sorriu e então apontou com o polegar por cima do ombro.

— Está bem atrás de nós.

O trio se levantou e se encaminhou até a ampla trincheira que corria atrás das cadeiras. Uma grande quantidade de marcadores de plástico vermelho assinalava os locais de ossos expostos no solo em torno de uma pequena seção. Sophie reconheceu um fêmur entre os restos engastados no chão.

— Não se trata de uma sepultura formal. O que acabamos de descobrir é um túmulo simples à beira do sítio — Haasis explicou. — Realmente não tem nenhuma relação com as escavações aqui.

— O que é este sítio? — Sam perguntou.

— Acreditamos que fosse uma espécie de armazém de expedição. Resolvemos pesquisar a área depois da descoberta de uma balança de bronze há alguns anos. A nossa esperança é coletar amostras de grãos, arroz e outros alimentos básicos que poderiam ter chegado pelo porto. Se tivermos sucesso, isso nos dará uma compreensão melhor do tipo e do volume de mercadorias que passavam por Cesareia quando era um próspero centro de comércio.

— E como é que este túmulo se encaixa nessa história? — Sophie perguntou.

— Não fizemos ainda nenhuma datação, mas o meu palpite é que este homem foi uma vítima da invasão muçulmana da cidade em 638 d.C. O túmulo fica fora das fundações do prédio, então eu acho que o que vamos descobrir é que foi um corpo enterrado às pressas contra a parede.

— O artigo de jornal chamou-o de um túmulo "rico em artefatos" — Sam observou.

Haasis riu.

— Licença jornalística, acho. Encontramos alguns botões feitos de ossos de animais e o calcanhar de uma sandália antes de interrompermos a escavação. Mas é só até aí que vão os supostos "ricos" artefatos do túmulo.

— Os nossos amigos ladrões da vizinhança poderão ficar muito decepcionados — disse Sam.

— Sem dúvida — respondeu o professor, — pois os nossos maiores tesouros de verdade foram descobertos ao longo da parede junto ao mar. — Ele inclinou a cabeça na direção do Mediterrâneo, onde o zumbido dos geradores ainda alcançava a colina. — Descobrimos um documento antigo em papiro que nos deixou muito animados. Venha, vamos dar um passeio até a água, depois vou lhes mostrar o artefato.

Haasis levou Sophie e Sam pela trilha, depois guiou-os na descida do morro. Pequenos sulcos de pedra espalhados juncavam o solo em padrões estranhos em torno deles, lembretes vagos da grande quantidade de prédios da cidade movimentada no passado que havia muito tempo tinham sido reduzidos a escombros.

— Usando moldes para despejar o concreto e definir os seus blocos no local, o rei Herodes construiu dois quebra-mares de grande porte que formavam um círculo um em direção ao outro, como um par de braços — informou Haasis enquanto caminhavam. — Foram construídos armazéns em cima dos quebra-mares e um farol imponente ocupava a entrada do porto.

— Lembro-me de que um dos primeiros projetos de pesquisa mapeou um grande número de pedras embaixo da água, que se acreditava terem caído do farol — Sophie disse.

— É uma vergonha que o trabalho de Herodes não tenha sobrevivido aos estragos causados pelo mar — Sam disse, olhando para a água e encontrando poucas evidências visíveis dos quebra-mares originais.

— Sim, a maioria dos blocos está agora completamente submersa. Mas este é o lugar onde se concentra o meu principal interesse — Haasis disse, apontando para a baía onde não se viam as ruínas. — O armazém morro acima é uma boa escola de campo para os alunos, mas a instalação portuária é o que torna Cesareia única.

Eles atravessaram a praia e se encaminharam a um pequeno prolongamento de terra e rochas que resistia ao impacto das ondas. Dois estudantes escavavam laboriosamente um poço profundo no centro do prolongamento rochoso. Perto, podia-se ver um mergulhador trabalhando na água, aplicando jatos de água sob a superfície com o auxílio de um compressor.

— Este é o lugar de onde partia o quebra-mar principal — Haasis explicou, falando alto para vencer o zumbido de um compressor nas proximidades. — Neste sítio nós acreditamos que estivesse situado o equivalente a uma alfândega. Um dos meninos recuperou o documento em papiro em um pote quebrado ali — disse ele, apontando para uma vala nas proximidades. — Ampliamos algumas trincheiras de teste em várias direções, mas não encontramos outros artefatos.

— Incrível que tenha resistido tão perto da água — disse Sam.

— Encontramos fragmentos das fundações que ainda estão acima dos níveis médios da maré alta.

O professor olhou para dentro do poço de teste em atividade, onde um dos alunos apontava para uma pequena seção plana de placas de mármore.

— Parece que você chegou ao porão — Sophie comentou.

— Sim, acredito que não haja mais muita coisa a escavar.

— O que o mergulhador está fazendo?

— Ele é um engenheiro naval que está ajudando a reconstruir o desenho das instalações portuárias originais. Parece acreditar que pode haver uma câmara subterrânea da nossa alfândega e está escavando ali em busca de um acesso por baixo da água.

Sophie aproximou-se da borda do barranco e observou o mergulhador. O pesquisador trabalhava sob três metros de água quase diretamente abaixo dela, projetando um jato de água contra o fundo solidificado. Sem perceber o público acima, o mergulhador interrompeu a sua sondagem e começou a subir. Ele segurou o bico do jato de água na vertical, o que projetou uma fonte de água pulverizada para o alto quando surgiu à superfície. Parada em frente a ele, Sophie foi encharcada com o jato de água salgada antes que pudesse saltar para fora do seu caminho.

— Seu maldito idiota! — praguejou ela, limpando a água salgada dos olhos com as mangas da camisa ensopada.

O mergulhador, percebendo o que fizera, girou rapidamente o bico para longe, em seguida nadou até a borda do talude e desligou o compressor. Virando-se para a sua vítima, ele observou as roupas molhadas grudadas firmemente ao corpo esguio e em seguida cuspiu o bocal do regulador.

— Ora, ora, será que temos aqui uma deusa do mar? — disse ele com um sorriso largo.

Sophie sacudiu a cabeça e virou-lhe as costas, tornando-se mais irritada ao ver Sam rir alto. Haasis reprimiu o próprio divertimento e aproximou-se em seu socorro.

— Sophie, tenho uma toalha na minha barraca. Venha, vamos enxugá-la.

O mergulhador colocou o regulador de volta à boca e desapareceu sob a superfície enquanto Sophie acompanhava Haasis pela trilha acima. Eles chegaram à barraca do professor, onde ela esfregou o cabelo e a roupa o melhor que pôde. A brisa morna a secaria rapidamente, mas ela tremia sob o efeito do súbito resfriamento provocado pela evaporação da umidade da pele.

— Posso ver os artefatos que foram escavados? — ela perguntou.

— Com certeza. Eles estão bem aqui ao lado.

O professor a levou a uma barraca de teto elevado com uma abertura em uma das suas extremidades. Dentro, viam-se os numerosos artefatos recuperados do local do armazém, principalmente cacos e fragmentos de azulejos, espalhados sobre uma comprida mesa forrada com uma toalha branca. A estudante Stephanie estava ocupada com uma câmera e um computador portátil, numerando e registrando cuidadosamente todas as peças antes de guardá-las em caixas plásticas. Ignorando os artefatos, Haasis conduziu Sophie a uma mesa pequena na parte de trás da barraca. Sobre a mesa, via-se apenas uma caixa selada, que Haasis manuseou com precaução enquanto removia a tampa.

— Gostaria que tivéssemos encontrado mais — disse melancolicamente, pondo-se de lado para permitir que Sophie examinasse o conteúdo da caixa.

Dentro havia um pedaço alongado de material castanho, prensado entre duas placas de vidro. Sophie reconheceu imediatamente o papiro, uma superfície de escrita comum no Oriente Médio até o final do primeiro milênio. A amostra estava puída e desgastada, no entanto linhas precisas de símbolos escritos a mão eram claramente visíveis ao longo do comprimento do documento.

— Parece ser um tipo de registro da instalação portuária. Consegui identificar referências a uma grande quantidade de grãos e a um rebanho de gado sendo descarregados no cais — Haasis disse. — Vamos saber mais depois da análise laboratorial, mas acho que pode se tratar de um registro aduaneiro sobre um navio mercante entregando mercadorias vindo de Alexandria.

— É um achado esplêndido — Sophie cumprimentou. — Com sorte, aumentará as informações recolhidas no sítio do armazém.

Haasis riu.

— Se tiver sorte, ele se mostrará totalmente contraditório.

Os dois se voltaram quando uma figura alta entrou na barraca, carregando um grande caixote de plástico. Sophie notou que era o mergulhador, ainda vestido com o traje de mergulho molhado, o cabelo escuro solto escorrido pela água. Ainda irritada com o banho, ela já ia fazer uma observação cáustica, mas sentiu a voz sumir quando foi atingida por seu sorriso radiante e um par de olhos verdes profundos que se demoraram nela.

— Dirk, aí está você — disse Haasis. — Quero lhe apresentar a bela, mas molhada, Sophie Elkin, da Autoridade das Antiguidades de Israel. Sophie, este é Dirk Pitt Jr., por empréstimo da Agência Nacional Marítima e Subaquática americana.

Filho e homônimo do diretor da agência, Dirk deixou a caixa de lado e aproximou-se. Ainda exibindo o mesmo sorriso desarmante, apertou calorosamente a mão de Sophie. Ela não ofereceu nenhuma resistência quando ele demorou a soltar a sua mão.

— Minhas desculpas pela ducha; não sabia que estava parada lá.

— Sem problemas, já estou quase seca. — No fundo, ela se surpreendia com a rapidez com que a raiva de repente fora substituída por um formigamento estranho. Em um gesto distraído, afagou o cabelo como para provar seu argumento.

— Espero que me permita a honra de pagar-lhe o jantar hoje à noite, para fazer as pazes.

A proposta direta de Dirk pegou-a desprevenida, e Sophie gaguejou ao responder, murmurando algo ininteligível. Em algum lugar em seu íntimo uma voz a repreendeu por perder os seus modos normalmente imperturbáveis.

Felizmente, Haasis interveio para salvar o momento embaraçoso.

— Dirk, o que há no caixote? — ele perguntou, observando o volume com curiosidade.

— Apenas alguns presentinhos da câmara subterrânea.

Haasis abriu a boca.

— Ela realmente existe?

Dirk assentiu.

— Que câmara? — Sophie perguntou.

— Enquanto examinava os destroços do quebra-mar na costa, encontrei uma pequena abertura submersa próxima aos poços de teste de Keith. Só consegui enfiar o braço, mas pude sentir a minha mão sair à superfície da água. Foi por isso que estava usando o jato de água, para abrir um buraco maior no meio da lama e das concreções.

— Qual é o tamanho da cavidade? — Haasis perguntou animadamente.

— Não é muito maior do que um espaço para uma pessoa passar apertada, com cerca de dois metros de profundidade. Mas a maior parte fica acima da água. Sou capaz de apostar que era parte de um porão usado para o armazenamento de arquivos ou registros.

— Como chegou a essa conclusão? — Sophie perguntou.

Dirk secou o caixote de plástico que havia levado para dentro e com cuidado tirou a tampa à prova de água. Lá dentro viam-se várias caixas de cerâmica de forma retangular, com um colorido laranja-avermelhado. Ele puxou uma para fora e entregou-a a Sophie.

— Espero que vocês consigam decifrar o seu conteúdo — disse ele. — Não me ensinaram sobre textos antigos na escola de engenharia marinha.

Sophie colocou a caixa sobre uma mesa e delicadamente levantou a tampa. Dentro havia uma meia dúzia de rolos fortemente apertados.

— São rolos de papiro — ela disse, com a voz embargada.

Sem poder se conter, Haasis já calçava um par de luvas brancas e colocava-se ao lado de Sophie.

— Deixe-me dar uma olhada — disse ele, puxando um dos rolos e lentamente desenrolando-o sobre o tampo da mesa. Uma caligrafia estranha com traços fortes mas ordenada enchia a superfície do pergaminho.

— Parece ser copta grego — disse Sophie, olhando sobre o ombro do professor. Uma língua antiga desenvolvida no Egito usando o alfabeto grego, o copta era uma língua escrita comum no Mediterrâneo oriental durante o período da dominação romana.

— Realmente — ele confirmou. — Parece ser um registro anual do chefe do porto, para as taxas portuárias e a docagem. Estes são os nomes dos navios, com o seu embarque — disse ele, correndo um dedo enluvado por um par de colunas.

— Isto aqui não é uma referência ao imperador? — Sophie perguntou, apontando para um bloco no alto.

— Sim — respondeu Haasis, tentando interpretar o título. — É um relatório de taxas portuárias de Cesareia, ou algo nesse sentido. Escrito em nome do imperador Marcos Magêncio.

— Se não me falha a memória, Magêncio foi contemporâneo de Constantino.

— Magêncio governava o Ocidente e Constantino o Oriente, antes de este último se consolidar no poder.

— Portanto, isto deve datar do início do século quarto.

Haasis assentiu com um brilho nos olhos, depois olhou para os outros pergaminhos.

— Eles podem nos dar uma visão incrível da vida na Judeia sob o domínio romano.

— Devem fornecer material suficiente para uma boa tese ou duas dos seus alunos — disse Dirk, enquanto esvaziava o caixote, tirando de dentro mais três caixas de cerâmica. Enfiando o caixote vazio debaixo do braço, ele se voltou para sair da barraca.

— Dirk, você acabou de realizar um magnífico achado histórico — Haasis disse com admiração. — Aonde é que vai?

— Vou me molhar mais feito um idiota — ele respondeu com um sorriso irônico —, porque há muito mais caixas de onde essas vieram.

8

Ozden Celik chegou à mesquita de Fatih, uma das maiores de Istambul, uma hora depois do *salat* da manhã e encontrou os salões interiores ornamentados do conjunto na maioria vazios. Ignorando o salão principal de orações, ele seguiu por um corredor lateral até os fundos do prédio e depois saiu para um pequeno pátio. As pedras de mármore do pavimento levavam a um edifício anódino, localizado em uma área isolada dos turistas e adoradores. Celik seguiu pelo caminho até o limiar de uma porta pesada de madeira e entrou sem bater.

Dentro, ele se encontrou em um escritório bem iluminado e em franca atividade. Claustros de cubículos cinzentos estendiam-se em todas as direções, tendo à frente a grande mesa de recepção de madeira. O ruído clamoroso de impressoras a laser em funcionamento e telefones tocando enchiam o ar, dando a sensação de um centro de atendimento de *telemarketing*. Só o odor de incenso e as fotos de mesquitas turcas nas paredes indicavam o contrário. Isso e a ausência de mulheres.

Celik observou que todos os trabalhadores no escritório eram homens barbudos, muitos vestidos com túnicas longas, digitando em seus computadores em uma aparente incongruência. Um jovem atrás do balcão observou quando Celik se aproximou.

— Bom dia, senhor Celik — ele cumprimentou. — O *mufti* o está esperando.

O secretário levou Celik por uma fila de cubículos até um grande escritório de canto. A sala era escassamente decorada, contendo apenas os tapetes turcos necessários no chão para as orações. Mais notáveis eram as fileiras de estantes que forravam as paredes, totalmente repletas de tomos religiosos, que refletiam a formação acadêmica de um *mufti* islâmico.

O *mufti* Altan Battal achava-se sentado a uma mesa simples de escritório, escrevendo em um bloco de papel, com um par de livros abertos de cada lado. Quando o secretário introduziu Celik no escritório, ele ergueu os olhos e sorriu.

— Ozden, você chegou. Por favor, sente-se — ele ofereceu. — Hasan, deixe-nos conversar em paz — acrescentou, enxotando o secretário.

O assistente recuou rapidamente, fechando a porta ao sair.

— Só estou dando os últimos retoques no sermão da sexta-feira — disse o *mufti*, deixando o lápis sobre a mesa, ao lado de um telefone celular.

— Devia deixar que um de seus imames fizesse isso em seu lugar.

— Pode ser. Mas sinto que é a minha vocação. Delegar a um dos imames de uma das mesquitas também poderia provocar ciúmes. Prefiro garantir que todos os imames de Istambul falem a uma só voz.

Como o *mufti* de Istambul, Battal era o líder teológico de todas as três mil mesquitas da cidade. Apenas o presidente do Diyanet İşleri, um posto não elegível do governo secular da Turquia, tecnicamente exercia maior autoridade espiritual sobre a população muçulmana do país. Battal, no entanto, conquistara uma influência muito maior sobre os corações e as mentes do público frequentador das mesquitas.

Apesar da idade, Battal não representava nem um pouco o estereótipo do clérigo sisudo com a barba crescida. Era um homem alto e forte, com uma presença marcante e imponente. Ainda não tendo completado cinquenta anos de idade, tinha um rosto comprido, que expressava a animação radiante de um filhote de labrador. Usava sempre ternos em vez de túnicas e cultivava um senso de humor depreciativo que fazia a sua visão fundamentalista do islamismo quase parecer divertida.

Apesar da imagem radiante, a mensagem que passava era sombria. Criado nos princípios fundamentalistas extremos da interpretação islâmica, oralmente apregoava a expansão do islamismo tanto como movimento religioso quanto político. Sua visão de mundo defendia a subjugação dos direitos das mulheres, ao mesmo tempo em que se afastava radicalmente da cultura e dos costumes ocidentais. Aos poucos construíra a sua base de poder atacando as forças da influência estrangeira, depois virara a mira contra o governo secular quando as condições econômicas na Turquia pioraram. Ainda que, publicamente, não tivesse assumido uma postura militante, acreditava na *jihad* para a defesa do território islâmico. A exemplo de Celik, era motivado por um ego voluntarioso e, em particular, aspirava a comandar o país como o seu líder não só religioso, mas também político.

— Tenho uma notícia muito boa para lhe dar, em vários sentidos — Celik disse.

— Meu amigo Ozden, você está sempre trabalhando em meu nome nos bastidores. O que é que fez agora pela nossa causa?

— Acabei de ter uma reunião com o xeque Zayad, da família real dos Emirados. Ele se mostrou muito satisfeito com o trabalho que você tem feito e pretende ofertar uma contribuição substancial.

Battal arregalou os olhos.

— Além de toda a generosidade anterior? Esta é uma notícia maravilhosa. No entanto, ainda estou em débito com os interesses dele pelo nosso movimento aqui na Turquia.

— O xeque é um homem de visão — Celik respondeu. — Ele apoia a adesão ao caminho da Sharia, mas está preocupado com as crescentes ameaças contra nós, como ficou evidenciado pelos recentes ataques a mesquitas, aqui e no Egito.

— Sim, atos de violência desprezíveis contra os nossos lugares sagrados. E, acima disso, há o recente roubo de relíquias do Profeta em Topkapi. São agressões intoleráveis contra a nossa fé praticadas pelas forças do mal do exterior.

— O xeque concorda com os seus sentimentos. Ele considera mais garantida a segurança de seu país, e de toda a região, sob um governo fundamentalista sunita.

— O que leva à segunda parte das suas notícias? — Battal disse, com um sorriso sapiente.

— Então, os passarinhos andaram cantando, hein? Bem, como sabe, encontrei-me com o conselho de liderança do Partido da Felicidade e eles concordaram em aceitá-lo como o seu candidato presidencial. Na verdade, pareceu que estavam em êxtase diante da sua intenção de substituir o imame Keya na candidatura.

— Uma tragédia ele ter sido morto na explosão da mesquita Bursa — Battal disse, com sinceridade.

Celik reprimiu um olhar conhecedor e inclinou a cabeça.

— A liderança do partido expressou a vontade de compartilhar a sua plataforma de exigências — ele continuou.

— Temos uma filosofia semelhante — Battal respondeu, satisfeito. — Sabia que o Partido da Felicidade só recebeu cerca de três por cento dos votos na última eleição presidencial?

— Sim — respondeu Celik —, mas não com a sua presença no alto da cédula.

Era um apelo sedutor ao ego de Battal, que vinha florescendo com o recente aumento de popularidade.

— A eleição será dentro de apenas algumas semanas — observou ele.

— O que é perfeito para nós — respondeu Celik. — Vamos pegar de surpresa o partido do governo e eles mal terão tempo de reagir à sua candidatura.

— Acha que tenho uma chance, realmente?

— As pesquisas de intenção de voto indicam que, se entrar na corrida, teria menos de dez pontos percentuais de defasagem. Uma diferença que poderia facilmente ser vencida pelos acontecimentos.

Battal olhou para a estante de textos muçulmanos.

— Esta pode ser uma oportunidade única para apagar os erros cometidos por Atatürk e levar o nosso país de volta ao seu caminho legítimo. Devemos aderir à Sharia, a lei do islamismo, em todos os aspectos da nossa governança.

— É seu dever em relação a Alá — Celik respondeu.

— Haverá uma forte oposição à minha candidatura, em especial por razões constitucionais. Você tem certeza de que poderemos superar os desafios?

— Você se esquece de que o primeiro-ministro é um aliado oculto à nossa causa. Ele manteve a sua verdadeira fé escondida do público e estará conosco na formação do novo governo.

— Aprecio a sua confiança, Ozden. A mim, naturalmente, caberá um papel fundamental na liderança do nosso novo Estado. Alá seja louvado.

— Estou contando com isso — respondeu Celik, com presunção. — Quanto ao anúncio da sua entrada na corrida presidencial, ajudarei os seus assessores na coordenação de uma grande manifestação pública. Com parte do dinheiro do xeque, podemos criar uma campanha publicitária que vai esmagar a oposição. Também estou trabalhando em alguns outros projetos para aumentar a sua popularidade.

— Assim seja — disse Battal, de pé e apertando as mãos de Celik. — Com você ao meu lado, meu amigo, o que não poderemos conquistar?

— Conquistaremos tudo, meu mestre. Tudo mesmo.

Celik saiu da reunião com os passos mais lépidos. Aquele tolo ingênuo era fácil de manipular, pensou. Uma vez eleito, Celik teria todos os controles na mão. E, caso Battal mudasse de opinião, guardava uma série de truques sujos na manga para manter o *mufti* na linha.

Saindo da mesquita sob um céu invulgarmente claro e ensolarado, ele sentiu que o futuro parecia muito promissor.

* *

EM UM CUBÍCULO MAL ILUMINADO atrás dos muros protegidos do Forte Gordon, na Geórgia, EUA, o analista de língua turca George Withers ouvia a conversa através de um conjunto de fones de ouvido acolchoados. Funcionário do Centro Regional de Operações de Segurança da Agência de Segurança Nacional na Geórgia, Withers era um integrante do exército de linguistas pagos para espionar as comunicações no Oriente Médio de dentro da base do Exército alojada no meio das colinas arborizadas que circundavam a cidade de Augusta.

Ao contrário da maior parte do seu trabalho de interceptação de voz, que envolvia a tradução em tempo real de chamadas telefônicas captadas por transmissões de satélite, essa conversa ocorrera horas antes. Os dados eram provenientes de um posto de escuta na embaixada norte-americana em Istambul, que interceptara uma transmissão via celular para a Organização Nacional de Informações turca. A chamada fora gravada digitalmente e criptografada, em seguida enviada ao Forte Gordon por intermédio de uma estação de retransmissão da ASN em Chipre.

Withers não tinha como saber que a chamada realmente se originara do próprio telefone celular de Battal. Pousado ocioso sobre a mesa do *mufti*, o telefone fora ativado remotamente pela agência de informações turca. A exemplo dos telefones celulares mais modernos, o de Battal tinha um dispositivo de rastreamento embutido, que lhe permitia ser alvo de um *software* de espionagem secreto. Deixado sem uso, ou mesmo desligado, o microfone do telefone celular podia ser ligado remotamente, captando todas as entradas de áudio nas proximidades. Uma vez ativado, o áudio podia ser transmitido através de uma chamada de celular normal, sem o conhecimento do usuário. O *mufti* fora incluído em uma lista de observação pelo diretor do serviço de informações da Turquia, um secularista empedernido que estava cada vez mais preocupado com a popularidade e o poder crescente de Battal. A conversa de Battal com Celik, assim como todas as outras com quaisquer pessoas que entrassem em seu escritório, eram agora direcionadas diretamente para a agência de Inteligência turca. O linguista norte-americano na escuta, portanto, era um intruso por cima de um bisbilhoteiro.

Avaliando corretamente a natureza da ligação e supondo que fora transmitida por uma gravação não autorizada, Withers decidiu que valia a pena o encaminhamento para um analista de informações para posterior consideração. Olhando para o relógio de mesa e vendo que era hora de seu intervalo para o almoço, ele digitou rapidamente um comando no computador. Segundos depois, uma transcrição da conversa apareceu no monitor, por cortesia da agência de *software* de reconhecimento de voz. Withers revisou a transcrição, corrigindo alguns erros e esclarecendo um comentário ou dois que o *software* não conseguira decifrar. Em seguida, acrescentou os seus próprios comentários em uma página de resumo. Enviando-a por *e-mail* a um especialista da agência em assuntos turcos, ele se levantou da mesa e encaminhou-se para o refeitório, pensando que o relatório, provavelmente, nunca mais veria a luz do dia.

9

O DIRETOR DA INTELIGÊNCIA NACIONAL norte-americana permanecia em silêncio durante a reunião semanal com a sua equipe para a discussão das informações sobre os assuntos da Eurásia e do Oriente Médio. Um taciturno general reformado do exército de nome Braxton era o chefe do funil de informações para o presidente junto ao Departamento de Defesa, à Segurança Nacional, à CIA e uma dezena de outros órgãos responsáveis pela proteção da segurança do país.

A reunião de informações fora dominada pelas habituais atualizações de campo dos eventos ocorridos no Afeganistão, no Paquistão, no Iraque e no Irã. Um desfile de agentes de informações e funcionários do Pentágono entrava e saía da segura sala de conferências no Liberty Crossing Intelligence Campus, a sede recém-construída da Diretoria de Inteligência Nacional, localizada em McLean, na Virgínia.

A reunião avançava na sua terceira hora até que a agenda voltou-se para Israel. John O'Quinn, funcionário adjunto da Inteligência Nacional para a Ásia Ocidental, saiu discretamente da imensa mesa de conferências para encher a xícara de café enquanto um funcionário de informações da CIA relatava os últimos acontecimentos na Cisjordânia.

— Tudo bem, tudo bem, não há nada de novo nisso — Braxton interrompeu, impaciente. — Vamos passar para o resto do Mediterrâneo. O que há de mais recente sobre o bombardeio da mesquita al-Azhar, no Cairo?

O'Quinn correu de volta para a mesa enquanto o agente da CIA respondia à pergunta.

— O número final de mortos foi apenas sete, uma vez que a explosão ocorreu em um momento de pouca participação. Não sei se isso foi intencional ou não. Houve uma única explosão, que danificou gravemente o salão principal de orações da mesquita. Como se sabe, al-Azhar é considerada a mesquita do Estado do Egito e é também um dos locais mais antigos e reverenciados no islamismo. A indignação pública tem sido intensa, com várias marchas anti-Israel ocorrendo nas ruas do Cairo. Estamos certos de que os protestos estão sendo organizados pela Irmandade Muçulmana.

— O Cairo sabe quem foi o responsável pelo atentado?

— Não sabe — respondeu o homem da CIA. — Ninguém com alguma credibilidade assumiu a responsabilidade, o que não é de surpreender, dada a natureza do ataque. O nosso medo é que, por causa do ataque, a Irmandade Muçulmana ganhe nova força para fazer mais incursões no Parlamento egípcio.

— Tudo de que precisamos é que os egípcios tornem-se fundamentalistas contra nós — Braxton murmurou, balançando a cabeça. — Qual é a avaliação da nossa Inteligência sobre quem provocou o incidente?

— Nós realmente não sabemos, senhor. Estamos procurando possíveis ligações com a Al-Qaeda, mas não temos nada concreto no momento. Há um detalhe curioso da Polícia Nacional egípcia, que é eles afirmarem ter encontrado amostras de resíduos de HMX do local da explosão.

— E o que vem a ser isso?

— HMX é um explosivo plástico rigorosamente controlado. É um material avançadíssimo, usado principalmente para dispositivos nucleares e propulsores de foguetes. Não é algo que normalmente associemos à Al-Qaeda e achamos um pouco estranho que tenha surgido no Egito.

Sentado em uma cadeira ao lado, O'Quinn sentiu o cabelo da nuca se arrepiar. Rapidamente, ele limpou a garganta.

— Tem certeza de que era HMX? — perguntou.

— Estamos aguardando as amostras dos testes, mas é o que os egípcios relataram.

— Isso significa algo para você, O'Quinn? — o general Braxton perguntou.

O funcionário da Inteligência inclinou a cabeça.

— Senhor, houve a explosão de uma bomba plantada na mesquita Yeşil, em Bursa, na Turquia, três dias antes da explosão em al-Azhar. Pode ser que tenha recebido informações a respeito. Três mortos, incluindo um preeminente líder da facção política do Partido da Felicidade. Como no Egito, era uma mesquita antiga e venerada. — Ele tomou um gole rápido de seu café, em seguida acrescentou: — As autoridades turcas confirmaram que a explosão foi causada por uma parcela plantada de explosivos à base de HMX.

— Então temos duas bombas plantadas em dois países com três dias de intervalo — o general afirmou. — Tanto em mesquitas históricas quanto ostensivamente com uma baixa taxa de mortos conhecidos, ambas usando o mesmo material explosivo. Muito bem, então, alguém por favor me diga quem foi e por quê.

Um silêncio desagradável tomou conta da sala antes que O'Quinn finalmente criasse coragem para falar.

— Senhor, acho que ninguém tinha conhecimento da semelhança dos explosivos até agora.

O homem da CIA concordou.

— Vamos designar imediatamente alguns analistas para procurar uma possível ligação. Dada a natureza dos explosivos, eu especularia sobre o envolvimento dos iranianos.

— O que os turcos acham? — perguntou Braxton.

— Tal como no Egito, ninguém reivindicou a autoria do atentado. Não recebemos nenhuma indicação de que os turcos tenham identificado algum suspeito.

O general começou a se remexer na cadeira, seus olhos azuis-cobalto pregados em O'Quinn como um par de brocas. O'Quinn trabalhava para o general havia menos de um ano, mas aos poucos fora ganhando o seu respeito profissional. Ele podia dizer pelo seu comportamento que o diretor queria mais e, finalmente, foi o que ele pediu.

— Qual é a sua avaliação? — o general perguntou rispidamente.

A mente de O'Quinn agitou-se para produzir uma resposta coerente, mas ele tinha mais perguntas do que respostas.

— Senhor, eu não posso imaginar a explosão como sendo egípcia, mas, tanto quanto o bombardeio da mesquita de Bursa, alguns acreditam que pode haver uma ligação com os recentes roubos de artefatos no Palácio de Topkapi, em Istambul.

— Sim, eu li sobre isso — respondeu o general. — Pelo que entendi, uma congressista de algum modo esteve envolvida no incidente.

— Loren Smith, do Colorado. Ela recuperou parte dos objetos roubados, mas quase foi morta no processo. Ela conseguiu manter seu nome fora dos jornais.

— Parece alguém que eu poderia usar na minha equipe — Braxton murmurou.

— Acredito que algum tipo de explosivo foi utilizado durante o assalto a Topkapi — O'Quinn continuou. — Vou fazer uma investigação imediata para determinar se existe correspondência com os atentados de Bursa e Cairo.

— Qual seria o motivo?

— As incidências típicas de atentados a mesquitas, como vimos no Iraque, são ataques xiitas contra mesquitas sunitas ou vice-versa — informou o agente da CIA. — Mas, no caso da Turquia, acredito que os muçulmanos xiitas do país são uma minoria não violenta.

— Isso é correto — disse O'Quinn. — A culpa mais provável seria de separatistas curdos. A Turquia tem a realização de eleições nacionais marcadas para menos de quatro semanas. É possível que os ataques turcos tenham sido instigados pelos curdos ou por outro partido político pequeno tentando criar problemas, embora eu não tenha certeza de que poderia explicar uma ligação com o Cairo.

— Acho que as autoridades turcas têm sido rápidas em culpar publicamente os curdos, se acham que eles estão realmente por trás dos ataques — disse Braxton.

— O senhor provavelmente está certo — respondeu O'Quinn, folheando as suas notas de informações. Seus dedos pararam em uma cópia da transcrição de interceptação ASN gravado por George Withers.

— Senhor, há outro desenvolvimento na frente turca que pode ser motivo de alarme.

— Vá em frente — disse o general.

— Altan Battal, o *mufti* muçulmano de Istambul e clérigo líder fundamentalista na Turquia, deverá entrar na próxima corrida presidencial, de acordo com uma interceptação de chamadas da ASN.

— O presidente Yilmaz tem tido uma liderança estável por vários anos — Braxton observou. — E a Turquia é fortemente secular. Não posso imaginar que este tal de Battal represente mais do que uma candidatura marginal.

— Receio que não seja o caso — respondeu O'Quinn. — A popularidade do presidente Yilmaz diminuiu consideravelmente devido ao mau estado da economia, e ele foi atingido por acusações de corrupção recentes dentro de sua administração. O *mufti* Battal, por outro lado, tornou-se uma figura pública crescente dentro do país, especialmente entre os pobres e desempregados. Não há como prever qual será o seu desempenho como um candidato político, mas muitos temem que possa representar um desafio legítimo ao titular.

— Diga-me mais sobre esse Battal — o general pediu.

— Bem, senhor, segundo a sua biografia, ele ficou órfão na infância e foi forçado a lutar pela sobrevivência nas favelas do gueto a oeste de Istambul. Escapou de uma vida de pobreza quando ajudou um idoso que era assaltado por um bandido do bairro. Em gratidão, o homem, um ancião da mesquita, enviou Battal para uma escola particular muçulmana, onde pagou pela moradia e estudos durante a sua adolescência. A escola era fortemente fundamentalista, e isso, ao que parece, inspira as suas opiniões atuais. Ele tem uma tendência acadêmica evidente, mas também um dom para a oratória, o que ajudou a acelerar a sua ascensão na hierarquia muçulmana de Istambul. Hoje ele é considerado o principal teólogo de toda Istambul. Embora pessoalmente carismático, seus escritos e sermões defendem interpretações do islamismo como as do Talibã, com abundância de investidas contra os males do Ocidente e os perigos da influência estrangeira. Não há como dizer o que aconteceria se ele fosse eleito, mas teríamos de enfrentar a possibilidade real de perder a Turquia da noite para o dia.

— Será que ele tem alguma chance de ganhar a eleição? — Braxton perguntou, com um medo crescente na voz.

O'Quinn assentiu.

— A nossa avaliação é que ele poderia ter uma chance real. E, se o exército turco assegurar a sua eleição, então não resta dúvida quanto a isso.

Um coronel da Força Aérea que estava à mesa ofegou.

— Um golpe fundamentalista na Turquia? Isso seria um desastre absoluto. A Turquia é um país da Otan e um dos nossos maiores aliados na região. Temos uma grande variedade de recursos militares ali, incluindo armas táticas nucleares. A base da Força Aérea de Incirlik é essencial para as nossas operações no Afeganistão.

— Isso sem não mencionar os postos de escuta em seu solo que usamos para monitorar os russos e os iranianos — acrescentou o homem da CIA.

— A Turquia é hoje um ponto de transferência estratégico para suprimentos enviados ao Afeganistão, como foi para o Iraque — acrescentou um major do Exército sentado ao lado do coronel. — A perda das linhas de abastecimento viria a prejudicar a campanha do Afeganistão inteira.

— Prevemos todos os tipos de cenários potencialmente desastrosos — acrescentou O'Quinn em voz baixa —, desde o fechamento do Bósforo e seu fluxo de petróleo e gás russos até o fortalecimento do Irã. Todo o Oriente Médio seria afetado, e o impacto de tal possibilidade no equilíbrio de poder é quase impossível de prever.

— A Turquia tem sido amiga e parceira comercial discreta de Israel, exportando grandes quantidades de alimentos e de água doce, entre outras coisas — disse o agente da CIA. — Se a Turquia e o Egito derem uma guinada para o fundamentalismo, isso aumentaria o isolamento de Israel. Além do fortalecimento do Irã, eu temeria uma maior agressão do Hamas, Hezbollah e outros adversários da linha de frente de Israel, o que só levaria a mais violência na região. Essa virada no poder de decisão poderia se tornar o ponto de provocação há muito temido, o que despertaria a Terceira Guerra Mundial a começar pelo coração do Oriente Médio.

A sala ficou em silêncio enquanto Braxton e os outros digeriam as palavras com um medo silencioso. O general finalmente livrou-se da tensão inquieta e proferiu uma série de ordens.

— O'Quinn, quero um relatório completo sobre esse *mufti* Battal na minha mesa logo no início da manhã. Também vou precisar de um resumo executivo para a reunião presidencial diária. Vamos voltar a nos reunir aqui na sexta-feira, quando espero uma avaliação completa tanto do Departamento de Estado quanto da CIA. Usem os recursos que forem necessários — acrescentou com os dentes cerrados —, mas não deixem que isso fuja ao nosso controle. — Ele bateu com força a agenda da reunião, em seguida olhou para o homem da CIA.

— Terceira Guerra Mundial? — sussurrou. — Não sob as minhas barbas!

10

A CHAMADA PARA O *SALAT* DA MANHÃ atravessou a janela aberta do hotel, acordando Pitt mais cedo do que teria preferido. Deixando o conforto morno ao lado de Loren, ele se levantou da cama e olhou pela janela. Os minaretes de ponta preta da mesquita Sultanahmet de Istambul riscavam um céu nebuloso a poucos quarteirões de distância. Pitt observou ironicamente que a chamada para a oração islâmica não viera de um muezim gritando do alto do minarete, mas sim dos alto-falantes situados ao redor da mesquita.

— Você pode mandar parar com esse barulho? — Loren resmungou debaixo do cobertor.

— Você terá de pedir isso a Alá — respondeu Pitt.

Ele fechou a janela, em seguida olhou através da vidraça para a arquitetura imponente da mesquita nas proximidades e as águas azuis do Mar de Mármara, um pouco além. Um grande contingente de cargueiros já estava se reunindo na fila, esperando a vez de navegar até o estreito de Bósforo. Loren saiu da cama, deslizando para dentro de um robe e juntando-se ao marido na janela panorâmica.

— Eu não sabia que o barulho vinha da mesquita — disse ela um pouco timidamente. — Ela é muito bonita. Construída pelos otomanos, suponho?

— Sim, no início do século XVII, acho.

— Vamos lá dar uma olhada depois do almoço. Após a excitação da noite passada, esse pode ser o meu único passeio de hoje — ela disse com um bocejo.

— Nada de fazer compras até morrer no Grande Bazar?

— Talvez da próxima vez. Quero que o nosso único dia inteiro juntos em Istambul seja relaxante.

Pitt observou enquanto um cargueiro vermelho arrastava-se ao largo da costa, em seguida disse:

— Acho que sei o que vamos fazer.

Eles rapidamente tomaram banho e se vestiram, depois pediram o café no quarto. Estavam se preparando para sair quando o telefone tocou. Pitt atendeu e falou durante alguns minutos.

— Era o doutor Ruppé, ligando do aeroporto. Ele queria ter a certeza de que estava tudo bem com a gente— explicou.

— Eu me sentiria melhor se você me dissesse que a polícia capturou os criminosos.

Pitt balançou a cabeça.

— Parece que não. Rey está indignado com a maneira como a mídia local atribuiu a culpa pela invasão e pelos assassinatos a um movimento antimuçulmano. Dizem que algumas joias valiosas foram ignoradas no Topkapi em favor de várias relíquias de Maomé.

— Você disse *assassinatos,* no plural — Loren comentou.

— Sim, houve um total de cinco seguranças mortos no processo.

Loren fez uma careta.

— O fato de muitos assassinos serem de aparência persa não deu à polícia uma pista em outra direção?

— A polícia ouviu o nosso relato. Tenho certeza de que está atuando sob um cenário diferente. — No fundo Pitt não tinha tanta certeza, mas conteve a raiva por pensar que os sequestradores da esposa poderiam escapar impunes.

— A outra notícia, de acordo com Ruppé — continuou ele —, é que mantiveram os nossos nomes e envolvimento fora dos jornais. Além disso, a comunidade muçulmana em geral está indignada com o roubo, que considera um tremendo insulto.

— Bem, apesar de a morte ter passado perto, está tudo bem comigo — Loren ponderou. — A propósito, o que exatamente eles acabaram roubando?

— Eles ficaram com um estandarte de batalha que pertenceu a Maomé. E o atentado teria ainda mais consequências se você não tivesse salvo a segunda sacola.

— O que tinha nela?

— Um manto de Maomé, chamado o Manto Sagrado, juntamente com uma carta escrita de próprio punho. Parte do que é conhecido como a Verdade Sagrada.

— É terrível alguém tentar roubar relíquias como essas — disse Loren, abanando a cabeça.

— Vamos, é melhor ir ver o resto desta cidade antes que mais alguma coisa desapareça.

Eles saíram do saguão do hotel e caminharam pelas ruas movimentadas da velha Istambul. Pitt reparou que um homem de óculos escuros espelhados a caminho do hotel demorara mais tempo do que o normal olhando para Loren. Alta e ostentando uma figura quase de bailarina, Loren raramente deixava de atrair a atenção masculina. Vestida com calça leve e uma blusa ametista que quase combinava com a cor de seus olhos, ela parecia animada, apesar do tumulto da noite anterior.

Andando por um quarteirão ou dois, eles pararam para admirar a vitrine de uma loja de tapetes de luxo chamada Punto de Istambul, apreciando um tapete Serapi elegante pendurado na parede. Passeando até o fim da rua, atravessaram o Hipódromo, um parque comprido e estreito em torno do qual havia corridas de carros na época bizantina. Logo além ficava a mesquita do sultão Ahmet I.

Concluída em 1617, essa era a última das grandes mesquitas imperiais de Istambul. O exterior apresentava uma sucessão crescente de cúpulas e semidomos que subia de altura e grandeza até culminar em uma enorme cúpula central. No momento em que Pitt e Loren entraram no pátio arqueado da mesquita, a maioria dos adoradores da manhã fora substituída por turistas de câmeras em punho.

Eles caminharam até a sala de oração, com o interior amplo um tanto na penumbra, iluminado apenas por janelas altas com vitrais. No teto, as cúpulas curvas eram forradas por um labirinto de azulejos decorados, muitos em tons de azul, o que conferia ao edifício o seu apelido, a Mesquita Azul. Pitt examinou a aparência familiar dos azulejos de uma arcada, os quais haviam sido fabricados na cidade vizinha de Iznik.

— Observe aquele desenho — ele disse a Loren. — É quase idêntico ao da caixa de cerâmica que tiramos do naufrágio.

— É mesmo — concordou Loren —, embora a coloração seja um pouco diferente. Parabéns, é mais uma evidência de que o naufrágio ocorreu em torno de 1600.

A satisfação de Pitt teve curta duração. Voltando-se para uma parede de azulejos verdes no lado oposto da sala de oração, ele avistou um homem de óculos escuros olhando em sua direção. Era o mesmo sujeito que havia se fixado em Loren na porta do hotel.

Sem dizer uma palavra, Pitt lentamente conduziu Loren para a saída, aproximando-se deliberadamente de um grupo de turistas alemães em uma excursão guiada. Casualmente, observou a multidão se dispersar pela mesquita, tentando perceber se Óculos Escuros tinha algum parceiro. Perambulando por perto, Pitt percebeu um homem persa magro, com bigode farto e uma expressão grave no rosto. Ele destoava nitidamente dos turistas que apreciavam a cúpula, com o pescoço esticado em direção ao teto. Por mais improvável que parecesse que os ladrões de Topkapi os tivessem localizado tão rapidamente, Pitt ainda se lembrava das palavras ameaçadoras da mulher na cisterna. Decidiu descobrir com certeza.

Seguindo os alemães para fora da sala de oração, Pitt e Loren calçaram os sapatos que tinham tirado anteriormente e seguiram o grupo da excursão até o pátio. Pitt observou pelo canto do olho e notou que o persa os imitava.

— Fique aqui — disse Pitt a Loren; em seguida, deu meia-volta rapidamente e atravessou o piso de mármore em direção ao homem.

O persa imediatamente virou-se, fingindo estudar uma coluna mais próxima atrás de si.

Aproximando-se do homem, Pitt o fitou de cima, pois ele era bem mais baixo.

— Desculpe-me — disse Pitt. — Pode me dizer quem está enterrado no túmulo de Atatürk?

A princípio, o homem evitou o olhar de Pitt, voltando-se em direção à saída da sala de oração, onde Óculos Escuros se encontrava no momento. Recebendo em resposta uma balançada de cabeça, o homem se virou e encarou Pitt com um olhar de desprezo.

— Eu não saberia dizer onde aquele cão está — falou com desdém, os olhos fulgurando em uma intimidação arrogante, provavelmente cultivada em uma vida dura nas ruas.

Agente da polícia disfarçado ele claramente não era. Quando Pitt notou a protuberância reveladora de um revólver no coldre sob a camisa solta do homem, decidiu não insistir na pergunta. Dirigindo-lhe um olhar conscientemente frio, virou-se e se afastou. Enquanto caminhava de volta para junto de Loren, como que esperou uma bala atingir-lhe as costas e em silêncio desejou que os grupos de pessoas e a segurança da mesquita fossem obstáculos suficientes que o poupassem de um ataque imediato.

— O que foi aquilo? — Loren perguntou quando ele se aproximou.

— Só estava perguntando sobre o tempo. Vamos lá fora, para ver se conseguimos pegar um táxi.

O grupo de turistas alemães encaminhava-se lentamente em direção à saída do pátio, mas Pitt agarrou a mão de Loren e arrastou-a consigo para ultrapassá-los, esgueirando-se para fora antes que chegassem todos à porta. Pitt não se preocupou em olhar para trás, sabendo muito bem que Óculos Escuros e o persa estariam em seu encalço. Conduzindo Loren para a rua, à frente da mesquita por sorte encontrou um táxi que acabara de desembarcar um casal de turistas idosos.

— Para os cais das balsas de Eminönü, o mais depressa que puder — ordenou ao motorista.

— Por que a pressa? — perguntou Loren, ligeiramente agitada depois de ter sido empurrada para o banco traseiro do veículo.

— Acho que estamos sendo seguidos.

— Aquele homem com que você falou dentro da mesquita?

Pitt concordou.

— E outro colega usando óculos escuros que vi à saída do hotel.

Enquanto o táxi mergulhava no trânsito, Pitt olhou pela janela traseira. Atrás deles, em frente à mesquita, um pequeno sedã laranja só com o motorista acabava de estacionar cantando os pneus junto ao meio-fio. O grupo de turistas alemães ainda se aglomerava na frente da saída. Pitt sorriu quando viu o persa abrir caminho desajeitadamente entre a multidão de estrangeiros.

— Por que não vamos à polícia? — perguntou Loren, com uma nota de alarme crescente na voz.

Pitt dirigiu-lhe um sorriso tranquilizador.

— Qual é, e arruinar o único dia que temos para relaxar em Istambul?

11

O TÁXI AMARELO RAPIDAMENTE fundiu-se com o trânsito, deixando a mesquita e as suas cúpulas e minaretes pelo espelho retrovisor. Se o motorista tivesse virado para o norte e se embrenhado no labirinto movimentado da velha cidade histórica, teria facilmente perdido o sedã laranja em meio ao tráfego pesado. Mas o taxista, criterioso, preocupado em ganhar tempo, em vez disso virara para o sul e seguira na direção da autoestrada de duas pistas separadas denominada Caddesi Kennedy.

Os perseguidores tentaram desesperadamente alcançá-lo. O sedã laranja, depois de pegar os seus dois passageiros, partira da mesquita em velocidade, quase sendo prensado de lado por um ônibus de turismo que passava pelo local.

— Acho que eles viraram à direita — disse o motorista, em um tom hesitante.

— Vá atrás deles — ordenou Óculos Escuros no assento do passageiro, acenando para o motorista seguir os seus instintos.

O carro virou para o sul, atravessando um sinal vermelho, antes de diminuir a marcha atrás de um cortejo de veículos lentos. Sentado no banco de trás, o persa de repente apontou para a estrada, dois quarteirões à frente, na direção de um táxi amarelo que virava para a Caddesi.

— Ali, acho que é o táxi deles — gritou.

O motorista inclinou a cabeça, apertando os dedos contra o volante. Podia fazer pouca coisa para abrir caminho em meio ao tráfego obstruído e amaldiçoou veementemente os veículos ao redor, enquanto os segundos passavam. Finalmente, avistando uma brecha no tráfego em sentido contrário, ele rompeu para a faixa da esquerda por um quarteirão; em seguida voltou a se encaixar na faixa da direita. O tráfego avançou e ele rapidamente entrou na Caddesi, pisando fundo no acelerador e descendo até a rodovia como um piloto de Fórmula 1.

A estrada dava uma volta em torno da fronteira leste de Topkapi, abraçando a costa do Bósforo. O trânsito avançava rapidamente à medida que a estrada virava para o norte e depois para oeste ao longo do Corno de Ouro, uma entrada de água natural que dividia o setor europeu de Istambul. Pitt olhou para a hidrovia, admirando um grande navio de dragagem verde que revolvia as águas ao largo da costa. Quando o táxi se aproximou da Ponte de Gálata, que se estendia ao norte ao longo do Corno de Ouro no bairro de Beyoğlu, uma multidão de automóveis e ônibus de repente emergiu de todos os lados, obrigando o trânsito a seguir arrastado. Na primeira oportunidade, o táxi saiu da Caddesi, serpenteando até um cais de balsas nas proximidades da base da ponte.

— A doca de Boğaz Hatti, em Eminönü — anunciou o taxista. — A saída da próxima balsa será bem ali — acrescentou, estendendo o braço. — Se andarem depressa, ainda conseguirão embarcar.

Pitt pagou o motorista, acrescentando uma boa gorjeta, depois examinou a avenida atrás de si enquanto descia do táxi. Não vendo nenhum sinal do sedã laranja, acompanhou descontraidamente Loren até o guichê.

— Você simplesmente não consegue ficar longe da água, não é mesmo? — disse ela, observando várias balsas de grandes dimensões à beira-mar.

— Imaginei que um cruzeiro relaxante pelo Bósforo seria exatamente o que o médico prescreveu.

— Na verdade, isso parece atraente — ela admitiu, apreciando um passeio ao ar livre. — Contanto que sejamos só nós dois e esteja incluído um almoço no programa.

Pitt sorriu.

— O almoço é por minha conta. Acho que perdemos nossos amigos de vista.

Depois de comprar as passagens, eles caminharam por uma das docas movimentadas e embarcaram em uma moderna balsa de passageiros, conseguindo lugares ao lado de uma janela. Três toques seguidos da buzina do navio anunciaram a partida iminente antes que a plataforma de embarque fosse puxada para o lado.

Na avenida à frente, o sedã laranja parou bruscamente com um rangido dos pneus, os dois passageiros voando para fora pelas portas laterais. Ignorando a bilheteria, eles correram até o cais, mas encontraram a balsa manobrando nas águas do estreito. Ofegante enquanto tentava recuperar o fôlego, Óculos Escuros olhou para a balsa, em seguida virou-se para o persa.

— Arranje-nos um barco — ele sussurrou. — Agora!

* *

COM MAIS DE TRINTA QUILÔMETROS de comprimento e quase dois de largura, o estreito de Bósforo fora um dia uma das vias de transporte mais movimentadas e mais belas do mundo. Dividindo o coração de Istambul, fora uma rota comercial histórica, utilizada pelos antigos gregos, romanos e bizantinos. Nos tempos modernos, tornara-se um canal importante para a Rússia, a Geórgia e outros países às margens do Mar Negro. Petroleiros, cargueiros e porta-contêineres constantemente obstruíam o canal estreito que divide os continentes europeu e asiático.

A balsa a vapor navegava para o norte em uma singradura agradável, deslizando suavemente diante do perfil montanhoso de Istambul sob um céu azul-claro. A embarcação logo passou sob a Ponte do Bósforo e depois sob a Ponte Sultão Fatih Mehmet, gigantescas construções suspensas que se elevavam muito acima da hidrovia. Pitt e Loren tomaram um gole de chá quente enquanto apreciavam o tráfego de barcos vizinhos e a arquitetura encosta acima. O litoral muito populoso recuava lentamente em uma linha de mansões imponentes à beira-mar, missões diplomáticas e palácios antigos que se alojavam em um cenário arborizado muito verde.

A balsa parou em diversos pontos de lazer antes de chegar quase à vista do Mar Negro.

— Quer subir ao convés superior para ter uma visão melhor? — perguntou Pitt.

Loren abanou a cabeça.

— Acho que está ventando muito. Que tal outro chá em vez disso?

Pitt concordou sem pestanejar e encaminhou-se até o pequeno café, onde pediu mais dois chás pretos. Se tivessem subido ao convés superior, ele teria observado a pequena lancha que levava três homens em alta velocidade pelo estreito em direção à balsa.

A balsa logo guinou em direção à costa europeia e atracou ao lado de um par de outras balsas de automóveis menores no porto de Sariyer. Uma antiga aldeia de pescadores, Sariyer ainda exalava o encanto histórico turco de muitos paraísos a montante do Bósforo, que aos poucos foram sendo tomados pelos aposentados ricos.

— Deve haver alguns bons restaurantes de frutos do mar por aqui — disse Loren, consultando uma brochura turística. — Que tal sairmos para almoçar?

Pitt concordou e eles logo se juntaram a uma multidão de turistas que entupia o corredor de desembarque do navio. O cais ficava próximo do sopé de uma grande colina, com a cidade se espalhando em prédios de apartamentos ao longo do litoral à direita. A avenida principal da cidade entrava por um pequeno parque à beira-mar à esquerda, que chamou a atenção de Pitt quando um velho Citroën de tração dianteira manobrou em direção ao campo gramado.

Eles passaram por um pequeno mercado de peixes, observando uma carga de robalo fresco que estava sendo desembarcada de uma pequena catraia de pesca. Passeando despreocupados por uma linha de restaurantes de frutos do mar um ao lado do outro, eles escolheram um café diante do pequeno cais, no fim do quarteirão. Uma garçonete animada e de cabelo preto comprido acomodou-os em uma mesa no pátio perto da borda da água, em seguida rapidamente serviu a mesa com *meze*, pequenas porções de aperitivo com vários pratos turcos.

— Você precisa experimentar a lula — disse Loren, empurrando uma bolha semelhante a uma borracha na boca de Pitt.

Pitt mordeu de brincadeira um dos seus dedos.

— Combina bem com o queijo branco — ele respondeu depois de engolir a lula frita.

Juntamente com os turistas animados nos restaurantes adjacentes, eles saborearam uma refeição descontraída enquanto observavam o tráfego marítimo das embarcações que manobravam no estreito abaixo. Depois de terminarem os seus pratos de frutos do mar, Pitt ia estendendo a mão para o copo de água quando de repente Loren segurou o seu braço.

— Engoliu um espinho? — ele perguntou, notando a expressão contraída em seu rosto.

Loren balançou a cabeça devagar, ao mesmo tempo em que relaxava a pressão da mão.

— Tem um homem do lado de fora da porta. É um dos criminosos que estavam no furgão ontem à noite.

Pitt tomou um gole do seu copo de água, virando casualmente a cabeça na direção da porta da frente do café. Ao lado da entrada, avistou um homem de pele escura e camisa azul observando o movimento do local. Ele estava virado para a rua e Pitt não conseguiu identificar o seu rosto.

— Você tem certeza? — ele perguntou.

Loren observou o homem dar uma rápida espiada pela janela antes de se virar novamente. Ela olhou para o marido com medo nos olhos e inclinou a cabeça.

— Eu reconheço os olhos dele — disse ela.

Pitt pensou que o perfil lhe parecia familiar e a reação de Loren convenceu-o de que ela estava certa. Tinha de ser o homem que ele esmurrara na traseira do furgão.

— Como eles conseguiram nos seguir até aqui? — ela perguntou, a voz um pouco rouca.

— Nós fomos os últimos a desembarcar da balsa, mas deve ter dado tempo suficiente para nos verem a bordo — Pitt admitiu. — Provavelmente nos seguiram em outro barco. Não demoraria muito para eles examinarem os restaurantes perto do cais das balsas.

Apesar de manter a aparência de calma, Pitt sentia um mal-estar profundo em relação à segurança da esposa. Na noite anterior, os ladrões de Topkapi tinham provado que não tinham medo de matar. Se tiveram todo aquele trabalho para encontrá-los, foi por uma única razão: retaliação por terem prejudicado o roubo. De repente a ameaça da mulher na cisterna não parecia tão vazia.

A garçonete reapareceu, tirando os pratos do almoço e perguntando se queriam sobremesa. Loren começou a abanar a cabeça, mas Pitt adiantou-se.

— Sim, queremos. Dois cafés e duas porções do seu baklava, por favor.

Enquanto a garçonete retornava à cozinha, Loren censurou Pitt.

— Não consigo comer mais nada. Especialmente agora — acrescentou, olhando para a porta da frente.

— A sobremesa é para ele, não para nós — ele respondeu calmamente. — Dê a impressão de que vai ao banheiro, então espere por mim na cozinha.

Loren obedeceu imediatamente, fingindo sussurrar no ouvido de Pitt, e depois, sem pressa, levantou-se e seguiu por um corredor que levava à cozinha e aos banheiros.

Pitt observou o homem na porta enrijecer-se um pouco ao observar os movimentos de Loren, depois relaxou quando a garçonete entregou o café e a sobremesa. Disfarçadamente, Pitt depositou um maço de liras turcas sobre a mesa e em seguida enfiou um garfo na fatia grossa de baklava. Dando uma olhada em direção à porta, viu o homem de camisa azul virar novamente para a rua. Pitt largou o garfo e levantou-se da mesa como um raio.

Loren o esperava no final do corredor quando Pitt passou correndo, agarrou-a pela mão e puxou-a para a cozinha. Um *chef* assustado e uma copeira que lavava os pratos pararam e olharam quando Pitt sorriu e disse olá, então esgueirou-se entre algumas panelas ferventes com Loren a reboque. A porta se abria para uma viela que seguia em curva na direção da rua da frente. Eles continuaram até a esquina e viraram-se para afastar-se do restaurante quando Loren apertou a mão de Pitt.

— Que tal aquele bonde? — ela perguntou.

Um antigo bonde aberto usado tanto no transporte de moradores quanto de turistas de um lado para outro da cidade avançava lentamente pela rua na direção deles.

— Tudo bem — Pitt concordou. — Mas vamos embarcar do outro lado.

Atravessaram a rua pouco acima, enquanto o bonde se aproximava e, em seguida, rapidamente, saltaram para dentro. Os assentos estavam todos ocupados, então eles foram forçados a permanecer de pé enquanto o bonde passava pela frente do café. O homem de camisa azul ainda se achava parado à porta e, casualmente, olhou o bonde passar. Pitt e Loren afastaram-se o mais que puderam e tentaram esconder-se atrás de outros passageiros, mas a cobertura era limitada. Os olhos do homem se imobilizaram ante a visão da blusa arroxeada de Loren, então ele se voltou e pressionou o rosto contra a janela do restaurante. Pitt observou a expressão de surpresa no semblante do homem quando ele se virou para a rua e viu o bonde afastar-se a distância. Correndo e tropeçando atrás do bonde, ele puxou um celular do bolso e digitou freneticamente enquanto corria.

Loren olhou para Pitt com uma expressão de pesar.

— Desculpe, acho que ele me viu.

— Não importa — respondeu Pitt, afastando os temores com um sorriso confiante. — É uma cidade pequena.

O bonde fez uma breve parada no mercado de peixe, onde a maioria dos passageiros desceu. Observando seu perseguidor ainda a um quarteirão de distância, Pitt e Loren escolheram um banco e se agacharam enquanto o bonde retomava a velocidade.

— Acho que vi um policial mais cedo perto do cais — disse Loren. — Se ele não estiver por perto, poderíamos tomar logo outra balsa.

O bonde continuou por mais um quarteirão, então aproximou-se da parada perto do cais das balsas. As rodas do veículo antigo ainda estavam girando quando Pitt e Loren saltaram e correram em direção ao cais. Mas dessa vez foi Pitt que segurou o braço de Loren para imobilizá-la.

À frente deles, na estação agora vazia, a próxima balsa não deveria zarpar em menos de meia hora. A maior preocupação de Pitt eram dois homens que surgiram de repente perto da entrada da doca. Um deles era o persa da Mesquita Azul, andando pelo atracadouro ao lado de seu comparsa, Óculos Escuros.

— Acho melhor a gente encontrar algum transporte alternativo — disse Pitt, orientando Loren em outra direção.

Eles avançaram rapidamente para a rua, onde passava um Peugeot conversível dos anos sessenta, seguido por um pequeno grupo de moradores caminhando a pé atrás dele, rumo ao parque à beira-rio. Pitt e Loren aproximaram-se dos turcos e tentaram misturar-se ao pequeno grupo como cobertura. A tentativa fracassou quando o homem de camisa azul do restaurante apareceu na rua. Gritando para os companheiros no cais, ele acenou vivamente e então apontou na direção de Pitt.

— O que fazemos agora? — perguntou Loren, vendo os homens partirem do cais em sua direção.

— Apenas continue andando — respondeu Pitt.

Ele movia os olhos em todas as direções, procurando uma rota de fuga, mas a sua única opção imediata era acompanhar o movimento da multidão. Assim, seguiram o grupo para dentro do parque, até chegar ao campo gramado sobre o qual se espelhavam duas fileiras irregulares de carros antigos. Pitt reconheceu muitos dos veículos caprichadamente polidos como modelos de Citroën e Renault construídos nos anos cinquenta e sessenta.

— Deve ser um encontro do clube de automóveis franceses — ele ponderou.

— Gostaria muito que pudéssemos realmente apreciá-lo — respondeu Loren, sempre olhando por cima do ombro.

Quando o grupo de pessoas ao redor deles começou a se dispersar pelo campo, Pitt levou Loren a um aglomerado de pessoas na primeira fila. Elas se reuniam em torno do que parecia ser a estrela da mostra, um reluzente Talbot-Lago do início dos anos cinquenta, com a carroceria bulbosa projetada pelo fabricante italiano Ghia. Abrindo caminho para trás da multidão, Pitt virou-se e observou seus perseguidores.

Os três homens tinham acabado de entrar juntos no parque em um ritmo acelerado. Óculos Escuros era, obviamente, o líder da gangue, e prontamente dirigiu os outros dois homens para uma ou outra lateral do campo, enquanto avançava lentamente pelo meio da linha de automóveis antigos.

— Acho que não conseguiremos sair pela entrada de onde viemos — disse Pitt. — Vamos tentar nos manter à frente deles. Podemos cortar caminho até a rua principal do outro lado do parque e fazer sinal para um táxi ou ônibus.

— Eu não me oporia a roubar um carro neste momento — Loren respondeu, muito séria.

Ela caminhou rapidamente, contornando os automóveis, com Pitt um ou dois passos atrás. Tentaram o melhor que puderam usar os outros espectadores como cobertura, mas os grupos se desfaziam quando passavam. Logo chegaram ao último veículo exposto, um conversível de duas portas do pós-guerra, pintado de cinza-metálico e verde. Pitt notou um homem mais velho sentado em seu interior, fixando uma placa de "Vende-se" contra o para-brisa.

— O último da nossa cobertura — comentou Pitt. — Vamos correr depressa até as árvores.

Pitt agarrou a mão de Loren e eles começaram a correr através da última parte do campo gramado. Uma linha espessa de árvores circundava o perímetro do parque, além do qual Pitt estava certo de que a estrada costeira seguia para oeste.

Eles correram por apenas vinte metros quando a visão à frente os fez parar bruscamente. Além das árvores, agora podiam ver um muro alto de pedra que envolvia a metade sul do parque. Como um obstáculo diante da residência do outro lado, o muro era coberto de cacos de vidro. Pitt sabia que, mesmo com a sua ajuda, não havia nenhuma maneira de Loren escalar o muro para fugir dos perseguidores, e muito menos evitar um arranhão sangrento no processo.

Pitt voltou-se rapidamente e avistou os três homens. Eles ainda percorriam o seu caminho através dos carros, convergindo lentamente na direção deles. Apertando a mão de Loren, Pitt começou a caminhar de volta para a fileira de automóveis.

— O que faremos agora? — perguntou Loren, o medo evidente em sua voz.

Pitt olhou para ela com um brilho diabólico no olhar.

— Para usar as palavras de Monty Hall, vamos fazer um acordo[1].

---

[1] Referência a Monty Hall, apresentador do programa de tevê *Let's Make a Deal* (Vamos fazer um acordo) exibido na década de 1970, nos Estados Unidos. Nesse programa havia o "problema de Monty Hall": o participante via-se diante de três portas. Atrás de uma delas havia um automóvel; nas outras duas, um bode. Ele teria de adivinhar atrás de qual porta estava o veículo para ganhá-lo. (N. T.)

12

— **Por acaso ele é equipado** com caixa de câmbio pré-seletiva Cotal? — perguntou Pitt.

O velho barbudo inclinou-se e abriu a porta do veículo do lado do motorista.

— Com certeza — disse, com um sotaque nitidamente norte-americano. — Você conhece bem os Delahayes? — Seu rosto se animou quando olhou para o homem alto e de cabelos escuros acompanhado da esposa atraente.

— Há muito tempo admiro essa marca — Pitt respondeu —, especialmente os modelos com os para-lamas encobrindo totalmente as rodas.

— Este é um cupê conversível modelo 135, de 1948, com a carroceria feita sob encomenda pela fábrica de Henri Chapron em Paris.

O grande conversível de duas portas tinha linhas elegantes, mas cheias, que exemplificavam os projetos simples dos fabricantes de automóveis imediatamente após a Segunda Guerra Mundial. Loren admirou o esquema da impressionante pintura verde e prata, que fazia o automóvel parecer ainda mais alongado.

— Você mesmo o restaurou? — ela perguntou.

— Sim. O meu negócio é garimpar raridades. Encontrei este carro em uma velha casa de veraneio na Geórgia, enquanto trabalhava em um projeto na costa do Mar Negro. Estava bem desgastado, mas inteiro. Trouxe-o a Istambul e consegui um funileiro local talentoso que me ajudou na restauração. Pode ser que não ganhe um concurso de beleza, mas acho que ficou com uma ótima aparência. Fizeram alcançar uma ótima velocidade com o seu motor de seis cilindros, de modo que ele corre como um demônio. — Estendeu a mão para Pitt. — A propósito, o meu nome é Clive Cussler.

Pitt apertou a mão do homem, depois rapidamente apresentou-se e a Loren.

— O carro é uma beleza — acrescentou Pitt, embora mantivesse os olhos voltados para o público nas proximidades. O homem dos óculos escuros o observava a cinco automóveis de distância, caminhando casualmente em sua direção. Pitt avistou os outros dois comparsas dele mais ao longe, fechando os flancos.

— Por que está vendendo o carro? — perguntou Pitt calmamente, acenando para Loren se aproximar da porta do passageiro.

— Preciso viajar a Malta por uns tempos e não terei espaço para ele lá — disse o homem, com uma expressão desconsolada. Ele sorriu quando Loren abriu a porta suicida, que abria a favor do fluxo de ar, do lado esquerdo. Um cão dachshund preto e marrom que dormia sobre o banco dirigiu-lhe um olhar irritado, depois pulou para fora e correu para o dono. Loren acomodou-se no banco do passageiro à frente, com estofamento de couro, em seguida acenou para Pitt.

— Você fica bem no carro — disse Cussler, empregando o seu charme de vendedor.

Loren sorriu-lhe em resposta.

— Tudo bem se o levássemos para um pequeno *test-drive* em torno do parque? — ela perguntou.

— Por que não? É claro, as chaves estão no contato. — Ele se virou para Pitt. — Você está familiarizado com o câmbio Cotal? Só precisa usar a embreagem para dar a partida e ao parar.

Pitt aquiesceu enquanto esgueirava-se rapidamente para trás do volante, do lado direito do veículo. Ao girar a chave de ignição, ouviu com satisfação que o motor ganhava vida imediatamente.

— Voltamos já — disse ele, acenando para o homem pela janela.

Pitt deu marcha à ré e, em seguida, na esperança de evitar Óculos Escuros, manobrou por trás da linha dos automóveis em exibição. O assaltante contornou o último veículo da exposição e avistou Pitt atrás do volante assim que o Delahaye ganhou impulso para a frente. Pitt pisou suavemente no acelerador, procurando impedir que as rodas traseiras derrapassem na grama lisa enquanto o automóvel dava uma guinada à frente. Óculos Escuros hesitou, depois gritou para que parasse. Pitt o ignorou, ao mesmo tempo em que os pneus ganhavam aderência e o automóvel antigo acelerava rapidamente, deixando o homem no seu rastro.

Acima do ronco do motor, Pitt conseguia ouvir os seus gritos e em seguida Loren gritou uma advertência sobre algo à frente. O ladrão de Topkapi com a camisa azul apareceu ao longo da linha de automóveis, algumas dezenas de metros à frente.

— Ele está com uma arma — exclamou Loren, enquanto o automóvel acelerava, aproximando-se do sujeito.

Pitt viu que o homem tinha sacado uma pistola, a qual tentava esconder, segurando-a encostada junto à perna. Ele parou perto da traseira de um furgão Peugeot com painéis de madeira, esperando que o Delahaye passasse por aquele lado.

Com o motor roncando em alta rotação, Pitt engatou a segunda marcha por meio da minúscula alavanca do câmbio no painel do automóvel francês. Apenas alguns metros à frente, o homem de camisa azul levantou a mão com que segurava a pistola.

— Abaixe-se — Pitt gritou, em seguida pisou fundo no acelerador.

O motor de três carburadores ganhou força, jogando Pitt e Loren contra o encosto dos seus assentos. A aceleração repentina também pegou de surpresa o atirador, que rapidamente se esforçou para apontar a arma na direção do para-brisa. Pitt recusou-se a dar-lhe essa chance.

Girando o volante com força para a direita, Pitt apontou a frente curva do Delahaye diretamente para o atirador surpreso. Bloqueado pela traseira do Peugeot, o homem só tinha um jeito de se mover. Recuando furiosamente, ele desistiu de fazer um disparo preciso para não acabar se tornando um ornamento do capô.

O para-lama dianteiro do Delahaye raspou o para-choque do Peugeot antes de acertar a perna do atirador, derrubando-o longe do veículo. Dois tiros foram disparados da sua pistola antes que ele caísse ao lado do Peugeot, contorcendo-se em agonia. Os dois tiros saíram para o alto, um atravessando o teto de lona do Delahaye, o outro perdendo-se no ar.

Pitt girou às pressas o volante de volta, para evitar abalroar o resto da fileira de automóveis. Rabeando pelo gramado, o Delahaye quase bateu na caminhonete de um fazendeiro que entrava no parque carregada com melões. Os visitantes, chocados, espalharam-se para sair do caminho enquanto Pitt batia na buzina em advertência. Lançando um olhar pelo espelho retrovisor, ele viu Óculos Escuros e os persas aproximarem-se do atirador abatido, mas nenhum deles tinha uma arma na mão.

Loren espiou por cima do painel, o rosto completamente sem cor. Enquanto eles manobravam em direção à saída do parque, Pitt dirigiu-lhe uma piscadela reconfortante.

— Aquele sujeito estava certo — disse, com um sorriso de lado. — Este carro é um demônio.

* *

PITT AGIU COMO SE SOUBESSE para onde estava indo, saindo do parque em velocidade e virando à esquerda pela estrada principal, que seguia para o sul ao longo do Bósforo em direção a Istambul. No parque, os pistoleiros não tiveram a menor hesitação em partir em seu encalço; sob uma arma apontada, tomaram rapidamente a caminhonete do fazendeiro, que seguia em marcha lenta. Empurrando para dentro o cúmplice ferido em primeiro lugar, os outros dois homens entraram em seguida no veículo e partiram em velocidade para fora do parque, enquanto os melões voavam da carroceria da caminhonete como balas disparadas de um canhão.

Apesar da idade do Delahaye, Pitt e Loren levavam vantagem entre os dois veículos. A origem do carro francês era a corrida, tendo os Delahayes participado com sucesso de Le Mans antes da guerra. Escondido sob a carroceria aerodinâmica, feita sob encomenda para os parisienses ricos e famosos, rugia um motor de alto desempenho. A suspensão firme e o motor de alta rotação, para os padrões de 1950, davam a Pitt uma ampla oportunidade de dirigir rápido. A estrada estreita e sinuosa, pontilhada pelo tráfego da tarde, no entanto, viria a se mostrar um fator equalizador.

Cantando os pneus nas curvas, o pedal do acelerador no fundo, Pitt mudava de marcha rapidamente graças ao câmbio Cotal. Com o uso de garras eletromagnéticas, a transmissão permitia a Pitt mudar de marcha simplesmente tocando a pequena alavanca de câmbio montada sobre o painel. Ele era bem experiente na condução de automóveis antigos, tendo a sua própria coleção armazenada em um hangar de aeroporto, nas imediações de Washington, DC. Essa era uma paixão semelhante ao seu amor pelo mar, e, naquele momento, ele concluiu que estaria realmente se divertindo, não fossem as circunstâncias, em forçar o velho Delahaye aos seus limites.

Loren mantinha o olhar firme para fora da janela traseira do conversível enquanto seguiam com os pneus guinchando através de uma curva fechada em "S". Ela percebeu que Pitt tornara-se sério ao olhar para o painel de instrumentos.

— Algo errado?

— O ponteiro do medidor de combustível está se aproximando do vazio — ele respondeu. — Receio que o *test-drive* até Istambul não esteja entre as nossas opções.

Um aumento repentino no trânsito impedia o seu avanço, e em um trecho reto da estrada Loren avistou a caminhonete aproximar-se atrás deles em alta velocidade.

— Precisamos encontrar um lugar movimentado para despistá-los — ela sugeriu.

Havia poucas opções na estradinha, que atravessava uma região repleta de mansões. Mais veículos obstruíam o caminho enquanto eles se aproximavam da aldeia de Buyukdere, e Pitt ultrapassava os mais lentos sempre que tinha oportunidade. A caminhonete, ajudada pelo trânsito irregular, conseguira se aproximar à distância de seiscentos metros, restando apenas um punhado de veículos entre eles.

Pitt pensou em entrar pela parte habitada da aldeia a oeste, mas o trânsito lento obstruía a principal artéria que conduzia à cidade. Desistindo da ideia, ele se manteve na estrada costeira, que de repente corria sobre a água em um trecho por cima de uma ponte extensa. Encontrando uma trégua no trânsito em sentido contrário, Pitt acelerou forte, ultrapassando uma fila de veículos atrasados por um pachorrento caminhão de lixo. Quando a estrada voltou a tocar a terra, ele conseguira se livrar da maior parte do tráfego e continuou por uma passagem sinuosa ao lado do Bósforo, onde numerosos consulados estrangeiros ocupavam opulentos retiros de verão à beira da água.

— Onde está a nossa caminhonete de melões? — Pitt perguntou, os olhos colados à estrada.

— Acabou de ultrapassar o caminhão de lixo, cerca de oitocentos metros atrás — relatou Loren, antes de os veículos atrás deles desaparecerem de vista após uma curva fechada.

O Delahaye verde passou em velocidade pelos motivos ornamentais de uma mansão de veraneio que abrigava a embaixada britânica, quando Pitt foi subitamente forçado a deter a marcha em uma frenagem brusca. À frente, um caminhão-baú em movimento lento tentava manobrar de ré para dentro de uma entrada particular, bloqueando as duas faixas.

— Saiam da frente! — Loren viu-se gritando.

O motorista do caminhão nem prestou atenção a ela. Sem a menor pressa, recuou com o caminhão em marcha à ré para a entrada, em uma segunda tentativa, ignorando o barulho de buzinas de automóveis do outro sentido.

Em busca de uma saída, Pitt correu os olhos pela estrada e encontrou apenas uma. Engatando o carro em primeira marcha, ele acelerou à frente e virou à direita para o portão aberto de uma propriedade murada. A estrada antes pavimentada transformou-se em uma via de cascalho miúdo solto quando entraram no terreno de uma velha mansão de madeira que pertencera à família real dinamarquesa. Uma alameda circular dividia o vasto jardim coberto antes de fazer uma curva em direção à escada de entrada para a residência principal, uma mansão pintada na cor de salmão.

Um jardineiro que podava um roseiral na ilha central olhou incrédulo enquanto o antigo carro esportivo francês entrou na propriedade, aparecendo de repente como se fosse um morador do lugar. Ele continuou observando com curiosidade enquanto o Delahaye reduzia a marcha até parar atrás de alguns arbustos espessos, em vez de continuar até a escada da frente da mansão. Alguns segundos depois, ele entendeu por quê.

Precedida pelo guinchar de pneus derrapando, a velha caminhonete repentinamente atravessou o portão da frente. O motorista fizera a curva muito rápido, e a traseira da caminhonete chocou-se contra uma coluna de pedra da entrada, rasgando o para-lama traseiro esquerdo. Alguns poucos melões remanescentes caíram da carroceria e se destroçaram contra a lateral da coluna, deixando um rastro de polpa pegajosa cor de laranja escorrendo até o chão.

O motorista rapidamente recuperou o controle e avançou na direção do Delahaye, que permanecia em ponto morto à frente. Pitt atraíra intencionalmente a caminhonete, não querendo que parasse e bloqueasse o portão. Mais que depressa, pisou no acelerador e acionou a embreagem, lançando uma nuvem de cascalho e poeira assim que o carro disparou para frente. A caminhonete aproximou-se rápido, mas não antes de Pitt chegar à parte semicircular da alameda que circundava o jardim. Ele pisou fundo no acelerador enquanto virava à esquerda, passando em velocidade pela mansão na curva oposta.

Na caminhonete, uma dezena de metros atrás, o persa inclinou-se para fora da janela do passageiro com uma pistola Glock automática na mão e começou a atirar no carro francês. Em razão do ângulo da curva, ele precisava inclinar-se sobre o para-brisa da caminhonete para apontar, o que prejudicava a sua precisão. Alguns tiros acertaram o porta-malas do Delahaye, mas os passageiros e a parte mecânica do automóvel escaparam incólumes.

No momento, Pitt manobrava o carro na segunda curva, controlando o acelerador para manter o impulso. Na borda externa da curva, uma grande estátua de Vênus ladeava a alameda, com um braço apontando para o céu.

— Cuidado — gritou Loren enquanto o Delahaye em excesso de velocidade derrapava na direção da estátua de mármore.

Pitt segurou o volante firme e afundou mais o pé no acelerador. Enquanto uma sucessão de tiros assobiava por cima do teto, o carro continuou a derrapar em direção à borda da alameda e da Vênus imponente. Os pneus do carro giraram, depois lentamente se atritaram no cascalho solto enquanto o impulso do veículo mudou gradualmente para a frente. Loren segurou-se ao painel de instrumentos com as juntas dos dedos brancas enquanto a frente do Delahaye escorregava para a grama, encaminhando-se para o obstáculo de mármore. Mas os pneus traseiros recuperaram a aderência, empurrando a frente do carro para o lado da estátua antes de voltar o seu nariz de volta à alameda. Pitt e Loren ouviram um forte raspão quando o para-lama traseiro arranhou o pedestal da Vênus, mas o ruído cessou quando as quatro rodas retornaram ao cascalho.

— Você arrancou o braço dela — comentou Loren, espiando a estátua através da janela traseira.

— Espero que o dono do Delahaye tenha seguro contra acidentes — disse Pitt sem olhar para trás.

Enquanto o Delahaye acelerava em direção ao portão da frente, foi a vez de a caminhonete passar pela segunda curva. O persa, ainda pendurado para fora da porta do passageiro, segurava a pistola, disparando tiros no Delahaye enquanto gritava ao motorista para ir mais depressa. Mas, com o centro de gravidade mais alto e os pneus carecas, não havia como a caminhonete conseguir igualar a derrapada do conversível francês na curva. Numa tentativa de corresponder à sua velocidade, o desajeitado veículo quase imediatamente perdeu a tração e começou a deslizar lateralmente na direção da estátua. Em pânico, ao começar a sair da alameda, Óculos Escuros pisou no freio, o que só serviu para agravar a deriva lateral.

O jardineiro observou com a boca aberta quando a velha caminhonete chocou-se contra a Vênus em um ângulo fechado. A obra de arte mutilada desapareceu em uma nuvem de poeira enquanto a caminhonete batia de frente e dava uma rodada. Desviada de volta para o cascalho, a caminhonete girou três vezes antes de ir parar em um bosque de salgueiros baixos. O veículo continuou a deslizar, finalmente dando uma parada brusca em um castanheiro espesso, enquanto os três ocupantes eram arremessados contra o painel.

Óculos Escuros afundou em seu assento, esfregando o lábio inchado depois de beijar o volante. Ao lado dele, o homem de camisa azul tentava conter o fluxo de sangue do nariz amassado. Apenas o persa escapara da colisão ileso, tendo se protegido com o braço livre.

Ouvindo o motor em ponto morto sem danos, ele se virou para o motorista.

— Vamos continuar atrás deles.

Óculos Escuros sacudiu a cabeça atordoada e engatou a marcha à ré, manobrando grosseiramente a caminhonete de volta à alameda. Pisando nos freios, um barulho alto surgiu da cabina. O persa olhou pela janela traseira a tempo de ver a cabeça decapitada de Vênus rolar contra a carroceria da caminhonete com um ruído seco.

No momento em que eles conseguiram voltar à alameda, Pitt já tinha saído da propriedade. Como esperava, o desvio dera tempo suficiente para o caminhão em manobra sair da pista, e a estrada costeira agora estava livre. Pitt rapidamente acelerou o carro antigo em alta velocidade pela estrada pavimentada.

— Acho que conseguimos ganhar um pouco de tempo — ele disse —, mas estamos quase sem combustível.

Loren inclinou-se para ver o ponteiro do marcador de combustível oscilar diretamente acima do "E".

— Quem sabe eles sucumbiram aos poderes de Vênus — ela disse, esperançosa.

Passando em velocidade pela embaixada austríaca de verão, com a estrada se abrindo à frente, eles avistaram outra aldeia costeira. Uma grande balsa de automóveis era visível no cais local, carregando passageiros e veículos para um passeio descendo o Bósforo.

— Aquela balsa pode ser a nossa melhor pedida — disse Pitt enquanto a estrada inclinava-se em uma descida íngreme em direção ao mar.

— Sim, para aquele cruzeiro relaxante sobre o qual você estava me contando — Loren murmurou.

Um sorriso maroto curvou os lábios de Pitt.

— Relaxante, quem sabe, para alguém — ele respondeu.

Eles passaram por uma placa anunciando a entrada da vila de Yenikoy e seguiram caminho pelo trânsito tranquilo até o cais. Pitt parou atrás de um caminhão aberto carregado com tapetes orientais à espera de embarcar na balsa. Ele correu o olhar pelo cais, observando uma linha de bares e restaurantes na orla, semelhantes aos de Sariyer.

— Lá está a caminhonete — Loren deixou escapar de repente.

Pitt olhou para a estrada, vislumbrando a caminhonete que se aproximava da cidade a uns oitocentos metros atrás deles. Ele se virou para Loren e indicou uma rua lateral com o polegar.

— Quero que você vá até aquele restaurante de toldo verde e peça uma cerveja — disse ele.

— Aquele lugar escuro com os vidros sujos? — ela perguntou, correndo o olhar pelos numerosos outros estabelecimentos limpos e respeitáveis.

Pitt concordou.

— E quanto ao nosso cruzeiro?

— Vamos deixar esse privilégio para os nossos amigos. Espere até eu chegar lá. Agora, vá — ele ordenou, dando-lhe um beijo rápido.

Pitt observou enquanto ela saltava do carro e seguia rapidamente pela rua, entrando pouco à vontade no bar desalinhado. Alguns segundos depois, pelo espelho retrovisor, ele avistou a caminhonete entrar apressada no cais. Com algum divertimento, Pitt observou que o para-choque dianteiro da caminhonete estava todo amassado e marcado com pó de mármore branco. Um farol arrancado deixara um buraco oco, que agora se parecia uma órbita ocular vazia. Não havia dúvida de que os assaltantes tinham avistado o automóvel francês, considerando que a caminhonete amassada tomou um lugar na fila de embarque para a balsa, três veículos atrás de Pitt.

Pitt percebeu que o caminhão de tapetes à sua frente se atrasava quando a rampa de acesso à balsa ficou livre e acelerou rapidamente o Delahaye para ultrapassar o veículo pesado, provocando uma buzinada de raiva do motorista. O caminhão proporcionava um ligeiro obstáculo de ocultação, que Pitt esperava ser suficiente para esconder o fato de ser o único ocupante do carro.

Depois de pagar o cobrador do pedágio, ele dirigiu até o convés coberto para veículos, estacionando atrás de um sedã pequeno cheio de crianças. Saltou rapidamente do carro e olhou para trás. O caminhão de tapetes achava-se parado em ponto morto ao lado do cobrador do pedágio, bloqueando os outros veículos, enquanto o motorista procurava nos bolsos o dinheiro da tarifa. Se algum dos pistoleiros tivesse saltado da caminhonete, ele não conseguia ver. Virando-se, examinou a balsa.

Era uma balsa de dois conveses, a coberta inferior contendo os veículos, enquanto os passageiros ocupavam o convés superior. Ele começou a caminhar em direção a uma escada quando viu um homem vendendo pipoca para as crianças do sedã estacionado à frente. O homem era quase da altura de Pitt e tinha constituição semelhante, com o cabelo escuro ondulado parecido.

— Desculpe-me — Pitt falou ao homem. — Você seria gentil o bastante para olhar o meu carro enquanto vou ao banheiro? — Enquanto fazia a pergunta, tirou da carteira uma nota de dez liras turcas.

O pipoqueiro viu a nota e acenou de maneira veemente.

— Ora, claro que sim — respondeu.

Pitt depositou a nota na mão do homem, então o conduziu até a porta do motorista.

— Por favor, sente-se aí dentro — pediu ao pipoqueiro. — Ninguém vai mexer no meu carro se ele estiver ocupado.

O homem deixou de lado a bandeja de pipocas e pulou para o assento ansiosamente, animado por sentar-se em um elegante automóvel antigo.

— Eu volto já — Pitt disse, com uma piscadela, em seguida correu em direção à escada.

Subiu ao andar superior e misturou-se aos passageiros, encaminhando-se em direção à popa. A caminhonete subia pela rampa de embarque quando ele olhou para o lado, avistando as três figuras sentadas dentro da cabine.

A caminhonete foi o último veículo a subir a bordo; o pessoal do cais logo afastou a rampa de veículos, enquanto a tripulação da balsa levantava um portão dobrável na popa. Pitt sentiu os motores trepidarem abaixo dos conveses, então três toques de buzina anunciaram a partida iminente. Seguindo seu caminho até a amurada da popa, ele esperou que a balsa começasse a avançar, então olhou para o convés.

À frente da escada central, viu aparecer Óculos Escuros, procurando entre a multidão com uma pressa frenética. Pitt só podia imaginar a expressão no rosto dos pistoleiros quando se aproximaram do Delahaye e encontraram o vendedor de pipoca sentado atrás do volante. Ele teve pouco tempo para considerar a diversão, pois o convés de repente tremeu sob os seus pés e uma onda de água em ebulição emergiu à popa da balsa.

Sem perda de tempo, ele subiu na amurada, criando uma certa agitação entre os passageiros ao redor, o que imediatamente chamou a atenção de Óculos Escuros. O pistoleiro começou a correr pelo convés, mas Pitt desapareceu de vista. Ele se abaixara sobre uma escora da balaustrada até se pendurar com os braços estendidos e depois deixara-se cair sobre o convés inferior. Pousando sobre um caminhão, ele se levantou e saltou sobre o portão inferior do convés de popa, em seguida saltou de uma travessa em uma estocada furiosa para o cais.

A balsa tinha se afastado pouco mais de um metro do cais quando Pitt saltou, e ele só conseguiu apoiar um pé na borda da rampa de veículos e tomar impulso para a frente. Rolando pela rampa, recuperou o equilíbrio e levantou-se sem pressa. A balsa ganhava velocidade, afastando-se em direção ao canal e já alcançando quase vinte metros de distância em relação ao atracadouro.

Pitt ergueu os olhos para ver Óculos Escuros correr pela amurada superior da balsa e observar desolado a distância aumentar entre a embarcação e a terra. O assaltante voltou seu olhar para Pitt, instintivamente levando a mão em direção ao coldre que usava por baixo do paletó, mas acabou por desistir da ideia.

Pitt observou o sujeito, em seguida lançou-lhe um aceno jovial, como se ele fosse um velho amigo. Óculos Escuros permaneceu impassível, olhando para Pitt com o rosto frio como granito, enquanto a balsa lentamente seguia seu caminho pelo estreito.

13

O SOL POENTE PROJETAVA UMA AURA dourada sobre a arrebentação do mar na face ocidental do Mediterrâneo da costa israelense. Sophie perscrutou o horizonte azul, grata pelo calor do dia ter finalmente passado, depois voltou-se e entrou na barraca de artefatos. O professor Haasis achava-se curvado sobre um rolo de papiro, o semblante iluminado pela empolgação enquanto tentava decifrar a caligrafia antiga. Sophie sorriu consigo mesma, pensando que ele lembrava um garoto de olhos arregalados em uma loja de doces.

— Dê um descanso para o seu cérebro, professor — ela disse. — Os rolos ainda estarão aqui pela manhã.

Com um sorriso encabulado, Haasis levantou os olhos do artefato. Sobre a mesa comprida à sua frente espalhava-se mais de uma dúzia de caixas de cerâmica, cada uma abrigando um sortimento de pequenos rolos de papiro. Com relutância, ele enrolou o papiro que acabara de examinar e guardou-o de volta em uma das caixas.

— Sim, acho que devo fazer um intervalo para comer alguma coisa — ele concordou. — Acontece que não consigo me controlar. É uma riqueza tão grande de informações. Este último rolo, por exemplo — disse, dando um tapinha na caixa para enfatizar —, explica como um navio mercante anatoliano carregado com grãos proveniente do Egito foi forçado a buscar a segurança do porto aqui quando teve o mastro quebrado. Pequenas joias como esta fazem o meu coração bater mais forte.

— Esses não se parecem exatamente com os Pergaminhos do Mar Morto — respondeu Sophie com uma risada.

— Bem, o homem comum das ruas pode não se importar com isto — ele observou —, mas, para quem faz da história o trabalho da sua vida, é como abrir uma janela para o passado que antes estava fechada.

Haasis tirou o par de luvas brancas que usava.

— Realmente, preciso que estes artefatos sejam transferidos para o laboratório da universidade para uma análise adequada e conservação, mas não consigo resistir a dar uma olhada inicial.

Por pouco ele não examinou mais três caixas antes de se levantar e se espreguiçar.

— O que foi feito de Dirk? — perguntou. — Não o vi mais desde que entregou a última caixa.

Sophie encolheu os ombros, tentando aparentar indiferença. Mas ficara com a mesma pergunta na cabeça. O convite que Dirk lhe fizera antes para o jantar deixara-a com uma certa comoção durante toda a tarde. Até mesmo dera uma escapada para tomar um banho e escovar o cabelo, aborrecida pela primeira vez na vida por não trazer nenhuma maquiagem consigo. Sentiu o coração parar quando uma figura entrou subitamente na barraca atrás de si. Girando nos calcanhares, desapontou-se ao ver que se tratava apenas de Sam.

— E aí pessoal, vocês não vão jantar? A barraca do rancho está servindo espaguete com almôndegas — anunciou, uma mancha de molho vermelho no queixo revelando que já passara pela fila do serviço.

— É uma ótima ideia — respondeu Haasis. — Venha, Sophie, vamos comer alguma coisa.

A agente das Antiguidades encaminhou-se sem pressa em direção à saída, fazendo um grande esforço para disfarçar o desapontamento.

— Sam — ela perguntou —, estamos preparados para hoje à noite?

Seu assistente inclinou a cabeça, concordando.

— Raban e Holder vão chegar dentro de uma hora. Eu disse a eles para ficarem de vigilância até cerca de meia-noite.

— O professor Haasis nos ofereceu a sua barraca, então acho que vou passar a noite aqui. Você pode pegar uma carona com os rapazes de volta para casa, se preferir.

— Acho que farei isso. Dormir no chão não é mais tão divertido como quando tinha treze anos — respondeu o assistente, esfregando as costas.

Eles saíram da barraca e encontraram Dirk parado do lado de fora, com uma toalha de praia enrolada sobre o braço como se fosse um garçom. Usava calça cáqui e camiseta polo, e Sophie não pôde deixar de notar como estava bem arrumado. Em seguida, fez um esforço supremo para conter um sorriso.

— Acho que combinamos jantar juntos — disse ele, curvando-se ligeiramente.

— Quase esqueci — ela mentiu.

Ele pegou-a pelo braço e escoltou-a atrás de Sam e Haasis enquanto o grupo se encaminhava para a barraca do rancho ali ao lado. Sophie ia virar-se para acompanhar os dois homens à entrada da barraca, mas sentiu que Dirk de repente a empurrava em outra direção.

— Não vamos comer com os outros? — ela indagou.

— Não, a menos que você esteja ansiosa por aquele espaguete enlatado — respondeu ele.

— Não, para falar a verdade, não estou — ela respondeu, balançando a cabeça.

— Ótimo. Então vamos até o cabo Pitt.

Ele conduziu Sophie pela descida até a praia, pela qual caminharam por uma certa distância sobre a areia. Quando chegaram a uma saliência rochosa que avançava para o mar, Dirk virou-se e ajudou-a a escalar a subida de pedras irregulares.

— Aqui ficava um palácio romano — disse Sophie, lembrando-se da escavação anterior de uma grande construção que apresentava colunas gregas e um espelho-d'água decorativo.

— Muitos acreditam que tenha sido do rei Herodes, construído depois que ele fez o porto — respondeu Dirk, mostrando que estudara sobre Cesareia.

— Não me lembro de existir um restaurante aqui — disse Sophie, com um sorriso divertido.

— Fica logo atrás da última parede.

Eles atravessaram as ruínas até a extremidade do promontório. Assim que passaram por uma parede de pedra desmoronada, alcançaram um recesso abrigado que oferecia uma vista ampla do mar. Sophie riu quando avistou uma caixa de gelo colocada atrás de um fogareiro do tipo *hibachi,* com as brasas do carvão brilhando acesas.

— Café Rei Herodes, aberto para o público. Espero que não se importe de comer ao ar livre — disse Dirk, estendendo a toalha sobre um espaço arenoso. Ele rapidamente tirou uma garrafa de vinho branco de dentro da geladeira e em seguida serviu duas taças.

— Aos tolos — disse ele, tilintando a taça de encontro à dela.

Sophie enrubesceu e depois bebericou o vinho em silêncio.

— O que tem no cardápio? — indagou ela, tentando mudar de assunto.

— Robalo fresco, pescado em sua homenagem esta tarde. Grelhado com limão e azeite de oliva e acompanhado por um *kebab* de legumes orgânicos, cultivados em um *kibbutz* aqui perto, seguindo pela mesma estrada. — Ele ergueu um par de espetos que atravessavam pedaços generosos de pimentão, tomate e cebola.

— Ainda bem que desisti do espaguete — respondeu Sophie.

Dirk acomodou os *kebabs* e um par de filés de peixe na pequena grelha e rapidamente o jantar estava servido. Sophie achou delicioso o sabor da refeição fresca e devorou a comida com apetite.

— Estava fantástico — disse ela, baixando o prato vazio. — Tem certeza de que não é um *chef* profissional?

Dirk deu risada.

— Longe disso. Ponha-me em uma cozinha e não vou conseguir preparar nada além de sanduíches de manteiga de amendoim com geleia. Mas me mostre uma grelha quente e na mesma hora eu enlouqueço.

— Você enlouquece com ótimos resultados — disse ela, com um sorriso.

Enquanto ele fatiava um pequeno melão para a sobremesa, ela perguntou o que achava de trabalhar na NUMA.

— Não poderia encontrar um emprego melhor. Posso trabalhar dentro do mar e perto dele, praticamente em qualquer lugar do mundo. A maioria dos nossos projetos é não só interessante quanto fundamentalmente importante para a preservação da saúde dos oceanos. Acima de tudo, posso trabalhar junto com a minha família.

Ele notou um sutil sinal de alarme passar pelo semblante de Sophie ante a menção à família.

— O meu pai é o diretor da NUMA — explicou ele. — E eu tenho uma irmã gêmea chamada Summer, que é oceanógrafa de lá também. Na verdade, foi graças ao meu pai que consegui vir a Israel. Ele me liberou de um projeto de pesquisa em que estávamos trabalhando na costa da Turquia.

— O professor Haasis me disse que tem muitos bons amigos na NUMA e considera a organização em alta conta.

— Com certeza ele mesmo tem feito um ótimo trabalho por aqui — respondeu Dirk.

— Então o seu tempo em Cesareia está terminando?

— Acho que sim. Mais duas semanas e depois devo voltar para a Turquia.

Ele passou-lhe um prato de melão fatiado, depois disse:

— Bem, agora é a sua vez. Como você se tornou uma arqueóloga com uma arma?

Sophie sorriu.

— Foi por me interessar por geologia e história, inspirada desde criança no trabalho do meu pai, acho. Adoro a arqueologia e escavar o passado, mas sempre me senti muito mal em ver os nossos tesouros culturais serem roubados por dinheiro. Trabalhando na Autoridade das Antiguidades, sinto que posso ajudar a fazer diferença, embora os bandidos sejam muito mais numerosos do que nós.

Dirk fez um gesto com a mão na direção da linha costeira.

— Cesareia tem sido bem explorada e pilhada ao longo dos séculos. Você acha que as escavações do professor aqui estão realmente correndo perigo?

— A sua descoberta hoje mostrou que ainda existem muitos artefatos culturais de grande valor a serem encontrados. Na verdade, estou mais preocupada com o sítio do túmulo, sobre o qual um repórter local fez o favor de publicar na imprensa sem muito critério. A presença de alguém disfarçado ontem como agente das Antiguidades também me deixou preocupada.

— Bem, pelo menos não descobrimos nenhum ouro ou tesouro. Qualquer saqueador que assaltar o nosso sítio de pesquisas ficará bastante decepcionado.

— Você ficaria surpreso com a variedade de interesses entre os maiores colecionadores de artefatos. Muitos valorizam tanto as antiguidades culturais quanto os tesouros em si, com prejuízo para todo mundo. Esses rolos de papiro que você encontrou valeriam uma pequena fortuna no mercado negro. Só vou me sentir mais tranquila depois que o professor Haasis conseguir que todos os artefatos sejam transportados em segurança para a Universidade de Haifa. — Ela deu uma olhada no relógio de pulso. — Agora realmente preciso voltar para coordenar o nosso reconhecimento noturno.

Dirk serviu-lhe mais meia taça de vinho.

— E agora, para despedir, que tal uma saideira?

Sophie concordou e aceitou a taça enquanto Dirk sentava-se ao lado dela com a própria taça na mão. A arrebentação quebrava de encontro às rochas ao redor deles e o lusco-fusco azul-escuro baixava sobre as suas cabeças. Era um momento romântico e relaxante, do tipo que havia muito não acontecia na vida de Sophie. Ela se voltou para Dirk e suspirou:

— Peço desculpas por ter gritado com você hoje.

Ele se inclinou e beijou-a de leve, permitindo que os seus lábios demorassem um pouco mais do que o necessário.

— Nunca é tarde para fazermos as pazes.

Aconchegando-se um ao outro, eles terminaram o vinho antes que Sophie se forçasse a interromper aquele momento juntos. De mãos dadas, voltaram pelo mesmo caminho até a praia e subiram a colina em direção ao acampamento. Uma fileira de luzes mantidas acesas por um gerador oscilava acima do conjunto de barracas, iluminando o local com um brilho esbranquiçado. Sam encontrava-se sentado sobre um muro de pedra a um canto, conversando com dois homens de roupa escura.

— Fico na última barraca à esquerda — disse Dirk a Sophie. — Cuide para que os ladrões de túmulos não perturbem o meu sono, certo?

— Boa noite, Dirk.

— Boa noite.

Dirk observou enquanto Sophie reunia-se aos colegas, depois voltou-se para a fileira de barracas. Antes de se afastar, caminhou até a barraca grande de artefatos, que continuava bem iluminada. Haasis estava de volta, curvado sobre um rolo de papiro com uma lente de aumento em uma das mãos.

— Descobrindo alguns segredos da antiguidade? — perguntou Dirk.

Haasis ergueu os olhos por um momento, depois voltou ao papiro.

— Nada de tamanha importância aqui, mas, ainda assim, fascinante. Venha dar uma olhada, acho que vai gostar disto.

Dirk aproximou-se, olhando por cima do ombro de Haasis para a fina camada de papel fibroso em que se via uma caligrafia marcante.

— Isso é grego para mim — disse ele com uma careta.

— Ah, desculpe — respondeu Haasis. — Vou traduzir meio por alto para você. Este papiro faz uma descrição da atividade portuária por volta de 330 d.C., ao que parece. Existe uma rápida narrativa sobre um navio saqueador cipriota avariado capturado à deriva por uma trirreme imperial romana. Em seguida, a embarcação foi rebocada até Cesareia, onde as autoridades portuárias descobriram que os seus conveses estavam cobertos de sangue e que havia uma certa provisão de armamento romano a bordo. Muitos tripulantes exibiam evidências de ferimentos resultantes de uma batalha recente.

— Eram piratas? — disse Dirk.

— Sim, parece que eram. O incidente criou comoção, diz aqui, quando se encontrou a bordo o armamento pessoal de um centurião chamado Plautius. Ele foi identificado como um *Scholae Palatinae,* o que quer que isso significasse.

— Provavelmente as consequências não foram nada boas para a tripulação cipriota.

— Não mesmo — respondeu Haasis. — A embarcação foi devolvida ao serviço como um navio mercante imperial, enquanto a tripulação foi sumariamente executada.

— Justiça rápida mesmo — disse Dirk, pegando uma das caixas de cerâmica. — Será que todos os rolos de pergaminho contêm relatos assim tão interessantes?

— Só para um curioso em antiguidades como eu — disse Haasis, com um sorriso irônico, depois enrolou o papiro e tornou a guardá-lo em uma das caixas. — Já examinei a maioria dos rolos e eles basicamente são registros burocráticos de receitas portuárias e coisas parecidas. Nada muito impressionante individualmente, mas em conjunto oferecem uma visão importante da vida diária há cerca de dois milênios.

Ele envolveu a caixa em um tecido e colocou-a em cima de um armário de arquivo, depois apagou a luz. As outras caixas tinham sido todas cuidadosamente embrulhadas e armazenadas em caixas plásticas para o transporte para a universidade.

— Vou deixar alguma coisa para examinar de manhã — disse ele, com um bocejo. — Você acha que recolheu tudo o que encontrou na câmara?

— Acho que sim — respondeu Dirk —, mas vou tomar emprestada uma das suas colheres de pedreiro e voltar lá para dar mais uma olhada, só para confirmar.

— Nunca pensei que convidar um engenheiro naval para uma escavação de campo produziria essa abundância de trabalho para mim — Haasis disse enquanto guiava Dirk para fora da barraca.

No alto da colina, eles avistaram Sophie caminhando pelo perímetro na companhia de um dos seus agentes.

— E eu, vindo para Cesareia, nunca pensei que faria descobertas tão interessantes — respondeu Dirk com uma piscadela, depois encaminhou-se para a sua barraca para passar a noite.

14

O MATRAQUEAR DE ARMAS DE FOGO automáticas fez com que Dirk levantasse de um salto da cama de campanha.

Os disparos pareciam perigosamente próximos. Dirk ouviu alguns gritos e depois novos tiros de pistola. Ele rapidamente vestiu uma bermuda e calçou as sandálias, depois saiu com cautela da barraca, enquanto uma cascata de disparos de diversas armas era ouvida por todo o acampamento. Seus primeiros pensamentos ainda entorpecidos pelo sono foram para Sophie, mas teve pouco tempo para reagir. Primeiro ouviu e depois avistou duas figuras portando fuzis de assalto descendo pela trilha.

Imediatamente, Dirk agachou-se atrás da barraca, depois correu abaixado para uma mureta de contenção pouco distante à sua retaguarda. Em silêncio, esgueirou-se por cima da mureta e seguiu escondido por trás, para longe das barracas. Na parte traseira do acampamento distribuíam-se vários destroços remanescentes de diversos edifícios que antigamente compunham a cidade portuária. Ele se esgueirou por entre os destroços e os montes de entulho, seguindo por uma ligeira ribanceira até uma bifurcação em uma extremidade. A barreira de pedras às escuras oferecia um ponto de observação seguro, de onde podia avistar todo o acampamento.

Enquanto a sua reação rápida lhe permitira escapar, os seus colegas de acampamento não haviam sido tão afortunados. Sophie fora a seguinte a reagir, saindo apressada da sua barraca perto da trilha com a arma na mão. Mas um dos atiradores parou a poucos passos de distância dela e apontou-lhe o fuzil de assalto antes que tivesse tempo de clarear os olhos sonolentos. Olhando para o cano da arma apontada, ela não teve escolha a não ser relutantemente deixar cair a sua própria arma ao chão. O atirador reagiu maldosamente, golpeando-a no ombro com o fuzil e derrubando-a com força sobre os joelhos.

— O que está acontecendo aqui? — gritou o professor Haasis, saindo de sua barraca em desalinho.

— Cale a boca — ordenou o outro assaltante, golpeando as costelas do professor com a coronha do fuzil.

Haasis foi arremessado para a frente, emitindo um soluço de dor quando o seu corpo chocou-se contra o chão. Sophie arrastou-se para perto dele e ajudou-o a se levantar, os dois cambaleando sem forças sob as luzes do acampamento. Outro capanga apareceu na trilha e encarregou-se de vigiar Sophie e Haasis, enquanto o atirador arrebanhava os estudantes de arqueologia para fora das barracas. Sophie olhou na direção da barraca de Dirk, contendo uma expressão de surpresa quando um dos atiradores saiu depois de encontrá-la vazia.

Acima da trilha, houve uma comoção ruidosa antes de várias figuras aparecerem. Um dos agentes das Antiguidades, o braço direito uma massa ensanguentada, desceu cambaleando pela trilha, esforçando-se para amparar Sam. O assistente de Sophia tinha um rasgo horrível na testa e caminhava com dificuldade, parecendo atordoado. Dois outros atiradores surgiram atrás deles, empurrando os homens feridos para o centro do acampamento.

— Sam, você está bem? — Sophie gritou, avançando relutante na direção dos dois agentes. Amparando Sam, ajudou-o a sentar-se no chão ao lado dos outros prisioneiros. Uma das estudantes cuidou do agente chamado Raban, amarrando um pedaço de camisa ao redor do seu braço ferido, enquanto Sophie mantinha a palma da mão sobre a testa ensanguentada de Sam.

— Onde está Holder? — ela perguntou em voz baixa para Raban.

O agente dirigiu-lhe um olhar sombrio e abanou a cabeça.

Recuperando-se do golpe, Haasis levantou-se e gritou para os seus captores.

— O que vocês querem? Não temos nada aqui pelo que valha a pena matar alguém.

Pela primeira vez Sophie examinou o grupo de assaltantes armados. Eles pareciam ser árabes, todos com lenços pretos amarrados sobre a parte inferior do rosto. No entanto, não se pareciam com os típicos ladrões profanadores de túmulos em busca de uns trocados por uns velhos potes de barro. Usavam trajes militares e botas pretas que pareciam praticamente novas. Portavam fuzis de assalto AK-74 modernos, versões aperfeiçoadas do venerado Kalashnikov AK-47. Sophie imaginou por um momento que poderiam ser um grupo de comando militante que se deparara com o acampamento por engano. Mas então um deles, que parecia ser o líder, respondeu à pergunta de Haasis.

— O rolo de papiro. Onde está? — gritou. Era um homem de sobrancelhas grossas que exibia uma cicatriz profunda ao longo da mandíbula.

— Que rolo de papiro? — respondeu Haasis.

O homem enfiou a mão por baixo da jaqueta e tirou do coldre uma pequena pistola SIG Sauer. Distraidamente, apontou para a coxa de Haasis e apertou o gatilho.

O disparo da arma provocou um grito de um dos estudantes quando Haasis caiu ao chão, agarrando a perna acima do ferimento sanguinolento. Sophie apressou-se a intervir.

— Os papiros estão na barraca grande — disse, apontando o caminho. — Não precisa atirar em mais ninguém.

Um dos assaltantes correu até a barraca e pareceu vasculhá-la por alguns minutos antes de regressar com uma caixa de cerâmica em uma das mãos e um rolo de papiro na outra.

— São muitos rolos de papiro. Guardados em caixas plásticas, mais de uma dezena delas — relatou ele.

— Peguem todas, que não sobre nenhuma — ordenou o líder. Depois fez um movimento com a cabeça na direção dos prisioneiros. — Levem todos para o anfiteatro — ordenou a dois dos seus outros homens.

A dupla de assaltantes acenou com as armas para os prisioneiros se levantarem e saírem andando. Sophie ajudou Sam a se pôr de pé, enquanto dois estudantes ampararam o doutor Haasis. Aos cutucões e empurrões, os prisioneiros foram conduzidos pelo caminho que levava até a praia. O líder com a cicatriz no rosto encaminhou-se para a barraca dos artefatos e no caminho tomou o rolo de papiro da mão do subordinado. Examinou-o por vários minutos embaixo de uma das luzes pendentes, depois pegou a caixa de cerâmica e ordenou que o homem fosse buscar o caminhão estacionado fora da área.

Dirk observava tudo do seu esconderijo, enquanto Sophie e os outros eram levados para fora do acampamento. Então, silenciosamente atravessou as ruínas, seguindo até a praia por um caminho paralelo ao percorrido pelos prisioneiros. Raciocinava rápido, tentando criar um plano de resgate ou encontrar algum objeto para usar como arma, mas as opções eram poucas, contra homens armados com fuzis de assalto automáticos.

A luz ambiente diminuiu depois que se afastou do acampamento e ele avançou com dificuldade pelo terreno rochoso e irregular. Mantinha os olhos voltados para a luz da lanterna que era agitada à sua direita, levada pelo guarda que liderava o grupo. A encosta da colina nivelou-se um pouco quando Dirk cruzou o que antes fora uma estrada pavimentada com pedras. A luz da lanterna desapareceu atrás de uma parede a menos de quinze metros ao seu lado, mas ele ainda conseguia acompanhar o ruído dos passos dos prisioneiros que desciam pelo caminho. Preocupado com os ruídos dos próprios passos, parou e se agachou por um minuto ou dois, enquanto o cortejo seguia em frente, e então correu agachado para trás da parede. O cascalho solto rangia sob os seus pés quando se aproximou do obstáculo. Preocupando-se com o que ocorria dos dois lados, ele prosseguiu até o fim da parede, então olhou pela borda em busca do facho de luz.

Um anel de aço frio subitamente encostou-se ao pescoço de Dirk, quase bloqueando-lhe a traqueia. Ele retesou a cabeça e viu surgir, do outro lado do muro, um dos árabes mascarados, que continuou pressionando a boca do fuzil de assalto contra a sua garganta. Mesmo à luz quase inexistente, Dirk reconheceu a hostilidade maligna nos olhos escuros do agressor.

— Mexa-se e é um homem morto — falou o árabe em voz baixa.

15

Em nenhum momento a boca do cano do fuzil afastou-se do pescoço de Dirk enquanto ele subia pela trilha até o acampamento. Foi forçado a entrar na barraca dos artefatos, onde um dos árabes ocupava-se em empilhar os caixotes de plástico para removê-los. O homem deixara a máscara escorregar, permitindo que Dirk observasse os seus traços faciais aguçados como os de uma doninha. Um segundo depois, o líder terrorista entrou na barraca.

— Cubra esse rosto — gritou para o homem em árabe. O subordinado imediatamente tornou a amarrar o lenço, contendo uma expressão de indignação. Em seguida, o líder voltou-se na direção de Dirk e do outro guarda.

— Por que trouxe este homem aqui? — indagou ele.

— Eu contei as barracas ocupadas e faltava um corpo. Vi este sujeito separado dos seus amigos lá na praia. — Ergueu um par de óculos de visão noturna para provar como localizara Dirk.

O líder inclinou a cabeça em reconhecimento e observou Dirk.

O guarda perguntou:

— Devo matá-lo ou colocá-lo com os outros?

O líder abanou a cabeça.

— Amarre-o e ponha no caminhão. Um refém pode ser útil até estarmos longe daqui. — Ele puxou a pistola e apontou-a para Dirk, permitindo que o outro homem obedecesse à ordem.

Cortando uma corda que prendia a barraca, o guarda amarrou os pulsos e os braços de Dirk bem apertados às suas costas. Em seguida, golpeando-o de novo com o fuzil, empurrou-o para fora da barraca e para o alto da colina. Uma centena de metros à frente pela trilha, eles passaram pelo corpo do agente das Antiguidades chamado Holder, que jazia de rosto para baixo sobre uma poça de sangue. Estacionado próximo dali encontrava-se um caminhãozinho utilitário dilapidado que fora parado de ré no estacionamento, ao lado do caminho.

O guarda empurrou Dirk para a abertura na traseira do caminhão e deu-lhe um forte empurrão, atirando-o de rosto para baixo sobre a carroceria. Antes que Dirk pudesse rolar de lado, o guarda saltou sobre e ele e rapidamente amarrou os seus tornozelos com outro pedaço de corda.

— Nem tente sair do caminhão, meu amigo alto, ou eu mato você — disse o guarda. Então deu um chute rápido nas costelas de Dirk antes de saltar para fora da carroceria.

Dirk aguentou a pontada enquanto observava o guarda virar-se e caminhar de volta para o acampamento. Ele forçou as amarras nos pulsos, mas estavam tão apertadas que não conseguiu se soltar. Escorregando pela traseira do caminhão, apalpou a superfície em busca de uma ferramenta ou objeto solto, mas só bateu contra uma pilha baixa de caixotes de artefatos. Depois deslizou para o lado até ficar de frente para a traseira do caminhão.

A carroceria era fechada por duas portas com dobradiças que abriam para o lado, deixando um espaço pelo qual ele poderia cair direto sobre o chão. Dirk examinou a carroceria do caminhão e depois o para-choque traseiro, uma placa enferrujada de aço curvo coberto por tinta branca descascada. A borda interna do para-choque era fina e estava corroída, mas poderia servir como lâmina de corte.

Alcançar a borda do para-choque com as mãos presas às costas requeria um delicado ato de equilíbrio, e a princípio ele quase rolou para fora do caminhão. Mas, esticando-se contra uma extremidade do para-choque, conseguiu pressionar a corda contra a borda corroída e empurrá-la para a frente e para trás. Mal começara a esfiapar a corda e ouviu passos no caminho, rapidamente escorregando de volta para dentro da carroceria com as mãos embaixo do corpo.

O mesmo guarda de antes, seguido pelo homem com cara de doninha, reapareceu, os dois carregando os caixotes plásticos com os artefatos, que colocaram na parte de trás do caminhão. O cara de doninha então subiu na carroceria e empilhou as caixas perto da cabine, aproveitando a oportunidade para chutar Dirk, para impressionar o companheiro.

Dirk exagerou na reação ao golpe, gemendo em voz alta e encolhendo-se, como se sentisse muita dor. Em consequência disso, o árabe deu uma risada, tagarelando com o companheiro enquanto voltavam para o acampamento. Imediatamente, Dirk retomou a posição contra o para-choque, raspando-o contra as cordas do pulso. Depois de uma insistência frenética, a corda se desfez, e ele sentiu a borda serrilhada do para-choque arranhar-lhe o pulso. Sem perda de tempo, afrouxou a corda, desamarrando-a dos pulsos e dos braços. Rolando para se levantar, com as mãos livres, apressou-se a desamarrar os tornozelos. Mas parou, hesitante, quando os ruídos de um rangido de passos sobre o cascalho chegaram-lhe do caminho. O nó dos tornozelos prendia a corda bem apertado e teimava em não se soltar. Ele rapidamente relaxou a tensão das pernas e enfim conseguiu desatar o nó. Assim que a corda afrouxou, ele escorregou de volta para o caminhão, enrolando a corda folgada sobre os tornozelos, depois deitou-se de novo com os braços embaixo do corpo.

Vinha apenas um árabe na trilha, que Dirk reconheceu como sendo o Doninha. Sorriu consigo mesmo quando viu que o homem vinha com os braços ocupados com uma nova carga de caixotes de artefatos e desarmado. Do mesmo modo como antes, ele depositou os caixotes na traseira da carroceria do caminhão, depois subiu para posicioná-los junto da cabine. Dirk retomou os gemidos falsos, remexendo-se para obter uma posição melhor. Esperou até os caixotes serem empilhados e o árabe voltar-se para dar-lhe o chute obrigatório. Mas, no segundo em que Doninha levantou o pé, Dirk voou para a frente, rolando o corpo com força para o outro tornozelo do homem.

Parado sobre um pé, imediatamente o assaltante se desequilibrou com o impacto. Enquanto ele caía, Dirk saltou e agarrou-lhe o pé com que pretendera golpear-lhe o peito e virou-o para cima. Surpreendido, o assaltante despencou sobre o assoalho da carroceria, batendo a cabeça e os ombros e de passagem arremessando um trio de caixotes de artefatos para o alto. Um dos caixotes virou-se sobre os pés de Dirk, deixando escapar uma caixa de cerâmica de dentro. Dirk inclinou-se e pegou a caixa, depois arremessou-a com toda a força de encontro ao Doninha. O árabe, que se agarrara aos seus joelhos, recebeu o golpe direto na têmpora. Enquanto a caixa se estilhaçava, o homem desabou inconsciente.

— Desculpe por isso, doutor Haasis — murmurou Dirk, recolhendo apressadamente os rolos de papiro e guardando-os de volta no caixote. Depois amarrou o Doninha do mesmo modo que fora amarrado e em seguida saltou para fora do caminhão.

A trilha permanecia silenciosa quando Dirk esgueirou-se para a frente do veículo, procurando sem conseguir encontrar a chave da ignição. Então continuou adiante, atravessando o estacionamento em silêncio e em passos cuidadosos, disparando em uma corrida ao chegar a um campo adjacente. Agora advertido dos óculos de visão noturna dos assaltantes, imaginou que a melhor chance de evitar a detecção seria manter-se o máximo possível fora da vista deles.

Começou a descer a encosta da colina em direção à praia, seguindo por dentro das valas criadas pela chuva, que ofereciam o melhor esconderijo. Pensou em correr para fora do parque de Cesareia e tentar obter ajuda, mas concluiu que no momento em que a polícia chegasse os ladrões já teriam ido há muito tempo. E talvez Sophie, Haasis e os outros estivessem todos mortos.

Atravessou cambaleando os vestígios rochosos de uma residência de dois mil anos de idade e depois passou pelo que antes devia ter sido um jardim, até chegar a uma ribanceira que dava direto na praia. Embaixo e à esquerda, erguia-se a sombra do anfiteatro romano. Era uma das construções mais bem preservadas de Cesareia, um semicírculo elevado de arquibancadas de pedra, que permanecia praticamente intacto e ainda era utilizado para concertos ao ar livre e apresentações teatrais. Com talento para a dramaturgia, os romanos tinham posicionado a extremidade aberta de frente para a praia, oferecendo aos espectadores uma visão espetacular do Mar Mediterrâneo como cenário.

Dirk desceu pela ribanceira até enxergar por cima das arquibancadas elevadas do anfiteatro. Um par de lanternas que varriam o chão iluminava o grupo de prisioneiros, amontoados juntos perto da praia atrás do palco. Dirk avistou os dois assaltantes armados caminhando de um lado para outro na luz, em um falatório acima da quebrança das ondas. Também notou que tinham se posicionado em um local difícil de ser alcançado sem ser detectado, com a ampla superfície da praia de cada lado e o piso do palco aberto à frente.

Ele observou quando a crista prateada de uma onda quebrada aproximou-se da praia, rolando por uns vinte metros atrás do grupo antes de se desmanchar na areia. A maré estava quase cheia, concluiu. Olhando outra onda rolar com força em direção à praia, ocorreu-lhe uma ideia. Os assaltantes, vigiando os prisioneiros, mantinham as costas para o mar e não esperariam um ataque daquela direção. Assim, a sua única chance seria uma aproximação pela água.

Olhou de novo para a praia, mal avistando a ponta rochosa invadindo o mar no local em que descobrira os rolos de papiro. Pensando em uma tática que funcionasse, ele lamentou que a maior parte do seu equipamento de mergulho estivesse na barraca. Mas restava o material da escavação do poço, mesmo que estivesse incompleto. Havia uma boa chance de que algumas ferramentas de escavação continuassem por lá. E também o gerador e o jateador de água.

Refletiu por mais um momento, então contraiu o rosto em uma careta.

— Bem, um plano louco é melhor do que nenhum plano — murmurou para si mesmo, depois desceu cautelosamente pela ribanceira em direção ao mar.

16

Sophie percebeu que o homem armado a observava com insistência. Caminhando de um lado para outro como um tigre faminto, o mais baixo dos dois assaltantes mantinha os olhos injetados na direção dela a cada passo que dava. Intencionalmente, ela evitou cruzar o olhar com o dele, inclinando-se para Sam e Raban ou olhando na direção do mar. Isso apenas serviu para frustrar o guarda, e ele finalmente cobrou a sua atenção.

— Você — disse ele, acenando com a arma para ela. — Levante-se.

Sophie ergueu-se vagarosamente, mas manteve os olhos voltados para o chão. O atirador aproximou-se, enfiou o cano do fuzil embaixo do seu queixo e forçou-a a levantar a cabeça.

— Deixe-a em paz — gritou Raban em voz fraca.

O atirador virou-se e golpeou o agente com a ponta da bota, atingindo-o de lado na mandíbula. Raban caiu para trás, espalhando-se sobre a areia, atordoado.

— Covarde — disse Sophie, finalmente olhando o árabe nos olhos, em atitude desafiadora.

Ele se aproximou dela ameaçadoramente. Levantando o fuzil, percorreu gentilmente a bochecha e o queixo dela com o cano da arma.

— Mahmoud, você gostou desta? — disse o parceiro, observando o confronto, divertido. — Até que é bonita para uma judia. E ainda mais bonita para uma agente das Antiguidades — acrescentou com uma risada.

Mahmoud não respondeu, os olhos demorando-se lascivamente nos de Sophie. Continuou com o cano do fuzil pelo pescoço dela, depois seguiu pela abertura do colarinho aberto da camisa, pressionando o metal frio contra a pele indefesa. Quando o cano atingiu o botão superior da camisa, ele o manteve ali, pressionando, como se quisesse abrir o botão. Sem conseguir realizar seu intento, escorregou o cano para um lado, tentando apalpar o seio esquerdo dela.

Sophie teve vontade de lhe desferir uma joelhada na virilha, mas optou por um chute rápido no queixo, esperando com isso diminuir a possibilidade de que a matasse. Mahmoud saltou para trás, grunhindo de dor enquanto se equilibrava sobre um pé. O parceiro soltou uma gargalhada diante da cena, divertindo-se com a humilhação do atirador.

— Parece que encontrou uma garota fogosa. Acho que ela é valente demais para você — caçoou ele.

Mahmoud se recompôs e avançou na direção de Sophie. Aproximou-se tanto que lhe permitiu sentir o odor do seu hálito abafado.

— Vamos ver quem é fogoso aqui — sibilou ele, um clarão raivoso no olhar.

O assaltante virou-se para entregar o fuzil ao parceiro quando o zumbido alto de um gerador fez-se ouvir ao longe através da praia. Segundos depois, o jato pulsante de água projetou-se acima das ondas. Todos os olhos se voltaram naquela direção e puderam avistar um arco prateado disparado acima do horizonte.

— Mahmoud, vá ver o que foi aquilo — ordenou o parceiro, o semblante repentinamente sisudo.

De má vontade, Mahmoud inclinou-se sobre Sophie e sussurrou em seu ouvido.

— Vou me divertir com você mais tarde, quando voltar.

Sophie trucidou-o com o olhar enquanto ele se virava e encaminhava-se para a praia, o fuzil erguido em posição de ataque. Então ela se deixou cair sobre a areia, escondendo as mãos trêmulas de susto. Para se acalmar, tornou a pensar em Dirk Pitt, imaginando se teria alguma coisa a ver com aquela novidade.

Assim que a figura de Mahmoud desapareceu na escuridão, o outro atirador passou a caminhar nervosamente de um lado para outro à frente dos prisioneiros. Corria os olhos por toda a extensão da praia, depois parava próximo aos cativos. Passado algum tempo, direcionou a lanterna para iluminar as arquibancadas vazias do anfiteatro. Não encontrando nada inquietante por lá, retomou a posição em frente à praia.

Deitado sobre a areia, Sam rolou de lado para sentar-se, tendo recuperado os sentidos depois do golpe recebido na cabeça.

— Como está se sentindo, Sam? — Sophie perguntou.

— Acho que estou bem — respondeu ele em voz arrastada. Olhou ao redor entre os outros prisioneiros, como se quisesse se orientar. Seu olhar mudou para o atirador e ele levantou um braço inseguro na sua direção, perguntando:

— Quem é aquele?

— Um dos terroristas que nos mantêm reféns — respondeu Sophie, com amargor. Mas quase engoliu as últimas palavras ao perceber que o homem não era o guarda sobre quem Sam perguntara.

Em meio às sombras, a uma dezena de metros atrás do assaltante, uma figura sugira da arrebentação e corria rapidamente em ziguezague na direção do guarda. Era alto e magro, e portava um objeto rombudo nas mãos. O coração de Sophie quase saltou do peito quando ela reconheceu o dono daquela silhueta.

Era Dirk.

O assaltante continuava de costas para o mar, os olhos concentrados na área em torno do anfiteatro. Bastaria voltar a cabeça e surpreenderia a aproximação de Dirk, o que o tornaria um alvo fácil para o fuzil de assalto. Sophie concluiu que precisava chamar a sua atenção para que Dirk se aproximasse sem ser notado.

— Qual… qual é o seu nome? — ela gaguejou.

O atirador dirigiu-lhe um olhar surpreso, depois riu.

— O meu nome? A-há! Você pode me chamar de Davi, o menino pastor cuidando do seu rebanho.

Parecendo orgulhoso da piada, ele fitou Sophie com uma expressão divertida. Sophie tentou não olhar a cena atrás dele enquanto a figura nas sombras se aproximava.

— O que vocês vão fazer com os artefatos, Davi? — ela perguntou, em um esforço para manter o homem distraído.

— Ora, transformá-los em dinheiro, claro — respondeu ele com uma risada. Foi então que detectou um movimento atrás de si, mas voltou-se tarde demais.

Quando ele se virou, a lâmina achatada de uma pá atingiu-o de lado na cabeça. O golpe atordoou-o, derrubando-o de joelhos, deixando-o atrapalhado com as mãos enquanto tentava usar a arma. Sem perda de tempo, Dirk inverteu seu movimento, desferindo um segundo golpe do outro lado da cabeça do assaltante, derrubando-o inconsciente.

— Está todo mundo bem? — perguntou Dirk, controlando a respiração, o corpo todo molhado de água salgada.

Sophie saltou e agarrou-o pelo braço, aliviada com a sua presença.

— Estamos bem, mas outro atirador acabou de descer para a praia.

— Eu sei. Disparei o jato de água para atraí-lo.

Enquanto falavam, ouviram o gerador distante ser desligado de repente, o jato de água cessando de imediato.

— Ele já vai voltar — disse Sophie em voz baixa.

Dirk rapidamente examinou o grupo de prisioneiros. Sam permanecia sentado com uma expressão confusa, inclinado sobre o agente Raban, que tinha o braço ensanguentado. O doutor Haasis jazia com uma atadura de pano amarrada na perna, parecendo em estado de choque. Os demais estudantes — três mulheres e dois homens — continuavam sentados, olhando para ele com uma ansiedade desesperada. Ele concluiu que o grupo junto seria incapaz de fugir com rapidez. Olhou para o atirador desacordado, depois voltou-se para Sophie.

— Me ajude a tirar a jaqueta dele.

Dirk ergueu o homem do chão pelo tronco enquanto Sophie abria e puxava a sua jaqueta. Segurando-o por baixo dos braços, Dirk arrastou-o para trás dos prisioneiros.

— Enterrem as pernas dele na areia, depois sentem-se à frente do tronco dele, para não ser visto — disse a dois estudantes.

Eles rapidamente cavaram a areia e jogaram sobre os pés e as pernas do homem, então tentaram esconder o resto do seu corpo sentando-se de pernas cruzadas à sua frente.

Dirk arrancou a echarpe do atirador e enrolou-a em volta da cabeça, depois vestiu a jaqueta preta. Em seguida, correu de volta à frente do grupo e pegou o fuzil de assalto.

— O outro está vindo — alguém sussurrou em tom assustado.

— Volte a sentar-se — Dirk disse a Sophie enquanto verificava a arma.

Tratava-se de um fuzil AK-74 produzido em série, provavelmente contrabandeado para dentro do país pelo Egito. Dirk tinha uma certa familiaridade com a arma, tendo disparado com uma versão semelhante em um estande de tiro uma vez. Correu a mão pela lateral do receptor para se assegurar de que o seletor de tiro estivesse no automático, depois puxou para trás a alavanca do carregador. Levantando rapidamente a arma, voltou-se para o grupo, como se estivesse de guarda.

Mahmoud apareceu na praia e depois avançou para os prisioneiros com uma carranca aborrecida.

— Alguém fez uma fonte de água com um gerador — ele murmurou. — Chegava a uns quinze metros de altura.

Dirk manteve as costas voltadas para o homem, esperando que ele se aproximasse mais. Quando percebeu que se achava perto o bastante, lentamente girou para o lado, apontando casualmente o AK-74 para o peito de Mahmoud.

— Cuidou bem da garota enquanto eu estava fora? — o árabe perguntou, depois imobilizou-se.

Ocorreu-lhe naquele exato momento que o seu parceiro silencioso ficara de repente mais alto, usava bermuda molhada e olhava muito sério na sua direção com um par de olhos verdes. Depois havia o fuzil Kalashnikov apontado para o seu peito.

— Solte a arma — Dirk ordenou.

Sophie repetiu o comando em árabe, mas era desnecessário. Mahmoud sabia exatamente o que Dirk dissera.

O árabe olhou para Sophie e depois para os estudantes, então tornou a encarar Dirk. “Amadores”, ele pensou. Seu parceiro, Saheem, podia ter sido enganado, mas não ele.

— Sim, sim — disse, com um aceno de cabeça, estendendo a arma na direção do solo. Mas, com um movimento repentino, caiu sobre um joelho e puxou a coronha do fuzil para o ombro, tentando apontar na direção de Dirk.

O AK-74 nas mãos de Dirk atirou primeiro. Quatro balas alojaram-se no peito de Mahmoud, projetando-o para trás antes que este tivesse a chance de apertar o gatilho. Um soluço engasgado escapou dos lábios do assaltante, mas as suas últimas palavras foram abafadas pelo grito assustado de um dos estudantes. Sophie levantou-se de um salto e aproximou-se de Dirk.

— Ele era um porco imundo — disse ela, olhando para o assaltante morto.

Dirk respirou fundo e procurou acalmar a pulsação acelerada, depois aproximou-se de Mahmoud e pegou o seu fuzil. No alto da colina, a buzina do caminhão utilitário soou de repente, ecoando até a praia.

— Um provável alerta — disse Dirk. — Precisamos tirar todo mundo daqui e nos esconder fora do alcance deles.

Ele se aproximou do grupo e chamou um dos estudantes, um rapaz magro e de pernas compridas.

— Thomas, precisamos que saia atrás de ajuda. Há um condomínio residencial a pouco mais de um quilômetro pela praia. Ache um telefone e veja se consegue trazer uns policiais aqui o mais rápido possível. Mas não se esqueça de avisar o que vão encontrar.

O rapaz levantou-se e olhou um tanto hesitante para os amigos, depois virou-se e correu para a praia a toda velocidade. Dirk rapidamente passou os olhos pela área ao redor deles, depois parou diante do grupo.

— Precisamos sair daqui antes que venham procurar os comparsas. Para começar, vamos dar a volta por trás do anfiteatro — disse ele.

— Este aqui está se mexendo — disse um dos estudantes, apontando para a figura inclinada de Saheem.

— Deixem como está — respondeu Dirk. Aproximando-se de Sophie, ele lhe estendeu um dos fuzis de assalto. — Você serviu nas Forças de Defesa de Israel? — perguntou.

— Servi, cumpri os meus dois anos — disse ela. O serviço militar obrigatório em Israel também era extensivo às mulheres. Ela pegou a arma sem hesitação.

— Você cobre a nossa retirada? — ele perguntou.

— Posso tentar.

Dirk inclinou-se e beijou-lhe a testa.

— Fique perto de nós.

Ele se afastou para ajudar a levantar o doutor Haasis. Os olhos do professor estavam apagados e a sua pele muito pálida, pelo choque causado pelo ferimento. Ajudado pelo outro estudante, Dirk levantou-o da areia. Com os demais atrás, ele os conduziu para o palco do anfiteatro e na direção da outra extremidade das arquibancadas. Sophie seguia o grupo alguns passos atrás, perscrutando na escuridão à espera da aproximação de atiradores.

Resfolegando, Dirk carregou o peso morto de Haasis para trás da parte mais alta da construção. Próximo dali havia um barracão usado para guardar os equipamentos nos concertos ao lado do teatro. Dirk arrastou Haasis para trás do barracão e depositou-o com delicadeza no chão. Os outros estudantes e os agentes feridos acomodaram-se ao lado do professor, enquanto Sophie guardava a retaguarda.

— Vamos ficar aqui até a chegada da polícia — disse Dirk, considerando aquele canto uma posição defensiva razoável.

— Dirk, estou vendo luzes vindo pela trilha — relatou Sophie em voz baixa.

Da lateral do barracão, eles acompanharam duas luzes descendo pela colina. Os fachos avançavam pouco a pouco na direção da praia, acompanhados ocasionalmente pelo chamado de um nome. Uma das luzes projetou-se sobre Saheem, que conseguira se levantar e andava com dificuldade, ainda atordoado. O corpo de Mahmoud logo foi descoberto, provocando um frenesi crescente de murmúrios em árabe. Uma das luzes voltou-se e varreu o interior do anfiteatro. Dirk passou um braço ao redor de Sophie e puxou-a da borda do barracão.

— Desculpe — ele sussurrou, relaxando o abraço apenas ligeiramente. — Eles têm óculos de visão noturna.

Sophie enlaçou Dirk e esfregou-lhe as costas em resposta. Eles ficaram juntos por um instante, e então Dirk arriscou mais uma espiada. Para seu alívio, as luzes dirigiam-se para a praia e logo eram vistas direcionadas para a subida da colina. Minutos depois, ouviu-se ao longe o motor do utilitário, afastando-se para fora do parque.

O lamento das sirenes e as luzes faiscantes alcançaram o parque dez minutos depois. Dirk e Sophie subiram para o acampamento quando uma patrulha da polícia armada com faroletes potentes e cães pastores-alemães apareceu no alto da trilha. Eles conduziram os policiais ao anfiteatro, onde Haasis e os agentes feridos foram rapidamente carregados para uma ambulância. Dirk notou com curiosidade que o corpo de Mahmoud havia desaparecido, arrastado para o alto da colina pelos comparsas e carregado juntamente com os artefatos roubados.

Depois do longo interrogatório policial, Dirk deu uma busca no interior da barraca de artefatos. Como esperava, todas as caixas de rolos de papiro haviam sido levadas. O que ele não imaginava encontrar eram os artefatos do armazém, que ainda se achavam espalhados sobre as mesas em diversas etapas de análise e conservação. Saindo da barraca, encontrou Sophie que se aproximava, vindo do estacionamento. Sob as luzes do acampamento, pôde ver que ela estava com os olhos avermelhados e parecia trêmula.

Dirk aproximou-se dela e tomou-lhe a mão.

— Eles acabaram de levar Arie — disse ela, referindo-se ao agente Holder. — Baleado por causa de uns artefatos estúpidos.

— Além de roubar, eles pareciam prontos para matar. Só levaram os rolos de papiro, nem mesmo se incomodaram com os outros artefatos — respondeu ele, indicando a barraca com a cabeça.

A face de Sophie endureceu-se.

— O falso agente das Antiguidades deu o serviço para eles. A estudante, Stephanie, o reconheceu como um dos assaltantes desta noite.

— Faz alguma ideia de quem usaria táticas de tropas de elite para conseguir antiguidades no mercado negro?

Sophie aquiesceu.

— Eu suspeitaria dos Mules. Um bando de contrabandistas libaneses que parece ter ligação com o Hezbollah. São mais conhecidos por contrabandear armamentos e drogas, mas também atuam na área de antiguidades. São os únicos que a meu ver seriam capazes de matar por causa de artefatos.

— Não acho que aqueles rolos de papiro sejam muito fáceis de vender.

— Provavelmente eles já foram pagos pelo serviço. Esse assalto tem todo o jeito de atender a uma encomenda feita por um colecionador endinheirado. Do tipo que não tem escrúpulos.

— Pegue-os — disse Dirk em voz baixa.

— Nem que seja por causa de Holder, juro que vou — respondeu ela com firmeza. Fitou o mar por um tempo, então olhou para Dirk com uma expressão mais branda. — Não estou certa se algum de nós estaria vivo se você não tivesse aparecido na praia.

Dirk sorriu.

— Eu só queria poder marcar um segundo encontro.

— Isso — ela disse, recompondo-se e dando-lhe um tapinha na bochecha — eu quase posso garantir.

17

Em pé na área de espera dos passageiros, Pitt soltou um longo suspiro de alívio. Pela janela, observou o avião de Loren afastar-se do portão do terminal e encaminhar-se para uma fila de jatos à espera de autorização para a decolagem do Aeroporto Internacional de Atatürk. Pelo menos agora conseguiria relaxar, sabendo que a esposa encontrava-se fora de perigo.

Fora um intervalo de desassossego desde o momento em que se levantara no cais de Yenikoy e observara os pretensos assassinos se afastarem na balsa sobre o Bósforo. Ele e Loren rapidamente fizeram sinal para um táxi e voltaram às pressas para Istambul, esgueirando-se pela entrada dos fundos do hotel em que estavam hospedados e registraram a saída o mais rápido possível. Cruzaram a cidade de um lado para outro para se assegurar de que não eram seguidos, decidindo por fim passar a noite em um hotel modesto próximo ao aeroporto.

— Talvez devêssemos ter procurado a embaixada americana e relatado o ocorrido — queixara-se Loren quando entraram no quarto sem o menor atrativo. — No mínimo nos garantiriam a segurança em um hotel melhor.

— Você está certa — Pitt concordara. — Depois de trinta e sete reuniões de informações com uma dezena de burocratas, eles provavelmente encontrariam um lugar seguro para nós por uma semana a partir da quinta-feira. — Ele não se surpreendera com o fato de Loren não ter pensado em procurar ajuda diplomática antes. Apesar dos anos passados no Congresso, ela raramente usava a sua posição para requerer tratamento especial.

— O Departamento de Estado vai ficar sabendo de tudo de qualquer maneira — ela respondera. — Aqueles sujeitos desprezíveis precisam ser mandados para trás das grades.

— Só me faça um favor: espere até estar em segurança em nosso país antes de dar queixa.

Depois de remarcarem os voos, ele a vira embarcar primeiro para Washington. Com tempo para matar antes do seu voo para Quios, ele tomou o café da manhã em um restaurante do aeroporto, depois tentou telefonar para o doutor Ruppé. Ficou surpreso quando o arqueólogo atendeu no número de Roma que lhe fornecera.

— Está ligando do aeroporto? — indagou Ruppé quando uma chamada de voo amplificada soou mais alto em um alto-falante acima da cabeça de Pitt.

— Sim, acabei de ver a partida de Loren e estou esperando pelo meu voo.

— Pensei que os dois ficariam mais um dia.

Pitt colocou-o a par da aventura deles ao longo do Bósforo.

— Graças aos céus vocês dois estão seguros — disse Ruppé, chocado com a história. — Aqueles sujeitos certamente têm boas ligações. Você relatou isso à polícia?

— Não — Pitt respondeu. — Fiquei meio escolado depois que descobriram o nosso paradeiro tão rápido.

— Talvez tenha sido mesmo mais sensato. A polícia turca tem uma certa reputação de corrupção. E, com base na minha parte de más notícias, acho que você acertou ao pensar assim.

— O que aconteceu?

— Recebi um telefonema da minha assistente no museu. Segundo ela, alguém entrou no meu escritório e revirou o lugar em plena luz do dia. A boa notícia é que não encontraram o meu cofre, assim a sua coroa de ouro continua em segurança.

— E quanto às más notícias?

— Eles levaram as moedas e alguns dos meus documentos, que incluíam as suas cartas indicando a localização do naufrágio. Não posso afirmar com certeza, mas estou achando que pode haver uma ligação entre todos esses acontecimentos. Nada parecido com isso aconteceu comigo antes.

— Outro subproduto do vazamento da polícia turca? — indagou Pitt.

— Pode ser. A minha assistente já denunciou o crime e a polícia está fazendo uma investigação. Mas, assim como no roubo de Topkapi, eles alegam não ter nenhuma pista até o momento.

— Pois já deviam ter um montão delas — lamentou Pitt.

— Bem, acho que não podemos fazer muita coisa. Vou tentar conseguir uma interpretação da sua coroa quando voltar a Istambul.

— Cuide-se bem, Rey. Torno a ligar para você em alguns dias.

Pitt desligou o telefone, esperando que seu envolvimento com os ladrões de Topkapi tivesse acabado.

Mas, no fundo, sua impressão era de que não.

18

A MANSÃO EM ESTILO MARROQUINO proporcionava uma vista abrangente do Mediterrâneo de sua posição privilegiada sobre os rochedos que acompanhavam a costa turca. Embora não tão gigantesca quanto algumas das propriedades opulentas situadas à beira-mar, ela fora construída com uma notável preocupação com os detalhes. Azulejos primorosamente decorados forravam todas as paredes externas, enquanto pináculos em miniatura projetavam-se de todas as águas do telhado. Assim mesmo, a funcionalidade prevalecia à opulência, e fora mais valorizada a privacidade da residência. Uma alta parede de pedra circundava o perímetro em torno da construção, ocultando o interior exuberante da curiosidade tanto dos moradores locais quanto dos turistas que passassem pela estrada costeira em direção à vizinha praia de veraneio de Kuşadasi.

Em pé junto a uma grande janela panorâmica, Ozden Celik observava, do outro lado do mar azul cintilante, o perfil quase indistinguível de Samos, uma ilha grega a uns trinta quilômetros dali.

— É uma vergonha que as ilhas ao largo da nossa própria costa tenham sido tomadas por outro país — disse ele amargamente.

Maria achava-se sentada junto a uma escrivaninha próxima a ele, revisando uma pilha de documentos financeiros. O aposento ensolarado fora decorado do mesmo modo que o escritório do Bósforo, com tapetes tribais forrando o piso e artefatos de colecionador da era otomana decorando as paredes e prateleiras.

— Não se contrarie com as falhas de homens que já morreram há muito tempo — disse ela.

— A terra ainda era nossa no governo de Suleiman. Foi o grande Atatürk quem sacrificou o nosso império — ele disse em tom sarcástico.

Maria ignorou o comentário, depois de ter escutado tantas vezes antes o irmão injuriar-se contra o fundador da Turquia moderna. Celik voltou-se para a irmã, os olhos incandescentes.

— Não podemos nos esquecer da nossa herança nem do destino a que temos direito.

Maria aquiesceu em silêncio.

— A transferência do xeque foi creditada — disse ela, segurando um extrato bancário.

— Vinte milhões de euros? — ele perguntou.

— Sim. Quanto você prometeu ao *mufti*?

— Eu lhe disse para esperar doze milhões, portanto vamos lhe dar quatorze e ficar com a diferença, como antes.

— Por que ser tão generoso? — indagou ela.

— É importante manter a confiança dele. Além do mais, isso me dará maior influência quanto à destinação do dinheiro.

— Devo supor que tem uma estratégia nesse sentido?

— É claro. As propinas com procuradores e juízes absorverão uma parcela considerável, para assegurar que o Partido da Felicidade, com o *mufti* Battal no alto da lista dos candidatos, apareça na cédula no próximo dia da eleição. Os fundos que restarem serão usados para as despesas políticas tradicionais: organização de comícios, promoção e propaganda e levantamento de fundos adicionais.

— Os cofres de Battal devem estar se enchendo rapidamente, considerando a pressão que tem feito nas mesquitas, sem mencionar o aumento da sua popularidade em geral.

— E o crédito por tudo isso é bem nosso — respondeu Celik, condescendente.

Celik levara vários anos até encontrar e cultivar o líder islâmico certo que o conduzisse à realização dos seus objetivos. O *mufti* Battal tinha em seu perfil a mescla perfeita de ego e carisma para liderar o movimento e, ao mesmo tempo, continuar maleável aos desígnios de Celik. Sob a campanha cuidadosamente coreografada por Celik com propinas e ameaças, Battal consolidara bolsões de apoio ao fundamentalismo islâmico em toda a Turquia e pouco a pouco os convertera em movimento nacional. Trabalhando nos bastidores, Celik estava prestes a transformar o movimento religioso em bandeira política. Inteligente o bastante para perceber que as suas próprias aspirações encontrariam resistência pública em alguns setores, ele agregara a sua plataforma ao *mufti* populista.

— Pelas reportagens na mídia, parece que ainda é alta a indignação pública em relação ao roubo de Topkapi — disse Maria. — O atentado está sendo considerado uma afronta direta à fé muçulmana. Eu ficaria surpresa se isso não aumentasse um ponto percentual ou dois na popularidade do *mufti*.

— Exatamente o que pretendíamos — respondeu Celik. — Vou garantir que ele divulgue uma declaração pública condenando veementemente os ladrões abomináveis — acrescentou, com um sorriso irônico.

Aproximando-se da escrivaninha, ele reparou em uma série de moedas em uma caixa de feltro ao lado de uma pilha de publicações de pesquisas especializadas e uma carta náutica. Eram os objetos roubados do doutor Ruppé, levados por Maria quando invadira o escritório do arqueólogo durante a visita que fizera ao museu, vestida como turista.

— Não foi um pouco arriscado voltar à cena do crime? — ele indagou.

— Não se tratava exatamente da Câmara Privativa de Topkapi — respondeu ela. — Pensei que haveria uma segunda chance de a nossa sacola de relíquias de Maomé ter ido parar lá, até ser informada do contrário pela polícia. Foi fácil e rápido ter acesso ao escritório dele.

— Achou mais alguma coisa de interesse além das moedas? — indagou ele, admirando uma das peças de ouro que pegara da caixa.

— Uma caixa de cerâmica de Iznik. Existe uma observação feita pelo arqueólogo dizendo que data da época de Suleiman, assim como as moedas. Aparentemente, tudo isso veio de um naufrágio descoberto pelo americano.

Celik arqueou as sobrancelhas, mostrando-se interessado.

— Então se trata de um naufrágio da época de Suleiman? Gostaria de saber mais a respeito disso.

Ouviu-se uma batida na porta do escritório, que foi aberta um segundo depois para revelar um homem corpulento de terno preto. Tinha a pele clara e olhos cinzentos duros, que seguramente tinham testemunhado o lado sombrio da vida.

— Os nossos visitantes chegaram — disse em voz rouca.

— Faça-os entrar — ordenou Celik — e volte com outro janízaro.

O termo *janízaro* remontava a muitos séculos antes e se referia aos guardas pessoais e aos soldados de elite dos sultões otomanos. Em uma estranha distorção quanto à sua lealdade, os janízaros originais que serviam no palácio islâmico tipicamente não eram eles próprios muçulmanos, mas cristãos provenientes da região dos Bálcãs. Recrutados ainda garotos, eram instruídos e treinados como criados, guarda-costas e até mesmo como comandantes do exército a serviço do império do sultão.

De maneira semelhante, os janízaros de Celik eram recrutas cristãos da Sérvia e da Croácia, a maioria antigos militares de tropas de elite. No caso de Celik, porém, eram contratados estritamente como guarda-costas e mercenários.

O janízaro saiu por um instante, em seguida regressou com um companheiro, que escoltou três homens para dentro da sala. Eram os assassinos que haviam perseguido Pitt e Loren no Bósforo. Eles entraram relutantes, com um ar evidente de apreensão, todos evitando o contato visual direto com Celik.

— Eliminaram os intrusos? — perguntou Celik sem cumprimentá-los.

O mais alto dos três, que usara os óculos escuros espelhados, falou pelo grupo.

— O homem chamado Pitt e a esposa aparentemente perceberam a nossa presença e fugiram em uma balsa para Sariyer. Fizemos contato com eles, mas conseguiram escapar.

— Então fracassaram — disse Celik, deixando as palavras pairarem no ar como a espada de um verdugo. — Onde eles estão agora, Farzad?

O homem abanou a cabeça.

— Fecharam a conta no hotel. Não sabemos se continuam na cidade.

— E quanto à polícia? — Celik perguntou, voltando-se para Maria.

Ela abanou a cabeça.

— Ninguém deu queixa.

— Esse homem, Pitt. Deve ter muita sorte ou ser muito habilidoso.

Celik aproximou-se da escrivaninha e pegou a moeda de ouro tirada do escritório de Ruppé.

— Com toda a certeza, deve voltar para o seu naufrágio. Um naufrágio *otomano* — acrescentou com ênfase. Aproximando-se de Farzad, olhou-o diretamente nos olhos. — Você fracassou uma vez. Não tolerarei um segundo fracasso.

Dando um passo atrás, ele se dirigiu aos três homens.

— Vocês serão pagos integralmente pelo seu trabalho. Podem receber o pagamento quando saírem. Cada um de vocês deve permanecer na clandestinidade até ser convocado para o próximo projeto. Fui bem claro?

Os três homens aquiesceram rapidamente. Um dos janízaros abriu a porta e os homens rapidamente bateram em retirada em direção à saída.

— Esperem — a voz de Celik estrondejou de repente. — Atwar, uma palavra com você. Os outros podem ir.

O homem que usara a camisa azul parou onde estava enquanto Farzad e o persa saíam da sala. O primeiro janízaro permaneceu na sala, fechando a porta e depois postando-se atrás de Atwar. Celik aproximou-se do iraquiano.

— Atwar, você deixou aquele homem, Pitt, dominá-lo durante o roubo de Topkapi. Em consequência disso, perdemos o Manto Sagrado do Profeta, que estava em nossas mãos. Depois, ontem, você o deixou fugir de novo?

— Ele pegou todos nós de surpresa — gaguejou Atwar, olhando para Maria em busca de apoio.

Ela não disse nada enquanto Celik abria uma gaveta da escrivaninha, de onde tirou uma corda de arco de um metro de comprimento. Assim como seus ancestrais otomanos, esse era o seu instrumento preferido para as execuções.

— Ao contrário de Farzad, você fracassou duas vezes comigo — disse Celik, inclinando a cabeça para o janízaro.

O guarda adiantou-se e agarrou Atwar por trás em um abraço de urso, apertando os braços do homem ao lado do corpo. O iraquiano tentou resistir, inutilmente, pois o janízaro era muito mais forte do que ele.

— Foi culpa dela — gritou o homem, indicando Maria com a cabeça. — Ela ordenou que sequestrássemos a mulher. Nada disso teria acontecido se tivéssemos deixado a americana para trás.

Celik ignorou as palavras dele, aproximando-se passo a passo até encontrar-se a poucos centímetros do rosto do homem que se debatia.

— Você não vai fracassar comigo novamente — sussurrou em sua orelha. Então, passou a corda ao redor do pescoço de Atwar e apertou-a com um cilindro de madeira laqueada.

O homem gritou, mas a sua voz foi rapidamente abafada quando a corda se retesou ao redor do seu pescoço. Seu rosto tornou-se azul e os olhos se esbugalharam quando Celik torceu o bloco, aplicando maior pressão à corda. Uma expressão de prazer perverso tomou conta dos olhos de Celik enquanto observava a transformação no rosto do homem moribundo. Parecendo saborear o momento, manteve a corda torcida e retesada até bem depois de o corpo da vítima ceder inerte. Finalmente, desenredou o garrote, sem pressa de retirá-lo do pescoço do morto antes de retornar à gaveta da escrivaninha.

— Leve o corpo para longe da praia depois do anoitecer e afunde-o no mar — ele disse ao janízaro.

O guarda aquiesceu e depois arrastou o corpo enrijecido para fora da sala.

O ato de assassinar pareceu revigorar Celik, que passou a caminhar de um lado para outro na sala, com uma nova energia. Levava a moeda de ouro na mão, acariciando-a como um brinquedo de criança.

— Você nunca deveria mandar esses imbecis fazerem o nosso trabalho — ele gritou com Maria. — Os meus janízaros não teriam fracassado na tarefa.

— Eles nos serviram bem até agora. Além do mais, como você acabou de demonstrar, são descartáveis.

— Não podemos mais cometer erros daqui por diante — ele a repreendeu. — Temos muita coisa importante em jogo.

— Vou comandar a próxima operação pessoalmente. Por falar nisso, tem certeza de que quer continuar com o trabalho em Jerusalém? Não estou bem certa se os benefícios compensam o risco.

— Aquilo tem potencial para criar um impacto unificador imenso. Além disso, com um pouco do medo sionista inflado, será bom para obter outros vinte milhões de euros dos nossos financiadores árabes. — Celik parou de andar de um lado para outro por um momento e então olhou para a irmã. — Compreendo que não deixa de haver perigo. Você está comprometida com a tarefa?

— É claro — ela respondeu sem pestanejar. — O meu contato no Hezbollah já tomou as providências com um importante operador, que ajudará na missão pelo preço adequado. Caso haja problemas, eles vão oferecer a necessária culpabilidade.

— O Hezbollah não se opôs à natureza da missão?

— Não lhes dei todos os detalhes — respondeu Maria com um ligeiro sorriso.

Celik aproximou-se da irmã e acariciou-lhe gentilmente a bochecha.

— Você sempre se mostrou a melhor parceira que um homem poderia pedir.

— Nós temos um destino — respondeu ela, repetindo as palavras dele. — Quando Atatürk mandou o nosso bisavô para o exílio em 1922, foi o fim do primeiro Império Otomano. O nosso avô e o nosso pai passaram a vida como párias, sem conseguirem realizar o sonho da restauração. Mas, pela graça de Alá, agora temos um império renovado ao alcance das mãos. Não nos resta muita escolha a não ser agir, pela honra do nosso pai e de todos aqueles que o precederam.

Com lágrimas brotando em seus olhos, Celik permaneceu em silêncio, acariciando a moeda de ouro na mão até que o seu punho estremeceu.

PARTE II

O MANIFESTO

19

O SUBMERSÍVEL AMARELO-LIMÃO deslizou por baixo da água revolta do poço de manobra e desapareceu da vista rapidamente. O piloto mergulhou sem perda de tempo, não querendo se demorar nas imediações do navio-base em um momento em que as fortes correntes manifestavam os efeitos provocados por um vento de força 7.

As águas geladas ao largo das Ilhas Órcadas, a nordeste das terras da Escócia, raramente eram calmas. As frentes de tempestades no Atlântico Norte rotineiramente vergastavam as ilhas rochosas com ondas muito altas, enquanto o vento com força de vendaval parecia soprar sem dar trégua. No entanto, a trinta metros de profundidade sob a superfície raivosa, os três passageiros do submersível logo deixaram de se preocupar com o tempo violento à superfície.

— Confesso que fiquei um pouco receosa com a descida, mas aqui embaixo está muito mais calmo do que naquele navio jogado de um lado para outro — declarou Julie Goodyear no assento traseiro. No seu primeiro mergulho desde que embarcara no navio de pesquisas *Odin,* da NUMA, em Scapa Flow, três dias antes, a historiadora e pesquisadora da Universidade de Cambridge vinha lutando contra os efeitos doentios do enjoo no mar.

— Senhorita Goodyear, garanto que gostará tanto deste passeio que não vai querer voltar para aquela banheira oscilante — respondeu o piloto, em um arrastado sotaque texano. Um homem de olhos duros, com um bigodão em forma de ferradura, Jack Dahlgren acionava os controles de mergulho com o toque destro de um cirurgião, controlando meticulosamente o ângulo de descida.

— Acho que tem razão. Quer dizer, a menos que a claustrofobia aqui dentro leve a melhor sobre mim — respondeu Julie. — Não sei como vocês dois conseguem superar essa sensação de confinamento.

Embora fosse uma mulher alta, Julie era ainda alguns centímetros mais baixa do que Dahlgren e do que a mulher sentada no assento do copiloto. Summer Pitt voltou-se e abriu-lhe um sorriso luminoso e reconfortante.

— Se concentrar a visão no mundo lá fora — disse, apontando para a vigia de inspeção à frente do submersível — logo se esquecerá de como é apertado aqui dentro.

Com o cabelo ruivo comprido e os olhos acinzentados muito vivos, Summer era uma figura impressionante, mesmo no traje de mergulho manchado de graxa. Com um metro e oitenta e três de altura sem os sapatos, a filha do diretor da NUMA e irmã gêmea de Dirk era bem acostumada aos ambientes apertados. Contratada como oceanógrafa da agência subaquática, passara inúmeras horas estudando o fundo do mar dentro dos limites restritos dos pequenos submersíveis.

— A propósito, que tal se eu lançar um pouco de luz no tema da conversa? — disse Dahlgren, estendendo o braço e acionando duas chaves no alto do painel de controle. Dois grupos idênticos de faróis externos imediatamente se acenderam, iluminando o mar verde-escuro que os envolvia.

— Assim está melhor — disse Julie, enxergando até aproximadamente doze metros para dentro das profundezas. — Não imaginava que conseguiria ver tão longe.

— A água está surpreendentemente clara — observou Summer. — A visibilidade é muito melhor do que a que tivemos na Noruega. — Summer e a tripulação do *Odin* regressavam de um projeto de três semanas na costa da Noruega, onde monitoraram as mudanças na temperatura do mar e o seu impacto sobre a vida marinha local.

— Profundidade de cinquenta e dois metros — informou Dahlgren. — Devíamos estar nos aproximando do fundo.

Ele ajustou os tanques de lastro do submersível para a flutuação neutra quando o fundo arenoso acastanhado tornou-se visível abaixo deles. Engatando o motor elétrico, ele aplicou um impulso à frente, fazendo uma ligeira correção de curso depois de consultar a bússola giroscópica.

— Estamos quase próximos do alto-mar e a corrente ainda nos arrasta aqui em cerca de dois nós — disse ele, sentindo a pressão sobre a área externa do casco do submersível.

— Um local nada divertido para um mergulho livre — comentou Summer.

Eles planaram por uma curta distância antes de um grande objeto de formato tubular encher toda a vigia de inspeção.

— Marque uma chaminé — disse Dahlgren quando pairaram sobre o tubo imenso.

— É tão grande — observou Julie, empolgada. — Estou acostumada a ver chaminés proporcionais ao tamanho do navio ou em velhas fotografias granuladas em preto e branco.

— Parece que esta mergulhou com bastante força — comentou Summer, observando que uma extremidade mais delgada da chaminé enferrujada achava-se retorcida e totalmente amassada.

— Segundo os relatos das testemunhas oculares, o *Hampshire* teria mergulhado de proa, acabando por virar de borco ao mergulhar para o fundo — disse Julie. — As chaminés devem ter se soltado naquele momento, senão antes.

Summer estendeu a mão para um console e acionou duas câmeras de vídeo de alta definição.

— Câmeras ligadas. Jack, parece que se inicia um campo de destroços à nossa esquerda.

— Estou vendo — respondeu Dahlgren, guiando o submersível através da corrente.

A pouca distância depois da chaminé, um amontoado de objetos escuros projetava-se da areia. Eram na maioria pedaços indefinidos muito corroídos que tinham se soltado do navio quando emborcara e mergulhara para o fundo.

Summer notou uma carcaça de granada de latão e um prato de cerâmica misturados com uma infinidade de detritos à medida que a concentração de objetos se intensificava. Então uma imagem alta e escura foi pouco a pouco se materializando na água diretamente à frente deles. Chegando mais perto, viram que tinha a forma inconfundível de um imenso destroço de navio.

A permanência de quase um século embaixo da água cobrara o seu preço sobre o cruzador britânico da Primeira Guerra Mundial. O navio parecia uma massa retorcida de aço enferrujado, estendido quase de pé sobre o fundo, com uma inclinação considerável para boreste. As seções do navio achavam-se quase inteiramente enterradas na areia, em consequência dos efeitos fustigantes das correntes marinhas. Summer notou que a superestrutura devia ter desmoronado havia muito tempo, assim como o convés, praticamente todo desfeito. Até mesmo as anteparas de aço galvanizado do casco tinham desmoronado. O grandioso cruzador sobrevivente da Jutlândia no momento era apenas uma sombra deprimente do que fora um dia.

Dahlgren manobrou o submersível sobre a popa do *Hampshire,* pairando acima do naufrágio como um helicóptero. Depois, conduziu-o ao longo do comprimento do navio até alcançar a proa, que se achava parcialmente enterrada na areia, depois que o navio mergulhara funestamente de frente. Fazendo a volta, dirigiu o submersível várias outras vezes através de toda a extensão dos destroços, a câmera de vídeo filmando em imagens digitais enquanto a câmera secundária funcionava no quadro a quadro, tirando fotos que posteriormente seriam montadas em um mosaico de todo o naufrágio.

Enquanto retornavam à popa, Summer apontou para um buraco aberto em uma chapa exposta no convés perto do porão de ré. Ao lado do imenso rasgo avistava-se uma pilha ordenada de destroços que se acumulavam por vários metros de altura.

— Que estranho esse buraco — comentou ela. — Não parece ter nada a ver com o afundamento do navio.

— A pilha de destroços ao lado dá a impressão de que alguns peritos em salvamento estiveram a bordo — disse Dahlgren. — Será que alguém entrou por aí antes de o local ser declarado área de proteção pelo governo?

— Sim, o naufrágio foi descoberto por Sir Basil Zaharoff, na década de 1930, e parcialmente resgatado — disse Julie. — Andaram atrás de algum ouro que se dizia haver a bordo. Depois divulgaram que não conseguiram salvar muita coisa do navio, por causa das correntes traiçoeiras. Parece que ninguém acreditou que tenham encontrado muito ouro, se é que encontraram algum.

Dahlgren guiou-os por cima da superfície curva da popa até encontrar um par de eixos de propulsão projetando-se de baixo.

— Seja como for, alguém levou os seus grandes propulsores de bronze — observou Dahlgren.

— O governo britânico só veio a proteger o naufrágio em 1973. Desde essa época ninguém teve permissão legal para mergulhar nos destroços. Demorei três anos para obter uma autorização simplesmente para conduzir uma pesquisa fotográfica, e isso só aconteceu porque o meu tio é membro do Parlamento.

— Nunca é demais ter familiares em postos importantes — comentou Dahlgren, dando uma piscadela para Summer.

— Pois eu sou grata por sua agência ter me oferecido ajuda com os recursos — disse Julie. — Não sei se conseguiria levantar o financiamento necessário para contratar um submersível comercial com a tripulação.

— Contamos com a ajuda de alguns microbiologistas de Cambridge em nosso projeto na Noruega — respondeu Dahlgren. — Ainda fizeram o favor de levar umas Old Speckled Hen com eles. Gente boa. Então ficamos muito felizes de poder retribuir a generosidade.

— Old Speckled Hen? — indagou Julie.

— Uma cerveja inglesa — disse Summer, rolando ligeiramente os olhos. — Mas a questão de verdade é que, depois de Jack saber que existia um naufrágio envolvido, não houve como não nos oferecermos para ajudar.

Dahlgren apenas sorriu enquanto acelerava o submersível por mais alguns metros acima do cruzador.

— Vamos ver se conseguimos descobrir onde bateram naquela mina — disse ele finalmente.

— Foi uma mina ou um torpedo que afundou o *Hampshire?* — perguntou Summer.

— A maioria dos historiadores acredita que o navio chocou-se contra uma mina. Havia um forte vendaval por aqui na noite em que afundou. O

Hampshire tentou navegar na companhia de vários contratorpedeiros de escolta, mas eles não conseguiram segui-lo no mar agitado, então o cruzador continuou sozinho. Aconteceu uma explosão perto da proa, o que justifica a colisão com uma mina. O submarino alemão U-75 estava na área e relatou ter colocado numerosas minas ao longo da costa.

— Parece ter sido uma tragédia e tanto — comentou Summer.

— O navio afundou em menos de dez minutos. Só uns poucos barcos salva-vidas foram baixados ao mar e, mesmo assim, ou se chocaram contra o navio ou emborcaram no mar muito agitado. Os homens que conseguiram manter-se à tona ainda tiveram de enfrentar a água gelada. A maioria da tripulação morreu de frio muito antes de conseguir chegar à praia. Dos seiscentos e cinquenta e cinco tripulantes a bordo, apenas doze homens sobreviveram.

— Lorde Kitchener não foi um deles — disse Summer em voz baixa. — Conseguiram encontrar o seu corpo?

— Não — respondeu Julie. — O famoso marechal de campo não conseguiu embarcar em um dos barcos salva-vidas e afundou com o navio.

Um silêncio contrito tomou conta do submersível enquanto os ocupantes refletiam sobre o túmulo de guerra visível logo abaixo deles. Dahlgren manobrou a bombordo do casco, próximo ao convés principal, que desmoronara por vários metros em algumas áreas. Ao se aproximarem da proa, Dahlgren detectou algumas deformações ao longo das chapas do casco. Então as luzes subaquáticas iluminaram uma cavidade profunda próxima à linha-d'água, que se estendia por quase seis metros de lado a lado.

— Não admira que tenha afundado tão rápido — observou Dahlgren. — Daria para passar com um caminhão através daquele rombo.

Ele fez uma curva com o submersível até as suas luzes ficarem direcionadas para dentro da abertura provocada pela explosão, revelando uma massa retorcida de entranhas metálicas que se estendia sobre dois conveses. Um grande hadoque surgiu do interior, olhando com curiosidade para as luzes acesas antes de desaparecer na escuridão.

— As câmeras ainda estão ligadas? — indagou Julie. — Esta cena vai dar um ótimo material de pesquisa.

— Sim, estão registrando tudo — respondeu Summer. — Jack, será que daria para se aproximar um pouco mais do local do impacto? — pediu ela, olhando atentamente através da vigia de inspeção.

Dahlgren ajustou os controles de propulsão até eles pairarem entre trinta a sessenta centímetros apenas da seção arrancada do casco.

— Alguma coisa em especial chamou a sua atenção? — indagou Julie.

— Sim. Dê uma olhada naquela borda da explosão.

Julie correu os olhos pelo aço enferrujado destroçado, sem compreender. No assento do piloto, Dahlgren subitamente arregalou os olhos.

— Já sei! As bordas daquela deformação nas chapas de aço estão voltadas para fora — disse ele.

— Esse parece ser o caso em todo o contorno da abertura no casco — disse Summer.

Julie olhava confusa ora para Dahlgren, ora para Summer.

— Do que vocês estão falando? — perguntou ela finalmente.

— Acho que Summer está dizendo que os alemães deram uma bola fora — respondeu Dahlgren.

— Como assim? Por quê?

— Porque — disse Summer, apontando para o rombo no casco — a explosão que afundou o *Hampshire* parece ter ocorrido dentro do navio.

* *

Noventa minutos depois, o trio achava-se sentado na câmara dos oficiais do *Odin,* revendo a gravação de vídeo do *Hampshire* em um amplo monitor de tela plana. Dahlgren fez avançar a primeira parte da filmagem, depois diminuiu a velocidade de exibição quando a câmera se aproximou do buraco a bombordo. Julie e Summer, sentadas ao lado dele, mantinham os narizes na tela, examinando as imagens com atenção.

— Pare aí — orientou Summer.

Dahlgren imobilizou o vídeo sobre uma imagem bem aproximada das chapas estraçalhadas do casco.

— Este ângulo mostra com bastante clareza — disse Summer, apontando para a borda de aço denteada que se abria como as pétalas de uma flor. — A força da explosão que criou isto veio de dentro do navio.

— Poderia ter sido causada pela equipe de exploração de Zaharoff? — indagou Julie.

— É improvável — respondeu Dahlgren. — Embora possam ter usado explosivos aqui e ali, é possível que fosse só para abrir caminho nos espaços internos que exploraram. Não haveria nenhum motivo para criarem um ponto de entrada de tamanha dimensão, especialmente assim tão perto do convés principal. — Enquanto falava, ele apertou o comando "Play" no controle do vídeo. — Vimos evidências de uma explosão interna por toda a abertura, o que não seria o caso se Zaharoff apenas tentasse aumentar o buraco existente.

— E quanto a uma explosão interna de munição, que poderia ter sido provocada por uma mina ou um ataque com torpedos? — perguntou Summer.

— Não seria grande o bastante — respondeu Dahlgren. — Pelo que pudemos ver lá dentro, houve um dano considerável no interior, mas todo ele se concentrou próximo ao casco. Se as munições tivessem detonado, teriam explodido outras partes importantes do navio.

— Então isso nos deixa com uma explosão interna — disse Julie. — Talvez haja alguma coisa verdadeira nos velhos boatos, afinal.

— Que boatos seriam esses? — indagou Summer.

— A morte de Lorde Kitchener em 1916 foi um acontecimento que teve uma grande repercussão. Ele tinha sido o herói de Cartum, no Sudão, duas décadas antes e era considerado o principal arquiteto da derrota final da Alemanha na Primeira Guerra Mundial. É claro que ele pode ter ficado mais conhecido pelo seu pôster de recrutamento que se tornou um ícone, o qual exibia a sua imagem apontando o dedo estendido, convocando para o alistamento no Exército. Como o seu corpo nunca foi encontrado, surgiram as teorias conspiratórias mais esdrúxulas, sugerindo que teria sobrevivido ao naufrágio ou que um sósia viajava em seu lugar. Outros afirmam que o IRA teria colocado uma bomba a bordo quando o navio foi reparado e reabastecido em Belfast, alguns meses antes.

— Acho que isso de algum modo vai interferir na biografia que você está escrevendo — observou Summer.

— Era por isso que você queria pesquisar o *Hampshire,* por causa de Kitchener? — indagou Dahlgren.

Julie concordou.

— Documentar o estado do *Hampshire,* na realidade, foi uma sugestão do meu orientador, mas o motivo mais forte com certeza foi a biografia do marechal de campo. Acho que vou precisar voltar à antiga propriedade de Kitchener, perto de Cantuária, e dar mais uma olhada nos seus arquivos.

— Cantuária? — indagou Summer. — Não fica muito longe de Londres, não é?

— Não, pouco mais de cento e cinquenta quilômetros.

— Vou ficar um tempo em Londres depois de Yarmouth.

— Yarmouth é o nosso próximo porto de destino depois de deixarmos você em Kirkwall — explicou Dahlgren a Julie. — Vamos reabastecer, depois alguns de nós vão para a Groenlândia, para um outro projeto — acrescentou ele, dirigindo a Summer um olhar ciumento.

— Eu vou tomar um avião para Istambul dentro de algumas semanas, para me encontrar com o meu irmão em um projeto no Mediterrâneo.

— Parece uma perspectiva muito quente e ensolarada — disse Julie.

— Nem me diga — grunhiu Dahlgren.

— Quem sabe posso ajudá-la nas suas pesquisas por alguns dias, antes da minha partida de Londres — ofereceu-se Summer.

— Você faria isso? — perguntou Julie, surpresa com o oferecimento. — Mergulhar em velhos livros empoeirados não é o mesmo que em um naufrágio.

— Não me importo. Estou curiosa para saber o que aconteceu com o *Hampshire.* Nossa, é o mínimo que posso fazer depois que ajudamos a levantar essa lebre.

— Obrigada, Summer. Seria maravilhoso.

— Tudo bem — respondeu ela com um sorriso. — Afinal de contas, quem não adora um mistério?

20

A loja com a placa onde se lia "Solomon Brandy — Antiguidades" situava-se em uma sossegada rua transversal da Cidade Velha de Jerusalém, não muito distante da igreja do Santo Sepulcro. A exemplo dos outros setenta e quatro comerciantes credenciados do país, Brandy tinha autorização oficial do Estado de Israel para vender e negociar antiguidades, desde que os artefatos em questão não fossem mercadoria roubada.

A exigência legal era um impedimento insignificante para a maioria dos comerciantes, que simplesmente reutilizavam os números de identificação rastreáveis legítimos para vender os artigos de origem nebulosa que entravam pela porta dos fundos. Estranhamente, as leis das antiguidades de Israel criavam uma imensa demanda de relíquias, e falsificações, da Terra Santa, permitindo a legalização do comércio de artefatos, uma prática banida pela maioria dos outros países. Muitas vezes, as antiguidades eram na realidade contrabandeadas dos países vizinhos para dentro de Israel, onde podiam ser legalizadas e vendidas a outros comerciantes e colecionadores de todo o mundo.

Sophie Elkin entrou na loja bem iluminada de Brandy, assustando-se com o apito da forte campainha acionada ao ser aberta a porta. O interior apinhado não revelava a presença de ninguém no momento, mas achava-se repleto de uma profusão de artefatos que extravasavam de caixas de vidro amontoadas à frente das quatro paredes. Ela se aproximou de uma caixa em uma ilha central que continha pequenos potes de barro identificados com o rótulo "Jericó". Graças à sua formação e experiência, Sophie poderia afirmar que eram todos falsificações, os quais em breve se tornariam relíquias valorizadas entre os turistas desavisados em sua única peregrinação de toda a vida à Terra Santa.

Do fundo da sala, emergiu um homem atarracado de olhos empapuçados, usando um avental empoeirado sobre as roupas amarrotadas. Ele depositou uma estatueta de barro sobre o balcão, depois olhou para Sophie com desagrado.

— Senhorita Elkin, que surpresa — disse em um tom impessoal, indicando que a visita não era muito bem-vinda.

— Olá, Sol — respondeu Sophie. — Nada de turistas até o momento?

— Ainda é cedo. Pela manhã eles visitam os pontos de interesse, só à tarde é que saem para as compras.

— Precisamos conversar.

— O meu alvará está em dia. Apresentei a papelada no prazo — protestou ele.

Sophie abanou a cabeça.

— O que pode me dizer sobre o tiroteio seguido de roubo em Cesareia?

Brandy relaxou visivelmente, depois abanou a cabeça.

— Uma triste tragédia. Um dos seus homens foi morto?

— Thomas Raban.

— Sim, eu me lembro dele. Falava alto e forte. Uma vez ameaçou me sufocar com o cabo de uma pá no pescoço, se não me engano — disse o antiquário com um sorriso sem graça.

Dois anos antes, Sophie o surpreendera em uma operação suspeita, receptando uma grande quantidade de artefatos roubados de Massada. Retirara as acusações depois que ele concordara em cooperar em segredo no processo contra os ladrões de artefatos. Mas a agente das Antiguidades às vezes usava o caso antigo para pressioná-lo em troca de informações em outras investigações. Normalmente, Brandy esquivava-se da maioria das suas perguntas, mas em todas as conversas nunca tivera a coragem de mentir-lhe abertamente.

— Quero o homem que o matou — disse Sophie.

Brandy encolheu os ombros.

— Lamento, mas não posso ajudá-la.

— Você ouve coisas, Solomon. Foram os Mules?

Brandy olhou nervosamente para a janela, como se procurasse algum observador.

— Eles são uma organização perigosa, os Mules. Terroristas atuando dentro das nossas fronteiras. Você não vai querer mexer com eles, vai, senhorita Elkin?

— Foram eles os responsáveis?

Brandy olhou-a nos olhos.

— Existem suspeitas — disse ele em voz baixa. — Mas não posso afirmar com certeza nada além do que você já deve saber.

— Não conheço mais ninguém capaz de roubar artefatos à mão armada e que não tenha escrúpulos em puxar o gatilho.

— Nem eu — admitiu Brandy. — Pelo menos no nosso país.

— Me diga uma coisa, Solomon, quem teria contratado aquela gente?

— Com certeza, nenhum comerciante — protestou ele, indignado. — Não preciso lhe dizer como funcionam as coisas no mercado negro. A maioria das escavações ilegais é feita por pobres árabes sujos, que recebem uma ninharia pelas suas descobertas. Depois os artefatos passam pelas mãos de uma série de intermediários... às vezes comerciantes, às vezes não... até encontrar o seu lugar junto a um colecionador público ou particular. Mas posso lhe garantir que nenhum antiquário israelense arriscaria o seu ganha-pão comprando artefatos sujos de sangue. É perigoso demais.

Embora tivesse poucas dúvidas de que metade dos artefatos na loja de Brandy fosse proveniente de escavações ilegais, Sophie sabia que ele era direito. Os inventários dos melhores negociantes tinham origem tipicamente baseada em negócios secretos e nebulosos, que implicavam confiança de ambas as partes. O risco de se expor fazendo negócios com as pessoas erradas era muito grande. Matar por artefatos estava além do concebível entre os antiquários que Sophie conhecia.

— Acho que nenhum comerciante *esperto* se envolveria deliberadamente com esses açougueiros — disse ela. — Você ouviu falar de alguma tentativa de venda de rolos de papiros romanos do século quarto?

— Então foi isso o que eles roubaram de Cesareia — respondeu o baixinho, inclinando a cabeça como se compreendesse. — Não, não estou sabendo de nenhuma tentativa de negociação com esse tipo de artefato.

— Se as mercadorias não estão no mercado, então aquilo deve ter sido obra de um colecionador particular.

— Eu concluiria isso — concordou Brandy.

Sophie aproximou-se do balcão e pegou a estatueta de barro. Era uma forma tosca de um boi com uma canga dourada. Ela examinou o formato e o acabamento atentamente.

— Período do Primeiro Templo? — perguntou.

— Você tem olhos treinados — respondeu ele.

— Para quem é?

Brandy engoliu em seco.

— Um banqueiro de Haifa. Ele tem predileção por artigos de barro do início da civilização israelita. Sua coleção é pequena, mas impressionante.

— Será que possui alguns rolos de papiro nela?

— Não, essa não é a sua área de interesse. Ele é mais um colecionador amador do que um fanático imprevisível. Os poucos colecionadores interessados em papiros que conheço são especializados em determinados textos ou no conteúdo. Mas nenhum deles é minucioso a esse ponto.

— Então me diga, Sol, quem seria apaixonado por esses rolos e também teria meios para chegar a esses extremos?

Brandy olhou para o teto e pensou um pouco.

— Quem sabe? Conheço colecionadores abastados da Europa e dos Estados Unidos que estariam dispostos a muita coisa para adquirir um determinado artefato. Mas certamente existem dezenas de outros colecionadores do mesmo nível de que nunca ouvi falar.

— As informações sobre os rolos de Cesareia não eram conhecidas havia mais do que um dia — disse Sophie. — Não me parece provável que um colecionador ocidental pudesse ter reagido tão depressa. Não, Solomon, acho que isso foi instigado por uma fonte da região. Algum nome local se encaixa no perfil?

Brandy encolheu os ombros e abanou a cabeça. Sophie não esperava dele muito mais do que isso. Sabia que os colecionadores endinheirados eram a sorte grande para comerciantes como Brandy. Ele provavelmente não tinha a menor pista de quem estava por trás do ataque a Cesareia, mas com certeza não levantaria suspeitas em torno dos seus clientes mais importantes.

— Se souber de alguma coisa, qualquer coisa, faça o favor de me informar — disse ela. Fez menção de partir, depois voltou-se e encarou o homem com um olhar ameaçador. — Quando encontrar aqueles assassinos... e vou encontrar... não terei compaixão dos seus cúmplices, tanto na prática dos atos quanto com as informações — afirmou.

— Tem a minha palavra, senhorita Elkin — respondeu Brandy, muito sério.

A campainha soou quando a porta da frente se abriu e um homem magro e empertigado entrou na loja. Tinha um rosto quadrado e atraente, cabelo cor de areia penteado para trás e olhos azuis inquietos que brilharam ao reconhecer Sophie. Vestido em roupas gastas de tom cáqui e chapéu panamá, era uma figura vistosa que só para os mais experientes sugeria um leve traço de charlatanismo.

— Ora, se não é a adorável Sophie Elkin — disse ele com um sotaque britânico refinado. — A Autoridade das Antiguidades veio aqui para ampliar a sua coleção de artefatos bíblicos além das adquiridas por confisco?

— Olá, Ridley — ela respondeu friamente. — Não, senhor, a Autoridade das Antiguidades não está no negócio de colecionar artefatos. Preferimos que eles permaneçam onde se encontram, no contexto cultural adequado.

O inglês passou pela caixa de potes de Jericó.

— Só estou aqui para admirar a última fornada de falsificações do senhor Brandy. Assunto sobre o qual você deve entender um pouco.

Era uma censura picante a Ridley Bannister. Um arqueólogo de formação clássica em Oxford, ele se projetara como uma autoridade de alto nível em história bíblica por meio da imprensa e da televisão. Embora muitos dos seus colegas arqueólogos o considerassem mais como um apresentador do que um acadêmico, ninguém negava que possuía um conhecimento admirável da história da região. Acima de tudo, ele parecia sempre abençoado pela sorte. Seus pares se maravilhavam com a sua habilidade incomum de revelar descobertas empolgantes até mesmo nas escavações mais obscuras, localizando túmulos reais, importantes entalhes em pedra e joias incríveis em sítios menosprezados. Igualmente esperto em matéria de promoção, aproveitava os livros e filmes editados sobre as suas descobertas para desfrutar de uma riqueza considerável.

A sua sorte o abandonara, porém, quando, em uma das suas escavações, autenticara uma pequena lápide de pedra com uma inscrição em aramaico datada de 1000 a.C. como sendo uma pedra angular do Templo de Salomão. Bannister sequer desconfiara de que se tratava de uma falsificação, apresentada por um subalterno em troca de uma generosa gratificação. O pior fora aceitar a queda como um constrangimento esmagador fomentado pelos próprios colegas de profissão. Com a reputação manchada, ele rapidamente perdera a popularidade e logo se vira trabalhando em escavações sem importância e até mesmo promovendo passeios guiados pela Terra Santa.

— Sophie, você sabe tão bem quanto eu que o Solomon aqui é um dos antiquários israelenses de melhor reputação — disse ele, mudando o rumo da conversa.

Sophie rolou os olhos para o teto.

— Por mais que isso seja verdade, provavelmente não é uma atitude muito sensata para um arqueólogo de respeito ser visto perambulando pela loja de um comerciante de antiguidades — disse ela encaminhando-se para a porta.

— Idem, senhorita Elkin. Foi muito agradável tornar a vê-la. Vamos tomar um drinque qualquer hora dessas.

Sophie dirigiu-lhe um sorriso gelado, depois voltou-se e saiu da loja.

Bannister observou-a através da janela enquanto ela avançava pela rua.

— Uma mulher linda — ele murmurou. — Sempre quis ter um relacionamento com ela.

— Essa aí? — disse Brandy, abanando a cabeça. — Em pouco tempo ela o mandava para trás das grades.

— Poderia valer a pena arriscar — concordou Bannister com uma risada. — O que ela veio fazer aqui?

— Está investigando tiroteio e roubo em Cesareia.

— Um incidente horroroso, de verdade. — Ele se aproximou de Brandy e baixou a voz. — Você não teve nada a ver com aquilo, teve?

— Mas é claro que não — respondeu o comerciante, com raiva por Bannister sequer insinuar o seu envolvimento.

— Sabe o que foi roubado?

— Elkin mencionou alguns rolos de papiro romanos do século quarto.

A explicação despertou a atenção de Bannister, mas ele se apressou a aparentar um ar de desinteresse.

— Faz alguma ideia do conteúdo?

Brandy abanou a cabeça.

— Não. Não acredito que possam conter algo de interessante relativo a esse período.

— Talvez tenha razão. Quem será que financiou o assalto?

— Agora você está se parecendo com a senhorita Elkin — disse Brandy. — Realmente, não ouvi falar nada a respeito. Quem sabe devesse perguntar ao Gordo.

— Ah, sim. Esse é exatamente o motivo da minha visita. Você recebeu os amuletos do meu colega, Josh?

— Sim, com um recado de que era para guardá-los até falarmos. — Brandy encaminhou-se para a sala dos fundos, depois voltou com uma caixinha. Abriu-a e expôs dois pingentes de pedra verde, cada um deles com um motivo de carneiro esculpido.

— Um belo par de amuletos idênticos do período cananeu — disse Brandy. — Vieram de Tel Arad?

— Sim. Um ex-aluno meu está fazendo uma escavação lá para uma universidade americana.

— Esse garoto vai se meter em problemas por se apossar das antiguidades de uma escavação.

— Ele sabe muito bem disso, mas este é um caso excepcional. O rapaz é tão direito quanto uma flecha. Sem querer, escavou um túmulo e encontrou alguns artefatos autênticos. Na verdade, foram desenterrados quatro amuletos idênticos. Um seguiu para a universidade, outro foi doado para o Museu de Israel. Josh me mandou os outros dois como um presente, pelo tanto que o ajudei na carreira nos últimos anos.

Brandy arqueou as sobrancelhas ao perguntar.

— Quer que os venda?

Bannister sorriu.

— Não, meu amigo. Embora entenda que dariam uma boa grana, realmente não preciso de dinheiro. Pegue um para si mesmo e faça com ele o que quiser.

Os olhos de Brandy se iluminaram.

— É um presente muito generoso.

— Você tem sido um amigo muito valioso nestes anos todos e posso precisar da sua ajuda no futuro. Aceite o presente com os meus agradecimentos.

— *Shalom,* meu amigo — respondeu Brandy, apertando a mão de Bannister. — Posso perguntar o que vai fazer com o outro amuleto?

Bannister levantou o amuleto na mão e admirou-o por um segundo, depois guardou-o no bolso e encaminhou-se para a porta.

— Vou levá-lo para o Gordo — disse.

— Boa ideia — respondeu Brandy. — Ele vai lhe pagar uma boa grana por ele.

Bannister fez um sinal de despedida e saiu para a rua sorrindo consigo mesmo. Tinha certeza de que o Gordo lhe pagaria bem pelo amuleto, mas com algo muito mais valioso do que dinheiro.

21

Julie Goodyear passou por um par de monstruosos canhões navais de quinze polegadas havia muito silenciosos apontados para o Tâmisa, depois subiu os poucos degraus até a entrada do Museu Imperial da Guerra. A venerada instituição nacional no bairro londrino de Southwark alojava-se em um prédio de tijolos aparentes do século XIX, originariamente construído como um hospital para doentes mentais. Conhecido por sua extensa coleção de fotografias, obras de arte e artefatos militares da Primeira e da Segunda Guerras Mundiais, o museu também abrigava um grande arquivo de documentos da guerra e correspondência de particulares.

Julie identificou-se no balcão de informações no átrio principal, de onde foi acompanhada até dois andares acima em elevador do tamanho de uma cabine telefônica, depois subiu mais um lance de escadas até chegar ao seu destino. A sala de leitura do museu era uma impressionante biblioteca circular abrigada sob a alta cúpula do edifício central.

Uma bibliotecária usando um traje marrom sorriu em reconhecimento quando ela se aproximou do balcão de informações.

— Bom dia, senhorita Goodyear. De volta para mais uma visita a Lorde Kitchener? — ela perguntou.

— Olá de novo, Beatrice. Sim, receio que os mistérios do marechal de campo me chamaram de volta mais uma vez. Telefonei alguns dias atrás com um pedido de alguns materiais específicos.

— Deixe-me ver se foram separados — Beatrice respondeu, retirando-se para o depósito reservado dos arquivos. Voltou um minuto depois com uma grossa pilha de pastas embaixo do braço.

— Tenho aqui um relatório interno do Almirantado sobre o naufrágio do HMS *Hampshire* e a correspondência de guerra do primeiro conde de Kitchener no ano 1916 — disse a bibliotecária enquanto esperava que Julie assinasse os documentos. — Seu pedido parece estar completo.

— Obrigada, Beatrice. Não devo demorar muito tempo.

Julie carregou os documentos para uma sossegada mesa de canto e começou a ler o relatório do Almirantado sobre o *Hampshire*. Eram poucas as informações que pudesse aproveitar. Já tomara conhecimento das acusações dos moradores das Ilhas Órcadas da época contra a Marinha Real, alegando que a força naval britânica vacilara no envio de ajuda ao navio naufragado após a denúncia da sua perda. O relatório oficial claramente acobertava quaisquer irregularidades de parte da Marinha e afastava rumores de que o navio afundara por outros motivos que não uma mina.

As cartas de Kitchener mostravam-se apenas um pouco mais esclarecedoras. Ela já lera a sua correspondência de guerra anteriormente e a considerara em geral desinteressante. Kitchener ocupara o cargo de Secretário de Estado para a Guerra em 1916 e a maioria dos seus textos oficiais refletia a preocupação com recursos humanos e a necessidade de um aumento do recrutamento por parte do Exército britânico. Em uma carta típica, ele se queixava ao primeiro-ministro quanto ao deslocamento de homens do Exército para trabalhar em fábricas de munições no *front* interno.

Julie correu rapidamente os olhos pelas páginas até aproximadamente cinco de junho, a data da morte de Kitchener no *Hampshire*. A descoberta de que o *Hampshire* afundara por causa de uma explosão interna obrigava-a a considerar a possibilidade de que alguém realmente quisesse vê-lo morto. A noção levou-a a uma carta estranha que vira meses antes. Folheando a parte final do arquivo, imobilizou os dedos subitamente sobre o documento.

Ao contrário da velha e amarelada correspondência militar, essa carta ainda conservava o brancura do novo, datilografada em um papel algodão de alta gramatura. Na parte superior da página estava gravado "Palácio Lambeth". Julie leu a carta devagar.

Senhor,

A mando de Deus e do nosso País, imploro-lhe uma última vez a renunciar ao documento. A própria santidade da nossa Igreja depende dele. Por ora, o senhor pode estar travando uma guerra temporal contra os inimigos da Inglaterra, ao passo que nós travamos uma cruzada eterna pela salvação de toda a humanidade. Os nossos inimigos são maus e astuciosos. Se acaso se apoderarem do Manifesto, isso poderia significar o fim da nossa própria fé. Afirmo com veemência que não lhe resta outra escolha a não ser aceder à Igreja. Aguardo sua submissão,

— Randall Davidson

Julie reconheceu o autor como sendo o arcebispo de Cantuária. À margem do documento, ela encontrou uma notação manuscrita dizendo: "Nunca!" Fora escrita em uma caligrafia que reconheceu como sendo de Kitchener.

A carta pareceu-lhe intrigante em vários níveis. Kitchener, ela sabia, fora um homem religioso e frequentador da igreja. Sua pesquisa nunca revelara quaisquer conflitos com a Igreja da Inglaterra, muito menos com o próprio chefe da instituição, o arcebispo de Cantuária. Depois, havia a referência ao documento ou Manifesto. O que poderia ser isso?

Embora não parecesse que a carta tivesse alguma influência sobre o *Hampshire*, era enigmática o bastante para despertar interesse. Ela fez uma fotocópia da carta, depois repassou o restante do conteúdo da pasta. Quase em último lugar, encontrou vários documentos relacionados com uma viagem de Kitchener à Rússia, incluindo um convite formal por parte do consulado russo e um itinerário para o período em que permanecesse em Petrogrado. Copiou esses documentos também, depois devolveu a pasta a Beatrice.

— Encontrou o que estava procurando? — perguntou a bibliotecária.

— Não, apenas uma coisinha aqui e ali.

— Descobri que o segredo para encontrar tesouros históricos é continuar revirando as pedras até que apareçam. Um dia você chega lá.

— Obrigada pela ajuda, Beatrice.

Enquanto saía do museu e seguia o caminho até o carro, Julie releu a carta várias vezes, finalmente demorando-se na assinatura do arcebispo.

— Beatrice está certa — murmurou finalmente para si mesma. — Preciso revirar mais algumas pedras.

Não precisou ir muito longe. A pouco menos de um quilômetro dali situava-se o histórico Palácio Lambeth. Um conjunto de prédios de tijolos antigos que se elevavam à margem do Rio Tâmisa servia como a histórica residência londrina do arcebispo de Cantuária. De especial interesse para Julie era a presença no local da biblioteca do Palácio de Lambeth.

Julie sabia que o palácio não era costumeiramente aberto ao público, de modo que estacionou em uma rua próxima e caminhou até o portão principal. Passando por um posto de segurança, foi autorizada a seguir até o Grand Hall, um edifício de tijolos vermelhos em estilo gótico que se destacava pelas molduras brancas das portas e janelas. Dentro do prédio histórico, abrigava-se uma das mais antigas bibliotecas da Grã-Bretanha e o repositório principal dos arquivos da Igreja da Inglaterra, remontando ao século nono.

Ela subiu os degraus até a porta de entrada e tocou um sino, depois foi acompanhada por um adolescente até uma sala de leitura, pequena mas moderna. Aproximando-se do balcão de informações, preencheu dois cartões de solicitação de documentos e entregou-os a uma jovem de cabelo ruivo cortado curto.

— "Os documentos do arcebispo Randall Davidson, do período de janeiro a julho de 1916" — a menina leu com interesse — "e todos os arquivos referentes ao primeiro conde Horatio Herbert Kitchener."

— Compreendo que o último pedido possa ser um pouco inesperado, mas quero pelo menos tentar uma investigação — disse Julie.

— Podemos fazer uma busca computadorizada nos arquivos do nosso banco de dados — a jovem respondeu sem entusiasmo. — E qual é a natureza de seu pedido?

— Pesquisa para uma biografia de Lorde Kitchener — Julie respondeu.

— Por favor, posso ver o seu cartão de leitor?

Julie procurou na bolsa e entregou um cartão de biblioteca, pois já utilizara os arquivos de Lambeth em várias ocasiões. A jovem copiou seu nome e informações de contato, em seguida, olhou para um relógio na parede.

— Receio que não conseguiremos encontrar esses documentos antes da hora de fechar. Os dados estarão disponíveis para a sua consulta quando a biblioteca reabrir na segunda-feira.

Julie olhou decepcionada para a jovem, sabendo que a biblioteca ainda estaria aberta por mais uma hora.

— Muito bem. Voltarei na segunda-feira. Obrigada.

A jovem ruiva apertou bem na mão os cartões de solicitação de documentos até que Julie deixou o prédio. Então ela fez sinal para o adolescente aproximar-se do balcão.

— Douglas, você pode, por favor, cuidar do balcão por um minuto? — ela perguntou em um tom de urgência. — Preciso dar um telefonema muito importante.

22

OSCAR GUTZMAN ERA O SEU NOME verdadeiro, mas todos o chamavam de "Gordo". A origem do apelido era evidente à primeira vista. Portando mais de cento e cinquenta quilos em uma estatura de um metro e meio, ele parecia ter quase tanto de largura quanto de altura. Com a cabeça rapada e as orelhas invulgarmente grandes, era como se tivesse saído de um desfile de carnaval. No entanto, a sua aparência não denunciava o fato de que Gutzman era um dos homens mais ricos de Israel.

Ele crescera como um menino maltrapilho nas ruas de Jerusalém, desenterrando moedas dos túmulos das encostas na companhia de meninos árabes órfãos ou descolando refeições gratuitas nas cozinhas comunitárias cristãs. Seu contato com as religiões e culturas de Jerusalém, juntamente com a capacidade de sobreviver nas ruas como um traficante, foram de bom proveito no papel de empresário adulto. Transformando uma pequena construtora na maior incorporadora de hotéis do Oriente Médio, tornara-se um homem bem-sucedido e o dono de riquezas enormes que circulava livremente entre os poderosos de toda a região. A sua ambição pessoal pela riqueza e pelo sucesso era superada, contudo, pela paixão por antiguidades.

Fora a morte da irmã mais nova em idade precoce, em um acidente de trânsito à porta de uma sinagoga, que alterara a sua vida. A exemplo de outras pessoas que sofrem uma perda pessoal trágica, ele partira para uma busca particular de Deus. Com a diferença de que essa busca migrara do espiritual para o tangível na medida em que tentava provar a verdade da Bíblia por meio de evidências materiais. A sua pequena coleção de antiguidades da época bíblica crescera exponencialmente com a riqueza acumulada, transformando um passatempo em uma paixão precoce para toda a vida. Seus artefatos, que se contavam às centenas de milhares, eram agora armazenados em depósitos distribuídos por três países. Beirando o final da casa dos sessenta anos, Gutzman no momento dedicava todo o seu tempo e recursos à sua busca pessoal.

Ridley Bannister entrou no elegante hotel boutique situado em uma área privilegiada em frente à praia de Tel Aviv. O saguão era decorado em estilo contemporâneo minimalista, com numerosas poltronas de couro preto visando mais a aparência do que o conforto, presas rigidamente ao piso de azulejos brancos reluzentes. Bannister considerava o projeto bem executado, embora normalmente detestasse o visual. Uma recepcionista com ar de matrona cumprimentou-o cortesmente quando se aproximou da recepção.

— Tenho um compromisso com o senhor Gutzman — disse ele. — Meu nome é Bannister.

Depois de um telefonema para confirmar, ele foi escoltado por um corpulento guarda de segurança a um elevador privativo e conduzido ao último andar. Saindo do elevador, a porta da cobertura foi imediatamente aberta pelo próprio Gordo, que exibia um grande charuto nos lábios.

— Ridley, meu rapaz, entre, entre — cumprimentou Gutzman com voz ofegante.

— Sua aparência está muito boa, Oscar — Bannister respondeu, apertando-lhe a mão antes de entrar no apartamento.

Bannister não se cansava de maravilhar-se surpreso com o apartamento de Gutzman, que mais parecia um museu que uma residência. Prateleiras e expositores amontoavam-se por toda parte, repletos de peças de cerâmica, esculturas e outras relíquias, todas de milhares de anos de idade. Gutzman conduziu-o por um corredor forrado com mosaicos romanos antigos, retirados de um banheiro público em Cartago. Passaram sob um arco de pedras das ruínas de Jericó e entraram em uma sala ampla com vista para as areias da praia de Gordon e do Mediterrâneo resplandecente mais além de Tel Aviv

Sentando-se em uma poltrona forrada de couro, Bannister surpreendeu-se ao encontrar a residência vazia, a não ser por uma empregada solitária. Nas visitas anteriores, ele sempre encontrara uma multidão de negociantes de antiguidades confraternizando no local, na esperança de mascatear o seu último artefato valioso com o pródigo colecionador.

— Que calor... parece cada vez mais sufocante — disse Gutzman, ofegante com a caminhada desde a porta da frente. Em seguida afundou-se em uma poltrona.

— Marta, traga bebidas frias, por favor — ele gritou para a empregada.

Bannister retirou o pingente do bolso e depositou-o na mão de Gutzman.

— Um presente para você, Oscar. É de Tel Arad.

Gutzman examinou o pingente, um largo sorriso lentamente se formando em seu rosto.

— É muito bonito, Ridley, obrigado. Tenho uma peça semelhante de Nahal Besor. Início do cananeu, eu diria.

— Você está certo, como de costume. Isto aqui é novo? — perguntou Bannister, apontando para um pequeno prato de vidro com a borda toda moldada sobre a mesa de café.

— Sim — disse Gutzman, erguendo os olhos vivamente. — Acabei de comprar. Veio de uma escavação em Beth She'an. Um utensílio de vidro moldado do segundo século, provavelmente fabricado em Alexandria. Observe só o polimento.

Bannister pegou o prato e examinou-o de perto.

— Está em ótimas condições.

Marta, a empregada, aproximou-se e serviu os dois copos de limonada; em seguida, retirou-se de volta à cozinha.

— Então, Ridley, quais são as últimas no mundo das descobertas arqueológicas legais? — perguntou Gutzman com uma risada.

— Parece haver relativamente poucos projetos novos programados para entrar em campo no próximo ano. O Museu de Israel estará patrocinando uma escavação nas praias da Galileia, em busca de uma povoação antiga, enquanto a Universidade de Tel Aviv aprovou uma nova exploração em Megido. A maioria dos esforços acadêmicos parece estar direcionada à continuação dos projetos de campo existentes. Há, é claro, o sortimento habitual de escavações estrangeiras de inspiração teológica, mas, como sabemos, raramente são em grande número.

— É verdade, mas pelo menos essas mostram mais imaginação do que os institutos acadêmicos — Gutzman disse com ironia.

— Estive observando dois sítios que acho que poderiam interessá-lo. Um deles fica em Beit Jala. Se o túmulo de Betsabá existe, acho que estaria lá, na cidade de nascimento dela, que na época chamava-se Gilo. Até elaborei um resumo do sítio e do plano de escavação.

Gutzman fez sinal para ele continuar.

— O segundo local é perto de Gibeão. Parece haver uma grande chance de provar que o palácio do rei Manassés está localizado ali. Este precisa de mais investigação, mas acho que tem um grande potencial. Como antes, posso conseguir a papelada necessária da escavação sob os auspícios da Igreja Anglicana, se você estiver de acordo em patrocinar.

— Ridley, você sempre fez descobertas incríveis e gosto muito de colaborar com as suas escavações. Mas receio que os meus dias de patrocínio de pesquisas de campo tenham chegado ao fim.

— Você sempre foi o mais generoso, Oscar — Bannister respondeu, controlando a raiva por perder o apoio de um benfeitor de longa data.

Gutzman olhou através da janela com uma expressão distante.

— Gastei a maior parte da minha fortuna coletando artefatos que corroborassem as narrativas da Bíblia — disse ele. — Tenho tijolos de barro que teriam sido da Torre de Babel. Tenho sapatas de pedra que poderiam ter sustentado o Templo de Salomão. Tenho um milhão e um objetos da época bíblica. No entanto, em todas as minhas peças há um elemento de dúvida.

De repente, ele contraiu todo o corpo, tossindo e com falta de ar, até se recompor com um gole de limonada.

— Oscar, você precisa de ajuda?

O Gordo balançou a cabeça.

— Meu enfisema tem consumido o melhor de mim ultimamente — ele falou engasgado. — As previsões dos médicos não são nada animadoras.

— Bobagem. Você é tão forte quanto o rei Davi.

Gutzman sorriu, depois levantou-se devagar. De repente, pareceu recuperar as forças e se afastou rapidamente na direção de um armário, regressando em seguida com uma pequena placa de vidro na mão.

— Dê uma olhada nisso — disse ele, entregando-a ao arqueólogo.

Bannister pegou a placa de vidro, observando que na verdade eram duas placas seladas comprimindo um documento entre as duas. Segurando-a contra a luz, viu que o documento protegido era um pedaço de papiro retangular, com uma nítida escrita horizontal.

— Um bom exemplo de escrita copta — observou ele.

— Você sabe o que diz?

— Posso traduzir algumas palavras, mas fico um pouco perdido sem os meus materiais de consulta — ele admitiu.

— É um relatório do chefe do porto de Cesareia. Detalha a captura de um navio pirata por uma galera romana. Os piratas tinham em sua posse o armamento de um centurião romano, pertencente à *Palatinae Scholae.*

— Cesareia — Bannister disse com uma sobrancelha levantada. — Fiquei sabendo que levaram recentemente alguns artefatos de papiro como parte de um roubo por lá. E parece ter ocorrido pelo menos um crime.

— Sim, muito infelizmente — Gutzman disse, afastando depressa a inferência. — O documento claramente remonta ao século quarto.

— Interessante — respondeu Bannister, de repente sentindo-se pouco à vontade junto ao seu anfitrião. — E qual a importância disso?

— Acredito que oferece evidências potencialmente confirmadoras do Manifesto, bem como uma importante pista para a disposição da carga.

O Manifesto. Então era disso que se tratava, pensou Bannister. O bode velho olhava para o Ceifeiro Sombrio e fazia uma jogada desesperada em torno da divina evidência antes que o seu tempo se acabasse.

Bannister riu consigo mesmo. Embolsara um monte de dinheiro tanto de Gutzman quanto da Igreja da Inglaterra tentando confirmar a lenda do Manifesto. Talvez ainda houvesse mais um pouco a ganhar.

— Oscar, você sabe que tenho pesquisado intensamente, tanto aqui como na Inglaterra, e nunca encontrei nada.

— Deve haver outro caminho.

— Nós dois chegamos à conclusão de que provavelmente o documento não existisse mais, se é que chegou a existir um dia.

— Isso foi antes deste achado aqui — disse Gutzman, batendo na placa de vidro. — Estou neste ramo há muito tempo. Posso sentir a ligação. Ela é real e sei disso. Decidi dedicar os meus esforços e os meus recursos apenas a isso e nada mais.

— É uma pista interessante — admitiu Bannister.

— Esta será — disse o Gordo com uma voz cansada — a culminação da busca da minha vida. Espero que você possa me ajudar nessa empreitada, Ridley.

— Você pode contar comigo.

Marta apareceu novamente, dessa vez para lembrar Gutzman de uma consulta médica marcada. Bannister despediu-se e saiu do apartamento. À porta do hotel, imaginou se o rolo de papiro e as suposições de Gutzman fariam algum sentido. O velho colecionador conhecia o seu negócio, precisava admitir. O que mais o preocupava, agora, era formular um meio de lucrar com a nova busca do Gordo. Perdido em pensamentos, Bannister não notou um rapaz de macacão azul parado ao lado de seu carro.

— Senhor Bannister? — perguntou o rapaz.

— Sim.

— Entrega do correio, senhor — respondeu ele, estendendo-lhe um envelope grande e fino.

Bannister entrou no carro e trancou as portas antes de abrir a correspondência. Agitando para fora o conteúdo do envelope, apenas abanou a cabeça quando uma passagem de avião de primeira classe para Londres caiu sobre o seu colo.

23

— SUMMER, ESTOU AQUI!

Descendo do trem proveniente de Great Yarmouth com a mochila a tiracolo, Summer correu os olhos pela plataforma apinhada um momento antes de avistar Julie parada a um canto, acenando para ela.

— Obrigada por vir me esperar — disse ela, cumprimentando a pesquisadora com um abraço. — Não sei se conseguiria encontrar a saída daqui sozinha — acrescentou, maravilhada com a imensa cobertura sobre os trilhos da estação de Liverpool Street, a nordeste de Londres.

— Na verdade, é muito simples — respondeu Julie com um sorriso. — É só seguir os outros ratos saindo do labirinto.

Ela conduziu Summer por diversas plataformas da estação e pelo agitado saguão do terminal até um estacionamento vizinho. Lá elas entraram em um Ford verde compacto que lembrava um inseto exageradamente crescido.

— Como foi a viagem até Yarmouth? — perguntou Julie enquanto manobrava o carro em meio ao trânsito londrino.

— Horrível. Pegamos uma frente de tempestade do norte depois de zarpar de Scapa Flow e enfrentamos ventos com força de vendaval durante praticamente toda a travessia do Mar do Norte. Ainda estou me sentindo um pouco zonza.

— Acho que devia ser grata por poder voltar da Escócia de avião.

— E então, quais são as últimas sobre o mistério em torno do naufrágio do *Hampshire*? — indagou Summer. — Conseguiu encontrar outras ligações com Lorde Kitchener?

— Só algumas pontas soltas, bem vagas, a propósito. Tornei a verificar a investigação oficial do Almirantado sobre o naufrágio do *Hampshire*, mas só encontrei o documento oficial banal que simplesmente atribuía a culpa da destruição a uma mina alemã. Também examinei a suposição de que o IRA tivesse plantado uma bomba a bordo, mas parece uma alegação totalmente descabida.

— Seria possível que os alemães tivessem colocado uma bomba no navio?

— Não existe nenhuma indicação nos registros alemães conhecidos, assim sendo isso também parece pouco provável. Eles acreditaram que o naufrágio foi causado por uma mina do U-75. Infelizmente, o comandante do submarino, Kurt Beitzen, não sobreviveu à guerra, portanto não temos um relato alemão oficial sobre o que aconteceu de fato.

— Então, isso parece um beco sem saída. E quanto àquelas pontas soltas a que estava se referindo antes? — indagou Summer.

— Bem, analisei com bastante atenção alguns dos meus documentos sobre Kitchener e reavaliei os registros de guerra sobre ele. Sobraram dois documentos incomuns. Em meados do ano de 1916, ele fez um pedido especial ao Exército, solicitando dois guarda-costas armados, sem nenhum motivo aparente. Naquela época, ter guarda-costas era uma coisa muito rara, algo reservado talvez apenas para o rei. O outro item foi uma carta estranha que encontrei nos seus arquivos militares.

Parando em um farol fechado, ela procurou dentro de uma pasta no banco traseiro e estendeu a Summer uma cópia da carta do arcebispo Davidson.

— Como disse, são dois indícios insignificantes, que provavelmente não querem dizer nada.

Summer correu rapidamente os olhos pela carta, franzindo as sobrancelhas diante do conteúdo.

— Esse Manifesto a que ele se refere... É algum tipo de documento da Igreja?

— Na verdade, não faço ideia ainda — respondeu Julie. — É por isso que a nossa primeira parada será nos arquivos da Igreja da Inglaterra no Palácio Lambeth. Solicitei a consulta a alguns dos registros pessoais do arcebispo, com a esperança de encontrar alguma coisa mais concreta.

Elas cruzaram o Rio Tâmisa sobre a London Bridge e dirigiram-se até o Palácio Lambeth, onde Julie estacionou o Ford verde próximo ao edifício. Summer absorveu a beleza do prédio antigo com a frente para a água, com o Palácio de Buckingham visível do outro lado do rio. Elas percorreram o caminho até o Grand Hall, onde foram acompanhadas para a sala de leitura da biblioteca. Summer notou um homem magro bonitão que lhes sorriu de junto de uma copiadora quando entraram.

A arquivista tinha uma grossa pilha de pastas à espera delas quando Julie se aproximou do balcão.

— Aqui estão os registros do arcebispo — declarou a jovem de cabelo curto. — Receio não termos nenhuma pasta relacionada com Lorde Kitchener.

— Tudo bem — respondeu Julie. — Obrigada pela pesquisa.

As duas mulheres foram até uma mesa, dividiram as pastas entre si e depois começaram a analisar os documentos.

— O arcebispo era um escritor prolífico — observou Summer, impressionada com o volume de textos.

— Aparentemente, era mesmo. Esta é a correspondência dele só do primeiro semestre de 1916.

Enquanto examinava a pasta, Summer observou o homem da copiadora reunir alguns livros e sentar-se a uma mesa diretamente atrás dela. Seu nariz detectou um aroma de colônia, almiscarado, mas agradável, proveniente da direção do homem. Dando uma olhada rápida por cima do ombro, ela notou que ele usava um anel de ouro com aspecto antigo na mão direita.

Summer folheou as cartas rapidamente, considerando-as na maioria instruções insípidas sobre orçamentos e políticas dirigidas aos bispos subordinados por toda a Grã-Bretanha, juntamente com as suas respostas equivalentes. Depois de uma hora, as mulheres já haviam pesquisado metade das suas pilhas de pastas.

— Aqui está uma carta de Kitchener — anunciou Julie de repente.

Summer inclinou-se ansiosamente sobre a mesa.

— O que ela diz?

— Parece ser uma resposta à carta do arcebispo, uma vez que está datada de alguns dias depois. É curta, então vou ler para você:

Excelência,

Lamento não poder atender ao seu recente pedido. O Manifesto é um documento de importante significado histórico. Exige ser de conhecimento público quando o mundo estiver de novo em paz. Receio que, nas suas mãos, a Igreja acabaria por enterrar a revelação, visando a proteger os seus princípios teológicos em vigor.

Rogo que chame de volta os seus subordinados, que continuam a me perseguir sem descanso.

Seu servo obediente,
H. H. Kitchener.

— O que seria esse tal de Manifesto? — imaginou Summer.

— Não sei ainda, mas Kitchener sem dúvida nenhuma tinha um exemplar dele e o considerava importante.

— Obviamente, a Igreja também.

Summer ouviu o homem atrás dela limpar a garganta, depois voltar-se e inclinar-se sobre a mesa delas.

— Perdoem por ouvir a sua conversa, mas vocês pronunciaram o nome Kitchener? — indagou ele com um sorriso desarmante.

— Isso mesmo — respondeu Summer. — A minha amiga Julie está escrevendo uma biografia do marechal de campo.

— Meu nome é Baker — mentiu Ridley Bannister, obtendo as apresentações em resposta. — Poderia sugerir que uma fonte melhor para os documentos históricos sobre Lorde Kitchener encontra-se no Museu Imperial da Guerra?

— Muita gentileza sua dizer isso, senhor Baker — respondeu Julie —, mas já pesquisei exaustivamente os materiais sobre ele.

— O que a trouxe até aqui? — indagou ele. — Não imaginei que a influência de um herói militar se estendesse tanto, ao ponto de chegar à Igreja da Inglaterra.

— Só estamos verificando a correspondência dele com o arcebispo de Cantuária — respondeu ela.

— Então este é mesmo o lugar certo — disse Bannister, sorrindo amplamente.

— Qual é a natureza da sua pesquisa? — indagou-lhe Summer.

— Só uma pequena pesquisa por diletantismo. Estou investigando alguns sítios antigos da abadia que foram destruídos durante a purgação que Henrique VIII fez nos mosteiros. — Ele levantou um livro empoeirado intitulado *Projetos das Abadias da Inglaterra Antiga,* depois tornou a voltar-se para Julie.

— Conseguiu descobrir novos segredos sobre Kitchener?

— Essa honra pertence a Summer. Ela ajudou a provar que o navio em que ele afundou pode ter levado uma bomba plantada a bordo.

— O *Hampshire?* — disse ele. — Pensei que estivesse provado que abalroou uma mina alemã.

— O buraco no casco indica que a explosão originou-se de dentro do navio — respondeu Summer.

— Talvez o velho boato de que o IRA teria plantado uma bomba a bordo possa ser mesmo verdade — disse ele.

— Conhece a história por trás disso? — indagou Julie.

— Conheço — respondeu Bannister. — O *Hampshire* foi mandado a Belfast para reparos no início de 1916. Alguns acreditam que colocaram uma bomba no navio lá e a detonaram meses depois.

— Parece conhecer um bocado sobre o *Hampshire* — comentou Summer.

— Só sou obcecado pelas histórias da Primeira Guerra Mundial — respondeu Bannister. — Portanto, aonde as suas pesquisas as levarão a partir daqui?

— Vamos até Kent para outra pesquisa nos documentos pessoais de Kitchener guardados em Broome Park — disse Julie.

— Você já viu o último diário dele?

— Ora, não — disse Julie, surpresa com a pergunta. — Sempre se acreditou que estivesse perdido.

Bannister baixou os olhos para o relógio.

— Ora essa, vejam que horas são. Sinto, mas preciso me apressar. Foi um prazer conhecê-las — disse ele, levantando-se da mesa e curvando-se ligeiramente na direção delas. — Que a sua busca de conhecimentos históricos seja plenamente recompensada.

Ele rapidamente devolveu o livro à bibliotecária, depois acenou uma despedida enquanto deixava a sala de leitura.

— Um sujeito bonitão — desabafou Julie com um sorriso.

— Sim — concordou Summer. — E parece saber um bocado sobre Kitchener e o *Hampshire*.

— É mesmo. Não sei se muita gente sabe sobre o desaparecimento do último diário de Kitchener.

— Será que afundou junto com ele no navio?

— Ninguém sabe. Tradicionalmente, ele anotava os seus pensamentos em livretes encadernados que abrangiam o período de um ano. Seus escritos de 1916 nunca foram encontrados, então se presumiu que tinha levado consigo no *Hampshire*.

— O que você acha sobre o que o senhor Baker disse sobre o IRA ter bombardeado o *Hampshire?*

— Essa é uma das suposições exóticas que surgiram depois do naufrágio, sobre a qual não encontrei justificação histórica. É difícil acreditar que o *Hampshire* levasse uma bomba a bordo por mais de seis meses. O IRA, ou os Voluntários Irlandeses, como eram conhecidos na época, certamente não saberia com antecedência que Kitchener estaria no navio. Eles só viriam a se tornar um grupo militar no Levante da Páscoa, em abril de 1916, muito depois de o *Hampshire* ter zarpado de Belfast. Mais eloquente é o fato de que nunca ninguém tenha reivindicado responsabilidade pelo naufrágio.

— Então acho que devemos continuar pesquisando — disse Summer, abrindo uma nova pasta dos documentos do arcebispo.

Elas continuaram trabalhando por mais uma hora antes de esvaziar as pilhas. Perto do fim da sua última pasta, Summer de repente empertigou-se na cadeira quando leu uma carta breve do bispo de Portsmouth. Ela leu uma segunda vez antes de passá-la para Julie.

— Dê uma olhada nisto — falou.

— "A encomenda foi enviada e o mensageiro despachado" — disse Julie, lendo a carta em voz alta. — "O objeto de interesse deve deixar de ser uma preocupação dentro de 72 horas." — Assinado, bispo Lowery, Diocese de Portsmouth.

Julie baixou a carta e dirigiu um olhar perdido para Summer.

— Receio não ver a importância disto — disse ela.

— Observe a data.

Julie olhou para o cabeçalho da carta.

— Dois de junho de 1916. Três dias antes de o *Hampshire* afundar — disse ela com surpresa.

— Eu diria que o indício de uma conspiração está se revelando — disse Summer em voz baixa.

24

Depois de sair da biblioteca, Ridley Bannister atravessou a área do Palácio Lambeth até um prédio baixo de tijolos ao lado da residência principal. Passando por uma porta sem identificação à entrada, entrou em um escritório apertado, onde um punhado de homens de uniforme de segurança acompanhava as imagens exibidas em monitores de vigilância ou trabalhavam em computadores de mesa. Ignorando a expressão de surpresa do homem sentado próximo à porta, Bannister adiantou-se até um escritório particular nos fundos e passou pela porta aberta.

Um homem com olhos de falcão e cabelo engordurado sentado atrás de uma escrivaninha assistia às imagens ao vivo exibidas em seu computador. Bannister pôde ver as imagens de Julie e Summer sentadas à mesa da sala de leitura. O homem o encarou, lançando-lhe um olhar desapontado.

— Bannister, aí está você. Devia ter vindo conversar comigo antes de as moças chegarem. Agora você estragou o seu disfarce.

Bannister acomodou-se em uma cadeira de madeira à frente da escrivaninha.

— Desculpe, meu velho, esqueceram-se de me acordar hoje cedo no Savoy. Quero agradecer-lhe pela passagem de avião. Ainda bem que se lembrou de comprar da primeira classe desta vez.

O chefe da segurança do arcebispo de Cantuária rilhou os dentes com desdém.

— Você limpou as pastas antes de terem acesso a elas? — perguntou ele, acenando na direção da tela do computador.

— Já consultei essas pastas antes, Judkins — disse Bannister, tirando um fiapo do paletó. — Não há nada de incriminador naqueles arquivos.

O rosto de Judkins ficou vermelho.

— Você recebeu ordens de revisar e limpar aquelas pastas.

— Ordens? Você disse "ordens"? Será que fui alistado no exército particular do arcebispo sem me avisarem nada?

Desde o primeiro momento em que se conheceram, os dois homens sentiram uma antipatia mútua, que só se aprofundara com o passar do tempo. No entanto, Judkins era o contato designado para Bannister e os dois homens não podiam fazer nada em relação a isso. O arqueólogo abusava o quanto podia da autoridade de Judkins sem que isso pusesse em perigo os seus acordos contratuais com a Igreja.

— Você é um funcionário do arcebispo e deve cumprir as solicitações dele de acordo — respondeu o chefe da segurança, com os olhos incandescentes.

— Esse não é o meu estilo — retrucou Bannister. — Sou um simples mercenário da verdade histórica. Embora possa ser verdade que o arcebispo requer os meus serviços de tempos em tempos, não tenho nenhuma obrigação de "obedecer ordens" ou mesmo me curvar ou fazer mesuras na direção do arcebispo.

Judkins evitou responder, olhando em silêncio para Bannister enquanto esperava que a pressão sanguínea baixasse. Quando o seu rosto finalmente perdeu o tom avermelhado, ele falou em um tom impassível.

— Embora certamente não seja pela minha vontade, o arcebispo decidiu manter os seus serviços para informá-lo e aconselhá-lo em relação a descobertas históricas, em especial no Oriente Médio, que possam ter relação com a doutrina da Igreja. Esse suposto Manifesto e a sua ligação antiga com a Igreja são da maior importância e interesse. Nós, quero dizer, o arcebispo precisa saber por que essa pesquisadora de Cambridge está investigando os registros do arcebispo Davidson e com que risco para a Igreja.

Bannister deu um sorriso quase imperceptível ante a deferência forçada de Judkins.

— Julie Goodyear é uma historiadora de Cambridge que escreveu diversas biografias com uma excelente reputação sobre personagens importantes do século XIX. No momento, ela está escrevendo uma biografia de Lorde Kitchener. A senhorita Goodyear e a moça americana, Summer Pitt, aparentemente descobriram que o navio de Kitchener, o *Hampshire,* foi destruído por uma explosão interna. Parece que elas acham que isso possa ter uma ligação distante com o finado arcebispo Davidson.

Judkins empalideceu visivelmente diante da informação.

— Minha nossa, Judkins, tem algo errado com você?

— Não — respondeu o chefe de segurança com um movimento violento com a cabeça. — E quanto a esse Manifesto?

— O arcebispo sabe que fiz uma pesquisa criteriosa em busca do documento vários anos atrás. A um custo considerável, devo acrescentar — disse ele com uma piscadela. — Estou praticamente certo de que ele desapareceu juntamente com Kitchener no *Hampshire.*

— Sim, isso é o que pensa o arcebispo. No entanto, pode haver alguns acontecimentos históricos relacionados que poderiam se mostrar, digamos, problemáticos para a Igreja e embaraçosos para o arcebispo. Quero você em cima daquelas mulheres a partir de agora.

— Você quer? — respondeu Bannister, elevando uma sobrancelha.

— O arcebispo quer — respondeu Judkins com raiva. — Siga as duas de perto e elimine o que for necessário antes que criem um problema.

— Sou um arqueólogo, não um assassino.

— Você sabe o que fazer. Se vire. Você tem o meu número.

— Tenho. E você tem o meu? — perguntou Bannister, levantando-se. — O número da minha conta em Bermudas, quero dizer.

— Tenho — resmungou Judkins. — Agora, dê o fora.

O chefe da segurança só abanou a cabeça quando Bannister curvou-se graciosamente, depois saiu do escritório como se fosse o dono do lugar.

25

O RADIANTE SOL MATINAL DO MEDITERRÂNEO já começara a assar o convés do *Aegean Explorer* quando Rudi Gunn saiu para a claridade com a primeira caneca de café do dia. Surpreendeu-se ao ver uma extensão desconhecida da linha costeira turca a menos de quatro quilômetros além da balaustrada do navio. Ouviu o zumbido de um motor de popa a distância e apertou os olhos até avistar o Zodiac de bordo singrar sobre as ondas em direção à praia.

A mente ainda atordoada, concentrou-se de repente no projeto de pesquisa imediato e correu apressado, até a popa do navio. Passando por um submersível branco, ficou desapontado ao encontrar o veículo subaquático autônomo ainda preso ao seu encaixe sobre o convés. Um aparelho volumoso com o formato de um torpedo, o veículo robótico continha uma grande variedade de sensores, usados para tomar amostras da água enquanto navegava sob o comando distante do navio-base. Quando ele fora para a cama seis horas antes, o *Explorer* acompanhava o veículo subaquático enquanto ele pesquisava uma grade de dezoito quilômetros de extensão a partir da praia.

Engolindo um grande gole de café, ele se virou e voltou à proa, depois subiu dois lances de escadas até o passadiço. Lá encontrou Pitt examinando a carta da costa com o comandante do navio, Bruce Kenfield.

— Bom dia, Rudi — cumprimentou-o Pitt. — Acordou cedo.

— Senti quando os motores pararam lá no meu beliche — respondeu Gunn. — Por que paramos?

— Kemal recebeu a notícia de que a esposa sofrera um acidente de trânsito. Parece que não foi nada grave, mas o mandamos a terra para ver como ela está.

Kemal era um biólogo marinho do ministério turco do Meio Ambiente que fora designado para a embarcação da NUMA para acompanhar o projeto de coleta de amostras e prestar o auxílio necessário ao projeto.

— Mas que pena — disse Gunn. — Depois que o Zodiac retornar, em quanto tempo vamos conseguir voltar à grade e retomar as operações?

Pitt sorriu e abanou a cabeça.

— Tecnicamente, não poderemos retomar as pesquisas enquanto Kemal ou um substituto dele não estiver a bordo do navio. O nosso convite pelo governo turco especificava que deveria haver um representante do Ministério do Meio Ambiente durante todo o tempo de nossas pesquisas em águas turcas. A essa altura, acho que vamos ficar parados por uns três ou quatro dias.

— Já estamos atrasados. Primeiro, o nosso sensor foi inundado e agora isso. Acho que vamos precisar estender o projeto para terminar as áreas que decidimos pesquisar.

— Que seja.

Gunn notou que Pitt parecia não compartilhar nem um pouco da sua frustração. Era meio estranho partindo de um homem que ele sabia que detestava deixar as coisas inacabadas.

— Desde que você voltou de Istambul, só tivemos dois dias inteiros de pesquisa na nova grade — disse Gunn. — Agora vamos parar de novo e parece que você não está nem aí. O que aconteceu?

— É simples, Rudi — respondeu Pitt. — Suspender o trabalho no projeto da maré vermelha significa retomar o trabalho na escavação do naufrágio otomano — disse ele com uma piscadela.

* *

Menos de quatro horas depois de o Zodiac ser içado de volta para bordo, o *Aegean Explorer* chegou a Quios, soltando a âncora a uns cem metros do local do naufrágio otomano. Pouco tempo fora dedicado a analisar o local depois do mergulho inicial de Pitt e Giordino, mal permitindo ao arqueólogo subaquático do navio, Rodney Zeibig, a chance de marcar com uma grade de alumínio as partes expostas do que restava da antiga embarcação.

Zeibig treinou apressadamente um punhado de cientistas qualificados para o mergulho autônomo na arte da pesquisa e documentação subaquática, depois coordenou um exame cuidadoso dos destroços. Pitt, Giordino e até mesmo Gunn deram uma mão nos turnos de mergulho para fotografar, medir e escavar os postos de teste nos vários locais ao redor do sítio. Uma pequena quantidade de artefatos, a maioria de cerâmica e alguns acessórios de ferro, foram recuperados enquanto os fragmentos do esqueleto do navio naufragado eram expostos.

Pitt permanecia próximo à balaustrada de popa do *Aegean Explorer*, observando um crescente padrão de cristas brancas que pontilhavam o mar fustigado por uma brisa cada vez mais fresca vinda do oeste. O Zodiac vazio balançava selvagemente sobre as ondas, amarrado a uma boia vizinha que fora fixa no local do naufrágio. Uma dupla de mergulhadores emergiu subitamente à superfície, depois subiu de barriga para dentro do inflável. Um dos homens soltou o cabo de amarração enquanto o outro deu a partida no motor de popa, depois eles rapidamente seguiram na direção do navio de pesquisas. Pitt baixou um cabo sobre a borda e ajudou a içar o Zodiac para o convés com os dois homens ainda sentados dentro.

Rudi Gunn e Rod Zeibig saltaram de dentro do bote e começaram a despir o traje de mergulho.

— Estava ficando meio agitado por lá — observou Zeibig, um homem animado com olhos azuis muito vivos e cabelo grisalho.

— Informei que estávamos suspendendo as operações de mergulho até o vento se acalmar — disse Pitt. — A previsão do tempo indica que as coisas devem estar mais calmas pela manhã.

— Boa ideia — respondeu o arqueólogo — embora eu ache que o Rudi não veja a hora de voltar para o naufrágio.

— Encontrou alguma coisa interessante?

Gunn inclinou a cabeça, com uma expressão de empolgação nos olhos.

— Estava cavando na grade C-1 e toquei uma grande pedra esculpida. Só tinha descoberto uma quina dela quando o nosso tempo de fundo se esgotou. Acho que pode ser uma espécie de monólito ou uma estela.

— Isso poderia dar mais uma dica sobre a identidade do navio — disse Pitt.

— Só espero que não precisemos dividir os louros pela descoberta — disse Zeibig, inclinando a cabeça na direção da balaustrada de boreste.

Vencendo as cristas das ondas a pouco menos de quatro quilômetros de distância via-se um iate a motor de alto desempenho encaminhando-se diretamente no sentido do *Aegean Explorer.* Era uma embarcação de construção italiana, com amplas janelas contínuas de vidro fumê de bordo a bordo e convés amplamente aberto na popa. Uma bandeira vermelha da Turquia com o crescente e a estrela brancos tremulava em um mastro, juntamente com uma bandeirola vermelha menor que apresentava um crescente dourado isolado. Embora fosse muito menor do que um dos iates exibidos em Monte Carlo, Pitt era capaz de concluir que se tratava de um milionário iate de luxo. Os três homens observaram quando o iate aproximou-se a menos de um quilômetro deles antes de interromper a marcha, oscilando de um lado para outro sobre as águas inquietas.

— Eu não me preocuparia tanto com o seu naufrágio, Rod — disse Gunn. — Eles não parecem exatamente ser do tipo que se dedicaria ao trabalho de escavações.

— Provavelmente é alguém só matando a curiosidade sobre o que faz um navio de pesquisas ancorado por aqui — disse Pitt.

— Ou talvez estejamos bloqueando a vista da vila de alguém na costa — murmurou Gunn.

Pitt presumia que ninguém além de Ruppé soubesse da localização do local do naufrágio. Talvez ele já tivesse informado ao Ministério da Cultura turco, imaginou. Mas então lembrou-se de que o escritório de Ruppé havia sido roubado e que a sua carta sobre o local fora levada juntamente com os artefatos. A sua preocupação foi distraída quando ouviu seu nome ser chamado da proa do navio. Ele se voltou para ver Giordino projetar o corpo para fora da porta do convés do passadiço.

— Acabaram de chegar as notícias de Istambul para você pelo sistema de comunicações — gritou Giordino.

— Falando no diabo — murmurou Pitt. — Já vou aí — respondeu no mesmo tom, depois virou-se para os dois outros homens. — Aposto que se trata da análise do doutor Ruppé sobre os artefatos que encontramos antes no naufrágio.

— Gostaria de ver os resultados.

Os dois mergulhadores trocaram rapidamente de roupas, depois se encontraram com Pitt e Giordino no pequeno compartimento, que abrigava diversos computadores ligados pelo sistema de comunicações por satélite. Giordino estendeu várias páginas impressas para Pitt, depois sentou-se diante de um dos computadores.

— O doutor Ruppé também mandou algumas fotografias por *e-mail* junto com o relatório — disse ele, digitando em um teclado para abrir um arquivo eletrônico. Uma imagem aproximada de uma moeda de ouro encheu a tela do computador.

Pitt leu rapidamente o relatório, depois passou-o para Zeibig.

— Ainda estamos procurando por um naufrágio otomano? — indagou Gunn.

— Quase certamente — respondeu Pitt. — O doutor Ruppé encontrou uma moeda representativa de uma casa da moeda da Síria que ele acredita ser idêntica a uma das moedas do cofre de Al. Ela data de cerca de 1570. Infelizmente, Ruppé disse que baseou a comparação de memória, uma vez que as moedas foram roubadas do seu escritório.

— Preciso concordar com ele — disse Giordino. — Para mim parece a mesma moeda.

— As marcas da casa da moeda começaram a ser usadas entre 1560 e 1580 — disse Zeibig, lendo o relatório.

— Então sabemos que o naufrágio não é posterior a 1560 — disse Gunn. — É uma pena que toda a caixa com as moedas tenha sido roubada, uma vez que teria ajudado a definir melhor a data.

— A outra dica sobre a data era a caixa de cerâmica que guardava a coroa — disse Pitt. — Como Loren e eu descobrimos na Mesquita Azul, o desenho típico indica que os azulejos vieram dos fornos de Iznik.

— Infelizmente, a caixa de cerâmica também foi levada do escritório de Ruppé, então mais uma vez estamos trabalhando de memória.

— O relatório dele indica que os azulejos apresentam desenhos e cores que eram comuns nas cerâmicas de Iznik no final do século XVI — observou Zeibig.

— Pelo menos temos alguma coerência — indicou Giordino.

— Também posso afirmar, pelo que vi no contorno do naufrágio, que ele corresponde a muitos barcos construídos no século XVI no Mediterrâneo — acrescentou Zeibig, levantando os olhos do relatório.

— Está três a três — disse Gunn.

— O que nos leva à coroa do rei Al — respondeu Pitt com uma inflexão mais aguda.

Giordino exibiu mais uma fotografia, que mostrava uma imagem detalhada da coroa de ouro. As incrustações do leito do mar tinham sido todas removidas, deixando uma peça cintilante que parecia ter acabado de sair de uma joalheria.

— Ainda bem que o meu bebezinho foi deixado em segurança no cofre do doutor Ruppé — disse Giordino.

— O doutor Ruppé está chamando este achado como uma das mais importantes descobertas em águas turcas, assim como um dos mais misteriosos — disse Pitt. — Apesar de todas as suas pesquisas, ele não conseguiu utilizar a forma e o tamanho da coroa como uma pista para identificar a sua procedência. No entanto, depois de uma limpeza completa, ele esclareceu a gravação quase invisível no interior da sua cinta.

Giordino abriu na tela uma foto ampliada da coroa enquanto Zeibig corria o dedo à procura da descrição no relatório.

— A gravação é em latim — relatou Zeibig com uma expressão de espanto. — Ruppé traduziu a inscrição assim: "Para Artrius, em gratidão por capturar os piratas de relíquias — Constantino".

— Ruppé encontrou registros a respeito de um senador romano chamado Artrius. Ficou patente que ele também viveu durante o governo de Constantino — disse Pitt.

— Constantino, o Grande? — exclamou Gunn. — O imperador romano? Como, se ele viveu uma centena de anos antes?

O compartimento ficou em silêncio enquanto todos olhavam para a imagem na fotografia. Ninguém esperava uma desconexão tão grande com os outros artefatos do naufrágio, especialmente em algo tão notável como a coroa de ouro. E ainda assim não havia nenhuma pista sobre o motivo de ela se encontrar a bordo. Pitt afastou-se do monitor e se recompôs, finalmente rompendo o silêncio.

— Odeio dizer isto — falou ele com um sorriso irônico — mas acho que isso significa que o rei Al foi transferido para a Legião Romana.

26

Broome Park era um antigo solar senhorial inglês típico. Adquirido por Kitchener em 1911, representava uma imponente mansão de tijolos em estilo característico da época do reinado de Jaime I, mas construída durante o reinado de Carlos I, cercada por aproximadamente 193 hectares de terra com uma vegetação exuberante. Durante a sua breve ocupação, Kitchener esforçara-se intensamente para aprimorar os jardins da propriedade, mandando construir uma ou duas fontes rebuscadas. No entanto, os tempos de recepções de luxo e do intenso tráfego de carruagens que faziam o charme de Broome Park eram coisa do passado.

A menos de cem quilômetros a sudeste de Londres, Julie manobrou rumo à saída para Dover e seguiu por uma estradinha até a propriedade. Summer surpreendeu-se ao ver um grupo de pessoas jogando golfe em um extenso gramado logo depois de uma placa anunciando a chegada a Broome Park.

— É uma tradição bastante comum na Inglaterra — explicou Julie. — As propriedades históricas passavam de geração em geração até o dia que os herdeiros se deram conta de que não poderiam arcar com os impostos e as despesas de manutenção. A princípio, as terras em volta da casa principal começaram a ser vendidas, depois acabaram-se tomando medidas mais desesperadas. Algumas propriedades foram transformadas em pousadas luxuosas do tipo *bed-and-breakfast,* outras arrendadas a grandes empresas para conferências ou usadas como locais de concertos ao ar livre.

— Ou mesmo as suas terras foram transformadas em campos de golfe — disse Summer.

— Exatamente. Broome Park provavelmente teve o pior de todos os destinos. As dependências habitáveis foram convertidas em pousadas ou arrendadas para moradores temporários, enquanto as terras vizinhas foram transformadas em um campo de golfe. Estou certa de que Horatio Herbert estaria morrendo de vergonha.

— A propriedade continua na posse dos herdeiros de Kitchener?

— Kitchener foi um solteirão a vida inteira, mas deixou a propriedade para o sobrinho, Toby. O filho de Toby, Aldrich, atualmente administra o local, apesar de estar ficando velho.

Julie estacionou o carro em um amplo estacionamento e elas caminharam até a entrada principal, passando por um roseiral mal conservado. Summer ficou mais impressionada quando entraram no vestíbulo principal, que abrigava um grande candelabro de vidro trabalhado e uma imensa pintura a óleo do velho proprietário em pessoa, seus sombrios olhos cinzentos parecendo impor sua vontade mesmo dali da tela.

Um homem magro e forte de cabelos brancos achava-se sentado a uma escrivaninha lendo um livro, mas ergueu os olhos e sorriu quando notou a presença de Julie que se aproximava.

— Olá, senhorita Goodyear — disse ele, levantando-se de trás da escrivaninha. — Recebi o seu recado de que viria esta manhã.

— Você parece estar muito bem disposto, Aldrich. Conseguiu movimento para o solar?

— Os negócios até que vão bem, obrigado. Ainda hoje, recebi alguns visitantes por algum tempo.

— Esta é a minha amiga, Summer Pitt, que está me ajudando nas pesquisas.

— Prazer em conhecê-la, senhorita Pitt — disse ele, estendendo a mão. — Provavelmente vocês querem começar a trabalhar imediatamente, então por que não me acompanham até os fundos?

Ele as conduziu por uma porta lateral até uma ala privativa que ligava os seus próprios aposentos. Passaram uma ampla área social cheia de artefatos do norte da África e do Oriente Médio, todos adquiridos por Kitchener durante os anos que serviu o Exército naquelas regiões. Em seguida, Aldrich abriu uma outra porta e conduziu-as para dentro de um estúdio com as paredes forradas de madeira. Summer notou uma parede inteira com estantes altas de mogno.

— A essa altura, pensei que já soubesse de cor todos os documentos dos arquivos do tio Herbert — disse Aldrich para Julie com um sorriso.

— É verdade, considerando todo o tempo que passei estudando-os — concordou Julie. — Só precisamos rever a parte da correspondência pessoal dele nos meses que antecederam a sua morte.

— Essas pastas estão na última estante à direita. — Ele se voltou e caminhou até a porta. — Estarei na escrivaninha da entrada, se precisar de alguma ajuda.

— Muito obrigada, Aldrich.

As duas mulheres rapidamente mergulharam no arquivo de pastas. Summer ficou satisfeita ao ver que a correspondência era de natureza mais pessoal e interessante do que os registros arquivados no Museu Imperial da Guerra. Ela leu atentamente dezenas de cartas dos parentes de Kitchener, juntamente com o que parecia uma sequência interminável de correspondências de empreiteiros, a quem Kitchener tentava convencer e incentivar a terminar as reformas de Broome Park.

— Olhe que bonitinho isto — disse ela, segurando um cartão com uma borboleta desenhada à mão de uma sobrinha de três anos de idade de Kitchener.

— O velho general carrancudo era muito chegado à irmã e aos irmãos e aos filhos deles — disse Julie.

— Estudar a correspondência pessoal é uma ótima maneira de conhecer alguém, não é mesmo? — disse Summer.

— Com certeza. É uma pena que o hábito de escrever à mão tenha sido deixado de lado na era do *e-mail*.

Elas pesquisaram por cerca de duas horas até que Julie se empertigasse na cadeira.

— Minha nossa, não tinha me preocupado assim com o *Hampshire* — deixou escapar.

— Do que você está falando?

— Do diário dele — respondeu Julie com os olhos arregalados. — Olhe aqui, dê uma olhada nisto.

Era uma carta de um sargento do Exército chamado Wingate, datada de alguns dias antes do naufrágio do *Hampshire.* Summer leu com interesse como o sargento expressava o seu pesar por ser incapaz de acompanhar Kitchener na sua próxima viagem e desejava uma boa travessia ao marechal de campo. Foi um breve pós-escrito no pé da página que a fez se enrijecer.

— "P.S. Recebi o seu diário. Vou mantê-lo bem guardado até o seu regresso" — ela leu em voz alta.

— Como pude deixar escapar uma coisa dessa? — lamentou-se Julie.

— Não fosse por isso, seria uma carta sem importância, escrita em uma caligrafia horrível — disse Summer. — Eu também teria passado por ela sem me preocupar. Mas é uma descoberta maravilhosa. Que interessante, o último diário dele ainda pode existir em algum lugar.

— Mas não está aqui nem nos registros oficiais. Qual era mesmo o nome desse soldado?

— Sargento Norman Wingate.

— Conheço o nome, mas não me lembro do contexto em que colocá-lo — respondeu Julie, forçando a memória.

Um guincho agudo ecoou vindo da outra sala, tornando-se cada vez mais alto. Elas olharam para a porta e encontraram Aldrich entrando no estúdio empurrando um carrinho de chá com uma roda defeituosa.

— Perdoem pela interrupção, mas pensei que poderiam apreciar um intervalo para o chá — disse ele, servindo uma xícara para cada uma delas.

— É muita gentileza da sua parte, senhor Kitchener — disse Summer, pegando uma das xícaras fumegantes.

— Aldrich, por acaso você se lembra de um conhecido de Lorde Kitchener chamado Norman Wingate? — perguntou Julie.

Aldrich esfregou as sobrancelhas enquanto olhava para o teto pensativo.

— Não era um dos guarda-costas do tio Herbert? — indagou ele.

— Isso mesmo — disse Julie, lembrando-se de repente. — Wingate e Stearns eram os seus guardas armados aprovados pelo primeiro-ministro.

— Sim — disse Aldrich. — O outro sujeito... Stearns, é o nome que você disse? Ele seguiu no *Hampshire* com o tio Herbert. Mas Wingate não foi. Ele estava doente, acho, e não fez a viagem. Lembro-me do meu pai sempre almoçando com ele muitos anos depois. O sujeito aparentemente sofreu um pouco de culpa por sobreviver ao acidente.

— Wingate escreveu que havia guardado o último diário do marechal de campo. Você sabe se ele o entregou ao seu pai?

— Não, senão estaria aqui com o resto dos seus documentos, estou certo. Wingate provavelmente o guardou como uma lembrança do velho.

Um zumbido fraco chegou da outra extremidade da casa.

— Bem, deve haver alguém na recepção. Saboreiem o chá — disse ele, depois saiu do estúdio.

Summer releu a carta e depois examinou o endereço do remetente.

— Wingate escreveu esta carta de Dover — disse ela. — Não é só seguir pela mesma estrada em que viemos?

— Sim, são menos de dezesseis quilômetros — respondeu Julie.

— Quem sabe Norman tenha parentes na cidade que possam saber de alguma coisa.

— Talvez seja uma tentativa sem muita chance, mas acho que vale a pena.

Com a ajuda do computador de Aldrich e uma lista telefônica da região de Kent, as mulheres reuniram uma lista de todos os Wingates que moravam na região. Depois se revezaram ligando para todos eles, na esperança de localizar um descendente de Norman Wingate.

As pesquisas por telefone, porém, não deram resultado. Depois de uma hora, Summer desligou o telefone e riscou o último nome da lista, balançando a cabeça.

— Foram mais de vinte nomes e nem mesmo uma pista — disse decepcionada.

— O mais perto que cheguei foi um sujeito que achava que Norman poderia ser um tio-avô, mas não tinha mais nada a dizer — respondeu Julie. Em seguida, olhou para o relógio.

— Acho que deveríamos nos registrar em nosso hotel. Podemos terminar os arquivos pela manhã?

— Não vamos ficar em Broome Park?

— Reservei um quarto de hotel para nós em Cantuária, perto da catedral. Pensei que você quisesse conhecê-la. Além do mais — disse ela, a voz baixando a quase um sussurro —, a comida aqui não é muito boa.

Summer deu uma risada, depois levantou-se e esticou os braços.

— Não direi a Aldrich. Será que poderíamos fazer uma parada no caminho antes de chegar ao hotel?

— E onde seria essa parada? — indagou Julie interessada.

Summer pegou a carta de Wingate e leu o endereço do remetente.

— Dorchester Lane, número catorze, Dover — disse ela com um sorriso irônico.

* *

O MOTOCICLISTA COLOCOU o capacete preto com o visor combinando, depois observou escondido atrás do caminhão do jardineiro. Esperou pacientemente enquanto Julie e Summer saíam pela porta da frente de Broome Park. Com cuidado para não ser visto, esperou enquanto as duas entravam no carro no estacionamento e depois desciam pela estrada em direção à saída. Dando a partida na sua Kawasaki, ele se encaminhou para a alameda, mantendo uma distância segura do carro que se afastava. Observando Julie virar no sentido de Dover, ele deixou alguns carros passarem, depois tomou o mesmo caminho, mantendo o pequeno automóvel verde ao alcance da sua vista.

27

A DOVER MODERNA É UMA CIDADE portuária movimentada, mas conhecida pelas suas balsas para Calais e os seus mundialmente famosos penhascos de greda branca subindo a sua linha costeira no sentido leste. Julie manobrou para entrar no centro histórico antes de estacionar para pedir informações. Elas encontraram a Dorchester Lane a alguns quarteirões da beira da água, uma sossegada rua residencial com os seus quarteirões forrados dos dois lados de sobrados de tijolos geminados construídos na década de 1880. Parando o carro embaixo de uma bétula frondosa, as mulheres caminharam até a escadinha gasta à entrada do número catorze e tocaram a campainha. Depois de uma certa demora, a porta foi aberta por uma mulher despenteada, na casa dos vinte anos, segurando um bebê adormecido nos braços.

— Ah, sinto muitíssimo incomodá-la — sussurrou Julie. — Espero que não tenhamos acordado o bebê.

A mulher abanou a cabeça e sorriu.

— Este aqui seria capaz de dormir até mesmo durante um concerto do U2.

Em voz baixa, Julie apresentou as duas.

— Estamos em busca de informações sobre um homem que morou neste endereço um bom tempo atrás. O nome dele era Norman Wingate.

— Ele era o meu avô — respondeu a mulher, mostrando-se mais animada. — Sou Ericka Norris. Wingate era o nome de solteira da minha mãe.

Julie olhou para Summer e sorriu incrédula.

— Por favor, não querem entrar? — ofereceu Norris.

A jovem conduziu-as para dentro de uma sala de visitas modesta, mas decorada de maneira aconchegante, sentando-se em uma cadeira de balanço com o bebê adormecido.

— É uma casa adorável — disse Julie.

— Minha mãe cresceu nesta casa. Acho que ela disse que o vovô a comprou pouco antes da Segunda Guerra Mundial. Ela morou aqui a maior parte da vida, quando ela e papai compraram a casa dele.

— Ela ainda é viva?

— Sim, ela é bem ativa para os seus noventa e quatro anos. Precisamos colocá-la em uma clínica de idosos alguns meses atrás para que pudesse receber o cuidado adequado. Ela insistiu para que mudássemos para cá quando o bebê estava para nascer. Teríamos mais espaço para criá-lo.

— A sua mãe talvez fosse capaz de nos ajudar com algumas informações — disse Julie. — Estamos procurando alguns registros antigos da guerra que o seu avô poderia ter guardado.

Norris pensou por um instante.

— A mamãe não deu um fim a todos os pertences dos meus avós — disse ela. — Sei que ela se livrou de muita coisa ao longo dos anos. Mas lá no quarto do bebê ainda sobraram alguns livros velhos e fotografias em que poderão dar uma olhada.

Com cuidado para não acordar o bebê, ela as conduziu por um lance de escadas até um quarto pintado de azul-claro com uma caminha de madeira encostada a uma parede. Ela depositou com delicadeza a criança na cama, o que provocou um ligeiro suspiro por parte dela, antes de voltar a dormir.

— Aqui ficaram as coisas do meu avô — sussurrou ela, aproximando-se de uma alta estante de madeira. Velhos livros encadernados enchiam as prateleiras, tendo à frente antigas fotografias em branco e preto de homens de uniforme. Julie pegou uma fotografia e mostrou um jovem soldado parado ao lado de Kitchener.

— Este é o seu avô?

— Sim, com Lorde Kitchener. Ele comandava todo o Exército durante a guerra, vocês sabiam?

Julie sorriu.

— Sim. Na verdade, ele é o motivo por estarmos aqui.

— Vovô sempre falou sobre como teria morrido com Kitchener no seu navio que afundou durante uma viagem à Rússia. Mas o pai dele ficou gravemente doente e Kitchener o dispensou da viagem.

— Ericka, encontramos uma carta do seu avô indicando que Kitchener lhe mandara o seu diário pessoal para que guardasse em segurança — disse Julie. — Estamos esperando localizar esse diário.

— Se o vovô o guardou, deveria estar aqui. Por favor, fiquem à vontade para procurar.

Julie lera os diários anteriores de Kitchener, que eram escritos em pequenos livros encadernados em capa dura. Correndo os olhos pelas prateleiras, ela parou de repente quando avistou um volume semelhante na prateleira superior.

— Summer... poderia alcançar aquele livrinho azul lá no alto? — pediu ela sem esconder a sua expectativa.

Na ponta dos pés, Summer esticou o braço e puxou o livro, que entregou para Julie. O coração da historiadora começou a bater mais rápido quando notou que não havia título impresso na lombada nem na capa do livro. Abrindo a capa devagar, ela chegou à página de rosto. Em uma caligrafia bem legível estava escrito:

Diário de HHK
1º de janeiro de 1916

— É ele — Summer deixou escapar, olhando para a página.

Julie virou a página e começou a ler as primeiras anotações, que narravam os esforços do autor para aumentar o soldo dos novos recrutas militares. Folheando o livro, ela logo chegou à última anotação, localizada na metade do livro, que era datada de primeiro de junho de 1916. Então ela fechou o livro e olhou esperançosa para Norris.

— Este diário perdido há muito tempo foi procurado pelos historiadores interessados em Kitchener — disse ela em voz baixa.

— Se for assim tão importante para você, então pode levá-lo — respondeu Norris, acenando para o livro com a mão como se ele não tivesse grande importância. — Ninguém aqui estaria interessado em lê-lo tão cedo — acrescentou, sorrindo para o bebê adormecido.

— Vou doá-lo à coleção de Kitchener em Broome Park, caso venha a mudar de ideia em relação a isso algum dia.

— Estou certa de que o vovô ficaria emocionado em saber que ainda existem pessoas interessadas em Kitchener e na "Grande Guerra", como ele costumava chamá-la.

Julie e Summer agradeceram à jovem mãe pelo diário, depois desceram a escada na ponta dos pés e saíram da casa.

— O seu desvio para Dover com certeza nos deu sorte — disse Julie com um sorriso enquanto se dirigiam ao carro dela.

— A persistência sempre leva à boa sorte — respondeu Summer.

Empolgada com a descoberta, Julie não prestou atenção à motocicleta preta que as seguia na Dorchester Lane e na estrada para Cantuária, mantendo um ritmo contido alguns veículos atrás. Enquanto Julie dirigia, Summer folheava o diário, lendo passagens que lhe pareciam interessantes em voz alta.

— Ouça isto — disse ela. — "Três de março. Recebi uma carta inesperada do arcebispo de Cantuária solicitando uma consulta particular ao Manifesto. O gato finalmente saiu do esconderijo, embora como, eu não saiba. O finado doutor Worthington guardara o segredo em vida, mas talvez tenha fraquejado na morte. Não importa. Rechacei o pedido do arcebispo, embora me arriscando à sua ira, na esperança de que o assunto possa ser preterido até o momento em que estivermos novamente em paz."

— Você disse doutor Worthington? — indagou Julie. — Ele era um conhecido arqueólogo de Cambridge na virada do século passado. Conduziu várias escavações de destaque na Palestina, se não me engano.

— Essa poderia parecer uma ligação estranha — respondeu Summer, folheando mais páginas. — Mas Kitchener estava certo quanto a irritar o arcebispo. Duas semanas depois, ele anotou o seguinte: "Fui chamado esta manhã pelo bispo Lowery, de Portsmouth, em nome do arcebispo Davidson. Ele expressou com todas as letras um forte desejo de que eu doasse o Manifesto à Igreja da Inglaterra, pelo bem da humanidade. Ele deixou de explicar, porém, como a Igreja pretendia usar o documento. Desde o princípio, as minhas maiores esperanças eram a busca sincera da verdade. Agora, infelizmente está claro que a minha Igreja está reagindo com medo, com censura e ocultando o seu objetivo maior. Nas mãos deles, o Manifesto poderia desaparecer para toda a posteridade. Isso não posso permitir, e informei ao bispo Lowery adequadamente, para a sua extrema decepção. Embora não seja este o momento, acredito que, ao fim deste grande conflito, a publicação do Manifesto ofereceria uma centelha de esperança para toda a humanidade."

— Com certeza, ele torna esse Manifesto algo de grande alcance — disse Julie. — E agora o bispo Lowery começa a aparecer. A sua enigmática carta a Davidson em junho de repente torna-se mais interessante.

— Kitchener não dá muitos detalhes, mas a sua angústia em relação à Igreja parece aumentar — disse Summer. — Em abril, ele escreve: "Os planos para a ofensiva de verão sobre a França estão quase concluídos. A insistência constante dos seguidores do arcebispo está se tornando insuportável. O P.M. aprovou o meu pedido sobre o detalhe da segurança. Felizmente, não precisei especificar por quê."

— Então os nossos amigos Wingate e Stearns finalmente entram em cena — observou Julie.

Summer folheou rapidamente as páginas enquanto elas se aproximavam das imediações de Cantuária.

— Nas passagens de abril e maio, ele está ocupado com o planejamento da guerra e um fim de semana ocasional com os parentes em Broome Park. Espere, deixe ver, ouça isto: "Quinze de maio. Recebi outro telefonema ameaçador do bispo Lowery. Com os seus modos execráveis, acredito que o país seria mais bem servido se ele chefiasse a Diretoria da Inteligência Militar em vez da Diocese de Portsmouth." Um dia depois, ele escreve: "Fui confrontado em uma calçada por um membro anônimo da Igreja da Inglaterra exigindo a entrega do Manifesto. O cabo Stearns afastou o indivíduo sem incidentes. Estou começando a me arrepender de ter descoberto essa coisa explosiva em 1877 (...) ou ter permitido que o doutor Worthington a decifrasse no ano passado. Quem imaginaria que um velho pedaço de papiro vendido por um mendigo durante a nossa expedição à Palestina teria tamanhas consequências?"

Summer virou a página seguinte.

— Essa data significa alguma coisa para você?

Julie refletiu sobre os textos que até então escrevera sobre Kitchener.

— Isso foi muito antes do famoso heroísmo dele em Cartum. Em 1877, acho que ele estava servindo no Oriente Médio. É mais ou menos a época em que ele comandou uma expedição do Exército no norte da Palestina, como parte do Fundo de Exploração da Palestina, criado pela rainha Vitória.

— Ele trabalhou como um agrimensor?

— Sim, e assumiu o comando da equipe de agrimensura quando seu comandante adoeceu. Eles fizeram um trabalho de altíssimo nível, apesar de serem ameaçados em várias ocasiões pelas tribos árabes da região. Grande parte da pesquisa topográfica da Palestina ainda continuou a ser utilizada até recentemente, por volta da década de 1960. Mas, quanto a Kitchener, ele viajava por todo o Oriente Médio àquela altura, então não há como precisar especificamente onde ele pode ter conseguido o artefato. Infelizmente, ele só viria a começar a redigir o seu diário muitos anos depois.

— Esse documento deve ser muito antigo, se está em papiro. — Summer aproximou-se do fim do diário e parou na última anotação referente ao mês de maio.

— Julie, aqui está — ela falou ansiosa. — Ele escreve: "Outra advertência funesta recebida do arcebispo. Ousaria dizer que eles parecem não se deter por nada para obter o que querem. Tenho pouca dúvida de que já tenham invadido Broome Park para dar uma olhada. A minha reação com certeza os manterá a distância. Eu lhes disse que levarei o Manifesto à Rússia e que o deixarei por empréstimo com a Igreja Ortodoxa em Petrogrado, para que o guarde em segurança até o fim da guerra. Imagine o seu despeito se soubessem que na verdade deixei-o aos cuidados de Sally, sob os olhos atentos de Emily, até o meu regresso."

— Então ele não o levou à Rússia — disse Julie, a voz rouca pela emoção.

— Ao que parece, não. Ouça só isto. Em primeiro de junho, ele escreve:

"A minha última anotação por ora. Parece haver olhos inquisitivos por toda parte. Sinto um temor desagradável em relação à viagem imediata, mas é imprescindível que os russos permaneçam do nosso lado e não negociem um armistício unilateral com a Alemanha. Deixarei este diário com o cabo Wingate para que o guarde em segurança. H.H.K."

— Já li outros relatos de que ele se sentia pouco à vontade quando partiu e parecia temer a viagem — disse Julie. — Ele deve ter tido uma premonição.

— Provavelmente ou não teria deixado o diário com outra pessoa. Mas a maior pergunta é: quem era Sally?

— Deve ter sido alguém de confiança, mas não acredito que possamos encontrar uma mulher chamada Sally na minha pesquisa sobre Kitchener.

— Nem uma antiga secretária ou quem sabe a esposa de um militar amigo dele? — indagou Summer.

Julie balançou a cabeça.

— E quanto a um apelido de uma das suas ajudantes?

— Não, nesse caso deveria haver referências em alguma passagem da sua correspondência, mas não me lembro de ter visto esse nome em lugar algum.

— Não parece certo que confiasse o documento a uma conhecida qualquer. E quanto ao outro nome, Emily?

Julie pensou por um instante, enquanto esperava para entrar em uma rotatória movimentada que levava ao centro do Cantuária.

— Na verdade, consigo me lembrar de duas Emilys. A avó materna de Kitchener chamava-se Emily, embora já teria morrido havia muito tempo em 1916. Depois havia o seu irmão mais velho, que tinha uma neta chamada Emily. Preciso verificar os meus registros genealógicos quando chegarmos ao hotel para ver quando ela nasceu. O pai dela, sobrinho do Kitchener, chamava-se Hal. Ele costumava visitar Broome Park regularmente.

— Então a jovem Emily poderia mesmo ser uma prima de Aldrich? — perguntou Summer.

— Sim, seria isso mesmo. Talvez possamos conversar com Aldrich sobre ela amanhã cedo.

Julie chegara ao centro da cidade e passou devagar pela famosa catedral de Cantuária para que Summer pudesse apreciá-la. Alguns quarteirões à frente, manobrou para entrar no Hotel Chaucer, uma das modestas hospedarias antigas da cidade. Depois de se registrarem em quartos contíguos, as duas combinaram de encontrar-se para jantar no restaurante do hotel. Summer devorou um grande prato de peixe com fritas, só então percebendo como a excursão a deixara faminta. Julie quase a acompanhou em apetite, limpando um prato de massa.

— Se quiser dar um passeio para ajudar na digestão, poderíamos visitar a catedral — sugeriu Julie.

— Agradeço pelo passeio guiado — respondeu Summer — mas, para ser franca, gostaria de passar mais algum tempo analisando o diário de Kitchener.

Julie dirigiu-lhe um amplo sorriso em resposta.

— Estava esperando que dissesse isso. Estou ansiosa para estudar os textos desde que chegamos ao hotel.

— Ao lado do saguão há uma sala de descanso sossegada. Que tal se pedirmos um chá e revisarmos todo o diário novamente lá? Desta vez, posso tomar nota enquanto você lê — acrescentou Summer com um sorriso.

— Para mim está ótimo — concordou Julie. — Vou pegar o diário e o computador no meu quarto e encontro você lá.

Ela subiu as escadas para o segundo andar e entrou no quarto, depois hesitou quando notou que o seu material de trabalho estava espalhado por cima da cama. A porta subitamente bateu atrás delas e as luzes foram apagadas. Uma sombra se aproximou quando ela começou a gritar, mas uma mão enluvada rapidamente cobriu-lhe a boca antes que ela pudesse emitir a voz. Outro braço enlaçou-a pela cintura e puxou-a fortemente de encontro ao assaltante, que parecia estar usando roupa acolchoada. Então uma voz grossa soou em seu ouvido.

— Não faça um ruído ou não viverá para ver o amanhecer.

28

Summer esperou no saguão por vinte minutos antes de ligar para o quarto de Julie. Sem obter resposta, ela esperou mais cinco minutos, então subiu as escadas e bateu na porta dela. Sua preocupação aumentou quando reparou no aviso de "Não perturbe" pendurado na maçaneta da porta. Avistou uma camareira descendo pelo corredor para arrumar as camas e convenceu-a a verificar o quarto de Julie. Abrindo a porta e acendendo a luz, a camareira ofegou chocada.

Julie estava sentada no chão, com os braços às costas amarrados com o lençol ao pé da cama. Outro lençol fora amarrado ao redor dos seus tornozelos, enquanto uma fronha lhe cobria a cabeça. Um movimento desesperado dos seus braços e pernas revelou que ela estava viva.

Summer passou correndo pela camareira e arrancou a fronha da cabeça de Julie. Com os olhos arregalados, ela fitou Summer aliviada quando a norte-americana desamarrou uma meia com um nó que lhe fora amarrada à cabeça como uma mordaça.

— Você está ferida? — perguntou Summer, apressando-se a desamarrar o lençol que prendia os braços de Julie.

— Não… estou bem — ela gaguejou, lutando contra as lágrimas de medo e alívio que corriam por sua face. — Só um pouco assustada. —

Rapidamente recuperou a compostura, procurando continuar em voz mais equilibrada. — Ele foi até muito cuidadoso. Não acho que pretendesse me fazer mal.

— Era um homem só?

Julie inclinou a cabeça, concordando.

— Você viu como ele era?

— Não, lamento. Acho que ele estava escondido no banheiro e entrei direto no quarto. Ele apagou as luzes e depois atirou aquela fronha sobre a minha cabeça. Não tenho ideia de como ele era. Só me lembro de que as suas roupas pareciam grossas ou acolchoadas.

O gerente do hotel chegou logo, seguido por dois policiais de Cantuária. Eles examinaram cuidadosamente o quarto, depois obtiveram um relato pormenorizado de Julie, Summer e a camareira. A historiadora deixara a bolsa no quarto, mas ela não fora levada pelo ladrão. Julie olhou para Summer assustada quando percebeu que o único artigo que faltava no quarto era o diário de Kitchener.

— Uma tentativa de assalto típica de hotel — Summer ouviu um dos policiais comentar com o gerente no corredor. — Obviamente, ela o surpreendeu no quarto e ele decidiu amarrá-la antes de fugir. Não preciso lhe dizer que não há a menor chance de capturar o ladrão.

— Sim, infelizmente, já vi isto antes — respondeu o gerente. — Obrigado, detetive.

O gerente do hotel voltou ao quarto e desculpou-se longamente com Julie, prometendo que aumentaria a segurança no andar por toda a noite. Depois que ele saiu, Summer convidou Julie para dormir em seu quarto.

— Sim, se não se importar, acho que seria muito mais conveniente — disse ela. — Deixe-me pegar a minha escova de dentes.

Julie entrou no banheiro, então de repente chamou Summer.

— O que foi, Julie? — disse, correndo até lá.

Julie estava parada com uma expressão divertida no rosto, apontando para um espelhinho de maquilagem ao lado da pia. O ladrão do quarto deixara-lhe uma advertência, escrita com o seu batom, no espelho. Direta e sucinta, ela dizia simplesmente: “Esqueça K”.

29

Na manhã seguinte, Julie acordou depois de uma noite de sono irrequieto. Sua sensação de medo e ansiedade pouco a pouco evoluíra para um sentimento de indignação pela violação. Levantando cedo, ela se sentia ardendo de raiva.

— Quem poderia saber que descobrimos o diário? — disse ela, andando de um lado para outro no quarto do hotel. — Tínhamos acabado de encontrá-lo sozinhas.

Summer estava no banheiro, penteando o cabelo.

— Talvez ele não soubesse do diário — respondeu. — Ele poderia simplesmente estar tentando descobrir o que sabíamos e teve sorte.

— Pode ser. Mas por que o aviso? Será que mesmo depois de praticamente um século da morte de Kitchener alguém ainda pode estar com receio de alguma coisa?

Summer aplicou-se um toque de perfume, depois voltou para junto de Julie no quarto.

— De uma coisa posso ter certeza. Deve ter sido alguém que sabe mais do que nós tanto sobre o Manifesto quanto sobre o naufrágio do *Hampshire.*

— Ou sobre as duas coisas — acrescentou Julie. Ela farejou o perfume de Summer — Mas que fragrância deliciosa — comentou.

— Obrigada. Foi presente de um amigo na Colúmbia Britânica.

— A colônia — Julie deixou escapar de repente. — Quase tinha me esquecido. O invasor que me amarrou ontem à noite tinha o perfume de uma colônia masculina. Estou certa de que era a mesma fragrância usada pelo sujeito que conhecemos na biblioteca de Lambeth.

— Quer dizer o senhor Baker? Acha que foi ele?

— Não tenho certeza sobre nada no momento, mas acho que poderia ter sido ele. Você não se lembra? Ele nos perguntou sobre o diário. Achei a pergunta um tanto estranha, no momento.

— Você está certa. Vamos verificar na biblioteca quando voltarmos a Londres — disse Summer. — Estou certa de que há uma boa chance de a bibliotecária conseguir identificá-lo.

Julie sentiu-se ligeiramente aliviada, mas a revelação apenas alimentou o seu desejo de investigar.

— Nesse ínterim, acho que deveríamos voltar a Broome Park para ver o que Aldrich sabe sobre a prima Emily.

Elas tomaram rapidamente o café da manhã no hotel, depois entraram no carro e dirigiram até Broome Park. Uns três quilômetros depois de partirem de Cantuária, o carro passou por um buraco na estrada.

— Tem alguma coisa errada — disse Julie, percebendo uma forte vibração na coluna de direção.

O carro passou por outro pequeno obstáculo na estrada e as passageiras sentiram uma forte sacudida repentina, seguida por um lamento de metal rangendo. Summer olhou pela janela e ficou chocada ao ver a roda dianteira direita seguindo à frente do carro e saindo na direção do acostamento. Imediatamente, o carro guinou com violência para a direita, entrando na pista contrária. Julie virou a direção com toda a força para a esquerda para compensar, mas não houve reação.

O cubo dianteiro sem a roda direita raspava no asfalto em meio a uma chuva de fagulhas enquanto o carro derrapava no sentido anti-horário. Os três pneus remanescentes soltaram fumaça e guincharam enquanto o carro girava sobre si mesmo e depois escorregava de ré para fora da estrada.

Passando por cima da mureta baixa lateral, o carro derrapou sobre um trecho gramado antes de bater na base de uma ribanceira baixa. Assim que a poeira baixou, Julie desligou o motor e virou-se para Summer.

— Você está bem? — indagou esbaforida.

— Sim — respondeu Summer, respirando fundo. — Que susto. Eu diria que tivemos sorte.

Julie estava muito pálida e continuava agarrada ao volante com as mãos crispadas.

— Foi ele — disse em voz baixa.

— Bem, se foi, vai precisar fazer mais do que isso para nos deter — respondeu Summer em desafio, tentando elevar o ânimo de Julie. — Vamos ver se conseguimos voltar à estrada.

Quando ela abriu a porta, uma motocicleta preta aproximou-se velozmente pela estrada. O piloto diminuiu ligeiramente a marcha, dirigindo um olhar demorado ao carro danificado. Depois engatou a marcha e acelerou a toda velocidade à frente.

— Não se preocupe em nos ajudar — gritou Summer quando a silhueta preta desapareceu na curva seguinte.

Ela caminhou até a estrada e no acostamento mais à frente encontrou a roda que se soltara. Levantando-a, ela a rolou de volta ao carro. Julie tinha saído pela porta do motorista, mas estava sentada sobre uma pedra grande, as mãos ainda tremendo. Summer abriu o porta-malas, de onde tirou o macaco e depois o encaixou embaixo do para-choque dianteiro. O terreno era firme e praticamente nivelado, o que lhe permitiu levantar o cubo de roda na altura apropriada. Apesar de um profundo arranhão no cubo, ela conseguiu encaixar a roda, prendendo-a com três parafusos retirados das outras rodas. Assegurou-se de que os parafusos estivessem bem apertados, depois tornou a guardar o macaco no porta-malas.

— Summer, você fez tudo com tanta facilidade — cumprimentou Julie. Ela recuperara a disposição e finalmente parara de tremer. — Pensei que teria de ligar para o socorro mecânico.

— Meu pai me ensinou muita coisa de mecânica em carros antigos — disse ela com um sorriso de orgulho. — Ele diz sempre que toda garota devia ser capaz de trocar um pneu.

Julie verificou um ligeiro arranhão no para-choque traseiro e depois entregou as chaves a Summer.

— Você se importa em dirigir pelo resto do caminho? Estou com os nervos em frangalhos.

— Não há problema nenhum — respondeu Summer. — Desde que não se importe se eu diminuir a marcha ao passar pelos buracos.

Pegando as chaves, ela se acomodou no assento do lado direito e deu a partida no carro, depois manobrou de volta à estrada. Elas não sentiram mais efeitos negativos no carro e logo entraram no estacionamento de Broome Park. As duas mulheres entraram no solar, encontrando Aldrich servindo *croissants* e chá no átrio do jardim. Julie não fez nenhuma menção ao acidente na estrada quando o chamou de lado por um instante.

— Aldrich, poderia lhe perguntar sobre Emily Kitchener?

Os olhos do homem idoso acenderam-se imediatamente.

— Ora, Emily era uma senhora encantadora. Ainda ontem à noite eu comentava sobre ela com um dos hóspedes. Ela adorava passear nos jardins aqui no final da tarde, para ouvir o canto dos rouxinóis. É difícil acreditar que já se passaram dez anos desde que ela se foi.

— Ela morava aqui na propriedade? — indagou Summer.

— Ah, sim. Meu pai a convidou para vir morar aqui quando o marido morreu em um acidente ferroviário. Isso deve ter sido por volta de 1970. Ela morou no andar superior, nos aposentos que hoje chamamos de Suíte Windsor.

— Por acaso você se lembra de ela ter alguma amiga ou conhecida chamada Sally? — indagou Julie.

— Não, não me lembro de nenhuma mulher chamada Sally — respondeu ele abanando a cabeça.

— Por acaso ela alguma vez mencionou ter recebido documentos ou papéis de Lorde Kitchener? — perguntou Summer.

— Ela nunca me fez nenhuma menção nesse sentido. É claro, ela era muito nova quando o conde faleceu. Você tem a minha permissão para dar uma olhada nas coisas dela, se quiser. Tenho no porão algumas caixas com os pertences dela que restaram.

Summer dirigiu um olhar esperançoso a Julie.

— Se não fosse um incômodo — disse Julie a Aldrich.

— De maneira alguma. Posso levá-las lá embaixo agora mesmo.

Aldrich as conduziu aos seus aposentos privativos e abriu uma porta trancada para uma escada de canto. Descendo os degraus, eles chegaram ao porão mal iluminado, que era um pouco mais do que um corredor largo que se estendia embaixo de uma parte de toda a residência. Caixotes de madeira antigos e móveis empoeirados formavam pilhas altas ao longo das paredes de ambos os lados.

— Grande parte dessa mobília antiga era do conde — explicou Aldrich enquanto as guiava pelo corredor. — Realmente, acho que devo providenciar mais um leilão um dia desses.

No fim do corredor, eles chegaram a uma porta pesada trancada com um ferrolho.

— Aqui originalmente era despensa excedente — disse ele, estendendo a mão para a lingueta antes de perceber que já fora puxada. — A porta ficava trancada para impedir a entrada de ratos.

Ele acionou um comutador do lado de fora, depois segurou na maçaneta e empurrou para o lado a porta pesada, revelando um compartimento de uns três metros de comprimento forrado com prateleiras de ambos os lados e um armário de madeira na outra extremidade. As prateleiras achavam-se abarrotadas com caixas de papelão, a maioria cheia de documentos e escrituras de propriedades.

— As coisas de Emily deveriam estar bem aqui — disse ele, aproximando-se do fundo e apontando para uma prateleira à altura da cintura onde havia três caixas assinaladas com uma inscrição "E. J. Kitchener".

— Emily Jane Kitchener — disse Aldrich. — Poderia ser mais fácil para vocês simplesmente consultar o conteúdo das caixas aqui mesmo. Precisam que as acompanhe de volta à escada?

— Obrigada, Aldrich, mas não será necessário — respondeu Julie. — Depois poremos tudo de volta no lugar e saberemos encontrar a saída.

— Espero que as duas possam nos acompanhar no jantar esta noite. Vamos servir peixe frito no jardim. — O idoso guardião do solar virou-se e caminhou para a saída da despensa.

Summer sorriu observando-o enquanto se afastava.

— Ele é mesmo uma gracinha.

— Um cavalheiro à moda antiga — Julie concordou, puxando duas das caixas para a frente da prateleira. — Vamos lá, uma para você e outra para mim.

Summer aproximou-se e abriu a dobra superior da caixa, reparando que não estava bem fechada. O conteúdo estava uma total confusão, como se alguém tivesse atirado os itens apressadamente na caixa ou se ela tivesse sido remexida. Ela sorriu consigo mesma quando puxou para fora um cobertorzinho de bebê e o estendeu sobre uma prateleira vazia. Em seguida, estendeu alguns vestidinhos infantis, uma grande camisola e várias estatuetas de porcelana. No fundo da caixa, encontrou algumas bijuterias e um livro de historinhas infantis em versos rimados.

— A primeira caixa está cheia de lembranças da infância — disse ela, repondo cuidadosamente os itens. — Nada de importância, lamento dizer.

— Não estou me saindo muito melhor — respondeu Julie, pondo de lado duas botas adornadas com lantejoulas. — Aqui tem sapatos, blusas e alguns vestidos de noite. — Do fundo da caixa, ela puxou uma bandeja de uma baixela. — E algumas peças de um aparelho de jantar de prata — acrescentou.

As duas recolocaram as caixas nos seus lugares, depois abriram juntas a terceira caixa.

— Esta parece mais promissora — disse Julie, pegando um maço de cartas.

Enquanto ela começava a examinar as cartas, Summer investigou o que restava na caixa. A maioria do conteúdo era de livros preferidos por Emily, juntamente com algumas fotografias emolduradas dela mesma e do marido. No fundo da caixa, Summer encontrou um grande envelope cheio de fotografias antigas.

— Não tive sorte aqui — disse Julie, terminando de verificar a última carta e guardando-a de volta ao envelope. — São só cartas antigas do marido. Não vi nenhuma menção à garota misteriosa. Acho que o segredo de Sally simplesmente não deve ser revelado.

— Já sabíamos que era difícil acertar — respondeu Summer, tirando as fotografias do envelope e espalhando-as na prateleira para Julie ver. Eram imagens em tom sépia de aproximadamente um século antes. Julie segurou uma foto de uma mulher jovem em roupa de amazona, segurando as rédeas de um cavalo.

— Ela era uma mulher bonita — comentou Summer, observando o rosto delicado com olhos penetrantes parecidos com o do tio famoso.

— Eis aqui uma com Kitchener — disse Julie, apontando para uma foto antiga tendo como cenário um jardim. Kitchener estava de pé, de uniforme, ao lado de um casal com a filha pequena, embalando uma grande boneca, entre eles. Summer reconheceu a menina como uma versão mais jovem da Emily da foto como amazona.

— Ela parece ter uns quatro anos de idade aqui — disse Summer, pegando a foto e olhando do outro lado para ver se havia uma data escrita no verso. Quase sufocou quando leu o que estava escrito.

"Abril, 1916. Tio Henry e Emily com Sally em Broome Park."

Ela empurrou a foto para a frente de Julie. Depois de ler a inscrição, Julie virou a foto e examinou a imagem com uma sobrancelha arqueada.

— Mas esta é Emily com os pais. O nome da mãe dela era Margaret, acho.

Summer olhou para ela e sorriu.

— Sally é a boneca.

No momento em que a luz se acendeu na mente de Julie, Summer já estava esvaziando o conteúdo da primeira caixa dos pertences de Emily Kitchener. Em um instante, ela tirou de dentro uma boneca loura com rosto de porcelana que usava um avental xadrez. Levantando a boneca no ar, Summer comparou-a com a da fotografia.

Era a mesma boneca.

— Ele disse que o Manifesto estava em segurança com Sally — murmurou Julie. — E Sally é uma boneca?

As duas examinaram a boneca, cujas roupas e extremidades achavam-se bem gastas de tanto a menina brincar com ela quase um século antes. Apalpando com a ponta dos dedos, Summer virou a boneca do outro lado e tirou-lhe o avental xadrez e o vestido de chita estampado combinando. Uma grossa costura era visível ao longo das costas da boneca, guardando o recheio no interior. Acontece que os pontos eram grosseiros e irregulares, destoando do acabamento esmerado.

— Isto aqui não parece o trabalho de um costureiro experiente — comentou Summer.

Julie procurou nas outras caixas até encontrar uma faca de jantar de prata toda manchada.

— Você se importa em realizar a cirurgia? — ela perguntou nervosamente, estendendo a faca a Summer.

Summer deitou a boneca de bruços sobre a prateleira e começou a cortar o ponto mais ao alto. A borda cega da faca não parecia páreo para o cordão resistente, mas finalmente ela conseguiu desfazer os primeiros pontos. Pondo de lado a faca, ela puxou para fora os pontos remanescentes, abrindo as costas da boneca. Dentro, havia um chumaço de algodão comprimido.

— Desculpe, Sally — disse ela, puxando cuidadosamente o chumaço de algodão de dentro, como se a boneca fosse um ser vivo. Julie acompanhava ansiosamente por cima do ombro de Summer, mas desmoronou quando viu que o corpo da boneca estava cheio apenas com o algodão. Fechou os olhos e abanou a cabeça quando Summer tirou de dentro uma grande bola do material.

— Que ideia tola — ela murmurou.

Mas Summer não se fez de rogada. Investigando o interior da cavidade, ela apalpava todo o contorno com a ponta dos dedos.

— Espere, acho que tem alguma coisa aqui dentro.

Julie esbugalhou os olhos enquanto observava Summer apalpar o interior da perna esquerda da boneca e segurar um objeto. Summer forçou várias vezes de um lado para outro até puxar de dentro um tubo embrulhado em linho branco com vários centímetros de comprimento. Julie inclinou-se mais para perto quando Summer colocou o objeto sobre a prateleira e delicadamente desembrulhou o tecido. Dentro encontrava-se uma peça espessa de pergaminho enrolado. Summer segurou a parte de cima e depois cuidadosamente desenrolou-o sobre a prateleira enquanto as duas observavam com a respiração presa.

O pergaminho revelou-se em branco. Mas elas logo viram que estava protegendo um rolo menor enrolado do lado de dentro. Era um papiro cor de folha de bambu com uma inscrição em uma única coluna gravada no centro.

— Isto… isto deve ser o Manifesto — pronunciou Julie em voz baixa, os olhos grudados no documento antigo.

— Parece estar escrito em um idioma muito antigo — observou Summer.

Julie olhou para a caligrafia, identificando-a como algo familiar.

— Parece semelhante ao grego — disse —, mas não é nada que tenha visto antes.

— Muito provavelmente seria o grego copta — estrondejou uma voz masculina atrás delas.

As mulheres saltaram de susto com a intrusão inesperada. Girando a cabeça para a porta, elas ficaram chocadas ao encontrar Ridley Bannister parado à entrada. Ele usava uma grossa jaqueta de couro acolchoada e calças no estilo usado pelos corredores de motocicleta. Mas nenhuma das duas notou o seu traje incomum. A sua atenção se concentrava no revólver ameaçador que ele tinha na mão, apontado diretamente para o peito delas.

30

— **Foi você quem me** atacou no meu quarto do hotel — Julie deixou escapar, reconhecendo finalmente o traje de couro.

— Ataque é uma definição muito severa — respondeu Bannister casualmente. — Prefiro pensar que estivéssemos apenas compartilhando informações de pesquisa.

— Roubando, você quer dizer — falou Summer.

Bannister dirigiu-lhe um olhar magoado.

— Absolutamente — disse ele. — Estritamente tomando emprestado. Vocês vão descobrir que o diário encontrou o seu novo lar com o resto dos documentos pessoais de Kitchener lá em cima.

— Ah, um ladrão penitente — respondeu Summer com sarcasmo.

Bannister ignorou a interrupção.

— Devo acrescentar que estou muito impressionado com as suas habilidades investigativas — disse ele, olhando para Julie. — O diário encadernado foi uma descoberta maravilhosa, embora os comentários do conde fossem menos do que surpreendentes. Mas depois, identificar Sally, acima de tudo. Um belo bis.

— Não somos desleixadas e sujas como você — comentou Summer.

— Sim, bem, eu tinha pouco tempo para vasculhar os pertences de Emily Kitchener. Seja como for, um trabalho bem feito. Procurei dez anos atrás por minha conta sem esse sucesso. — Ele ergueu a pistola e apontou com ela. — As senhoras poderiam fazer o favor de se encaminhar para o fundo deste aposento? Preciso sair levando comigo o Manifesto.

— Emprestado? — indagou Julie.

— Não desta vez, lamento — Bannister respondeu com um sorriso sinistro de tubarão.

Julie lançou um olhar para o rolo de papiro antes de recuar devagar.

— Antes nos diga. Qual é a importância do Manifesto? — indagou ela.

— Enquanto não for autenticado, ninguém pode dizer com certeza — disse Bannister, avançando furtivamente para pegar o pergaminho com o papiro dentro. — Trata-se apenas de um documento antigo que alguns consideraram capaz de abalar os poderes teológicos se fosse comprovada a sua autenticidade. — Ele pegou o rolo com a mão livre e colocou-o com cuidado no bolso da jaqueta.

— Kitchener foi morto deliberadamente por causa dele? — indagou Julie.

— Eu suporia que sim. Mas isso você vai precisar confirmar com a Igreja da Inglaterra. Foi ótimo conversar com vocês, senhoras — disse ele, recuando em direção à porta — mas receio que tenho um plano a concluir.

Ele saiu da despensa e começou a fechar a porta atrás de si.

— Por favor, não nos deixe aqui dentro — implorou Julie.

— Não há com que se preocupar — respondeu Bannister. — Podem deixar que vou telefonar para Aldrich dentro de um dia mais ou menos para informar que uma dupla de garotas adoráveis ficou presa no porão. Adeus.

A porta bateu com um som arrastado seguido pelo ruído do ferrolho sendo fechado. Depois Bannister apagou as luzes da despensa, mergulhando-a na escuridão. Sem fazer ruído, ele subiu furtivamente pelas escadas até os aposentos de Aldrich, parando para tornar a guardar a pistola Webley em um armário de vidro dos artefatos militares de Kitchener, de onde a tomara emprestada minutos antes. Esperando até que o saguão estivesse vazio, saiu em silêncio do solar sem ser visto e rapidamente subiu na motocicleta alugada.

Três horas depois, ele ligava para o chefe da segurança do Palácio Lambeth de um telefone no Aeroporto Heathrow.

— Judkins, é Bannister.

— Bannister — respondeu o homem da segurança com uma acidez na boca. — Estava esperando notícias suas. Você seguiu aquela tal de Goodyear?

— Segui. Ela e a americana estiveram em Broome Park vasculhando os documentos de Kitchener. Ainda estão lá, para falar a verdade.

— Elas podem causar algum problema?

— Bem, elas estão um pouco desconfiadas e certamente andaram farejando algo.

— Mas será que têm alguma coisa que possa nos prejudicar? — o homem da segurança perguntou com impaciência.

— Ah, não — respondeu Bannister, dando um tapinha no bolso do peito com um sorriso largo. — Elas não têm nada. Nada mesmo.

31

A DESPENSA TRANCADA ERA TÃO escura quanto uma caverna. Summer apoiou uma das mãos sobre uma prateleira para se equilibrar enquanto esperava por um momento que os olhos se acostumassem com a escuridão. No entanto, sem uma fonte de luz, não havia nada para ver. Ela se lembrou do telefone celular e tirou-o do bolso, o instrumento emitindo um brilho azulado cego.

— Não vai ter sinal aqui, acho, mas pelo menos temos uma luz noturna — disse ela.

Usando o telefone celular como lanterna, ela se aproximou da porta, empurrando-a a princípio com o ombro, depois desferindo-lhe alguns chutes fortes com a ponta da bota. A porta espessa nem se abalou e ela concluiu que nem mesmo um lutador de sumô seria capaz de arrombar o ferrolho resistente. Recuou para perto de Julie, focalizando-a com a luz do celular para encontrar uma expressão de medo em seu rosto.

— Não estou gostando nem um pouco disto — disse Julie com a voz trêmula. — Acho que estou com vontade de gritar.

— Sabe que é uma boa ideia, Julie? Por que não gritamos juntas?

Summer inclinou a cabeça para o teto e gritou com toda a força dos pulmões. Imediatamente, Julie a acompanhou, gritando por socorro várias vezes.

Abafados pela porta maciça da despensa, os gritos mal chegaram como sussurros ao alto da casa. Os poucos hóspedes que perceberam os gritos distantes presumiram que fosse alguém com um iPod com o volume elevado. O som não foi sequer percebido pelos ouvidos cansados de Aldrich.

As mulheres fizeram um breve intervalo, então gritaram de novo. À medida que mais minutos passavam sem resposta, elas se resignaram ao fato de que não podiam ser escutadas. Os gritos serviram como uma espécie de alívio, porém, ajudando a expelir a ansiedade por estarem aprisionadas. Julie, em especial, pareceu recuperar a compostura que parecia prestes a perder.

— Acho que poderíamos encontrar algum conforto, se é que vamos permanecer aqui por algum tempo — disse ela, puxando uma caixa grande que depositou no chão e usou como uma cadeira. — Você acha que ele realmente ligaria para Aldrich? — perguntou sombriamente.

— Desconfio que sim — respondeu Summer. — Ele não agia como um assassino determinado, nem me pareceu psicótico. — No fundo, não se sentia tão segura disso. — Pessoalmente, preferia não esperar por Aldrich — acrescentou. — Talvez haja alguma coisa nessas caixas que possa nos ajudar a sair daqui.

À luz fraca do telefone celular, ela começou a abrir algumas das outras caixas. No entanto, logo ficou evidente que não havia nada ali a não ser documentos, roupas e alguns pertences pessoais inusitados, encaixotados na antiga despensa. Desencorajando-se depressa, ela puxou outra caixa para perto de Julie e sentou-se.

— Parece que temos pouco mais do que um belo guarda-roupa para nos ajudar a fugir.

— Bem, pelo menos temos alguma coisa para vestir em caso de esfriar — disse Julie. — Agora, se ao menos tivéssemos algo para comer.

— Acho que a despensa está vazia no que diz respeito a alimentos — respondeu Summer. Depois refletiu um pouco, considerando as próprias palavras. — Aldrich não disse que isto aqui foi construído como uma despensa secundária? — indagou.

— Disse — Julie confirmou. — E ainda bem que é à prova de ratos.

— Julie, você sabe onde fica a antiga cozinha do solar?

A pesquisadora pensou por um momento.

— Nunca pus os pés nela, mas ela se localiza do lado do salão de jantar principal, na ala oeste da residência.

Summer visualizou a orientação da propriedade.

— Estamos no lado oeste, não é?

— Sim.

— Então a cozinha estaria localizada praticamente acima de nós?

— Sim, acho que é isso mesmo. Em que você está pensando?

Summer levantou-se e circulou pelo aposento, examinando as paredes atrás das caixas de guardados com a luz do celular acesa. Aos poucos ela foi se encaminhando para os fundos da despensa, observando uma fileira de quatro portas de armário de madeira visíveis agora atrás de uma pilha de caixas. Ela passou o celular para Julie segurar.

— Se você fosse o *chef* de Kitchener e precisasse de um saco de farinha da despensa, acha que o carregaria pelo meio da casa? — perguntou ela, mudando a pilha de caixas para o lado. Depois estendeu a mão para o alto das duas portas do armário e tentou abri-las. Mas elas achavam-se firmemente trancadas.

— São portas falsas — disse Julie, direcionando a luz enquanto Summer enterrava as unhas pelas bordas das portas sem nenhum resultado. — Tente as portas de baixo.

Julie afastou uma caixa que estava no chão para que Summer pudesse experimentar as portas inferiores. Forçando as bordas, ela ficou pasma quando as duas portas abriram sem oferecer a menor resistência. Atrás delas parecia haver um compartimento vazio às escuras.

— Ilumine ali dentro — pediu Summer.

Julie levou o celular para dentro do compartimento, iluminando uma grande bandeja na base, que estava presa a um suporte atrás. Uma roda de polia era visível em um lado com uma volta firme de cabo ao redor dela, subindo pela lateral do armário. Julie virou a luz do celular para o alto, revelando um comprido túnel vertical.

— É um elevador manual — disse Julie. — Ora, mas é claro. Como você não imaginou?

Summer encolheu os ombros.

— Acho que por sempre ter uma aversão por fazer as coisas da maneira mais difícil. — Ela inspecionou a bandeja por um instante. — É um pouco apertado, mas acho que ainda pode funcionar como um elevador. Acho que vou precisar de novo desta luz.

— Você não vai subir nesta coisa — disse Julie. — Vai acabar quebrando o pescoço.

— Não se preocupe. Acho que consigo.

Summer pegou o celular e enfiou as pernas compridas dentro da abertura, depois apertou o resto do corpo até conseguir sentar-se de pernas cruzadas em cima da bandeja. Duas cordas puídas pendiam ao lado da polia usada para elevar a bandeja, mas ela não ousava testar o próprio peso com elas. Colocando o celular no colo, em vez disso examinou uma fina corrente de bicicleta que na verdade era o que contornava a polia. Então inclinou a cabeça de volta à despensa.

— Deseje-me sorte. Quem sabe a encontre na porta da frente em cinco minutos — disse a Julie.

— Tenha cuidado.

Summer agarrou a corrente com as duas mãos e puxou-a com força para baixo. Imediatamente, a bandeja elevou-se da base e Summer subiu pelo conduto. Julie rapidamente agarrou uma caixa cheia de roupas e esvaziou-a na base como uma almofada, para o caso de Summer não conseguir se segurar e cair.

Mas a jovem oceanógrafa atlética não caiu. Summer foi capaz de se içar por três metros antes que as mãos e os músculos dos braços dessem sinal de cansaço. Então ela descobriu que podia inclinar a bandeja para a frente e apoiar os pés contra um lado do conduto enquanto pressionava as costas de encontro ao lado oposto. Sustentando o seu peso desse modo, ela foi capaz de libertar as mãos temporariamente da borda afiada da corrente da polia. Descansando por uns minutos, em seguida ela se elevou por mais uns metros antes de parar de novo.

Ela avistou a polia superior a mais alguns centímetros acima da sua cabeça e fez mais um esforço para chegar ao topo. Com as mãos e braços doendo, equilibrou-se junto à polia, forçando a cabeça por baixo da parte superior do conduto. A parte de trás de uma porta de armário apareceu à sua frente e ela rapidamente empurrou-a com os pés. Mas a porta não cedeu.

Ela sentiu os braços perderem a força quando empurrou de novo com os pés, dessa vez sentindo um quase imperceptível movimento da porta. Estava posicionada alto demais e muito perto da polia para se apoiar contra o conduto para poder descansar, e sentia que lhe faltavam forças para continuar se segurando na corrente. Concluindo que estava a alguns segundos de não conseguir mais se segurar, empurrou-se para trás o quanto pôde, depois disparou para a frente, batendo os pés com toda a força contra a porta.

Ouviu o tremendo ruído de choque quando a porta do armário se escancarou, enviando uma onda de luz clara pelo conduto cavernoso. Por um momento, Summer ficou cega pela súbita mudança na iluminação enquanto se esgueirava através da porta, soltando a corrente quando o impulso a levou para cima de uma superfície lisa e lustrosa.

Com a visão mais clara, ela se viu deitada sobre um grande aparador feito de teca. O móvel situava-se em um pequeno mas fortemente iluminado salão que fora construído no lugar da área original da cozinha do solar. Summer surpreendeu-se ao ver uma meia dúzia de casais idosos sentados ao redor do salão tomando chá. Todos olharam em silêncio para ela, como se fosse um alienígena proveniente da Ursa Menor.

Esgueirando-se devagar para fora do aparador e pondo-se de pé, ela inspecionou a fonte do enorme ruído. Espalhadas sobre o piso viam-se colheres, xícaras de chá e pires de um grande aparelho formal de chá que fora mandado pelos ares quando estourara a porta.

Summer empertigou-se pesarosa, escondendo as mãos sujas de graxa e sorrindo para as pessoas estupefatas.

— Odeio perder a hora do chá — disse em um pedido de desculpas, depois saiu apressadamente do salão.

Ela se encontrou com Aldrich no corredor, disparando em direção do local da agitação, e redirecionou-o a ajudar Julie. Juntos, desceram apressadamente as escadas e destrancaram a porta da despensa. Aliviada, Julie sorriu ao avistar Summer.

— Ouvi um ruído enorme. Está tudo bem? — indagou.

— Está — Summer sorriu —, mas acho que deve um novo aparelho de chá a Aldrich.

— Bobagem! — grunhiu o homem idoso. — Agora, contem-me de novo quem trancou vocês aí dentro.

Julie descreveu Bannister e o seu traje de motociclista.

— Parece que foi aquele tal de Baker — disse Aldrich. — Ele deixou os seus aposentos pela manhã.

— O que sabe sobre ele? — perguntou Summer.

— Não muita coisa, lamento. Ele disse que era um escritor de Londres que tinha vindo aqui para descansar jogando golfe. Mas eu me lembro vagamente de já ter vindo aqui antes, talvez uns quatro ou cinco anos atrás. Lembro-me de ter permitido que consultasse os arquivos. Ele sabia muita coisa sobre o conde. Na verdade, foi ele quem também me perguntou sobre Emily.

Julie e Summer trocaram um olhar significativo, depois Summer voltou para dentro da despensa.

— Querem que chame a polícia? — perguntou Aldrich.

Julie pensou por um instante.

— Não, acho que não será preciso. Ele conseguiu pegar o que procurava, então acho que não vai mais nos incomodar. Além do mais, estou certa de que lhe deu um número de telefone e um endereço em Londres.

— Ele vai se ver comigo se aparecer por aqui novamente — Aldrich bufou. — Coitadinhas. Por favor, vamos lá em cima tomar um chá.

— Obrigada, Aldrich. Estaremos lá em um instante.

Depois que Aldrich se foi, Julie sentou-se em um banco barroco em estilo Queen Anne ao lado de alguns móveis cobertos e soltou um longo suspiro. Summer saiu da despensa uma segunda vez, notando a palidez do rosto de Julie.

— Está tudo bem com você? — Summer perguntou.

— Está. Não queria admitir, mas sou um pouco claustrofóbica. Não gostaria de repetir uma experiência dessas tão cedo.

Summer virou-se e fechou a porta pesada atrás de si.

— Nenhuma de nós tem necessidade de pôr os pés aí dentro de novo — disse ela. — Onde está o Aldrich?

— Ele subiu para nos preparar um chá.

— Espero que consiga encontrar algumas xícaras.

Julie abanou a cabeça com uma careta de desapontamento.

— Não posso acreditar. Tivemos a pista da morte de Kitchener bem nas nossas mãos e ela nos foi arrancada por aquele ladrão antes de termos a chance de descobrir o que significava.

— Não fique tão deprimida. Nem tudo está perdido — respondeu Summer para consolá-la.

— Mas temos tão pouca coisa para continuar. Provavelmente nunca descobriremos o verdadeiro significado do Manifesto.

— Citando Aldrich, bobagem — replicou Summer. — Ainda temos Sally — disse ela, levantando a boneca na mão.

— O que tem de bom nisso?

— Bem, o nosso amigo pode ter roubado a perna esquerda, mas ainda temos a direita.

Ela segurou a boneca despojada na direção de Julie, arrancando uma pequena parte do seu estofamento de algodão. Olhando para dentro do corpinho da boneca, a historiadora conseguiu avistar a extremidade de outro rolo de papel, dessa vez na perna direita.

Ela não disse nada, esperando com os olhos incandescentes, enquanto Summer delicadamente retirava o objeto do interior da boneca. Quando Summer estendeu-o sobre o banco e desenrolou-o cuidadosamente, as duas puderam ver que não se tratava de uma folha de pergaminho ou de papiro, a exemplo do outro rolo. Em vez disso, era simplesmente uma carta datilografada, com um cabeçalho gravado em cima: "Departamento de Arqueologia da Universidade de Cambridge".

32

— **Os mergulhadores ainda** estão lá embaixo — anunciou Gunn.

Em pé no passadiço do *Aegean Explorer*, ele olhava através de um binóculo na direção do Zodiac, vazio e amarrado a um cabo preso a uma boia, lastreado no fundo, que terminava no naufrágio otomano. Em intervalos de segundos, ele avistava um conjunto duplo de bolhas que rompiam à superfície, a pouco mais de um metro do cabo da boia. Gunn correu as lentes para longe do Zodiac, reajustando o foco sobre o grande iate azul de origem italiana que se achava fundeado nas proximidades. Reparou com curiosidade que a sua proa achava-se virada na sua direção, o que colocava o iate em posição perpendicular em relação à correnteza. Um brilho parcial na parte de trás do convés mostrou que alguns homens agitavam-se em algum tipo de atividade, mas a visão de Gunn foi rapidamente oculta pela superestrutura da embarcação.

— O nosso amigo abelhudo continua examinando a vizinhança — disse ele.

— O *Sultana?* — disse Pitt, já tendo identificado o nome do iate italiano.

— Sim. Parece que se aproximou um pouco mais do local do naufrágio.

Pitt levantou os olhos da mesa de cartas, onde examinava alguns documentos.

— Ele deve estar ansioso para encontrar algum entretenimento.

— Não posso imaginar o que esteja procurando — disse Gunn, baixando o binóculo. — Ele ligou os propulsores, posicionando-se de lado na correnteza.

— Por que não o chama pelo rádio e pergunta?

— O comandante tentou um canal de chamadas de rotina ontem à noite. Não obteve resposta.

Gunn aproximou-se e sentou-se do outro lado da mesa em frente a Pitt. Em cima da mesa, achavam-se duas minúsculas vasilhas de cerâmica que haviam sido recuperadas do local do naufrágio. Pitt estava comparando os objetos com uma avaliação arqueológica de um navio mercante explorado pelo famoso arqueólogo subaquático George Bass.

— Conseguiu datar esses aí? — perguntou Gunn, pegando uma das vasilhas e observando-a bem de perto.

— São muito semelhantes a algumas cerâmicas encontradas em um navio mercante que afundou próximo a Yassi Ada no século quarto — disse Pitt, mostrando a Gunn uma fotografia do documento.

— Então a coroa romana do Al não é uma falsificação?

— Não, parece que é legítima. Temos um naufrágio da época otomana que por alguma razão estava transportando artefatos romanos.

— Um belo achado, não importa como venha a ser examinado — disse Gunn. — De onde será que vieram os artefatos?

— O doutor Zeibig está avaliando algumas amostras de grãos que estavam incrustadas em um dos cacos de louça, que podem indicar o local de origem da embarcação. É claro que, se você nos tivesse deixado descobrir o resto do seu monólito, já poderíamos ter a resposta.

— Ah, essa não — protestou Gunn. — Aquilo fui eu que achei e o Rod disse que poderia recuperá-lo no nosso próximo mergulho. Você é que manteve o Al longe dele. O que me faz lembrar — disse ele, olhando para o relógio. — Iverson e Tang devem estar de volta a qualquer momento.

— Então acho melhor a gente ir acordar o Al — disse Pitt, levantando-se da mesa. — Nós estamos escalados para o próximo mergulho.

— Acho que o vi tirando uma soneca perto do seu novo brinquedinho — disse Gunn.

— Sim, ele está ansioso para fazer um mergulho de teste com o *Bullet*.

Enquanto Pitt atravessava o passadiço, Gunn deu uma última advertência.

— Agora, lembre-se. Vocês dois mantenham as mãos longe do meu monólito — gritou, agitando um dedo para Pitt enquanto ele saía.

Pitt pegou uma sacola de mergulho da sua cabine, depois caminhou até o convés de popa do navio. À sombra de um submersível branco de forma aerodinâmica, encontrou Giordino dormitando sobre um traje de mergulho enrolado. A presença de Pitt aproximando-se foi o bastante para acordá-lo e ele abriu uma pálpebra preguiçosa.

— Está na hora de outra viagem ao meu iate real encharcado? — perguntou.

— Sim, rei Al. A nossa tarefa será examinar a grade C-2, que parece conter um monte de lastro.

— Lastro! Como vou aumentar a minha coleção de joias em um monte de lastro? — Sentando-se, ele começou a vestir o traje de mergulho enquanto Pitt abria o zíper da sua sacola de mergulho e fazia o mesmo. Minutos depois, Gunn chegou correndo com uma expressão preocupada lhe contraindo o rosto.

— Dirk, os mergulhadores deviam ter subido há dez minutos, mas ainda não apareceram.

— Vai ver que fizeram uma parada de descompressão por cautela — sugeriu Giordino.

Pitt olhou para o Zodiac vazio fundeado a pouca distância dali. Iverson e Tang, os dois homens na água, eram dois cientistas ambientais que Pitt conhecia como mergulhadores experientes.

— Bem, vamos pegar o caíque e dar uma olhada — disse Pitt. — Dê-nos uma mãozinha, Rudi.

Gunn ajudou a baixar o pequeno inflável rígido em cujo espaço interior mal cabiam os dois homens e o seu equipamento de mergulho. Pitt rapidamente calçou o seu tanque, máscara e nadadeiras, enquanto Giordino dava a partida no motor de popa e os conduzia a toda velocidade na direção do Zodiac. Não havia nem sinal dos dois mergulhadores quando eles manobraram ao lado do barco inflável maior.

O caíque ainda reduzia a marcha quando Pitt rolou sobre a borda para dentro da água. Rapidamente, ele nadou em direção ao cabo da poita, descendo em seguida e acompanhando-o até o fundo. Esperava encontrar os dois homens segurando-se ao cabo a três ou seis metros abaixo da superfície fazendo a descompressão, mas eles não se encontravam em lugar algum à vista. Pitt desentupiu os ouvidos quando se aproximou da marca de quinze metros, depois apressou-se em direção ao fundo. Nas profundezas abaixo, avistou meio apagado o local da escavação demarcado pela grade de alumínio pregada no fundo arenoso. Acendeu uma lanterna subaquática quando se aproximou da base do cabo da poita, onde a visibilidade diminuía para um verde lodoso.

Procurou brevemente pelo perímetro ao redor do cabo da poita, depois nadou sobre a grade, seguindo o comprimento do naufrágio. Hesitou quando passou por cima da quarta quadrícula da grade, observando que havia uma grande fenda na areia onde anteriormente se encontrava o amado monólito de Gunn. Correndo os olhos à frente, avistou um objeto azul próximo à pilha de lastro. Batendo fortemente as nadadeiras, ele rapidamente alcançou a figura debruçada de um dos mergulhadores.

O corpo estava preso por baixo da grade de alumínio, com diversas pedras de lastro roladas sobre o seu peito. Um olhar para dentro dos olhos esbugalhados por trás da máscara informou a Pitt que o cientista da NUMA chamado Iverson estava morto. Pitt inspecionou o equipamento do homem e notou que o seu regulador estava faltando. A alguns metros de distância, Pitt avistou-o sobre o fundo, uma seção seca no tubo indicando que fora cortado.

Pitt reparou em uma luz no alto e sentiu-se grato ao perceber a figura robusta de Giordino descendo em sua direção. Aproximando-se mais um metro, Giordino acenou na direção do corpo de Iverson. Pitt respondeu balançando a cabeça, depois ergueu o regulador arrancado, mostrando onde fora cortado. Giordino inclinou a cabeça concordando, depois apontou para a popa do naufrágio, então Pitt acompanhou-o nadando até a parte de trás.

Eles encontraram o corpo de Tang pairando acima do leito do mar com uma nadadeira presa à grade que o mantinha ancorado. Ele tinha se afogado, assim como Iverson, embora parecesse ter se debatido mais violentamente nos seus últimos momentos de vida. A sua máscara, cinto de lastro e uma nadadeira tinham sido arrancados e o seu regulador cortado era visível na areia ao lado. Pitt dirigiu o facho da lanterna para o rosto do homem morto, revelando um grande vergão arroxeado na maçã direita do rosto. O cientista provavelmente vira o que acontecera a Iverson e tentara se defender, pensou Pitt. Acontece que os assaltantes haviam sido mais fortes ou mais numerosos. Pitt voltou a luz para as profundezas ao redor deles, mas as águas achavam-se desertas. Os assaltantes já haviam regressado ao iate italiano.

Segurando o colete equilibrador de Tang, ele deu um puxão no corpo enquanto Giordino acenou que recuperaria o corpo de Iverson. Pitt subiu lentamente com o companheiro morto, nadando na direção do cabo da poita enquanto subia. Aproximando-se da superfície, detectou um rumor baixo de motores dando a partida. À medida que o som aumentou de intensidade, ele prontamente adivinhou que era o iate, acelerando, enquanto principiava a fugir da cena.

Embora o palpite de Pitt estivesse certo, ele nunca imaginou a rota do iate. Subindo à superfície, compreendeu tarde demais que o rugido dos motores tinha se tornado significativamente mais alto e que uma sombra à superfície aproximava-se rapidamente. Ele surgiu à tona ao lado do Zodiac e do caíque, levantando os olhos para ver o casco imponente do iate acelerando em sua direção em alta velocidade a pouco mais de seis metros de distância. O grande casco azul chocava-se contra a superfície enquanto uma fonte de água branca esguichava com a força dos seus propulsores girando à popa.

Em um instante, o iate rebentou contra os dois barcos menores, esmagando instantaneamente o Zodiac com o impacto do casco avantajado e o giro dos seus propulsores, ao mesmo tempo em que golpeava o pequeno caíque através das ondas como um inseto. O Zodiac destroçado rapidamente mergulhou em direção ao fundo enquanto o iate partia em direção ao horizonte, em disparada como um relâmpago.

Na esteira do iate, a boia do cabo de amarração lentamente encontrou seu caminho de volta à superfície depois de ser arremessada às profundezas. Cortada do seu cabo, ela oscilava docemente em meio à espuma que fervia sobre o mar tingido com o carmesim do sangue humano.

33

Giordino viu a sombra do iate passar sobre a sua cabeça e surgiu à superfície alguns metros além da boia, ainda arrastando o corpo de Iverson. Inflou manualmente o colete equilibrador do homem morto enquanto observava os destroços embaralhados do Zodiac afundarem ali perto. A distância, avistou o caíque parcialmente vazio afastando-se rapidamente com a ajuda da brisa leve. Sem perda de tempo, procurou na água ao redor pelos sinais de Pitt. Foi então que notou uma mancha escura na água próximo à boia à deriva.

Temendo o pior, ele deixou Iverson de lado e nadou na direção da boia, com a intenção de submergir para procurar Pitt embaixo da água. Alcançando a boia, sentiu o estômago revirar quando compreendeu que o escurecimento da água ao redor era causado por sangue humano que a tingia de vermelho vivo. O centro da mancha foi subitamente agitado pelo surgimento de um corpo em traje de mergulho. O corpo flutuava de bruços, a cabeça e as extremidades submersas, o que lhe ocultava a identidade. O tronco exibia claramente a fonte do sangue na água. Cortado e deformado como se tivesse sido atropelado por um cortador de grama, as costas do corpo eram uma mistura horrenda de carne retalhada e neoprene, mutilado pelas hélices propulsoras do iate em alta velocidade.

Lutando contra a repulsa natural, Giordino nadou depressa na direção do corpo. Temendo o que encontraria, segurou delicadamente o corpo e levantou a cabeça da água.

Não era Pitt.

Quase saltou para fora do traje de mergulho quando imediatamente sentiu um firme tapinha no ombro. Girando de imediato, ficou face a face com Pitt, que tinha emergido às suas costas. Giordino notou uma leve mancha de tinta branca na touca e ombro de Pitt.

Cuspindo fora o regulador, Giordino perguntou:

— Você está bem?

— Sim, estou ótimo — respondeu Pitt, embora Giordino pudesse ver um matiz de raiva nos olhos do amigo.

— Você e Tang estavam no caminho daquele trem de carga? — perguntou Giordino.

Pitt inclinou a cabeça concordando.

— Tang salvou a minha vida.

Quando surgira à superfície no caminho do iate em velocidade, Pitt teve poucos segundos para reagir. Rapidamente, ele prendeu um braço através do colete equilibrador de Tang e puxou o homem morto para o peito, então inclinou-se para trás e tentou submergir. Nesse momento, o iate já se achava em cima deles, batendo com força por cima de Tang e de Pitt embaixo dele. Juntos, eles foram afundados embaixo do casco até passarem pelas hélices propulsoras girando em velocidade impressionante. Pitt só conseguira manter Tang acima de si e o corpo do homem morto suportou o impacto das lâminas cortantes.

Pitt sentia repulsa e raiva por ter de usar o corpo do cientista como um escudo humano, mas sabia que de outro modo teria sido cortado em tiras.

— Eles o mataram duas vezes hoje — disse Giordino sombriamente.

— Eles… — murmurou Pitt, olhando para a silhueta do iate que se afastava ao longe em direção ao horizonte. Seus pensamentos já giravam em torno da pergunta sobre quem cometeria assassinatos por causa do naufrágio de uma embarcação antiga. E por quê?

— Acho melhor tirar ele daqui antes que todos os tubarões do Mediterrâneo apareçam para o almoço — disse Giordino, pegando Tang pelo braço.

O *Aegean Explorer* já tinha levantado a âncora e se aproximado dos homens na água. Um grupo de marinheiros baixou um guindaste e rapidamente içou os mortos a bordo, depois ajudou a recolher Giordino e Pitt. O comandante do navio e o médico acorreram ao local, seguidos de perto por Gunn. O vice-diretor da NUMA observou-o com uma expressão confusa, segurando um saco de gelo sobre a cabeça.

— Os dois morreram dentro da água — disse Pitt ao médico ajoelhado que examinava atentamente cada um dos homens. — Afogados.

— Os dois por acidente? — indagou o comandante.

— Não — disse Pitt enquanto se livrava do traje de mergulho. Ele apontou para o cano cortado que saía do tanque de Iverson. — Alguém cortou os dutos.

— As mesmas pessoas que tentaram nos atingir com o fundo do seu casco italiano — acrescentou Giordino.

— Sabia que estavam mentindo quando vieram a bordo — disse o comandante Kenfield, abanando a cabeça. — Mas certamente não desconfiava que recorreriam ao assassinato.

Pitt notou um galo na cabeça de Gunn, que ele esfregava com o saco de gelo.

— O que aconteceu com você?

Gunn fez uma careta enquanto baixou o saco.

— Enquanto vocês estavam na água, o iate mandou uma lanchinha cheia de capangas armados. Alegaram que eram do Ministério da Cultura turco.

— Policiando o alto-mar em um iate de luxo? — perguntou Giordino com ceticismo.

— Pedi a identificação deles, mas em resposta recebi uma coronhada de fuzil — disse Gunn, recolocando o saco de gelo sobre o galo na cabeça.

— Eles nos disseram em termos duvidosos que não tínhamos autoridade para estar trabalhando em um naufrágio do Império Otomano — disse o comandante.

— Interessante eles saberem o que era o naufrágio — observou Giordino.

— O que mais eles queriam? — indagou Pitt.

— Eles exigiram que entregássemos todos os artefatos que retiramos do naufrágio — disse Kenfield. — Mandei que saíssem do meu navio, mas isso não adiantou nada. Eles encurralaram a mim e a Rudi no passadiço e ameaçaram nos matar. A tripulação não teve outra opção a não ser concordar.

— Eles levaram alguma coisa? — perguntou Giordino.

Gunn aquiesceu.

— Eles limparam o laboratório e depois levaram tudo para o iate deles antes de vocês voltarem à superfície.

— Mas não antes de ordenar que saíssemos do local e nos ameaçar para não usar o rádio — acrescentou Kenfield.

— Odeio dizer a vocês que eles não só levaram todos os nossos artefatos, Rudi — disse Pitt. — Eles também arrancaram o seu monólito do naufrágio.

— Essa é a menor das nossas perdas — disse ele com ar sombrio. — Eles levaram Zeibig.

O comandante concordou.

— Eles perguntaram quem era o responsável pela escavação do naufrágio. O doutor Zeibig por acaso se encontrava no laboratório e eles o forçaram a acompanhá-los.

— Depois do que fizeram a Iverson e Tang, sabemos que não hesitarão em matá-lo também — acrescentou Giordino em voz baixa.

— Vocês fizeram contato com mais alguém? — Pitt indagou ao comandante.

— Só usei o telefone por satélite para falar com o Ministério da Cultura turco. Eles confirmaram que não possuem iates e não têm recursos para policiar essa região. Também entrei em contato com a Guarda Costeira turca. Infelizmente, eles não têm embarcações na área. Eles nos mandaram procurar a sua base em Izmir para dar queixa.

— Nesse ínterim, os bandidos podem desaparecer completamente com Zeibig — disse Pitt.

— Receio que não possamos fazer muita coisa — disse o comandante. — Aquele iate é no mínimo duas vezes mais veloz do que o *Aegean Explorer.* Não temos como tentar persegui-los com esperança de alcançá-los. E quando chegarmos ao porto também podemos alertar as autoridades do nosso governo.

Giordino limpou a garganta com um forte ruído e adiantou-se.

— Sei de uma coisa que é capaz de acompanhar a velocidade daquele iate. — Ele se voltou para Pitt com uma piscadela confiante.

— Tem certeza de que está pronto? — indagou Pitt.

— Estou — disse Giordino —, como um jacaré faminto em uma lagoa de patos.

**

Previamente preparado para o lançamento, só levou alguns minutos para verificar se todos os sistemas estavam funcionando em ordem antes que o novo submersível de Giordino fosse baixado pela borda. Sentado entre os controles dos dois lados, Giordino executou uma rápida verificação de segurança enquanto Pitt passava um rádio para o passadiço do *Aegean Explorer.*

— *Explorer,* por favor me dê uma posição do nosso alvo — pediu.

— O radar indica que está mantendo um curso constante a zero-um-dois graus — respondeu a voz de Rudi Gunn. — No momento se encontra a aproximadamente vinte quilômetros ao norte da nossa posição.

— Entendido, *Explorer.* Por favor, mantenham a velocidade enquanto tentamos capturar a raposa. *Bullet* desliga.

Pitt sentia-se um tanto desconfiado da ideia de fazer a perseguição em um submersível. Normalmente dependentes da energia de baterias para a propulsão, os submersíveis de pesquisas historicamente eram veículos lentos e arrastados, projetados para ter um alcance limitado. No entanto, o *Bullet* desafiava as regras do avanço dos submersíveis.

Tendo sido batizado mais em razão da velocidade do que pela sua forma, o *Bullet,* ou *Bala,* baseava-se em um projeto de autoria da Marion Hyper-Subs. O protótipo da NUMA combinava uma cabina de aço submersível com o casco de um barco a motor de alto-desempenho. Como um submarino, o *Bullet* era capaz de mergulhar a profundidades de trezentos metros. Na superfície, os motores de propulsão independente no compartimento de máquinas pressurizado, juntamente com um tanque com capacidade para dois mil litros de combustível, permitiam que o *Bullet* navegasse a longas distâncias em alta velocidade. O projeto permitia que o submarino alcançasse locais de mergulho remotos sem a necessidade de uma embarcação de apoio que o acompanhasse.

— Pronto para assumir a navegação de superfície — anunciou Giordino, depois estendeu a mão e pressionou os botões de partida dos dois motores por turbinas a diesel.

Um rumor profundo ecoou atrás deles quando os motores gêmeos de quinhentos cavalos deram a partida. Giordino verificou os diversos medidores sobre o painel de instrumentos e voltou-se para Pitt.

— Prontos para zarpar.

— Vamos ver o que ele é capaz de fazer — respondeu Pitt, puxando para si os controles do acelerador.

Imediatamente, eles foram empurrados de encontro aos seus assentos quando os poderosos motores a diesel impulsionaram o submersível à frente. Em apenas alguns segundos, a embarcação estava com o seu esguio casco branco navegando em velocidade acelerada por cima das ondas. Pitt sentiu o submarino arremessar-se e rolar sobre o mar picado, mas logo apreciou a sua estabilidade e aumentou a aceleração. Com a cabine de controle engastada próximo ao limite dianteiro da embarcação, ele tinha a impressão de que estavam voando sobre a água.

— Trinta e quatro nós — disse, observando a leitura na tela de navegação, o que dava mais de sessenta quilômetros por hora sobre a água. — Não é de se desprezar.

Giordino aquiesceu com um sorriso aberto.

— Acredito que seja capaz de fazer mais de quarenta nós em mar calmo.

Eles dispararam rumo ao norte através do Mar Egeu, adiantando-se por cerca de vinte minutos até que avistaram uma mancha no horizonte. Perseguiram o iate por mais uma hora, aproximando-se pouco a pouco ao passarem ao norte de Dardanelos, contornando um par de navios petroleiros provenientes do Mar Negro. A grande ilha turca de Gökçeada logo ganhou volume diante deles e o iate alterou o curso para o leste da ilha.

Pitt seguiu um curso em ziguezague para não parecer que seguia diretamente o iate, depois aliviou o acelerador quando se aproximaram alguns quilômetros. O iate afastou-se lentamente de Gökçeada e tomou o rumo do continente turco, aproximando-se da linha costeira enquanto reduzia gradualmente a velocidade. Pitt guinou e o seguiu em uma rota paralela, mantendo-se ainda em mar alto ao mesmo tempo em que mantinha a embarcação de luxo ao alcance da vista. Navegando baixo na água, a distância o *Bullet* parecia ser apenas um pequeno barco de passeio em um cruzeiro vespertino.

O iate navegou por mais alguns quilômetros até a costa ocidental da Turquia, então diminuiu repentinamente a velocidade e guinou para dentro de uma enseada relativamente protegida. Quando passaram pela costa, Pitt e Giordino puderam identificar alguns prédios e um cais com um pequeno cargueiro ancorado ao lado. Pitt manteve o curso até estarem a uns dois quilômetros ao norte da enseada e fora da vista, antes de colocar os motores em ponto morto.

— Parece que temos duas escolhas — disse Giordino. — Podemos nos aproximar da costa em algum lugar e chegar à enseada a pé. Ou esperar até escurecer e entrar direto com o *Bullet* na enseada.

Pitt observou a costa escarpada a uns oitocentos metros de distância.

— Não sei se há muitos pontos onde possamos dar a volta ali — disse ele. — Além do mais, se Zeibig ou alguém mais for ferido, seria problemático sair de lá a pé.

— Concordo. Então o negócio é entrar direto na enseada.

Pitt olhou para o mostrador cor de laranja do seu cronômetro de mergulho Doxa.

— Deve escurecer dentro de uma hora por aqui. Podemos tentar entrar depois disso.

A hora transcorreu rapidamente. Pitt passou um rádio para o *Aegean Explorer* com a sua posição e instruiu Rudi a trazer o navio de pesquisas a um ponto seguro a uns vinte quilômetros ao sul da enseada. Giordino usou o tempo para consultar uma carta náutica da costa e programar uma rota submersa até o centro da enseada. Uma vez embaixo da água, um sistema de piloto automático manobraria o submersível até a localização especificada, usando o reconhecimento estimado otimizado por computador.

Enquanto a noite chegava, Pitt guiou o *Bullet* para uns oitocentos metros da entrada da enseada, depois desligou os motores de superfície. Giordino fechou e pressurizou o compartimento de máquinas, depois abriu um par de portas no casco que permitiam que a água fosse bombeada para as câmaras de lastro. A câmara de proa foi inundada primeiro e o submarino logo mergulhava abaixo da superfície.

Pitt armou um conjunto de nadadeiras de mergulho, depois ligou os propulsores elétricos para impulsionar o submarino. Controlou a vontade de acender as luzes externas da embarcação, uma vez que o mundo aquático além da bolha de acrílico desaparecia em meio a um negrume total. Avançando com o submarino em baixa velocidade, ele esperou até que Giordino lhe dissesse para soltar os controles.

— O piloto automático vai dar conta do recado daqui por diante — disse ele.

— Você tem certeza de que esta coisa não vai trombar com nenhum recife submerso ou outro obstáculo? — indagou Pitt.

— Estamos equipados com um sonar de alta frequência que reconhece uma centena de metros à nossa frente. O piloto automático estabelece as correções de curso em relação aos obstáculos menores ou nos dá um sinal de advertência se alguma coisa de tamanho considerável bloquear o nosso curso.

— Praticamente tira toda a graça de navegar às cegas — comentou Pitt.

Embora não tivesse aversão por computadores, Pitt era antiquado no que se referia a pilotar. Nunca se sentiria completamente à vontade deixando o computador cuidar de todos os instrumentos. Havia sutilezas nos controles de navegação, tanto no ar quanto embaixo da água, que até mesmo os melhores computadores não eram capazes de perceber. Ou pelo menos era o que ele acreditava. Com as mãos livres, observou atentamente os seus progressos, mantendo-se pronto para assumir os controles a qualquer advertência.

O *Bullet* submergiu a uma profundidade de nove metros, depois automaticamente ligou os propulsores eletrônicos. O submersível avançou vagarosamente pela rota estabelecida, compensando a leve correnteza à medida que entrava na enseada. Giordino notou que a tela do sonar permanecia desimpedida enquanto seguiam pelo centro da enseada. Uma luz acendeu no monitor e os motores elétricos pararam quando alcançaram seu ponto final programado.

— Isso concluiu a parte autônoma do programa — anunciou Giordino.

As mãos de Pitt já se achavam nos controles.

— Vamos ver se encontramos uma vaga no estacionamento — respondeu ele.

Esvaziando as câmaras de lastro em minúsculas progressões, eles subiram lentamente até pairar a poucos centímetros de revelar a bolha de acrílico da cabine na superfície. Acima deles, podia ver que o céu exibia os últimos traços do lusco-fusco enquanto a água ao redor parecia totalmente preta. Giordino desligou as luzes internas e dos painéis de mostradores desnecessários, então esvaziou os tanques de lastro uma última vez para elevá-los mais alguns centímetros.

Levantando-se no assento, os dois homens observaram a linha costeira. Podiam ver que a enseada circular era ocupada na borda norte apenas por três prédios. As construções davam para um píer de madeira que se estendia perpendicularmente à praia. O iate italiano azul estava totalmente visível, atracado no lado direito do píer atrás de um rebocador. Do outro lado do píer achava-se um grande cargueiro enferrujado. Um guindaste provido de rodas sobre o píer ocupava-se em transportar cargas para o cargueiro sob a iluminação de algumas luzes fixas no alto.

— Você acha que o Rod ainda está a bordo do iate? — perguntou Giordino.

— Acho que deveríamos presumir que sim, para começar. O que me diz sobre atracar do lado do iate e dar uma olhada? Eles não estão nos esperando mesmo.

— Acho que a surpresa é uma boa. Vamos nessa.

Pitt tomou um curso naquela direção, depois submergiu o *Bullet* e seguiu até o cais. Giordino acionou o sistema de sonar, para ajudá-los a se orientar na aproximação do iate. Retornando suavemente à superfície, eles surgiram à sombra dele por bombordo. Pitt começou a manobrar ao lado do iate quando notou uma agitação no convés de popa.

Um trio de homens armados saiu correndo do interior e virou-se para o píer. Um segundo depois, um quarto homem apareceu, sendo empurrado pelo convés pelos outros.

— É Zeibig — comentou Pitt, conseguindo ver de relance o rosto do cientista.

Da sua posição inferior sobre a água, eles mal podiam ver Zeibig, que seguia com as mãos amarradas às costas. Dois dos homens armados içaram-no com violência para o píer, depois empurraram-no para a praia. Pitt notou que um dos pistoleiros voltava para o barco e assumia uma posição casual na popa.

— Descartando o iate — disse Pitt em voz baixa. — Acho que está na hora de ficarmos invisíveis.

Giordino já abrira as câmaras de lastro e o *Bullet* rapidamente desapareceu nas profundezas escuras. Eles fizeram novamente um reconhecimento da enseada, depois avançaram com cuidado e emergiram à popa do cargueiro, encostando à sua direita, ao lado do mastro. Era o melhor ponto para se manterem ocultos, escondidos da praia pelo cargueiro, ao mesmo tempo em que não dava para serem vistos do píer por causa de uma pilha de tambores de combustível. Giordino subiu em silêncio e amarrou um cabo ao píer. Pitt desligou os sistemas de força e juntou-se a ele.

— Não será bonito de ver se este garotão ligar os motores — disse Giordino, olhando o submersível flutuando pouco acima das hélices propulsoras do cargueiro.

— Pelo menos temos o número da placa — respondeu Pitt, erguendo os olhos para a popa do navio. Em grandes letras brancas estava pintado o nome, *Osmanli Yildiz,* que significava "Estrela Otomana".

Os dois homens avançaram na direção do píer até chegarem à sombra de um grande gerador situado diante da amarra de proa do cargueiro. À frente deles achava-se um punhado de estivadores, ocupados em carregar grandes caixotes de madeira no cargueiro com o guindaste alto. O iate azul, com o seu pistoleiro armado ainda andando de um lado para outro no convés, estava atracado a poucos passos à frente dele. Giordino olhou com pesar para as luzes brilhantes no alto, que iluminavam o caminho à frente.

— Não sei, não, se vai ser fácil passar pela linha de partida e conquistar o nosso prêmio partindo daqui — disse ele.

Pitt inclinou a cabeça, olhando em torno do gerador para examinar o estaleiro. Avistou um predinho de pedras de dois andares na praia, ladeado por dois armazéns pré-fabricados. O interior do armazém à direita achava-se completamente iluminado, destacando um par de empilhadeiras que erguiam caixotes de uma porta aberta para serem depois transferidas pelo guindaste. O armazém à esquerda, porém, estava às escuras, sem nenhuma atividade aparente no seu interior.

Pitt voltou a atenção para o predinho de pedras no centro. Uma forte luz na entrada iluminava a sua fachada, revelando claramente um pistoleiro montando guarda do lado de fora da porta principal.

— O predinho de pedras no meio — ele sussurrou para Giordino. — É onde deve estar Zeibig.

Ele olhou de novo, avistando os faróis de um automóvel que se aproximava vindo da colina vizinha. O veículo desceu por uma estradinha íngreme de cascalho, depois virou para o píer e estacionou na frente do predinho de pedras. Pitt surpreendeu-se ao reconhecer o automóvel como um sedã Jaguar de último tipo. Um homem e uma mulher bem-vestidos desceram do automóvel e entraram no prédio.

— Acho que precisamos fazer a nossa parte o mais depressa possível — sussurrou Pitt.

— Tem alguma ideia de como sair deste píer? — perguntou Giordino, agachando-se do lado de uma escada inclinada contra o gerador.

Pitt deu uma olhada ao redor, depois olhou para Giordino por um instante, um sorriso irônico desenhando-se em seu rosto.

— Al — disse ele —, acho que você está sentado nela.

34

Ninguém prestou atenção aos dois homens vestidos em macacões gastos cor de turquesa descendo pelo píer com a cabeça baixa e transportando uma escada de alumínio. Obviamente, eram uma dupla de tripulantes do cargueiro devolvendo à praia o equipamento tomado emprestado anteriormente. Só que eram integrantes da tripulação que ninguém vira antes.

Os homens que trabalhavam no píer estavam ocupados em segurar para o guindaste um caixote em que se lia a inscrição "Têxteis" e não prestaram atenção quando Pitt e Giordino passaram por ali. Pitt notara que o guarda no iate lançara-lhes um olhar por um instante antes de se virar.

— Para que lado vamos, chefe? — indagou Giordino, segurando a frente da escada, quando eles deixaram o píer.

O armazém iluminado achava-se praticamente à frente deles, a grande porta da frente aberta, a poucos metros à sua direita.

— Acho que devemos evitar o pessoal e seguir à esquerda — respondeu Pitt. — Vamos direto para o outro armazém.

Eles se viraram e seguiram pela beira da água, passando pelo predinho de pedras. Pitt imaginou que devia ter sido construído como uma casa de pescador, mas agora servia como um escritório administrativo das instalações portuárias. Ao contrário do pistoleiro no iate, o homem que guardava a porta da frente fitou-os com desconfiança quando passaram pelo pátio na frente da casa. Giordino tentou banalizar a sua presença assobiando casualmente "Yankee Doodle Dandy", imaginando que o pistoleiro turco desconhecesse a melodia.

Logo chegaram ao segundo armazém, um edifício às escuras com a grande porta da frente para a água totalmente fechada. Giordino tentou abrir uma pequena porta de entrada lateral e encontrou-a destrancada. Sem hesitar, ele conduziu Pitt para dentro, onde deixaram a escada contra uma escrivaninha iluminada por uma luz superior bruxuleante. O restante do interior do edifício estava vazio, a não ser por alguns caixotes empoeirados no canto e um grande contêiner fechado próximo à doca de carga traseira.

— Essa foi fácil — disse Pitt —, mas acho que aparecer na porta da frente do predinho ao lado não pareça tão promissor.

— Não, aquele guarda nos observou como um falcão. Quem sabe pela porta dos fundos?

Pitt concordou.

— Vamos ver.

Pegando um martelo de madeira que encontrou sobre a escrivaninha, ele atravessou o armazém com Giordino. Ao lado da doca de carga havia uma pequena porta de entrada, pela qual se esgueiraram. Avançaram em silêncio para a parte de trás do predinho de pedras só para descobrir que não tinha porta dos fundos nem outras ao lado. Pitt aproximou-se de uma das janelas baixas e tentou olhar para dentro, mas todas as cortinas estavam abaixadas. Ele se afastou e examinou as janelas do segundo andar, depois voltou na ponta dos pés para relatar a Giordino.

— Parece que estamos de volta à porta da frente — disse Giordino.

— Na verdade, pensei em tentar a entrada pelo andar de cima — respondeu Pitt.

— Por cima?

Pitt fez um gesto em direção à escada.

— Podemos achar um fim para aquela escada. As janelas estavam às escuras lá em cima, mas as cortinas não pareciam abaixadas. Se você fizer algo para distraí-los, subo lá e entro por uma das janelas. Podemos tentar surpreendê-los de cima.

— Como disse, a surpresa é sempre uma boa. Vou pegar a escada enquanto você pensa no que podemos fazer.

Enquanto Giordino entrava no armazém, Pitt pôs a cabeça para fora pela porta dos fundos e pensou em um meio de criar uma distração. Uma opção que lhe ocorreu foi usar um caminhão de carroceria aberta estacionado atrás do armazém do lado. Ele voltou para dentro de cócoras enquanto Giordino se aproximava com a escada, mas então de repente olhou atrás dele com curiosidade.

— O que foi? — perguntou Giordino.

— Olhe só para aquilo — disse Pitt, aproximando-se do contêiner naval de aço ali perto.

Ele estava pintado com um padrão de camuflagem de deserto na cor cáqui, mas foram as inscrições em tinta preta que chamaram a atenção de Pitt. Diversos pontos ao redor do contêiner estavam assinalados com a inscrição, em inglês: "Perigo — Altos Explosivos". Embaixo da advertência, lia-se a inscrição: "Exército dos Estados Unidos".

— Mas que diabos um contêiner de explosivos do Exército americano estaria fazendo aqui? — indagou Giordino.

— Pensei o mesmo. Mas aposto que o Exército não sabe disso.

Pitt aproximou-se da frente do contêiner e puxou o grande ferrolho, abrindo a pesada porta de aço. Dentro, viam-se dezenas de caixotes de madeira com advertências semelhantes gravadas dos lados, cada um fortemente preso em prateleiras de metal. Perto da porta, um dos caixotes havia sido aberto. Dentro, havia diversas caixas plásticas do tamanho de um tijolo.

Pitt puxou para fora uma das caixas e levantou a tampa de plástico. Dentro, encontrava-se um bloco retangular de uma substância pulverulenta comprimida.

— Explosivos plásticos? — perguntou Giordino.

— Não se parece com C-4, mas deve ser alguma coisa semelhante. Aqui tem o suficiente para mandar este armazém em uma viagem de ida e volta até a Lua.

— Você acha que essa coisa poderia ajudar a criar uma distração? — perguntou Giordino, arqueando significativamente uma sobrancelha.

— Acho que sim — respondeu Pitt, tornando a fechar a caixa e estendendo-a com cuidado ao parceiro. — Tem um caminhão estacionado nos fundos do outro armazém. Veja se consegue fazer com que exploda.

— E quanto a você?

Pitt levantou o martelo.

— Vou bater na porta de cima.

35

Zeibig não temera por sua vida. Certamente ele estava aborrecido por ser sequestrado à mão armada, algemado e trancado em uma cabine do iate de luxo. Ao chegar à enseada, começou a ter as suas dúvidas quando foi duramente empurrado para a praia e para dentro do predinho de pedras, onde lhe ordenaram que se sentasse em uma sala de reuniões aberta. Seus sequestradores, todos eles homens altos e de pele clara com olhos escuros e frios, sem dúvida eram bastante ameaçadores. No entanto, ainda não haviam sido excessivamente violentos. Ele começou a mudar de ideia quando um automóvel estacionou na frente e um casal turco austero apareceu e entrou no edifício.

Zeibig notou que os guardas subitamente adotaram uma postura tensa e respeitosa assim que os visitantes entraram. O arqueólogo ouviu-os conversando longamente sobre o cargueiro e sobre a carga com um dos chefes dos estivadores, surpreso ao ver que a mulher parecia fazer as maiores exigências. Encerrando o assunto sobre o embarque, o casal voltou para a sala de reuniões, onde o homem olhou para Zeibig com uma hostilidade intensa.

— Então, você é o responsável por roubar os artefatos de Suleiman, o Magnífico — sibilou Ozden Celik, uma veia pulsando em sua têmpora.

Vestido em um terno caro, ele pareceu a Zeibig ser um empresário bem-sucedido. No entanto, a raiva que lhe injetava os olhos mostrava que o homem beirava o psicótico.

— Estávamos simplesmente conduzindo uma investigação preliminar no local, sob os auspícios do Museu de Arqueologia de Istambul — respondeu Zeibig. — Exigiram que entregássemos todos os artefatos recuperados para o Estado, o que pretendíamos fazer quando voltássemos a Istambul dentro de duas semanas.

— E quem deu ao Museu de Arqueologia o direito de propriedade sobre o naufrágio? — indagou Celik, entortando o canto os lábios.

— Sobre isso você pode se informar com o ministro da Cultura turco — respondeu Zeibig.

Celik ignorou o comentário e aproximou-se da mesa de conferência com Maria a seu lado. Espalhados sobre a superfície de mogno encontravam-se várias dezenas de artefatos que os mergulhadores da NUMA haviam recuperado do local do naufrágio. Zeibig observou enquanto eles examinavam os objetos, depois subitamente arregalou os olhos quando viu o monólito de Gunn estendido sobre a outra extremidade da mesa. A curiosidade o fez esticar o pescoço, mas o objeto estava longe demais para que pudesse identificar as suas inscrições.

— Com que idade você datou esse naufrágio? — indagou Maria. Ela usava calças pretas e um blusão cor de ameixa, mas sapatos comuns de salto baixo.

— Algumas moedas entregues ao museu indicam que o navio afundou em aproximadamente 1570 — disse Zeibig.

— Trata-se de uma embarcação otomana?

— Os materiais e as técnicas de construção são coerentes com os navios mercantes costeiros do Mediterrâneo oriental dessa época. Pelo menos é o que sabemos até o momento.

Celik observou atentamente a coleção de artefatos, admirando os fragmentos de pratos e tigelas de cerâmica de quatrocentos anos de idade. Com o olho experiente de um colecionador, ele sabia que o naufrágio fora datado com precisão, confirmado pelas moedas que no momento encontravam-se em seu poder. Então aproximou-se do monólito.

— O que é isto? — indagou ele a Zeibig, apontando para a pedra.

Zeibig abanou a cabeça.

— Foi removido do local do naufrágio pelos seus homens.

Celik examinou cuidadosamente a pedra de lados chatos, notando uma inscrição latina na superfície.

— Lixo romano — murmurou ele. Depois examinou os artefatos remanescentes antes de tornar a se aproximar de Zeibig.

— Você nunca mais vai saquear os artefatos que pertencem ao patrimônio do Império Otomano — disse ele, os olhos escuros observando maliciosamente as pupilas de Zeibig. Ele enfiou a mão no bolso do casaco, de onde tirou uma corda fina de couro. Torceu-a na frente do rosto de Zeibig por um momento, depois lentamente a esticou. Moveu-se como se fosse se afastar de Zeibig, então voltou-se e passou a corda sobre a cabeça do arqueólogo enquanto dava a volta por trás dele. A corda imediatamente fechou-se ao redor do pescoço de Zeibig e ele foi levantado com um solavanco por um forte puxão para cima.

Zeibig retorceu-se e tentou atingir Celik com os cotovelos, mas um guarda adiantou-se e agarrou os seus pulsos algemados à frente, puxando os seus braços enquanto a corda se retesava ao redor do seu pescoço. Zeibig sentia-a apertar cada vez mais e fez um extremo esforço para respirar enquanto o sangue latejava em suas orelhas. Ouviu uma forte explosão e imaginou se o som era do seu tímpano estourando.

Celik também ouviu a explosão, mas ignorou-a, os olhos faiscantes com a sede de sangue. Então uma segunda explosão eclodiu violentamente na vizinhança, abalando todo o prédio com a força que acompanhou um ribombar estrondeante. Celik quase perdeu o equilíbrio quando o chão vibrou e a janela de vidro se espatifou no andar de cima. Instintivamente, ele soltou a corda do garrote.

— Vá ver o que foi isso — gritou para Maria.

Ela aquiesceu e rapidamente seguiu o homem de guarda na porta da frente para investigar. Celik imediatamente apertou de novo a corda de couro enquanto o guarda permanecia no mesmo lugar, segurando firmemente os pulsos de Zeibig.

Zeibig tinha conseguido respirar um pouco durante o intervalo e renovou seus esforços para se libertar. Mas Celik apoiara um ombro em suas costas, virando-se enquanto puxava a corda de couro e quase puxando o arqueólogo do chão.

Tornando-se vermelho e sentindo a cabeça latejar enquanto ofegava em busca de ar, Zeibig encarou o guarda, que sorriu para ele sadicamente. Mas então um olhar confuso cruzou a face do guarda. Zeibig ouviu um baque abafado, depois sentiu a corda de couro repentinamente escorregar do seu pescoço.

O guarda soltou os pulsos de Zeibig e rapidamente enfiou a mão para dentro da jaqueta. Nos recessos confusos pela privação de oxigênio do cérebro de Zeibig, ele soube que o homem estava procurando uma arma. Com um impulso repentino que pareceu estar acontecendo em câmara lenta, Zeibig inclinou-se para frente e agarrou a manga do guarda. Este rapidamente tentou libertar a mão, antes de finalmente afastar o arqueólogo com o braço livre. Quando pegou a arma de mão do coldre de ombro, um objeto zumbiu e bateu-lhe no rosto. Ele bamboleou um pouco até que um segundo golpe atingiu em cheio a sua cabeça e ele desmoronou inconsciente no chão.

Zeibig virou-se com a visão turva para ver um homem em pé ao seu lado, segurando um martelo de madeira e com um sorriso sombrio de satisfação no rosto. Tossindo e cuspindo o ar, Zeibig sorriu quando os sentidos retornaram e compreendeu que era Pitt.

— Você, meu amigo — disse ele, resfolegando as palavras em meio à dor —, chegou como um sopro de ar fresco.

36

Praticamente todos os trabalhadores do cais tinham acorrido para a parte de trás do armazém para observar os restos incandescentes do caminhão iluminando o céu noturno. O trabalho de Giordino não poderia ter provocado melhor distração. E fora totalmente simples.

Esgueirando-se pela lateral do caminhão, ele abrira silenciosamente a porta da cabine e entrara. O interior recendia a cigarro, e havia dezenas de pontas forrando o assoalho, misturadas com latas de refrigerante vazias. Um *notebook*, algumas ferramentas e os restos com ossos de uma galinha frita embrulhada em papel marrom espalhavam-se pelo assento. No entanto, foi um blusão de moletom velho e puído enfiado embaixo do assento que chamou a atenção de Giordino.

Pegando o blusão, ele arrancou facilmente a manga, depois procurou no painel até encontrar o acendedor de cigarros e apertou o botão. Em seguida afastou-se para a traseira do caminhão e desenroscou a tampa do tanque de combustível. Cuidadosamente, pendurou a manga no tanque até ela ficar parcialmente saturada de gasolina, então puxou-a e estendeu a extremidade seca sobre a lateral do tanque. Deixou a extremidade embebida por dentro do duto de alimentação do tanque e pousou a tampa na boca para vedar os vapores. Quando ouviu um estalo característico, ele correu para a cabine e pegou o acendedor de cigarro, depois apressou-se a queimar a extremidade seca da manga antes que o acendedor esfriasse.

Mal teve tempo para correr para trás do predinho de pedras antes que uma chama tomasse conta da manga em direção à parte embebida do tecido. As chamas rapidamente correram pelo duto, provocando a ignição dos vapores em uma explosão que destruiu o tanque de combustível.

No entanto, foi a carga de explosivos plásticos, colocada em cima do tanque de combustível, que provocou o verdadeiro dano um segundo depois. Até mesmo Giordino se surpreendeu com a estrondosa explosão que sacudiu o caminhão inteiro, elevando-o do solo e incinerando a carroceria.

Pitt fizera o melhor que pudera para coordenar a invasão do prédio com o estampido da explosão. Pendurado na escada do lado de fora de uma das janelas às escuras do segundo piso, ele estilhaçou o vidro com o seu martelo quando o próprio edifício foi abalado diante dele. Subindo rapidamente para dentro, encontrou-se em um quarto de hóspedes de uma área confortável destinada à moradia. Estava descendo com cuidado pela escada quando ouviu os gemidos ofegantes de Zeibig e correu a desfechar os golpes com o martelo para derrubar Celik e o guarda.

Recuperando as forças, Zeibig se recompôs e fitou Celik inconsciente no chão, exibindo um grande galo do lado da cabeça.

— Ele está morto?

— Não, só tirando uma soneca — respondeu Pitt, notando que a figura curvada começava a se mexer. — Sugiro que saiamos daqui antes que eles acordem.

Pitt pegou Zeibig pelo braço e começou a conduzi-lo na direção da porta da frente, mas o arqueólogo parou subitamente.

— Espere... a estela — disse, encaminhando-se para a laje de pedra de Gunn.

Pitt olhou para a pedra escavada, que se erguia com aproximadamente um metro e vinte centímetros de altura.

— É grande demais para levarmos como um suvenir, Rod — disse ele, interessado em apressar a partida.

— Deixe-me analisar a inscrição só por um instante — pediu Zeibig.

Esfregando a superfície com a ponta dos dedos, ele rapidamente leu várias vezes a inscrição latina, esforçando-se a memorizar as palavras. Satisfeito quando conseguiu decorar o texto, ele olhou para Pitt com um sorriso sem graça.

— Tudo bem, já li.

Pitt foi à frente e abriu a porta, dando de cara com uma mulher atraente, de cabelo preto. Pitt sabia que havia visto aquele rosto antes, mas as roupas sociais que ela usava no momento obscureciam o contexto original. Maria, porém, reconheceu Pitt imediatamente.

— De onde você veio? — indagou ela.

A voz aguda imediatamente ressoou para Pitt como aquela que o ameaçara na cisterna de Yerebatan Sarnici em Istambul. Ele foi surpreendido pelo súbito aparecimento dela ali, mas depois compreendeu que tudo aquilo fazia sentido. Os ladrões de Topkapi tinham assaltado o escritório de Ruppé, o que lhes permitira chegar ao local do naufrágio.

— Sou do esquadrão de segurança de Topkapi — disse Pitt em um tom irônico.

— Então você vai morrer junto com o seu amigo — ela respondeu irada.

Olhando para trás deles, ela teve um vislumbre do irmão e do guarda caídos no chão da sala de reuniões. Uma contração de raiva e temor franziu as suas sobrancelhas e ela rapidamente recuou e virou-se para o armazém para gritar por socorro. Mas as suas palavras nunca foram ouvidas.

Um braço robusto apareceu das sombras e a envolveu pela cintura, seguida por uma mão que apertou com força a sua boca. A mulher chutou e se debateu com ferocidade, mas parecia como uma boneca sob o forte aperto de Al Giordino.

Ele a levou para dentro até o vestíbulo, enquanto inclinava a cabeça contente para Zeibig.

— Onde quer que coloque esta aqui? — perguntou, voltando-se para Pitt.

— Em uma cela fétida de uma prisão turca — respondeu Pitt. — Mas acho que teremos de nos contentar com um armário, por enquanto.

Pitt localizou um depósito de materiais de limpeza ao lado da escada e abriu a porta, e então Giordino empurrou Maria para dentro. Zeibig trouxe uma cadeira de escritório, que Pitt encaixou embaixo da fechadura depois de Giordino bater a porta e trancá-la. Uma enxurrada de palavras abafadas e chutes irados imediatamente seguiu-se de trás da porta.

— Esta aí é um demônio — comentou Giordino.

— Mais do que você pensa — respondeu Pitt. — Vamos antes que ela tenha outra chance de nos atacar.

Os três homens correram para fora do prédio e em direção à beira da água às escuras. O caminhão incendiado ainda chamava a atenção de todos, embora alguns estivadores voltassem para carregar o cargueiro. Os guardas armados vigiavam nervosamente a área ao redor da explosão enquanto o trio rapidamente abriu caminho até o píer. Pitt encontrou um saco de aniagem pelo caminho e enrolou sobre as mãos de Zeibig para disfarçar o fato de que ainda usava as algemas.

Eles passaram pelo guindaste lançado, andando o mais rapidamente possível, mas sem chamar a atenção. Aproximando-se do cargueiro, viraram um pau de carga na direção do iate e para o rebocador parado quando passaram, Pitt e Giordino escudando Zeibig o melhor que podiam. Relaxaram um pouco quando se distanciaram da parte mais iluminada do píer e não avistaram trabalhadores à frente. A linha da água permanecia sossegada e Pitt calculou que estariam salvos quando se aproximassem da popa do cargueiro.

— Próxima parada, o *Aegean Explorer* — disse Giordino em voz baixa.

No entanto, os sentimentos esperançosos desapareceram quando chegaram à extremidade do píer. Andando até a borda, Pitt e Giordino olharam para a água, depois correram os olhos ao redor sem acreditar.

O *Bullet* não se encontrava em lugar nenhum à vista deles.

37

Celik foi acordando aos poucos, com uma dor lancinante na cabeça e batidas latejantes nos ouvidos. Levantando-se inseguro a princípio sobre os joelhos antes de conseguir se equilibrar sobre os pés, ele abanou a cabeça para afastar a névoa e compreendeu que as batidas originavam-se mais atrás do seu canal auditivo. Identificando a voz abafada da irmã, aproximou-se do armário de limpeza e chutou a cadeira para longe. Maria praticamente voou para fora, o rosto vermelho brilhando de raiva.

Observando a aparência do irmão atordoado, ela rapidamente se acalmou.

— Ozden, você está bem?

Ele esfregou o galo na cabeça com um careta de dor.

— Sim — respondeu em voz rouca. — Diga-me o que aconteceu.

— Foi aquele americano do navio de pesquisas de novo. Ele e outro homem provocaram uma explosão em um dos caminhões, depois vieram aqui e libertaram o arqueólogo. Devem ter seguido o iate até aqui.

— Onde estão os meus janízaros? — indagou ele, acenando de um lado para outro.

Maria apontou para o guarda de bruços embaixo da mesa de reuniões.

— Ele deve ter sido atacado com você. Os outros estão investigando a explosão.

Ela pegou Celik pelo braço e o conduziu até uma poltrona de couro, depois serviu-lhe um copo de água.

— É melhor você descansar um pouco. Vou alertar os outros. Eles não podem ter ido longe.

— Traga-me as cabeças deles — gritou ele com esforço, depois reclinou-se na poltrona e fechou os olhos.

Maria encaminhava-se para o vestíbulo quando dois dos guardas se aproximaram.

— O fogo foi apagado — informou um dos homens.

— Os intrusos nos atacaram e levaram o prisioneiro. Procurem no cais e na água imediatamente — ordenou ela. — Depois liguem o iate e procurem em toda a enseada. Eles devem ter vindo em um barco.

Assim que os homens se afastaram, Maria olhou para a enseada às escuras, sentindo que os intrusos ainda se encontravam próximos e ao seu alcance. Um sorriso quase imperceptível cruzou pelos seus lábios, a raiva se dissipando quando imaginou a sua vingança.

38

Naquele exato momento, os homens da NUMA não tinham nem barco nem submarino.

Giordino procurou na água, tentando descobrir se o *Bullet* tinha afundado no local em que o haviam fundeado. Depois adiantou-se para examinar um poste de amarração de ferro enegrecido que usara para amarrar a embarcação. Não havia nem sinal do cabo de amarração.

— Tenho certeza de que o amarrei firmemente — disse ele.

— Então alguém o afundou ou levou embora — respondeu Pitt. Olhou pelo cais por um instante, pensativo. — Aquele rebocador. Não estava à frente do iate quando fomos para a praia?

— Sim, isso mesmo. Ele está parado atrás do iate agora. Não pudemos ver grande parte dele na volta por causa do gerador. Talvez tenha arrastado o *Bullet* para algum outro lugar.

De repente, na praia, ouviu-se uma voz feminina em altos brados, seguida pelos gritos de vários homens. Pitt olhou pela popa do cargueiro e avistou vários pistoleiros correndo em direção ao píer.

— Parece que a festa acabou — disse ele, olhando para a água. — Acho que está na hora de pensarmos em tomar um banho.

Zeibig levantou os punhos algemados.

— Não é que tenha medo da água, garanto a vocês — disse com um sorriso de lado. — Mas não confio muito na ideia de me afogar de propósito.

Giordino pousou uma das mãos no seu ombro.

— Venha cá, meu amigo, vamos encontrar um lugar para você se sentar sem se molhar.

Giordino levou Zeibig para a parede de tambores de combustível vazios empilhados na borda do píer. Ele rapidamente rolou vários tambores de lado, içando-os como latas de cerveja, até criar um esconderijo.

— Assento especial para uma pessoa — disse, acenando em direção ao espaço entre os tambores.

Zeibig sentou-se ali, encolhendo as pernas.

— Poderia pedir um Manhattan enquanto espero? — indagou.

— Assim que a festa acabar — respondeu Giordino, empurrando um tambor para esconder o arqueólogo. — Não vá a lugar nenhum enquanto eu não voltar — acrescentou, depois empilhou mais alguns tambores ao redor de Zeibig até que estivesse completamente escondido.

— Não se preocupe — a voz abafada de Zeibig ecoou em resposta.

Giordino rapidamente rearrumou mais alguns tambores, depois voltou para junto de Pitt, que observava o píer. Na extremidade mais distante, dois guardas vinham se aproximando da praia para dentro do píer.

— Acho melhor a gente desaparecer agora — sussurrou Giordino e juntos os dois homens desceram pela escada, entrando silenciosamente na água escura.

Eles não perderam tempo em dirigir-se para a praia, nadando entre as pilastras que sustentavam o píer para se esconder em segurança de quem vinha por cima. Pitt já estava pensando em um plano de fuga, mas deparou-se com um dilema. Roubar um barco parecia ser a melhor esperança, e eles tinham uma escolha entre o rebocador e o iate. O rebocador seria mais fácil de pilotar, mas o iate, mais rápido, poderia apressar a fuga. Ele se perguntava como poderiam capturar o iate sem armas quando Giordino deu-lhe um tapinha no ombro. Ele parou e voltou-se para encontrar o parceiro parado à flor da água.

— O *Bullet* — sussurrou Giordino. Mesmo no escuro, Pitt conseguiu ver os dentes brancos do amplo sorriso do parceiro.

Olhando através das pilastras, Pitt observou o rebocador e o iate um pouco mais à frente. Mas parado meio submerso na água atrás do rebocador, agora ele notou a crista do submersível. Tinham passado direto por ele quando atravessaram o píer. Oculto pela sombra do gerador, ele passara despercebido quando os homens tentavam esconder Zeibig de prováveis olhos curiosos dos homens a bordo do iate.

Os dois homens aproximaram-se em silêncio, observando que o cabo de amarração do submersível estava preso à popa do rebocador. Na verdade, fora o guarda desconfiado da popa do iate que caminhara pelo píer depois de Pitt e Giordino passarem que descobrira a estranha embarcação à popa do cargueiro. Pedindo ajuda ao comandante do rebocador, eles tinham rebocado o submarino ao lado do iate para examiná-lo melhor sob as luzes do cais.

Pitt e Giordino nadaram até ficar ao lado do *Bullet.* Podiam ver os homens armados parados no convés de popa do rebocador e outro homem na sua casa do leme.

— Acho que a melhor saída é manter o cabo de reboque e puxá-lo para o meio da enseada para submergir — sussurrou Pitt.

Uma gritaria repentina chegou da praia quando os janízaros começaram a ampliar a sua busca pelo píer.

— Você salta sobre o *Bullet* e o prepara para mergulhar — disse Pitt, sem querer perder mais tempo. — Verei o que posso fazer com o rebocador.

— Vai precisar de ajuda com aquele guarda armado — disse Giordino preocupado.

— Mande-lhe um beijo quando eu chegar a bordo.

Então Pitt tomou fôlego e desapareceu embaixo da água.

39

O GUARDA NÃO CONSEGUIA entender direito o motivo da agitação na praia, mas podia ver que alguns dos seus companheiros janízaros encaminhavam-se na direção do píer. Ele já tentara passar um rádio ao seu comandante sobre a descoberta do submersível, sem saber que o homem ainda jazia inconsciente no prédio de pedras. Pensou em voltar ao iate, então achou que seria melhor ficar vigiando o submersível, da popa do rebocador. Parado ali, ele olhava para a praia quando foi surpreendido por uma voz que o chamava da água.

— Desculpe, meu chapa, aqui é o Chattanooga Choo Choo? — soprou uma voz roufenha.

Imediatamente, o guarda aproximou-se da balaustrada da popa e olhou para o submersível embaixo. Ensopado, Giordino levantou-se na superfície do *Bullet,* uma das mãos apoiada na bolha de acrílico e a outra acenando alegremente para o pistoleiro surpreso. O homem rapidamente apontou a arma e estava pronto para disparar em Giordino quando percebeu o som de passos escorregadios aproximando-se por trás.

Tarde demais, ele se voltou para encontrar Pitt adiantando-se em alta velocidade em sua direção como se fosse um empecilho bloqueando o caminho. Pitt levantou os cotovelos, atingindo o homem pelo lado, pouco abaixo do ombro. Com as pernas presas contra a balaustrada, o guarda não teve remédio a não ser se equilibrar do golpe. Com um grunhido rouco, girou para o lado, despencando sonoramente na água.

— Atrás de você — gritou Giordino para Pitt enquanto liberava a escotilha e entrava apressado no submersível.

Pitt voltou-se para ver dois homens aproximando-se pelo cais, olhando para ele alarmados. Ele os ignorou, voltando a atenção para a pequena casa do leme do rebocador. Um homem de meia-idade, com o rosto rechonchudo e a pele queimada pelo sol, saiu correndo ao ouvir a queda do guarda na água, depois imobilizou-se ante a visão de Pitt no convés.

— Arouk? — chamou ele, mas o guarda acabava de ressurgir à superfície.

Pitt já corria rapidamente os olhos pelo convés do rebocador. Presa à amurada a pouco mais de um metro encontrava-se um croque de quase dois metros de comprimento. Ele atirou-se na direção dele, arrancou-o do encaixe e apontou o gancho de aço da extremidade para o comandante do rebocador.

— Pela borda — gritou Pitt, acenando com o croque em direção à água.

Notando o olhar determinado de Pitt, o comandante não viu razão para hesitar. Com as mãos levantadas, calmamente passou por cima da balaustrada e atirou as pernas para o lado, escorregando pesadamente para dentro da água. Do outro lado do barco, o guarda chamado Arouk tinha saído à superfície e começara a gritar para os comparsas no píer.

Pitt não esperou ali para decifrar o teor da conversa. Soltando o croque, correu até a casa do leme e empurrou o acelerador do rebocador para diante. O barco arrastou-se para frente, depois cambaleou quando o cabo de arrasto esticou-se com o submersível. Gradualmente, o barco recuperou o impulso e acelerou a uma velocidade que a Pitt pareceu a de uma lesma. Ele olhou para o píer a tempo de ver dois guardas pararem na borda e apontarem as armas na sua direção. Com um reflexo rápido, ele mergulhou para o chão um instante antes de as armas abrirem fogo.

A casa do leme explodiu em uma salva de madeira estilhaçada e vidro quebrado quando um par de rajadas longas atingiram a estrutura. Afastando para o lado um manto de estilhaços e pontas de vidro, Pitt arrastou-se para o leme e ergueu a mão para a roda, puxando-a para uma volta de três quartos a boreste.

Com apenas alguns metros de distância, o rebocador aproximava-se rapidamente do iate atracado bem à frente. Embora Pitt pudesse ter virado bruscamente para o meio da enseada, ele sabia que fazendo assim deixaria Giordino e o *Bullet* expostos ao fogo das armas automáticas. Na confusão, não fazia ideia se Giordino já entrara no submersível antes de o tiroteio começar. Só podia esperar desviar a atenção até que pudessem alcançar um ponto mais seguro no meio da enseada.

Avistando uma almofada de assento na cadeira do piloto, ele arrancou-a e arrastou-se até os remanescentes destruídos da janela de bombordo. Atirando-a no ar, ele conseguiu atrair a atenção dos atiradores de novo enquanto eles terminavam de recarregar as armas. Outra rajada de balas cravou-se no exterior da antepara da casa do leme com um efeito danoso. Dentro, Pitt agarrou-se ao convés com a almofada sobre a cabeça enquanto mais estilhaços e cacos de vidro espalhavam-se pela cabine. As balas continuavam voando até os atiradores esvaziarem os seus pentes pela segunda vez.

Quando terminaram os disparos, Pitt levantou a cabeça para ver que o rebocador se encontrava ao lado do iate. Ele se arrastou até o leme e manobrou para boreste, depois manteve o rumo constante. Quando o barco se aproximou da proa do iate, ele se ajoelhou e girou a roda do leme com força.

O velho barco agora avançava a uns oito nós quando a sua proa afastou--se bruscamente do iate e do píer. Pitt pôde ouvir mais gritos, mas seu movimento ganhara alguns segundos preciosos de segurança enquanto o iate ocultava o alvo dos atiradores. Agora, eles teriam ou de subir a bordo do iate ou descer pelo píer para ter uma boa posição de tiro, a um tempo que Pitt esperava estar longe de uma pontaria precisa.

Ele se levantou por um instante e olhou para trás da casa do leme, vendo o *Bullet* deslocando-se alegremente por trás. Um brilho apagado de alguns dos aparelhos eletrônicos internos era o sinal de que Giordino conseguira entrar e já acionava o submersível. Ele olhou além dele para o iate, onde percebeu um borbulhar de exaustão do diesel eclodir da superfície da água pela popa. Pitt contava fugir no *Bullet* antes que o iate se pusesse a caminho, mas o seu oponente estava procurando ter a dianteira. Para piorar ainda mais as coisas, ele avistou dois atiradores correndo pelo convés de popa do iate com as armas prontas para disparar.

Pitt agachou-se e arrastou-se até a roda do leme, manobrando o rebocador em um ângulo para o centro da enseada, enquanto levava o *Bullet* para fora da linha direta de tiro. O matraquear das armas automáticas precedeu um borrifo de balas, a maioria das quais espalhavam-se inofensivamente na viga do mastro. Pitt gostaria que o barco fosse mais rápido, mas o velho motor chegara ao seu limite com o submersível a reboque.

Quando Pitt considerou que se encontravam a uns cem metros do píer, virou de repente a roda com força para bombordo, depois recuou a alavanca do acelerador. Manteve a roda do leme toda virada até que o barco tivesse derivado em uma volta completa e o iate se erguesse à frente da proa. Quando o barco balançou na enseada em ponto morto, Pitt caminhou até a popa e rapidamente soltou o cabo de reboque do *Bullet.* Atirando-o na direção do submersível, inclinou-se sobre a balaustrada e gritou para Giordino.

— Espere por mim aqui — disse, acenando com as mãos para ele permanecer no lugar.

Giordino aquiesceu, depois levantou o polegar contra a bolha de acrílico onde Pitt poderia vê-lo. Pitt voltou-se e correu de volta à casa do leme, enquanto mais armas de fogo disparavam da praia, agora acertando na proa do rebocador. Alcançando a casa do leme, Pitt adiantou o acelerador e ajustou o leme até que estivesse com a proa voltada para a extremidade do píer.

— Fique onde está, menino — ele murmurou em voz alta, olhando para o barco de luxo.

Livre do submersível, o rebocador ganhou mais cinco nós de velocidade. Pitt manteve a proa apontada para a extremidade final do píer, sem querer revelar ainda as suas intenções. Para os atiradores no iate, pareceu como se o barco estivesse fazendo uma grande volta no sentido anti-horário. Pitt manteve o estratagema até que o barco estivesse passando paralelo ao iate a uns cinquenta metros de distância, então virou o leme bruscamente outra vez.

Alinhando a proa até que estivesse apontada para a meia-nau do iate, ele endireitou o leme, depois enfiou um colete salva-vidas na base das malaguetas da roda do leme para mantê-la firme. Ignorando a nova rajada das armas automáticas que varreu a proa, ele mergulhou de cabeça pela balaustrada.

O comandante do iate foi o primeiro a entender que estavam prestes a ser atingidos e gritou pedindo ajuda para soltarem os cabos de amarração do píer. Um tripulante apareceu no convés e correu para o píer, rapidamente soltando os cabos de proa e de través. Um dos atiradores deixou de lado o fuzil e atravessou o convés em direção ao cabo de popa. Em vez de saltar para o píer e lá soltar o cabo, ele tentou desamarrar a extremidade oposta, que estava fortemente atada ao redor de um cunho na popa do iate.

O comandante viu os cabos de proa e de través serem soltos e lançados para bordo, depois virou-se horrorizado para ver o rebocador avançando na sua direção a menos de vinte metros de distância. Em pânico pela autopreservação, ele saltou para o leme e empurrou para frente os dois comandos do acelerador, esperando que o cabo de popa também estivesse liberado.

Mas não estava.

Os grandes motores a diesel do iate rugiram alto quando as duas hélices propulsoras cavaram fundo na água e empurraram a embarcação para frente. Mas ela avançou pouco mais de uns metros antes que o cabo de popa se esticasse, mantendo-a presa ao píer. O guarda tropeçou para trás com um grito, quase perdendo vários dedos quando o cabo se retesou.

Um refluxo de água e vapor fugiam da proa enquanto o iate lutava para se soltar. Então subitamente o cabo foi liberado pelo tripulante no píer, que corajosamente o soltara da amarração antes de se agachar para se esconder. O iate saltou para diante como um cavalo de rodeio, avançando em meio a um jorro de espuma. O comandante olhou pela janela do passadiço, depois segurou o leme com os nós dos dedos brancos, compreendendo que a tentativa de fuga fracassara.

O rebocador não tripulado enterrou-se no iate, atingindo o flanco de boreste pouco à frente da popa. A pesada proa cega do barco estilhaçou com facilidade o revestimento de fibra de vidro da embarcação, prensando o seu lado oposto contra as pilastras do píer. O som de metal esmagado encheu o ar quando os dutos de comando de boreste foram destroçados, estraçalhando uma porção de canos hidráulicos e de combustível e as engrenagens de alta velocidade. O impulso combinado atirou a popa do iate contra o píer, onde o seu propulsor em alto giro foi arrancado por uma pilastra. O iate jogou com força para frente como em um soluço final, libertando-se tanto do rebocador quanto do píer antes que os seus motores silenciassem e ele derivasse sem rumo em direção à praia.

Pitt não se incomodou em observar a colisão, mas, em vez disso, nadou depressa por baixo da água, emergindo só por um instante para retomar o fôlego. Fez o máximo de esforço com os pulmões doendo até o golpe de vista lhe indicar que estava próximo de onde soltara o *Bullet.* Saindo à superfície, olhou na direção do píer enquanto recuperava o fôlego. O sucesso do ataque era mais do que evidente. Podia ver o iate derivando inapelavelmente para a praia enquanto o rebocador, com o motor ainda acelerando em alta rotação, batia seguidamente contra o píer, com a proa esmagada afundando cada vez mais na água. Diversas pessoas corriam ao longo do píer, assistindo à cena e gritando em confusão. Pitt não pôde deixar de sorrir quando chegou aos seus ouvidos uma voz feminina gritando em meio à agitação.

Seguro por um instante, ele se voltou e bateu os pés para o meio da enseada, procurando com os olhos na superfície da água. Tomou uma rápida medida em relação à praia para se convencer de que estava no local correto, então sem pressa procurou de novo na água ao seu redor. Em todas as direções, tudo o que pôde ver eram as pequenas e escuras ondas subindo e descendo, e de repente sentiu-se muito isolado.

Pela segunda vez naquela noite, o *Bullet* desaparecera sem ele.

40

Rod Zeibig fez uma careta quando ouviu a primeira saraivada dos fuzis automáticos. Todas as suas esperanças de fuga dissimulada pareceram se desfazer com o matraquear metálico das cápsulas vazias ricocheteando no píer de madeira. Mais preocupante ainda era a segurança de Pitt e Giordino, que sem dúvida nenhuma eram o alvo dos disparos.

Zeibig surpreendeu-se ao ouvir os disparos continuarem por vários minutos sem interrupção. A curiosidade finalmente suplantou o seu medo e ele inclinou-se sobre a borda do píer e espiou ao redor da pilha de tambores de combustível. Próximo à extremidade oposta do cais, só conseguia avistar a superestrutura do iate e numerosos homens gritando para a praia. Sobre o píer, notou um tripulante envolvido furiosamente com um dos cabos de amarração.

Zeibig caminhou agachado para trás de volta ao seu esconderijo quando mais disparos ressoaram. Segundos depois, o som dos tiros se interrompeu e depois um baque ensurdecedor abalou o píer, sacudindo os tambores de combustível ao seu redor. Mais gritos ecoaram em seguida, mas as armas de fogo continuavam silenciosas. Com um pensamento melancólico, o arqueólogo imaginou consigo mesmo se Pitt e Giordino tinham morrido nesse último ataque.

Olhando desconsolado para o meio da enseada enquanto pensava em seu próprio destino, ele percebeu uma agitação repentina na água à sua frente. Um brilho esverdeado meio apagado veio surgindo do fundo da água, tornando-se cada vez mais luminoso. Zeibig concentrou a atenção naquela direção, incrédulo, quando a bolha transparente do *Bullet* rompeu silenciosamente a superfície bem à sua frente. Sentado nos controles encontrava-se a figura robusta de Al Giordino, um charuto apagado pendente dos lábios.

O arqueólogo não esperou um convite formal para subir a bordo. Apressou-se a se abaixar sobre uma pilastra coberta de mexilhões e depois para a água antes que o submersível terminasse de emergir. Nadando até a sua popa, Zeibig subiu em um dos tanques de lastros externos, depois arrastou-se até a escotilha traseira. Giordino imediatamente abriu-a e puxou rapidamente Zeibig para dentro, tornando a fechar a escotilha atrás dele.

— Rapaz, que prazer em vê-lo — disse Zeibig, esgueirando-se para o assento do piloto enquanto tentava não pingar água nos instrumentos eletrônicos.

— Não estava gostando muito da ideia de voltar para casa nadando — respondeu Giordino, apressando-se a encher os tanques de lastro e submergir a embarcação o mais rapidamente possível. Levantando o queixo, examinou o píer ao redor dos tambores de combustível em busca de algum observador.

— Ninguém se incomodou em perder tempo nesta parte do píer — informou Zeibig, observando a água subir e cobrir toda a bolha de acrílico superior. Depois voltou-se para Giordino e falou em voz preocupada. — Ouvi uma grande explosão e depois o tiroteio parou. Foi o Dirk?

Giordino aquiesceu.

— Ele tomou o rebocador que tinha levado o *Bullet* para o outro lado do píer. Depois de me soltar no meio da enseada, voltou para atacar o iate atracado.

— Acho que conseguiu — respondeu Zeibig em um tom soturno.

Vendo o medidor de profundidade marcar nove metros, Giordino interrompeu as bombas de lastro, depois recuou suavemente com o submersível para fora do píer. Invertendo o impulso, ele tomou a direção do centro da enseada, depois dirigiu a Zeibig um sorriso tranquilizador.

— Conhecendo Dirk, não acho que ele tenha levado o barco ao fim da linha. Para falar a verdade, aposto um mês de salário que ele deve estar nadando no meio da enseada neste exato momento.

Zeibig arregalou os olhos.

— Mas como vamos encontrá-lo?

Giordino deu um tapinha afetuoso no console do piloto.

— Vamos confiar na sensibilidade do sonar do *Bullet* — disse ele.

Com os olhos grudados na tela de navegação, Giordino guiou o submersível pelo rastro do mesmo caminho sinuoso que percorrera até o ponto onde Pitt o soltara do rebocador. O sistema de reconhecimento estimado não o devolveria a uma posição exata tanto quanto o GPS, mas chegaria bem perto.

Giordino acompanhou a trilha na profundidade de nove metros, subindo gradualmente a apenas três metros quando se aproximou do ponto de partida original. Então recuou os controles de propulsão até pairarem em posição estacionária.

— Estamos fora do alcance dos atiradores? — indagou Zeibig.

Giordino balançou a cabeça.

— Tivemos sorte em não receber nenhum disparo antes. Eles devem estar todos preocupados em parar o barco. Não gostaria de dar uma segunda chance a eles.

Estendendo o braço, ele acionou diversas chaves ao lado do monitor, ao alto.

— Vamos esperar que o chefe não tenha se desviado para muito perto da praia.

Uma imagem branca granulosa apareceu na tela do monitor quando esse exibiu as leituras do sistema de sonar do submersível. Giordino ajustou a frequência do sistema, que apresentou uma imagem mais detalhada quando foi reduzida a faixa de varredura. Os dois homens examinaram a tela com intensidade, vendo apenas uma imagem achatada exibir sombras salpicadas. Giordino então acionou um propulsor lateral, girando suavemente o submersível no sentido horário. Registrou-se uma pequena mudança na imagem quando o sensor dianteiro varreu o centro da enseada. Giordino notou uma pequena mancha no alto da tela.

— Tem algum objeto pequeno a cerca de trezentos metros à nossa frente — disse ele.

— Será o Dirk? — indagou Zeibig.

— Se não for um boto, um caiaque ou um milhão de outros dejetos flutuantes possíveis — respondeu Giordino.

Ele ajustou os propulsores e guiou o submersível na direção do alvo, observando este aumentar de tamanho à medida que avançavam. Quando a sombra começou a sair pelo alto da tela do sonar, Giordino soube que estavam quase diretamente abaixo do alvo.

— Está na hora de dar uma olhada — disse, então esvaziou suavemente os tanques de lastro.

Pitt estava flutuando atrás deles, conservando a energia depois de nadar desde o rebocador e manter-se à tona por vários minutos, quando sentiu uma ligeira perturbação na água atrás de si. Voltou-se para ver as luzes internas meio apagadas do *Bullet,* elevando-se rapidamente a poucos metros de onde se encontrava. Nadou para perto, colocando-se diretamente acima da bolha de acrílico quando a embarcação rompeu a superfície. Giordino rapidamente interrompeu a subida, fazendo com que apenas alguns centímetros do *Bullet* flutuassem fora da água.

Pitt deitou-se sobre a bolha, abrindo os braços para se apoiar. Embaixo dele, podia ver Giordino olhando em sua direção acima com um sorriso aliviado, depois fez um gesto perguntando se estava tudo bem com ele. Pitt pressionou o polegar e o indicador juntos e segurou-se à bolha de acrílico, depois apontou para o centro da enseada. Giordino assentiu em resposta e fez um gesto para ele se segurar.

Abraçando a bolha de acrílico com os braços e as pernas, Pitt segurou-se quando o submersível começou a avançar para frente. Giordino acionou os aceleradores vagarosamente até navegarem a poucos nós. Pitt sentia como se estivesse esquiando na água de barriga. As ondinhas quebravam contra o seu rosto e ele precisava esticar o pescoço para o alto a intervalos de alguns segundos para respirar. Quando as luzes do cais recuaram a uma distância segura, Pitt prendeu os dedos o mais forte que pôde sobre o acrílico. O movimento à frente cessou imediatamente e alguns segundos depois o submersível subiu completamente à superfície em meio a uma pequena revolução de bolhas.

Pitt deslizou o nariz de crílico para fora e posicionou-se na estrutura de convés do *Bullet,* então encaminhou-se para a escotilha traseira. Hesitou por um instante, lançando um último olhar na direção da praia. A distância, só conseguia ver o rebocador ao lado do píer, afundando rapidamente pela proa. Ao lado, alguns homens em um Zodiac tentavam correr um cabo do píer até o iate antes que encalhasse na praia. Com uma boa dose de alívio, Pitt viu que a caçada ao submersível era uma das menores prioridades do pessoal em terra. A escotilha abriu-se com um estalido atrás dele e Giordino deu-lhe as boas-vindas a bordo.

— Obrigado por voltar para me pegar — disse Pitt com um amplo sorriso.

— O rei Al não deixa nenhum homem para trás — vangloriou-se Giordino. — Quer dizer que deixou o pessoal em terra com muito o que fazer?

— Dei uma bela arranhada no iate deles, o que deve mantê-los ocupados por enquanto — respondeu ele. — Assim sendo, já que pegou o doutor Zeibig, não vejo motivo para nos demorarmos.

Ele acompanhou Giordino aos assentos dos pilotos, onde rapidamente submergiram a embarcação. Silenciosamente, encaminharam-se para fora da enseada em uma profundidade segura, subindo de novo depois de ter chegado a uns novecentos metros da praia. Giordino reconfigurou o *Bullet* para navegar na superfície e para surpresa de Zeibig logo eles singravam as águas negras do mar a uma velocidade de mais de trinta nós.

Uma rápida chamada por rádio para o *Aegean Explorer* confirmou que o navio esperava ao largo da extremidade sudeste de Gökçeada. Trinta minutos depois, as luzes do navio de pesquisas eram visíveis no horizonte. Enquanto se aproximavam, Pitt e Giordino viram que um segundo navio maior achava-se posicionado no lado oposto do *Explorer.* Giordino recuou vagarosamente os controles de aceleração do *Bullet* quando se aproximaram, manobrando-o ao longo do bordo de boreste do navio da NUMA e posicionando-se abaixo de um guindaste de bordo. Pitt reconheceu o segundo navio como uma fragata da Guarda Costeira turca, que se mantinha estacionada a pouca distância além do través de bombordo do *Explorer.*

— Parece que a cavalaria finalmente chegou — disse Pitt.

— Terei prazer em indicar o caminho aos caras de boina preta — respondeu Zeibig.

Uma dupla de mergulhadores apareceu em um Zodiac e prendeu um cabo no *Bullet,* depois o gracioso submersível foi içado a bordo. Rudi Gunn esperava em pé no convés de popa e ajudou a segurar o submarino antes de se encaminhar para a escotilha traseira. Seu rosto sério iluminou-se quando viu Zeibig saltar à frente de Pitt e Giordino.

— Rod, você está bem? — indagou ele, ajudando o arqueólogo a equilibrar-se sobre o convés.

— Sim, graças a Dirk e Al. Mas gostaria que alguém pudesse me ajudar com isso — acrescentou ele, levantando os pulsos algemados.

— Na oficina do navio podemos resolver isso fácil, fácil — respondeu Gunn.

— Al marcou a localização do iate e sua tripulação — disse Pitt. — Uma pequena base de operações costeira. Podemos passar as coordenadas aos homens da Guarda Costeira turca ou acompanhá-los até lá no *Explorer.*

— Receio que não seja esse o plano — respondeu Gunn, balançando a cabeça. — Recebemos ordens de seguir até Çanakkale, uma cidade portuária no Dardanelos, assim que você estivesse são e salvo a bordo.

Ele apontou na direção da fragata turca, que tinha se aproximado mais depois da chegada do submersível. Pitt olhou para lá e notou pela primeira vez que uma fileira de marinheiros armados alinhava-se na balaustrada da fragata, as armas apontadas para o navio de pesquisas da NUMA.

— A que se deve essa atitude ameaçadora? — indagou ele. — Tivemos dois tripulantes assassinados e outro sequestrado. Vocês não deram parte à Guarda Costeira antes?

— Dei — respondeu Gunn de mau humor. — Mas não foi por isso que vieram aqui. Parece que mais alguém ligou para eles antes.

— Então por que essa exibição de armas?

— Porque — disse Gunn, os olhos injetados de raiva — estamos sob ordem de prisão por saquear bens culturais submersos.

41

O CREPÚSCULO SE AVIZINHAVA no Mediterrâneo oriental, tingindo o céu em tons de rosa, quando o *Ottoman Star* penetrou a entrada do porto de Beirute, ao norte da capital libanesa. A velha fragata fizera uma viagem rápida do Egeu, chegando à cidade portuária em menos de quarenta e oito horas. Contornando um novo terminal de contêineres moderno, o cargueiro guinou para oeste em direção às instalações portuárias, navegando lentamente para o cais em um velho atracadouro para cargas comuns.

A despeito da hora adiantada, muitos dos estivadores locais pararam e olharam enquanto o cargueiro manobrava para atracar, sorrindo ante o espetáculo estranho no seu convés. Cuidadosamente acomodado atrás da escotilha dianteira e descansando sobre uma carreta de madeira construída às pressas, encontrava-se o danificado iate italiano. Uma dupla de trabalhadores de macacão ocupava-se em cortar e remendar um grande rasgo no seu casco infligido pelo rebocador agora afundado.

Maria seguia sentada em silêncio em um lado do passadiço do navio, observando muito quieta enquanto o comandante lidava com o pequeno cortejo do porto, clientes e representantes comerciais que acorreram a bordo em busca da papelada e de dinheiro. Só quando o distribuidor de têxteis local queixou-se da carga, segundo ele menor do que esperava, foi que ela interveio.

— Fomos forçados a apressar a partida — disse ela secamente. — Você receberá a diferença na próxima carga.

O distribuidor aquiesceu desconsolado, depois saiu em silêncio, sem disposição para discutir com a mulher feroz que era a proprietária do navio.

Os guindastes das docas rapidamente entraram em ação e logo os contêineres metálicos repletos de têxteis e outros produtos turcos foram sendo descarregados do navio. Maria continuou em seu lugar no passadiço, observando o trabalho com aparente desinteresse. Só quando avistou um dilapidado caminhão Toyota manobrar e estacionar ao lado da prancha de embarque foi que ela se empertigou no assento. Voltou-se para um dos guardas janízaros que o irmão mandara acompanhá-la durante a viagem.

— Um homem com quem devo encontrar acabou de estacionar no cais. Tenha o cuidado de tratá-lo com atenção e depois o acompanhe à minha cabine — ordenou.

O janízaro inclinou a cabeça e depois saiu sem demora do passadiço. Depois ficou um tanto surpreso ao descobrir que o motorista do caminhão era um árabe vestido em roupas grosseiras e desalinhadas, usando um *keffiyeh* desgastado enrolado na cabeça. Seus olhos escuros brilhavam com intensidade, porém, desviando a atenção da comprida cicatriz no lado direito da mandíbula, que ele adquirira em uma briga de faca quando era adolescente. O guarda o procurou como devido, depois levou-o a bordo, acompanhando-o até a grande e elegantemente decorada cabine de Maria.

A mulher turca recepcionou-o sem perda de tempo enquanto lhe indicava um lugar onde sentar-se, depois dispensou o janízaro para fora da cabine.

— Obrigada por vir até aqui me encontrar, Zakkar — disse ela e acrescentou: — Se é que esse é mesmo o seu nome.

O árabe sorriu sutilmente.

— Pode me chamar de Zakkar. Ou de qualquer outro nome, se preferir.

— Os seus talentos foram-me altamente recomendados.

— Talvez seja porque são poucos os que podem pagar o meu preço — respondeu ele, tirando o sujo *keffiyeh* e atirando-o sobre a cadeira ao lado.

Vendo que o seu cabelo estava cortado em um elegante estilo ocidental, Maria concluiu que a indumentária desalinhada não passava de um mero disfarce. Se fizesse a barba e mudasse de roupa, facilmente poderia ser tomado por um homem de negócios bem-sucedido, pensou ela, sem saber que na realidade ele era isso mesmo.

— Tem aí o pagamento inicial? — perguntou ele.

Maria levantou-se e tirou uma bolsa de couro a tiracolo de uma gaveta do armário.

— Vinte e cinco por cento do total, como combinamos. O pagamento está em euros. O restante será transferido para uma conta em um banco libanês, de acordo com as suas instruções.

Ela se aproximou de Zakkar, mas manteve a bolsa consigo.

— A segurança desta operação deve ser inquestionável — disse. — Não devemos envolver ninguém que não seja absolutamente de confiança.

— Não estaria vivo hoje se as condições fossem diferentes — respondeu ele friamente. Fez um gesto em direção à bolsa. — Os meus homens estão dispostos a morrer pelo preço certo.

— Isso não será necessário — disse ela, estendendo-lhe a bolsa.

Enquanto ele examinava o conteúdo da bolsa, Maria aproximou-se de uma cômoda, de onde tirou vários mapas enrolados.

— Você conhece bem Jerusalém? — indagou ela, estendendo os mapas sobre a mesinha de centro.

— Atuo em Israel uma boa parte do tempo. É para Jerusalém que devo transportar os explosivos?

— Sim. Vinte e cinco quilos de HMX.

Zakkar arqueou as sobrancelhas à menção dos explosivos plásticos.

— Impressionante — murmurou.

— Vou precisar da sua ajuda na colocação dos explosivos — disse ela. — Será preciso fazer algum trabalho de escavação.

— É claro. Não há nenhum problema.

Ela desenrolou o primeiro mapa, uma carta náutica antiga, rotulada, em turco: "Rotas de Águas Subterrâneas da Antiga Jerusalém". Colocando-a de lado, ela exibiu uma fotografia por satélite ampliada das muralhas da Cidade Velha de Jerusalém. Com o dedo, traçou um caminho pela face oriental das muralhas até a encosta de uma colina mais além, que descia para o vale do Cédron. Seu dedo parou no alto do grande cemitério muçulmano no alto da colina, com os seus túmulos de lápides brancas visíveis na foto.

— Vou me encontrar com você aqui, neste cemitério, exatamente às onze horas da noite, duas noites a contar de hoje — disse ela.

Zakkar examinou a foto, notando os cruzamentos de ruas vizinhas, que na maioria estavam sobrepostas à imagem. Depois que as guardou de memória, olhou para Maria com uma expressão confusa.

— Pretende se encontrar conosco lá? — indagou.

— Sim. O navio vai zarpar daqui para Haifa. — Ela fez uma pausa, depois acrescentou com firmeza: — Vou comandar a operação.

O árabe quase tossiu ante a ideia de uma mulher dizendo-lhe o que fazer em uma operação, mas então considerou o belo pagamento que receberia por essa indignidade.

— Estarei lá com os explosivos — prometeu.

Ela se encaminhou para o seu beliche, de onde tirou um par de maletas de madeira guardadas embaixo da cama. As pesadas maletas tinham fechaduras de metal fixadas de cada lado e eram identificadas com as palavras "Suprimentos Médicos", escritas em hebraico.

— Aqui está o HMX. Pedirei aos meus guardas para o transportarem ao cais.

Ela se aproximou do mercenário árabe e olhou-o fixamente nos olhos.

— Uma última coisa. Não quero nenhuma covardia em relação ao nosso objetivo.

Zakkar sorriu.

— Desde que seja em Israel, pouco me importa o que ou quem você destrua. — Ele se virou e abriu a porta. — Até Jerusalém. Que Alá esteja convosco.

— E com você também — murmurou Maria, mas o árabe já saíra para o corredor, o janízaro seguindo logo atrás dele.

Depois que os explosivos foram transportados para o caminhão do árabe, Maria sentou-se e examinou a fotografia de Jerusalém mais uma vez. Observou o cemitério antigo e, em seguida, o alvo cintilante posicionado logo acima na colina.

"Vamos abalar o mundo desta vez", ela pensou consigo mesma, antes de tornar a guardar cuidadosamente a fotografia e os mapas na cômoda trancada.

42

Rudi Gunn andava de um lado para outro no passadiço como um gato nervoso. Embora o galo na sua cabeça houvesse melhorado, um hematoma arroxeado ainda manchava a sua têmpora. Depois de alguns passos, ele parava e olhava para o cais desgastado pelo tempo de Çanakkale, em busca de algum sinal que lhe trouxesse alívio. Sem nada encontrar, abanava a cabeça e retomava o passo.

— Isto é uma loucura. Estamos já há três dias nessa apreensão. Quando vamos ser liberados?

Pitt ergueu os olhos da mesa de cartas, onde estudava um mapa da costa turca com o comandante Kenfield.

— O nosso consulado em Istambul me garantiu que vamos ser liberados a qualquer momento. A papelada necessária deve estar tramitando pelos meandros burocráticos locais neste exato momento em que conversamos.

— É tudo muito revoltante — queixou-se Gunn. — Colocaram a gente nessa situação enquanto deixaram os assassinos de Tang e Iverson continuarem por aí impunes.

Pitt não podia discutir com ele, mas compreendia o dilema. Muito tempo antes de o *Aegean Explorer* ter entrado em contato com a Guarda Costeira turca, a autoridade naval fora alertada por duas chamadas por rádio. A primeira informava que o navio da NUMA estava explorando ilegalmente um naufrágio histórico turco protegido pelo Ministério da Cultura. A segunda dissera que dois mergulhadores haviam sido mortos durante a operação de salvamento. Os turcos se recusaram a identificar quem fizera as chamadas, mas reagiram prontamente a elas antes de considerar a solicitação do *Aegean Explorer.*

Depois que o navio da NUMA foi escoltado até o porto da cidade de Çanakkale e apreendido, o caso foi entregue à polícia local, piorando ainda mais a confusão. Imediatamente, Pitt telefonara para o doutor Ruppé em Istambul, pedindo-lhe para documentar a aprovação da sua presença no local do naufrágio, depois ligara para a esposa, Loren. Ela rapidamente acionara o Departamento de Estado para fazer pressão pela sua imediata liberação ainda antes de a polícia ter dado buscas no navio e, não encontrando artefatos, começasse a compreender que não havia um fundamento para prisão.

Rod Zeibig enfiou a cabeça pelo vão da porta e rompeu o clima de exasperação.

— Pessoal, vocês têm um minuto?

— Claro — respondeu Gunn. — Só estamos aqui arrancando o cabelo com pinça, um fio de cada vez.

Zeibig entrou com uma pasta na mão e encaminhou-se para a mesa de cartas.

— Talvez isto anime vocês. Consegui encontrar algumas informações sobre o nosso monólito de pedra.

— Pelo que vejo, já não me pertence mais — queixou-se Gunn.

— Conseguiu se lembrar da inscrição latina? — indagou Pitt, chegando para o lado para dar espaço para Gunn e Zeibig sentarem.

— Sim. Na verdade, tomei nota assim que voltei ao navio, mas tinha deixado de lado durante toda a agitação. Finalmente, pesquisei o assunto hoje de manhã e consegui uma tradução.

— Não me diga que é a lápide do túmulo de Alexandre, o Grande — disse Gunn, esperançoso.

— Não é, por duas razões, lamento. A laje de pedra não é uma lápide sepulcral propriamente dita, mas um memorial. E não faz nenhuma menção a Alexandre.

Ele abriu a pasta, revelando uma página manuscrita em latim, em que tomara nota depois de ver o monólito. A outra página continha uma tradução datilografada, que ele estendeu a Gunn. Ele leu em silêncio primeiro, depois em voz alta.

Em Memória do Centurião Plautius.
Scholae Palatinae e guardião leal de Helena.
Perdido em batalha no mar neste ponto.
Fé. Honra. Fidelidade.

— CORNICULAR TRAIANUS

— Centurião Plautius — Gunn repetiu. — É um memorial a um soldado romano?

— Sim — respondeu Zeibig — o que acrescenta veracidade à origem romana da coroa de Al, um presente do imperador Constantino.

— Um *Scholae Palatinae* leal a Helena — disse Pitt. — Os *Scholae Palatinae* eram a força de segurança de elite dos últimos imperadores romanos, se bem me lembro, de maneira semelhante à Guarda Pretoriana. A referência a Helena deve ser a Helena Augustus.

— Isso mesmo — concordou Zeibig. — A mãe de Constantino I, que reinou no século quarto. Helena viveu entre 248 e 330 d.C., por isso a pedra e a coroa, presumivelmente, datam dessa época.

— Alguma ideia de quem seja esse Traianus? — perguntou Gunn.

— Um *cornicular* era um oficial militar, normalmente a posição de suplente. Procurei em alguns bancos de dados romanos sobre algum Traianus, mas não obtive resultado.

— Acho que o grande mistério ainda permanece: qual é a origem da coroa e do monólito e por que estavam em um naufrágio otomano?

Ele olhou para além de Zeibig, animando-se com a visão de dois homens de uniforme azul que se encaminhavam pelo cais em direção ao navio.

— Bem, bem, os policiais locais voltaram — disse ele. — Espero que sejam os nossos papéis de liberdade que estão carregando com eles.

O comandante Kenfield encontrou os policiais na doca e escoltou-os a bordo, onde Pitt e Gunn se juntaram a eles na câmara dos oficiais.

— Tenho o seu comunicado de apreensão aqui — afirmou o policial mais velho, em um inglês claro. Era um homem de rosto redondo, com orelhas caídas e bigode grosso preto. — Seu governo foi muito convincente — acrescentou com um sorriso fino. — Vocês estão livres para zarpar.

— Em que pé se encontra a investigação sobre o assassinato dos meus tripulantes? — perguntou Kenfield.

— Reabrimos o caso como um possível duplo homicídio. No momento, porém, não temos suspeitos.

— E aquele iate, o *Sultana*? — cobrou Pitt.

— Sim, nós vimos o barco quase cortar Dirk em pedaços — pressionou Gunn.

— Conseguimos rastrear o navio ao seu proprietário, o que nos informou que vocês devem estar enganados — respondeu o oficial. — O *Sultana* foi alugado para fazer um cruzeiro na costa do Líbano. Recebemos por *e-mail* esta manhã fotos do barco atracado no porto de Beirute.

— O *Sultana* foi fortemente danificado — disse Pitt. — Não há nenhuma maneira de ter navegado para o Líbano.

O assistente do policial abriu uma maleta de onde tirou várias fotografias impressas, que entregou para Pitt. As fotos mostravam vistas da proa e do bombordo do iate azul atracado em uma instalação portuária empoeirada. Pitt não deixou de notar que nenhuma das fotos mostrava o bordo de boreste, onde tinha abalroado o iate. A última foto mostrava uma imagem bem aproximada de um jornal diário libanês com a data do momento, com o iate aparecendo ao fundo. Gunn inclinou-se sobre Pitt e examinou as fotos.

— Este se parece com o mesmo barco — disse ele relutantemente. Não teve outra opção a não ser acenar com a cabeça quando Pitt mostrou-lhe a foto de uma boia salva-vidas que mostrava claramente o nome do iate. Pitt simplesmente balançou a cabeça, não encontrando nenhuma evidência de que as fotos tivessem sido manipuladas.

— Isto não desmente o fato de que um dos nossos cientistas também foi raptado e levado para as instalações do iate na costa — disse Pitt.

— Sim, o nosso departamento contatou o chefe de polícia local em Kirte, que mandou um homem investigar as instalações de docagem que você descreveu. — Ele se virou e acenou para o assistente, que pegou um pacote volumoso com o material do caso e entregou ao supervisor.

— Vocês podem ficar com uma cópia do relatório que foi apresentado em Kirte. Tomei a liberdade de traduzi-la para o inglês para vocês — disse o oficial, entregando o pacote a Pitt enquanto lhe dirigia um olhar de desculpas. — O investigador relatou que não só os navios que você descreveu estavam ausentes do porto, como não havia na verdade nenhuma embarcação em todas as instalações.

— Com certeza, eles apagaram os seus rastros rapidamente — comentou Gunn.

— Os registros das instalações indicam que um grande cargueiro semelhante ao que você descreveu esteve nas docas no início daquele dia, levando um carregamento de produtos têxteis. No entanto, os registros indicam que o navio saiu do porto pelo menos oito horas antes da sua alegada chegada às instalações.

O policial dirigiu a Pitt um olhar simpático.

— Sinto muito se não podemos fazer mais do que isso no momento, enquanto aguardamos provas adicionais — acrescentou.

— Devo concluir que tudo isso se transformou em um incidente bastante confuso — disse Pitt, contendo a sua frustração. — Mas imagino que possa me dizer quem é o proprietário das instalações de embarque perto de Kirte.

— É uma empresa privada chamada Exportações Anatólia. As suas informações de contato estão no relatório. — Ele olhou para Pitt com um olhar pensativo. — Se houver mais alguma coisa que possa fazer, por favor, me avise.

— Obrigado por sua ajuda — Pitt respondeu friamente.

Enquanto os policiais deixavam o barco, Gunn balançou a cabeça.

— Inacreditável. Dois assassinatos e um sequestro, e ninguém é culpado a não ser nós.

— Sem dúvida é uma injustiça — disse o comandante Kenfield.

— Só porque estamos em uma condição de desigualdade — disse Pitt. — A Exportações Anatólia aparentemente comprou a polícia de Kirte. Acho que o nosso policial aqui percebeu isso.

— Acho que toda a situação foi um tanto embaraçosa para eles, então talvez eles estejam apenas tentando salvar as aparências — disse Kenfield.

— Eles deveriam é estar mais preocupados em fazer o seu trabalho — protestou Gunn.

— Eu diria que eles ficaram pisando em ovos depois que você lhes disse que viu a mulher do roubo de Topkapi — Kenfield disse a Pitt.

Pitt balançou a cabeça.

— Não lhes disse nada sobre ela.

— Por que não? — perguntou Gunn, incrédulo.

— Não queria pôr o navio mais em perigo enquanto estivermos em águas turcas. Já vimos em primeira mão o que eles são capazes de fazer, sejam quem forem "eles". Além disso, já desconfiava de que não iríamos a lugar nenhum com a polícia local.

— Acho que deve ter razão nesse aspecto — concordou Kenfield.

— Mas não podemos deixá-los escapar assim desse jeito — protestou Gunn.

— Não — Pitt concordou com um aceno da cabeça determinado. — E não vamos.

* *

Os cabos de atracação haviam sido lançados e o *Aegean Explorer* ia se afastando do cais quando um velho e decadente táxi amarelo aproximou-se a toda velocidade. O veículo todo enferrujado derrapou até parar à beira da água, a porta traseira se abriu e de dentro saltou para fora uma mulher alta e magra.

Pitt encontrava-se no passadiço quando viu sua filha correndo ao longo do cais.

— É Summer — ele gritou para o comandante. — Detenha o barco.

Pitt correu para o convés principal, esquivando-se quando uma mochila grande veio voando pelo ar e caiu aos seus pés. Um segundo depois, um par de mãos delicadas apareceu na balaustrada lateral, seguidas por uma farta cabeleira vermelha. Summer então balançou o corpo para o lado, caindo em pé no convés de proa. Pitt aproximou-se, segurando a mochila, e deu-lhe um abraço apertado.

— Você sabe que estávamos voltando para pegar você — disse ele com uma risada.

Percebendo que o navio tinha invertido a marcha e estava retornando ao cais, Summer dirigiu ao pai um olhar envergonhado.

— Desculpe — disse, ainda recuperando o fôlego. — Quando telefonei para o navio, de Londres, Rudi me disse que vocês provavelmente estariam aqui por mais um dia ou dois. Mas, quando o táxi se aproximava do cais, vi vocês se afastando e entrei em pânico. Realmente não queria perder o barco.

Pitt virou-se e acenou para o passadiço, indicando que podiam partir. Então acompanhou Summer à cabine dela.

— Não esperava vê-la por mais alguns dias — disse ele.

— Peguei um voo antecipado de Londres e imaginei que seria mais fácil encontrá-lo aqui em Çanakkale vindo de Istambul. — Seu rosto ficou sombrio quando ela disse: — Soube do seu naufrágio... e o que aconteceu com Tang e Iverson.

— Tivemos a nossa quota de problemas e emoções — ele respondeu enquanto entravam na cabine e colocou a mochila sobre a cama. — Por que não vamos tomar um café na câmara dos oficiais e então ponho você a par de tudo?

— Gostaria muito, papai. Então poderei lhe contar o que aconteceu comigo lá na Inglaterra.

— Não me diga que você também tem os seus próprios mistérios? — perguntou ele, sorrindo.

Summer dirigiu ao pai um olhar sério, então respondeu:

— Um maior do que você poderia imaginar.

PARTE III

A SOMBRA DO CRESCENTE

43

— SOPHIE, ACHO QUE POSSO ter uma notícia quente para você.

Sam Levine quase tropeçou quando entrou correndo no escritório da diretora das Antiguidades. Os cortes e hematomas em seu rosto depois do incidente em Cesareia haviam quase sarado, mas ele ainda exibia uma grande cicatriz no rosto resultante do encontro com os ladrões árabes. Sophie estava sentada em sua mesa, examinando um relatório da polícia de Tel Aviv sobre uma violação de túmulo, mas ergueu os olhos com interesse.

— Tudo bem, estou ouvindo.

— Um dos informantes da nossa rede, um rapaz árabe chamado Tyron, informou sobre uma possível escavação de noite no cemitério muçulmano em Kidron.

— Kidron? Fica perto da muralha da Cidade Velha. O pessoal está perdendo a vergonha.

— Se for mesmo verdade. Tyron tem um histórico meio irregular quando se trata dessas informações.

— Quem é que estaria por trás das pás?

— Só consegui obter um nome dele, um ladrão chamado Hassan Akais — Sam respondeu, deslizando para uma cadeira em frente à mesa de Sophie.

— Não me faz lembrar de nada — Sophie respondeu depois de refletir sobre o nome. — Deveria conhecê-lo?

— Nós o pegamos alguns anos atrás em uma batida em Jaffa. Não tivemos informações suficientes sobre ele para fundamentar uma acusação, assim o deixamos ir. Parece ter mantido as mãos limpas desde então. Ele está pagando o nosso informante para cuidar de algumas ovelhas e, aparentemente, o rapaz ouviu uma conversa sobre uma operação noturna.

— Parece peixe pequeno para mim.

— Também pensei o mesmo. Mas depois tem o seguinte — disse Sam, entregando a Sophie uma folha impressa pelo computador. — Consultei o nome dele no sistema e, veja só, o Mossad suspeita que tenha possíveis ligações com os Mulas.

Sophie inclinou-se e examinou o papel com maior interesse.

— As ligações dele parecem um pouco inconsequentes, na melhor das hipóteses — Sam acrescentou — mas achei que você gostaria de saber.

Sophie assentiu quando terminou de ler o relatório, mas deixou de devolvê-lo a Sam.

— Gostaria de falar com esse Hassan — ela finalmente respondeu em um tom comedido.

— Estamos um pouco desfalcados para uma operação noturna. Lou e sua turma devem continuar em Haifa até amanhã e Robert está em casa doente, com a gripe.

— Então teremos de ser só você e eu, Sammy. Alguma objeção?

Sam balançou a cabeça.

— Se esse cara tiver alguma coisa a ver com Cesareia, então também quero pegá-lo.

Eles fizeram os seus planos para o encontro da noite, em seguida Sam se levantou e saiu do escritório. Sophie retomou a leitura do relatório da polícia, quando de repente sentiu que era observada por alguém. Olhou com surpresa ao encontrar Dirk, de pé junto à porta, segurando um grande buquê de lírios na mão.

— Perdoe-me, estou procurando pelo pistoleiro-chefe por aqui — ele disse com um sorriso radiante.

Sophie praticamente pulou da cadeira.

— Dirk, achei que você só estaria livre na semana que vem — disse ela, correndo para ele e dando-lhe um beijinho na bochecha.

— A universidade parou a escavação em Cesareia por esta temporada, então acho que meu trabalho está suspenso por enquanto — disse ele, colocando as flores sobre a mesa. Então puxou-a em um abraço apertado e beijou-a. — Senti sua falta — sussurrou.

Sophie sentiu a pele enrubescer, e se lembrou de que a porta do escritório estava aberta.

— Posso fazer um pequeno intervalo — ela gaguejou. — Vamos almoçar?

Assim que ele balançou a cabeça concordando, ela o levou a um pátio próximo, longe dos olhares curiosos do escritório.

— Conheço um belo local para piquenique na Cidade Velha. Podemos conseguir algo para comer pelo caminho — ela sugeriu.

— Parece perfeito — disse ele. — Não conheço muito de Jerusalém. Um passeio pelas ruas é sempre a melhor maneira de captar a essência de uma cidade interessante.

Sophie pegou-o pela mão e o levou para fora dos jardins bem cuidados do Museu Rockefeller. A uma curta distância dali situava-se o Portão de Herodes, um dos pontos de entrada da Cidade Velha de Jerusalém. Com quase 3 quilômetros quadrados, a Cidade Velha era o centro religioso de Jerusalém, contendo marcos históricos como a igreja do Santo Sepulcro, o Muro das Lamentações e o Domo da Rocha. Uma muralha de pedra imponente construída pelos turcos otomanos mais de quatro séculos antes contornava todo o perímetro em torno da área histórica.

Ao passar pelo portão e entrar no bairro muçulmano, Dirk admirou a beleza antiga da pedra calcária cortada, que parecia ser a base de todos os monumentos, estabelecimentos comerciais e residências da cidade, por mais que estivessem em ruínas ou dilapidadas. Mas ele se divertiu mais observando a população diversificada que caminhava pelas ruas estreitas e becos. Avistando um judeu armênio à espera de o semáforo abrir ao lado de um etíope de túnica branca e um palestino usando um *keffiyeh*, ele concluiu que estava pisando em um terreno único em todo o mundo.

Sophie conduziu-o por um beco escuro e empoeirado que levava a um animado mercado ao ar livre, chamado, em árabe, de *souk*. Ela habilmente abriu caminho por entre uma multidão de vendedores, parando para comprar um pouco de *falafel*, *kebabs* de cordeiro, bolos doces e uma sacola de frutas dos variados vendedores ambulantes.

— Você disse que queria um pouco de sabor local, pois aqui está — Sophie brincou, fazendo Dirk levar seu almoço improvisado.

Ela o conduziu por mais alguns quarteirões e seguiu para o terreno em torno da igreja de Santana. Uma graciosa construção de pedra erguida pelos cruzados, localizada no coração do bairro muçulmano, representava uma das muitas justaposições peculiares que podiam ser encontradas na antiga cidade.

— Uma bela garota judia está me levando a uma igreja cristã? — Dirk perguntou com uma risada.

— Na verdade, estamos indo para o terreno nos fundos da igreja. Um lugar que achei que um explorador subaquático poderia gostar de visitar. Além de ser — Sophie acrescentou com uma piscadela — um lugar encantador para um piquenique.

Entraram na propriedade e seguiram caminho para o terreno dos fundos, onde encontraram uma área aberta à sombra de plátanos maduros. Uma trilha levava a um abismo cercado que descia de maneira íngreme, como se fosse uma mina a céu aberto. Os restos de paredes de tijolos, colunas de pedra e arcos antigos levantavam-se da base seca da cavidade.

— Esta era a piscina original de Betesda — contou Sophie enquanto olhavam para baixo, para as profundezas que agora só exibiam muita poeira. — Originariamente, era um reservatório para o Primeiro e o Segundo Templos, então mais tarde construíram-se as casas de banho. É claro que ficou mais conhecido como um centro de cura, depois de se ter escrito que Jesus curou um inválido aqui. Não restou muita água, como pode ver.

— É verdade — respondeu Dirk. — Caso contrário, estaria completamente cheio de turistas competindo para tomar um banho.

Eles descobriram uma bancada isolada sob um sicômoro altaneiro, onde se sentaram e atacaram o almoço, deleitando-se com as iguarias.

— Diga, como está passando o doutor Haasis? — ela perguntou.

— Muito bem, na verdade. Acabei de visitá-lo esta manhã antes de vir para Jerusalém. Ele está descansando em casa, mas ansioso para voltar ao trabalho. O ferimento na perna não foi tão grave, então ele deverá estar livre das muletas em uma semana ou duas.

— Coitado. Fiquei tão triste por ele.

— Ele me disse que se sente mal por você. Parece achar que a culpa foi dele por seus agentes terem passado por uma situação tão perigosa.

Sophie balançou a cabeça.

— Isso é ridículo. Assim como nós, ele não tinha como saber sobre o ataque de um bando de terroristas armados.

— Ele tem uma alma generosa — disse Dirk, provando um figo fresco do saco de frutas. — Por falar nisso, a Agência de Segurança israelense me fez inúmeras perguntas nos últimos dias. Espero que você possa me dizer que estão perto de capturar os bandidos.

— O Shin Bet, como eles são conhecidos, assumiu a liderança das investigações, mas receio que as pistas de evidências já esfriaram. Descobriram que o caminhão usado pelos assaltantes era um veículo roubado. Foi encontrado abandonado junto ao mar em Nahariyya. O Shin Bet acha que os ladrões provavelmente cruzaram a fronteira com o Líbano logo depois de partir de Cesareia. Acredita-se que sejam ligados a uma operação de contrabando que tem vínculos conhecidos com o Hezbollah. Acho que será difícil identificar quem eram e muito menos capturá-los.

— Alguma ideia de para quem eles poderiam estar trabalhando?

— Na verdade, não. Fiz uma porção de perguntas e tenho algumas suspeitas, mas nenhuma prova concreta. Sam e eu estamos fazendo tudo o que podemos — disse ela, sua voz falhando ao pensar no agente Holder morto.

Dirk estendeu o braço e segurou a mão dela com força.

— Nunca pensei que teria que lidar com algo assim — continuou ela, baixando os olhos marejados.

Depois, ela olhou nos olhos de Dirk e apertou a mão dele em retribuição.

— Fico muito feliz por você estar aqui — disse, então inclinou-se e beijou-o.

Eles permaneceram sentados e abraçados por um longo tempo, Sophie sentindo-se segura novamente nos braços de Dirk. Olhando para as piscinas vazias de Betesda, enfim ela recuperou a coragem de enfrentar seu trabalho novamente. Respirando fundo, sorriu com os olhos úmidos.

— Você pode sentir o cheiro do jasmim no ar? — perguntou. — Sempre adorei essa fragrância. Ela me faz lembrar de quando era criança e quando todos os dias eram cheios de felicidade.

— Eles serão outra vez — prometeu Dirk.

— Preciso voltar para o escritório — ela sussurrou finalmente, apesar de manter os braços em torno de Dirk.

— Estarei esperando por você — ele respondeu.

De repente, ela se lembrou da operação planejada com Sam para aquela noite.

— Podemos sair para jantar, mas esta noite tenho um trabalho a fazer. Uma operação de vigilância. Recebemos uma indicação sobre um ladrão de artefatos que pode estar ligado aos contrabandistas libaneses.

— Posso ir junto?

Sophie começou a sacudir a cabeça, então cedeu.

— Estamos meio sem pessoal. Somos apenas Sam e eu, então podemos aceitar algum apoio extra. Mas sem heroísmos desta vez.

— Serei um observador silencioso desta vez, prometo — disse ele, sorrindo.

Eles se levantaram juntos e deram um último olhar para as piscinas secas. Sophie sentiu uma hesitação súbita em partir, embora não soubesse por quê. Finalmente, segurou a mão de Dirk e conduziu-o lentamente para longe das piscinas, lutando contra um turbilhão de emoções no íntimo do seu coração.

44

O *OTTOMAN STAR* ARRASTOU-SE LENTAMENTE para dentro do porto israelense de Haifa. O cargueiro decrépito foi relegado a um cais tranquilo no final do terminal a oeste. Com apenas uma pequena quantidade de têxteis remanescentes para descarregar, a tripulação turca poderia facilmente ter esvaziado os porões do navio em poucas horas. Mas recebera ordens estritas de atrasar a operação ao máximo para que o trabalho só fosse concluído no meio da noite.

Apresentando um par de passaportes falsos no escritório aduaneiro do porto, Maria e um dos janízaros em seguida alugaram um carro e rumaram para fora de Haifa. Passando-se por um casal em férias, eles poderiam viajar por quase todo o país praticamente sem controle. De qualquer maneira, no caminho de ida para Jerusalém procuraram não correr risco algum. Maria seguiu por um caminho tortuoso, para evitar entrar na Cisjordânia e passar por postos de vigilância adicionais, onde poderiam encontrar a bolsa sob seu assento, contendo uma arma, dinheiro e um par de óculos de visão noturna.

Maria sabia bem que tentar transportar os explosivos HMX para dentro do país e através dele era outra questão. Zakkar e seus asseclas dos Mulas poderiam se desincumbir desse risco, a um preço muito bem pago. O contrabandista árabe explicara detalhadamente a Maria de que maneira os explosivos seriam transportados por caminhão e depois a pé, e até mesmo amarrados à barriga de um rebanho de ovelhas em um ponto, a fim de chegarem ao destino sem ser detectados pelas forças de segurança israelenses.

Mas essa era só metade do desafio. A mulher turca tinha negócios igualmente importantes para resolver pessoalmente. Com a ajuda de um mapa turístico, entraram nas movimentadas ruas de Jerusalém, ignorando a Cidade Velha em seu caminho para um dos novos bairros a oeste. Localizando o recém-inaugurado Hotel Waldorf Astoria, eles estacionaram o carro na rua e caminharam até o quarteirão seguinte ao sul. Encravada em meio a uma fileira de lojas turísticas elegantes, encontraram uma pequena casa de chá, com cortinas de contas fazendo sombra nas janelas, e entraram.

Em uma mesa de canto do café mal iluminado, Maria avistou um homem barbudo que se levantara e sorria em sua direção, revelando um dente da frente banhado a ouro. Maria aproximou-se dele com o janízaro a reboque.

— Al-Khatib? — ela perguntou.

— Ao seu serviço — o palestino respondeu, curvando-se ligeiramente em sua direção. — Querem me acompanhar?

Maria inclinou a cabeça e sentou-se à mesa com o janízaro ao seu lado. Al-Khatib sentou-se à frente deles e serviu, a cada um, uma xícara de chá. Maria notou que ele tinha a pele bronzeada e as mãos calejadas de um saqueador de artefatos antigos, que era exatamente o que ele era.

— Bem-vindos a Jerusalém — disse ele a título de brinde.

— Obrigada — respondeu Maria, olhando ao redor da sala para se garantir de que não houvesse ouvidos indiscretos nas proximidades.

— Teve sucesso na tarefa para a qual foi contratado? — ela perguntou em voz baixa.

— Sim, com facilidade — o palestino respondeu, sorrindo novamente. — O aqueduto encontrava-se exatamente onde você indicou que estaria. É uma comprovação histórica incrível. Posso perguntar onde obteve os dados da pesquisa?

Foi a vez de Maria sorrir.

— Como sabe, a muralha existente ao redor da Cidade Velha foi construída por Suleiman, o Magnífico, no início do século XVI. Os engenheiros dele mapearam a rota em detalhes, incorporando os locais de obstruções existentes. Os mapas que adquirimos na Turquia estão repletos de aquedutos abandonados e outras instalações construídas na época de Herodes, que desde então se perderam ou permaneceram ocultos.

— Uma descoberta maravilhosa, que gostaria de examinar um dia — disse al-Khatib avidamente.

— Lamento, mas não trouxe os documentos comigo nesta viagem — ela mentiu. — A minha família tem uma extensa coleção de artefatos otomanos e os mapas faziam parte de uma aquisição importante. — Ela se esqueceu de mencionar que todos eles haviam sido roubados de um museu em Ankara.

— Documentos históricos de valor precioso, acho. Posso perguntar-lhe o objetivo da escavação?

Maria ignorou a pergunta.

— Vocês conseguiram aumentar a abertura em torno do aqueduto? — retrucou ela.

— Sim, fiz como pediu. Sem chamar a atenção, aumentei a abertura e depois avancei um metro ou dois na encosta. A entrada está devidamente oculta por arbustos.

— Excelente — respondeu Maria. Então enfiou a mão na bolsa, de onde tirou um envelope cheio de cédulas de moeda israelense. Al-Khatib arregalou os olhos quando ela passou o envelope por cima da mesa.

— Tem aí um acréscimo pelo trabalho no prazo — disse ela.

— Agradeço muito — o palestino bafejou, enfiando rapidamente o envelope no bolso.

Maria terminou a xícara de chá, então disse:

— Agora nos mostre o local.

Al-Khatib olhou para o relógio, desanimado.

— Vai escurecer logo, mas teremos uma noite iluminada pela lua. — Então ele reparou no olhar frio e determinado de Maria e rapidamente recuou. — É claro que, se isso é o que quer — gaguejou. — Vocês estão de carro?

Ele pagou a conta, depois o trio se encaminhou até a rua onde se encontrava o carro alugado. Seguindo as instruções de al-Khatib, Maria dirigiu pelo extremo sul da Cidade Velha, depois virou para o norte até o Vale do Cédron. O palestino os guiou para as imediações de um antigo cemitério muçulmano, onde Maria escondeu o carro atrás de um armazém de pedra adjacente, que estava desmoronando nas bordas.

As suas sombras desapareceram sob o crepúsculo que se avizinhava, enquanto o janízaro tirava da parte traseira do veículo uma picareta e uma sacola com lanternas elétricas. Depois, ele e Maria seguiram o palestino, que pulou uma mureta de pedra e continuou pelo cemitério empoeirado. O local achava-se abandonado àquela hora, mas o grupo seguiu pela parte mais distante a oeste, bem longe de uma mesquita no centro e uma estrada de um lado para o leste. O janízaro fez o melhor que pôde para esconder a picareta, levando a extremidade debaixo do braço enquanto andava.

A leste deles elevava-se o monte das Oliveiras, dominado por um grande cemitério judaico e várias igrejas e jardins. Erguendo-se de uma encosta a oeste, dali seguia a muralha de pedra imponente que cercava a Cidade Velha. Pouco acima da muralha ficava o monte do Templo original, no momento ocupado pelo al-Haram ash-Sharif, ou Nobre Santuário. No centro da área sagrada ficava o Domo da Rocha, uma estrutura gigantesca que abrigava a pedra sobre a qual Abraão havia se preparado para sacrificar o filho. Na tradição islâmica, essa rocha também era considerada o ponto de partida para a visita de Maomé ao céu durante sua Jornada Noturna, assinalada pela sua pegada na pedra. Maria só conseguia divisar o topo da grande cúpula de ouro do santuário muçulmano, a estrutura gigantesca parecendo um bordo marrom na luz mortiça.

Al-Khatib chegou à lápide simples de um emir muçulmano que morrera no século XVI e virou à esquerda. Caminhando até o fim de uma fileira irregular de túmulos, ele começou a subir a encosta rochosa que se tornava mais íngreme em direção à Cidade Velha. Maria apressou-se a pegar uma lanterna na bolsa, mas a manteve desligada, tropeçando sobre as rochas e arbustos, até atingir um ligeiro planalto, onde al-Khatib diminuiu a marcha.

— Estamos perto — ele sussurrou.

Acendendo a sua lanterna, ele os conduziu morro acima, parando finalmente ao lado de um par de arbustos do deserto. Ofegante, Maria percebeu que as duas plantas na verdade estavam mortas, as suas raízes presas em um montículo de pedras. Por trás dos arbustos mortos havia uma pilha ordenada de rochas calcárias.

— É aqui atrás — disse al-Khatib, acenando com a luz na direção das plantas. Ele se virou e nervosamente olhou para cima e para baixo da encosta, para se assegurar de que não estavam sendo observados.

— Costumam fazer patrulhas de segurança nesta área — advertiu ele.

Maria pegou o par de óculos de visão noturna e inspecionou cuidadosamente as imediações. Os sons nas proximidades da cidade flutuavam para baixo do vale e um manto de luzes piscantes estendia-se pelas colinas circundantes. Mas estava tudo vazio no cemitério abaixo.

— Não há ninguém por perto — ela confirmou.

Al-Khatib inclinou a cabeça, então ajoelhou-se e começou a jogar as pedras de lado. Quando uma pequena abertura apareceu, Maria ordenou ao janízaro que ajudasse. Juntos, os dois homens rapidamente limparam uma entrada escondida, expondo um corredor estreito de quase cinco metros de altura. Depois de remover todos os obstáculos, o palestino levantou-se e descansou.

— O aqueduto era realmente muito pequeno — disse a Maria, circulando as mãos pelo diâmetro apertado. — Foi preciso fazer uma boa escavação para alargá-lo.

Maria olhou para o homem sem piedade enquanto considerava a história da construção original. A abertura do aqueduto encontrada na encosta era simplesmente uma saída, ela sabia, graças a um feito de engenharia muito mais elaborado. Cerca de dois mil anos antes, os engenheiros romanos sob as ordens de Herodes tinham construído uma série de aquedutos das montanhas distantes de Hebron, trazendo água fresca para a cidade e para a fortaleza de Antônia, construída no local do monte do Templo. Os aquedutos foram todos construídos à mão, por trabalhadores muito mais capazes do que o palestino rechonchudo à sua frente, Maria pensou.

Ela segurou a lanterna para a boca da passagem e acendeu-a. A luz revelou um túnel estreito que corria por cinco metros para dentro da encosta. Atrás, ela podia ver a abertura do pequeno aqueduto no nível do piso, que continuava mais profundo na parede de terra. O túnel fora bem esculpido e Maria podia ver que al-Khatib tinha escavado com alguma habilidade.

— Você fez um bom trabalho — ela lhe disse, desligando a lanterna. Então pegou a picareta do janízaro e entregou-a ao palestino.

— Preciso que cave mais uns sessenta a noventa centímetros — ela exigiu.

O bem pago caçador de artefatos prontamente concordou, na esperança de uma gratificação adicional, embora curioso com relação à tarefa imediata. Tomando uma lanterna do janízaro, ele a encaixou na parte traseira do túnel e começou a escavar a parede rochosa. O janízaro postou-se atrás dele e, com as mãos enluvadas, começou a remover as lascas e a terra solta que se acumulavam ao redor dos pés de al-Khatib.

Com Maria de guarda perto da entrada, al-Khatib trabalhou de forma constante, brandindo a picareta por quase vintes minutos diretos e escavou quase mais um metro do solo. Respirando com dificuldade, deu um golpe pesado contra a encosta, sentindo uma leveza inusitada pelo cabo da picareta. Recuando a ferramenta, percebeu que havia um buraco através de um espaço aberto atrás da muralha de terra. Assustado, o palestino parou e segurou a lanterna. Só conseguiu ver uma extensão negra do vazio através do pequeno buraco, mas ficou maravilhado com a lufada de ar fresco que corria por ele.

Com energia renovada, atacou furiosamente a barreira, expandindo rapidamente o buraco para o tamanho de um homem. Empurrando os detritos para o lado, ele observou através da abertura com a lanterna, dando com uma caverna larga e com o teto alto.

— Louvado seja Deus — ele exclamou, jogando a picareta de lado enquanto olhava para as paredes distantes.

Elas refletiam como alabastro branco por causa da lanterna elétrica e revelavam até mesmo linhas de marcas de cinzel. Os olhos treinados de al-Khatib reconheceram a pedra como calcário, mostrando onde grandes blocos tinham sido cortados e removidos com a mão.

— Uma pedreira, como a caverna de Zedequias — ele deixou escapar enquanto Maria e o janízaro entravam com outro par de lanternas.

— Sim — respondeu Maria. — Mas esta foi perdida para a história quando o Segundo Templo foi destruído.

Sob as muralhas da Cidade Velha, a menos de um quilômetro de distância, existia outra grande caverna, esculpida por escravos em busca de calcário para os diversos projetos de engenharia de Herodes, o Grande. Recebera o nome do último rei de Judá, Zedequias, que a teria usado como esconderijo para escapar dos exércitos de Nabucodonosor.

Com a luz adicional, o trio podia ver que a pedreira se dispersava em múltiplas passagens, estendendo-se como dedos de uma mão para a escuridão. Al-Khatib olhou um grande túnel principal que se estendia a leste, tanto quanto ele podia ver.

— Esse deve se estender bem abaixo do Haram ash-Sharif — disse ele, inquieto.

Maria inclinou a cabeça, concordando.

— E o Domo da Rocha? — ele perguntou, a tensão aparente em sua voz.

— A pedra sagrada do Domo situa-se sobre um leito de rocha, mas o túnel principal fica embaixo da construção. Um outro túnel se aproxima da mesquita al-Aqsa, além de outros pontos da área. Isto é, se os mapas de Suleiman são exatos, o que provaram ser até aqui.

O rosto do palestino ficou pálido quando a sua excitação inicial se transformou em apreensão.

— Não quero trilhar sob o local da rocha sagrada — disse ele solenemente.

— Isso não será necessário — respondeu Maria. — O seu trabalho acabou.

Enquanto falava, ela procurou dentro da bolsa, de onde tirou uma pistola Beretta compacta, que dirigiu ao palestino assustado.

Ao contrário do irmão, Maria não sentia nenhuma pressa ou emoção em tirar a vida de alguém. Na verdade, não sentia absolutamente nada. Cometer um assassinato era o equivalente emocional a trocar de meias ou comer uma tigela de sopa. Eles se situavam em lados diferentes da escala sociopata, produtos de maus-tratos na infância e homogeneidade genética, mas ambos tinham terminado como assassinos impiedosos.

A pistola disparou duas vezes, enviando um par de balas ao peito de al-Khatib enquanto o eco dos estampidos ecoava alto através da câmara. O caçador de relíquias desmoronou de joelhos, um olhar de incompreensão momentânea nos olhos, antes de cair morto. Maria calmamente se aproximou e retirou o envelope de notas do bolso dele, enfiando-o na sua bolsa. Então, olhou para o relógio.

— Temos menos de uma hora antes de os explosivos serem entregues — disse ela ao janízaro. — Vamos investigar a pedreira e selecionar os nossos pontos.

Passando por cima do corpo do homem morto, ela pegou a lanterna e rapidamente se encaminhou para a escuridão.

45

Eram quase dez horas da noite quando Sophie manobrou junto a um pequeno monte de terra do lado de fora da muralha a nordeste da Cidade Velha e estacionou atrás de uma loja de roupas fechada. Do outro lado da rua, descendo por uma colina baixa, situava-se a extremidade norte do cemitério muçulmano, que serpenteava para o sul através de uma ravina extensa, como parte da cabeceira do Vale Kidron. Desligando a ignição, ela virou-se para Dirk, que a observava do assento do passageiro.

— Tem certeza de que quer fazer isso? — ela perguntou. — A maioria das operações noturnas acaba se tornando um verdadeiro tédio.

Dirk sorriu e balançou a cabeça.

— Não sou de desperdiçar a chance de um passeio ao luar com uma moça bonita.

Sophie reprimiu uma risada.

— Você é o único que conheço que poderia encontrar algo romântico em uma emboscada.

Mas ela teve de admitir que sentia algo parecido. Eles haviam saboreado um jantar íntimo em um café armênio tranquilo dentro do Portão de Jaffa e, à medida que a noite avançava, ela ficara com um forte desejo de cancelar a operação de vigilância e, em vez disso, convidá-lo para ir ao seu apartamento. Reprimiu a ideia, consciente de que, no cargo de agente titular, a possibilidade de obtenção de informações sobre os assassinos era muito mais importante.

— Não é do feitio de Sam se atrasar — disse ela, consultando o relógio e olhando pela janela do carro.

Um minuto depois, seu celular vibrou e ela atendeu, falando animadamente em hebraico.

— Era Sam — disse, depois de desligar. — Ele sofreu um acidente de carro.

— Ele está bem?

— Ao que parece, sim. Uma van cheia de peregrinos cristãos derrapou em uma curva e foi para cima do carro dele. Ele não sofreu nada, mas seu carro foi todo amassado. Ele acha que alguns turistas idosos podem estar feridos, por isso vai demorar um pouco para sair de lá. Talvez só consiga chegar aqui dentro de mais uma hora.

— Então acho melhor começar sem ele — respondeu Dirk, abrindo a porta e saindo do carro.

Sophie seguiu-o, indo até o porta-malas, de onde tirou um par de binóculos de visão noturna, que pendurou ao pescoço. Em seguida, inclinou-se e abriu um grande estojo de couro deitado no interior do porta-malas. Dentro dele havia um velho e desgastado fuzil de assalto Tavor TAR-21 de fabricação do governo. Ela encaixou um pente totalmente carregado e engatou o ferrolho para a primeira rodada, depois colocou a arma a tiracolo.

— Armada para o que der e vier desta vez, pelo que vejo? — Dirk observou.

— Depois de Cesareia, será sempre melhor estar bem armada — disse ela, em um tom determinado.

— Por que não deixa que o Shin Bet lide com a situação, se suspeita do envolvimento de traficantes libaneses?

— Pensei nisso — ela respondeu —, mas os indícios que temos não são suficientes para acioná-los. É mais provável que encontre alguns arrombadores adolescentes desorganizados, se é que vão mesmo aparecer.

— Para mim isso seria muito melhor — Dirk disse com uma piscadela e em seguida segurou a mão dela.

Eles atravessaram a rua e caminharam até o aterro que se abria para o cemitério. Sophie parou e examinou o terreno com os óculos de visão noturna.

— Precisamos ir mais para baixo — ela disse calmamente.

Eles caminharam por mais algumas dezenas de metros encosta abaixo, parando em um relevo que oferecia uma vista panorâmica de quase todo o cemitério. Em torno deles, as lajes planas dos túmulos muçulmanos brilhavam muito brancas sob o luar, como um alinhamento desordenado de dentes deslocados sobre um cobertor cor de areia. Sophie sentou-se sobre uma saliência de pedra e, com os óculos de visão noturna, examinou cuidadosamente os pontos de interesse mais abaixo. Viu algumas crianças jogando uma partida de futebol de fim de noite do outro lado do Muro das Lamentações, mas o cemitério em si parecia deserto. Estava observando mais para o leste quando sentiu Dirk acomodar-se ao seu lado, passando o braço ao redor da sua cintura. Lentamente, ela baixou os óculos.

— Você está me distraindo do meu trabalho — protestou levemente, então passou a mão em torno do pescoço dele e beijou-o apaixonadamente.

Eles continuaram abraçados por vários minutos até que um ruído farfalhante ao longe interrompeu o momento de intimidade. Rapidamente, Sophie tornou a olhar para baixo do morro.

— Três homens com mochilas grandes — ela sussurrou. — Dois deles parecem estar carregando pás ou, quem sabe, armas, não sei dizer com certeza.

Ela baixou os óculos e olhou para cima da colina.

— Precisamos de Sam — disse um tanto frustrada.

— Ele ainda deve estar a uma meia hora daqui — disse Dirk, olhando para o relógio.

O ruído dos passos dos três homens ficou mais alto quando eles se aproximaram do centro do cemitério. Sophie tirou a pistola Glock do coldre e entregou a Dirk.

— Vamos fazer a prisão — ela sussurrou. — Depois vou chamar a polícia de Jerusalém para levá-los.

Dirk assentiu com a cabeça e pegou a pistola, verificando se estava carregada. Eles saíram agachados da posição que ocupavam, avançando lentamente na descida da colina. Usando as lajes mais altas das sepulturas como cobertura, seguiram devagar para a direita. Aproximando-se de um túmulo que oferecia uma boa ocultação, foram para trás dele e se ajoelharam, esperando.

Os minutos transcorriam lentamente enquanto os três supostos ladrões aproximavam-se. Em silêncio, Sophie encaixou a lanterna ao lado do Tavor, segurando-a perfeitamente imóvel enquanto os homens aproximavam-se mais alguns metros à frente. Depois de um sinal para Dirk, ela se pôs em pé de um salto. Como estava logo atrás dos homens, acendeu a lanterna e gritou em árabe:

— Parados! Mãos para cima!

Surpresos com a súbita emboscada e sem enxergar direito, pois Sophie direcionava o feixe de luz sobre seus rostos, os três homens pararam e se viraram. Dois deles, segurando um fuzil AK-74 apontado para o chão, olharam ameaçadores para ela. Um era baixo, malvestido, com os olhos caídos, que Sophie reconheceu como Hassan Akais, o tal que dera a informação. O segundo, igualmente desgrenhado, distinguia-se por um nariz proeminente curvo. Mas foi o terceiro homem que provocou um arrepio na espinha de Sophie. Sendo evidente que se tratava do líder do trio, ele a encarou calmamente com olhos penetrantes, que luziam acima de uma profunda cicatriz do lado direito da mandíbula. Era o mesmo semblante que a desafiara em Cesareia, durante o assalto que resultara na morte do detetive Holder.

Sophie sentiu as mãos trêmulas ao reconhecer o terrorista e o facho da lanterna oscilou sobre o rosto dele. Percebendo a sua hesitação, Akais rápida e silenciosamente apontou a arma em direção a Sophie. Mal tinha movido o dedo para o gatilho, um estouro seco de um disparo ecoou pelo cemitério. No mesmo instante, um mancha vermelha apareceu no pulso do pistoleiro, o antebraço atravessado pelo projétil de 9 milímetros.

O homem fez uma careta de dor e soltou o gatilho, enquanto, com a mão livre, agarrava o braço ensanguentado. Olhou fixamente para Sophie, até que viu Dirk de pé, a alguns passos ao lado dela, segurando a pistola automática com os braços estendidos.

— Soltem as armas ou vou apontar um pouco mais acima da próxima vez — ordenou Dirk.

O outro árabe, que exibia uma barba comprida e rala, soltou rapidamente o seu AK-74, mas o ferido não se mexeu. Continuou olhando para Dirk com um ódio mortal nos olhos. Então, de repente, sua expressão se suavizou e ele rangeu os dentes em um sorriso desafiador, mudando o foco de atenção para trás do ombro de Dirk.

— Receio que são vocês que devam soltar as armas — proferiu uma dura voz feminina vindo da escuridão. — Coloquem as mãos para o alto, onde eu possa vê-las.

Dirk voltou-se na direção da voz para encontrar uma mulher de cabelos curtos, em pé logo atrás de Sophie, com uma pistola apontada para a sua nuca. Vestida de preto, usava roupas casuais, mas trazia os óculos de visão noturna presos à testa. Dirk notou uma outra presença e virou um pouco mais o pescoço para ver a sombra de outro homem na escuridão, com uma arma levantada também direcionada para a sua cabeça.

Sophie dirigiu-lhe um olhar de desculpas enquanto soltava o Tavor no chão. Sem outra escolha, Dirk sorriu inocentemente para a mulher turca e então com cuidado jogou a pistola na direção de um túmulo próximo.

46

Sob a mira das armas, Dirk e Sophie foram levados pela encosta do morro até a entrada do corredor estreito. A exemplo dos terroristas árabes que os seguiam, eles se impressionaram com a visão da enorme pedreira que os esperava do outro lado, agora iluminada pelo facho de várias lanternas. Em muitas ocasiões anteriores, Sophie visitara a caverna de Zedequias e ficou surpresa ao saber da existência de outra pedreira, igualmente ampla, bem abaixo do monte do Templo. Seu assombro transformou-se em temor quando viu o corpo ensanguentado de al-Khatib, caído de bruços ao lado de uma das lanternas. O medo aumentou ainda mais depois de reconhecer o líder terrorista árabe.

— Aquele sujeito alto... foi ele que liderou o ataque a Cesareia — ela sussurrou para Dirk.

Dirk balançou a cabeça, já ciente de que o contingente bem armado estava atrás de algo mais importante do que um ou dois túmulos antigos. Sob a mira da sua arma, o janízaro empurrou-os para uma borda baixa na pedra, perto do palestino morto, onde os obrigou a sentar-se. Maria ignorou-os, ocupada em reunir as pesadas mochilas dos três árabes.

— Isto aqui é tudo? — ela perguntou a Zakkar.

— Sim, todos os vinte e cinco quilos estão aí, com espoletas e detonadores — respondeu o árabe. Ele olhou para o teto elevado. — Você pretende explodir o Domo da Rocha?

Maria encarou-o friamente.

— Sim, e a mesquita al-Aqsa. Você vê algum problema nisso?

O árabe balançou a cabeça.

— Vai causar uma grande indignação em nossa terra. Mas talvez isso venha a resultar em um bem maior de Alá.

— Haverá um bem maior — Maria respondeu secamente.

Ajoelhando-se, ela rapidamente examinou os explosivos e então levantou-se. Percebendo Sophie e Dirk observando os seus movimentos, seu rosto rapidamente azedou.

— Você quase expôs a nossa missão — ela sibilou para Zakkar.

O árabe balançou a cabeça.

— Eles são da polícia arqueológica à procura de saqueadores de túmulos — disse, sem denunciar que reconhecia Sophie e Dirk. — Tratava-se de uma vigilância aleatória. Por que simplesmente não os matamos agora? — perguntou, inclinando a cabeça na direção deles.

— Arqueólogos israelenses, você disse? — Maria refletiu sobre as suas próprias palavras. — Não, não vamos matá-los. Eles devem morrer "acidentalmente" na explosão — disse com um sorriso perverso. — Vão se tornar os bodes expiatórios perfeitos.

Ela acenou para que o janízaro se aproximasse e depois voltou-se para Zakkar.

— Ponha os seus dois homens de guarda — disse, olhando para o relógio. — Está na hora de armar os explosivos; quero detoná-los à uma em ponto.

Pegou uma lanterna enquanto o janízaro levantava duas das mochilas. Zakkar dirigiu-se aos seus dois homens e depois pegou a outra mochila e uma lanterna e acompanhou Maria enquanto ela desaparecia de vista por uma das passagens.

— A destruição do Domo desencadeará uma onda terrível de derramamento de sangue — Sophie sussurrou para Dirk.

— Silêncio! — gritou o árabe barbudo, acenando brevemente com sua arma na direção de Sophie.

Seu parceiro, o homem ferido chamado Akais, sentou-se em uma pedra próxima, segurando o braço. O tiro não acertara as artérias principais e ele continha o fluxo de sangue com o *keffiyeh*, agora enrolado no braço. Embora tivesse caminhado com facilidade até o morro e para dentro da pedreira sem ajuda, agora sofria de um grau moderado de choque em razão da perda de sangue. Às vezes, ele encarava Dirk com raiva, revirava os olhos e o fuzilava com olhar.

Dirk pesquisou metodicamente a pedreira, em busca de um meio de fuga que não lhe rendesse uma bala nas costas. Mas parecia haver poucas opções. Olhando para o palestino morto por alguns momentos, tomou nota mentalmente das duas lanternas restantes. Uma fora deixada no chão perto do morto, a cerca de três metros da sua própria posição. O atirador barbudo passava lentamente pela outra lanterna, encaixada no alto de uma pedra do outro lado da caverna.

Dirk chamou a atenção de Sophie e casualmente apontou para o guarda barbudo. Então esfregou as costas da mão na boca, sussurrando por baixo.

— A lanterna... você é capaz de desligá-la?

Sophie olhou para a lanterna e para o guarda ao lado, depois assentiu levemente com um olhar determinado. Cuidadosamente, verificou as paredes da caverna, examinando cada corte e marca de cinzel que pudesse identificar sob a luz fraca. Em um muro além do guarda, ela achou o que procurava, uma marca irregular com a qual poderia criar uma história.

Permaneceu olhando para o local com fascinação extasiada até o guarda notar o seu olhar e virar-se para ver o que ela estava admirando. Mantendo os olhos focados na parede, ela gentilmente levantou-se e deu um passo adiante.

— Não se mexa — sussurrou o árabe, voltando-se para ela.

Sophie tentou fazer o melhor que pôde para ignorá-lo sem levar um tiro.

— Esta pedreira tem dois mil anos de idade e está diretamente embaixo do Domo da Rocha — ela murmurou. — Acho que vi ali um sinal do Profeta.

O guarda olhou desconfiado para ela, depois para Dirk. O engenheiro da NUMA dirigiu-lhe o melhor olhar neutro e desinteressado que conseguiu produzir. Pegando a lanterna, o árabe apoiou-se lentamente contra a parede, mantendo o fuzil de assalto nivelado na direção dele. Alcançando a parede, dirigiu vários olhares apressados ao calcário esculpido. Um par de goivas paralelas correu levemente por toda a superfície ao nível dos olhos, enquanto uma marca desbotada em carvão era visível entre os cortes. O pistoleiro olhou fixamente para a marca, depois voltou-se para Sophie.

— Sim, é isso — disse ela, dando mais um passo cuidadoso para a frente. O pistoleiro não reagiu e ela continuou andando em direção a ele em um ritmo cauteloso.

— Se fizer algum truque, seu amigo morre primeiro — vociferou o árabe, mantendo a arma apontada para Dirk. Então virou-se e gritou para o companheiro.

— Hassan, fique alerta.

O atirador ferido reagiu debilmente, balançando a cabeça.

— Agora, mostre-me — o atirador continuou, falando a Sophie e afastando-se da parede.

Sophie encaminhou-se para a parede e pousou uma das mãos sobre a superfície perto dos cortes e da marcação. Vira cortes semelhantes nas paredes da caverna de Zedequias e sabia que não eram nada mais do que marcas preliminares para uma laje de calcário que por alguma razão nunca fora cortada pelos pedreiros. O carvão desbotado provavelmente representava uma marcação numérica ou espaço reservado para a pedra não utilizada. No entanto, ela continuou interpretando a farsa.

— Assim como a sua pegada na rocha sagrada da cúpula acima, acredito que esta pode ser uma indicação de partida de Maomé na sua Jornada Noturna — disse ela, referindo-se à viagem ao céu em cima de um cavalo alado. — Mas sob essa luz fraca não consigo vê-la. Pode me emprestar a lanterna?

Ela evitou olhar para o guarda, fingindo estar absorvida com a escavação na parede enquanto estendia a mão na direção dele. Ele reagiu instintivamente, passando-lhe provisoriamente a lanterna e deslocando o cano do fuzil em sua direção. Com a lanterna na mão, Sophie aproximou-a da parede, os olhos ainda colados à marcação com carvão.

— Veja isto aqui — disse ela calmamente, apontando a mão livre para a rocha. Então, deslizou a mão casualmente para a base da lanterna, tateando em busca do interruptor. Encontrando-o com o dedo indicador, desligou a lanterna e ficou parada.

Sob a fraca luz amarelada da lanterna distante, ela ainda era muito visível para o árabe. O homem começou a grunhir uma ordem para ela, então com o canto do olho notou um movimento brusco.

Dirk esperara calmamente por esse momento. No instante em que a lanterna de Sophie se apagou, ele surgiu da borda. Sabia que as balas o seguiriam imediatamente, assim sendo deu dois passos e mergulhou para a luz.

O seu gesto não foi em vão. O atirador barbudo moveu a arma e disparou instantaneamente. Mas Dirk já tinha chegado ao chão e as balas zuniram sobre a sua cabeça. Estendendo um braço como pôde, ele pegou a lanterna com a mão. Não se preocupando com o interruptor, simplesmente bateu a lanterna contra o chão, quebrando o vidro e as lâmpadas.

Mergulhada na escuridão total, a caverna foi sucessivamente iluminada pelos clarões das explosões do cano do fuzil de assalto do árabe. O terrorista disparou várias rajadas curtas na direção de Dirk, as quais ecoaram como trovões no meio da pedreira enquanto as balas ricocheteavam nas paredes de pedra calcária.

O fogo era dirigido à última posição de Dirk, mas ele imediatamente rolara para longe da lanterna e se arrastara pelo chão em direção à passagem de entrada. Depois de se deslocar por uns seis metros, parou e circulou ao redor, tateando o chão com as mãos. O tiroteio cessou no momento em que tinha acabado de encontrar o que procurava — o corpo do palestino morto. Ou, mais precisamente, a picareta caída aos pés dele.

Um silêncio desconfortável caiu sobre a caverna, apenas o odor de pólvora pairando no ar. O atirador árabe, confiante de que matara Dirk, virou-se e disparou em direção ao local onde Sophie estivera momentos antes. Mas, sob o clarão dos disparos, ele viu que ela não se achava mais lá.

Correndo uma das mãos ao longo da parede para se orientar, Sophie inteligentemente correra na direção do atirador e depois o ultrapassara enquanto ele ainda atirava em Dirk. Quando os tiros cessaram, ela se imobilizou, a lanterna ainda apertada na mão, desejando que o seu coração parasse de bater tão alto.

— Hassan, você tem uma lanterna? — gritou o árabe.

O atirador ferido lentamente recuperava os sentidos e levantou-se cambaleando.

— Estou aqui, na entrada. Não atire para cá — ele pediu com voz fraca.

— A lanterna! — vociferou o parceiro.

— Está na minha mochila, que não consigo encontrar — respondeu Akais, tateando ao redor dos pés.

— Os outros pegaram as mochilas — respondeu o atirador com raiva.

Dirk aproveitou a conversa distraída para se aproximar e dar o golpe fatal. Segurando a picareta por cima do ombro, aproximou-se da entrada da caverna e da voz do atirador ferido. Em pior estado, ele seria o mais fácil de derrubar. Com um pouco de sorte, Dirk poderia trocar a picareta por um fuzil de assalto e atirar contra o outro homem antes que ele tomasse consciência do que acontecia.

Terminada a conversa, Dirk ainda se achava a vários metros do homem ferido. Teria de fazer um movimento cego em direção a ele, uma vez que não podia revelar a sua posição. Parando por um momento em silêncio, escorregou um pé à frente, depois avançou novamente. Mas, mesmo em mau estado, Akais detectou a presença próxima.

— Salaam? — perguntou de repente.

A voz estava perto, Dirk percebeu, perto o suficiente para atacar. Dando mais um passo silencioso para frente, ele levantou a picareta, quando inesperadamente uma luz atravessou o espaço da caverna. Dirk girou para o lado e avistou Maria, segurando uma lanterna em uma das mãos e uma pistola na outra. Olhando para Dirk, ela dirigiu a pistola para a esquerda, na direção do coração de Sophie, que se agachara contra a parede a poucos metros de distância.

— Largue a picareta ou ela morre agora — disse a turca.

Sophie dirigiu um olhar triste a Dirk, que relutantemente deixou cair a picareta no chão. Os olhos arregalados de medo de Sophie foram a última coisa de que ele se lembraria. Em seguida, Hassan atingiu-o na nuca com a coronha do fuzil e Dirk mergulhou ao chão em um mar de escuridão.

47

O TÁXI BRANCO EMPOEIRADO entrou na área de terra e parou ao lado do carro de Sophie. Sem perda de tempo, Sam Levine pagou o motorista e depois saltou. Enquanto o táxi se distanciava na noite, Sam tentou telefonar para Sophie. Sem se surpreender por não obter resposta, ele enviou uma mensagem de texto informando onde se encontrava. Novamente sem resposta, ele partiu para o cemitério, considerando que ela sempre desligava o telefone durante uma operação de reconhecimento.

Ele atravessou a rua com um ligeiro coxear, o quadril dolorido em razão do acidente. Na confusão, deixara seu equipamento de visão noturna no porta-malas do carro danificado, mas ainda carregava a pistola automática no coldre do lado. Movendo-se devagar e silenciosamente, apostou que Sophie seria capaz de localizá-lo antes que pudesse atrapalhar a vigilância.

Na descida do barranco, ele percebeu que não sentiria muitas dores se avançasse lentamente. Contraiu-se, porém, quando uma rampa mais íngreme produziu uma pontada no meio da perna, então optou por dar passos mais curtos e cuidadosos, seguindo pelo declive do terreno irregular que levava ao cemitério.

O cemitério estava silencioso e vazio quando ele passou agachado entre os velhos túmulos. A intervalos de alguns poucos metros, parava para ver e ouvir, esperando no íntimo que Sophie aparecesse no escuro e lhe tocasse o ombro. Mas em nenhum momento ela apareceu.

Depois de mais alguns passos, parou novamente, dessa vez ao ouvir um ruído distante. Parecia o som oco de rochas sendo empilhadas umas sobre as outras, vindo do meio do cemitério. Na ponta dos pés, Sam aproximou-se cautelosamente mais alguns metros e parou atrás de uma mureta de contenção. O ruído continuava embaixo do morro. Ele olhou com cautela por cima da mureta, sob a luz de uma meia-lua, e avistou um tanto indistintas algumas figuras sombrias que se deslocavam sobre uma laje tumular nas imediações de uma pequena torre de pedra para iluminação, a qual devia ter perdido a luz décadas antes.

O agente das Antiguidades sacou a pistola, sentou-se e esperou. Vários minutos se passaram enquanto ele se perguntava onde Sophie se encontrava e por que não fizera nenhuma prisão. Talvez tivesse desistido da vigilância, pensou, mas isso não o impedia de cumprir com o seu dever.

Passando por cima do muro com uma careta, ele mancou encosta abaixo, na direção dos ladrões de túmulos. O som das pedras batendo cessou e ele conseguiu avistar as figuras em retirada em direção ao extremo sul do cemitério. Tentou correr, mas a dor aguda na perna rapidamente reduziu o seu ímpeto. Com um sentido crescente de desespero, ele se deteve e gritou:

— Parem aí!

A ordem teve um efeito inverso. Em vez de deter os invasores, levou-os a fugir mais depressa. Sam podia ouvir os seus passos acelerados enquanto corriam pelo cemitério e passavam pela fronteira sul. Momentos depois, os sons dos motores de dois veículos irromperam na noite, seguidos de ruídos de pneus derrapando quando os dois carros fugiram em velocidade.

Ao ver as lanternas traseiras se distanciando, Sam abanou a cabeça em consternação. Em seguida pensou novamente na sua supervisora.

— Sophie, você está aí? — gritou.

No entanto, em resposta, só obteve o silêncio do cemitério vazio.

Ele deu um passo em direção ao túmulo ao lado e continuou coxeando até a torre de luz, na esperança de encontrar uma cratera cavada às pressas ali dentro. Em vez disso, surpreendeu-se ao ver que o túmulo estava coberto por um monte de pedras acumuladas de qualquer jeito. Não era comum entre os ladrões esconder a sua atividade, ele sabia. Com curiosidade, levantou algumas das pedras de cima do monte. Quase caiu para trás quando uma mão humana apareceu à luz do luar.

Mais cuidadoso e hesitante, ele removeu outras pedras, até que se revelou o torso ensanguentado e a cabeça do palestino assassinado. Olhando para o corpo com repulsa, Sam perguntou-se em silêncio que reviravolta misteriosa teria feito com que os ladrões viessem a um cemitério para depositar um corpo.

48

A LUZ FRACA PARECIA QUEIMAR através dos olhos de Dirk, mesmo estando com as pálpebras fechadas. No entanto, não era nada fraca a dor latejante que parecia rachar a sua cabeça.

Com um esforço hercúleo, ele lentamente forçou-se a abrir uma pálpebra, encolhendo-se ao focalizar uma lanterna acesa deixada a centímetros do seu rosto. Recuperando aos poucos a consciência, sentiu o desconforto do chão duro e frio da pedra calcária embaixo do corpo. Movendo os braços com cuidado, correu os dedos ao longo da superfície, tateando em busca de apoio.

Respirou fundo, fez força com os braços e ergueu o corpo, arrastando as pernas, até conseguir se sentar. Uma explosão de estrelas girava diante dos seus olhos e ele quase desmaiou de novo, mas afastou o torpor respirando profundamente várias vezes. Descansando por alguns minutos até que a tontura e a náusea passassem, deu-se conta de uma umidade fria nas costas. Esfregando uma das mãos pela nuca, sentiu um nó dolorido que se achava coberto de sangue seco.

Os pensamentos começaram a clarear pouco a pouco enquanto reconhecia os arredores. Sentado sozinho na caverna vazia, imediatamente chamou por Sophie com a voz enfraquecida. Apenas o silêncio ecoou acima do zumbido nos ouvidos. Pegando a lanterna, fez um esforço doloroso para se levantar, as pontadas latejantes na cabeça ganhando novas proporções enquanto cambaleava como um bêbado.

Muito devagar, ele foi recuperando as forças e a firmeza, então saiu para dar uma busca na caverna, arrastando-se para fora pelo corredor. O cemitério estava às escuras e silencioso para todos os lados, então voltou rapidamente para dentro da pedreira.

Gritou o nome dela novamente, dessa vez com uma voz mais forte que ecoou por toda a câmara. Do fundo de um dos túneis, pensou ter ouvido uma resposta fraca. Apesar de a sua audição estar longe do ideal, o som, se fosse real, parecia vir do grande túnel à direita. Era o mesmo túnel pelo qual Maria e os seus homens haviam entrado com os explosivos.

Abaixando-se um pouco ao entrar no túnel de um metro e oitenta de altura, Dirk avançou no ritmo mais rápido que as dores na cabeça permitiram. Sem que soubesse, o túnel se estendia por mais de duzentos metros encosta adentro, dividindo em dois os alicerces de Haram ash-Sharif, vários metros acima de sua cabeça. De maior importância para os sabotadores era a sua proximidade do Domo da Rocha, pois o túnel se embrenhava a poucos metros abaixo da venerada rocha em si.

O túnel fazia curvas e se retorcia, às vezes passando por pequenas câmaras, onde bolsões de calcário tinham sido ordenadamente extraídos. Dirk fez uma curva fechada e percebeu uma luz tênue bruxuleando em frente. Com um salto do coração, forçou-se a dobrar o ritmo, ignorando a dor lancinante que latejava na cabeça a cada passo que dava.

A luz distante tornou-se mais intensa quando correu através de uma pequena câmara retangular e depois entrou em uma seção reta do túnel. Perseguindo o clarão distante, ele saiu cambaleando do túnel e se deparou com uma última câmara, redonda como uma tigela de ponche. No centro da câmara, achava-se uma das lanternas elétricas. À direita, avistou uma grande quantidade de material parecido com massa de vidraceiro clara, pressionado contra a parede e com vários detonadores ligados por fios pendurados do seu centro. À esquerda encontrava-se Sophie, contorcendo-se e se debatendo, a boca fechada por uma mordaça e os pés e os pulsos amarrados com alças de mochila. Uma grande pedra fora colocada entre os seus joelhos, prendendo-a firmemente ao solo. Ao ver Dirk, o terror em seus olhos brilhantes desapareceu de imediato.

— Vejo que você está tentando passar por uma explosão sem mim — disse ele com um sorriso cansado.

Mas não lhe deu oportunidade de responder. Levantando a pedra entre as pernas, ele a ergueu sobre o ombro e depois, com a mão livre, pegou as duas lanternas. Como se encontrasse uma força renovada, rapidamente voltou pelo mesmo caminho pelo túnel, tomando cuidado para não bater a cabeça contra o teto baixo.

Ele a carregou por mais da metade da distância até a caverna principal quando a tontura retornou com força total. Alcançando a câmara pequena, ele a depositou delicadamente no chão e tirou-lhe a mordaça ao mesmo tempo em que tentava recuperar o fôlego.

— Você está com uma aparência horrível — ela disse. — Está ferido?

— Estou bem — ele grunhiu. — Você é que me dava preocupações.

— Que horas são? — ela perguntou apressadamente.

— Faltam cinco minutos para uma — Dirk respondeu, olhando para o relógio.

— Os explosivos. A mulher disse que eles foram preparados para detonar à uma da madrugada.

— Deixe que explodam. Simplesmente, vamos dar o fora daqui.

— Não!

Dirk surpreendeu-se com o tom de voz dela. Fora menos um pedido do que uma ordem.

— Se o Domo e a mesquita forem destruídos, isso vai significar um desastre para o meu país. Haverá uma guerra como nenhuma outra já vista.

Dirk fitou os olhos escuros de Sophie, vendo esperança, determinação, amor e desespero. Com os segundos correndo, ele sabia que não poderia esperar para ganhar uma discussão sobre o assunto.

— Acho que posso desativar o detonador — disse ele, desamarrando as mãos dela. — Mas você precisa sair daqui. Pegue esta outra lanterna. Desamarre os pés e vá para a saída.

Ele se virou para correr de volta para dentro do túnel, mas ela o segurou pela camisa e o puxou para perto e deu-lhe um beijo rápido, mas apaixonado.

— Tome cuidado — disse ela. — Eu te amo.

Com os pensamentos girando em um turbilhão, Dirk partiu apressado. As palavras dela pareceram extinguir toda a dor que sentia e ele se viu quase correndo através do túnel. Em questão de segundos, invadiu a câmara redonda e se aproximou dos explosivos plásticos.

Por sua experiência como engenheiro naval, tinha um conhecimento rudimentar de explosivos, tendo trabalhado em projetos de salvamento em que haviam sido necessárias demolições submarinas. Embora não estivesse familiarizado com os explosivos HMX, a tecnologia de detonação à sua frente seguia uma configuração comum. Uma única espoleta com temporizador eletrônico ligava-se a uma série de cápsulas de detonadores, que por sua vez achavam-se incorporados aos explosivos.

Ele olhou para o relógio, constando que faltavam três minutos para uma hora.

— Não exploda antes — murmurou baixinho enquanto dirigia o facho da lanterna contra a parede.

Rapidamente, procurou entre os explosivos plásticos para ver se encontrava outras espoletas, sem saber que a quantidade de HMX a sua frente era o suficiente para derrubar um arranha-céu. Encontrando apenas uma espoleta, ele a segurou e arrancou da parede. A espoleta, com as cápsulas dos detonadores ligadas, deslizou livremente para fora do HMX. Com o dispositivo de detonação pendurado na mão, Dirk voltou correndo pelo túnel.

Logo chegou à câmara retangular, agora escura e vazia, onde sentiu-se grato ao concluir, pela sua ausência, que Sophie atendera à sua orientação para fugir. Parou por um momento e lançou a montagem da espoleta contra a parede oposta da câmara e depois correu para o túnel. Com uma sensação de alívio e a adrenalina se dissipando, entrou na câmara principal, a dor na cabeça voltando a incomodar. Ao atravessar a caverna às escuras, notou pela primeira vez que o corpo do palestino não se achava mais lá.

Espremendo-se pelo túnel da entrada, encontrou o ar fresco de fora, que inspirou em várias respirações profundas, e então olhou ao redor à procura de Sophie. Não avistando a lanterna dela, desligou por um instante a que levava e depois chamou o nome dela. Nem a luz nem a voz responderam.

Então de repente uma sensação de mal-estar atingiu Dirk como um golpe no estômago. A mesquita. Sophie tinha dito que o Domo e a mesquita seriam destruídos. Devia haver um segundo grupo de explosivos para a mesquita e Sophie estava lá dentro tentando desativá-lo.

Como uma flecha, Dirk disparou de volta através da passagem. Dentro da caverna principal, três pequenos túneis abriam-se na encosta à esquerda do túnel do Domo. Dirk correu à entrada de cada um, gritando o nome de Sophie pelos corredores escuros. Na entrada para o último túnel, ouviu uma resposta ilegível e reconheceu a voz sedosa chamando a distância. Imediatamente, ele arremeteu para dentro do túnel, partindo em disparada como um corredor nos últimos metros antes da chegada.

Seguira apenas alguns passos quando ouviu um estalo a distância, como uma sequência curta de fogos de artifício explodindo. Eram os detonadores que retirara de baixo do Domo, agora inflamando-se sem causar danos à câmara retangular.

O coração de Dirk batia como um martelo quando compreendeu que o segundo grupo detonaria a qualquer momento.

— Sophie... saia daí... agora — gritou entre as respirações pesadas.

À frente no túnel ele pôde ver um brilho tênue e compreendeu o que estava se aproximando. Em seguida, ouviu mais uma série de estalos e mergulhou para o chão com o coração agoniado.

A explosão abalou a terra como um terremoto, acompanhada por um estrondo ensurdecedor. Segundos depois, a força da expansão dos gases da explosão soprou violentamente através do túnel, com o rugido de uma rajada de vento de tempestade, soprando uma chuva de poeira e rocha à frente dele. Dirk sentiu o corpo ser projetado do chão e chocar-se contra a parede, sufocando a respiração. Martelado pelas rochas e enterrado sob uma manta de poeira asfixiante, ele sentiu o mundo ao seu redor mais uma vez voltar a escurecer.

49

Sam estava de pé, de costas para o alto da colina, examinando o palestino morto, quando Dirk surgiu brevemente à entrada da caverna em busca de Sophie. Ao ouvir alguém chamar o nome dela, o agente das Antiguidades virou-se a tempo de ter um vislumbre da lanterna de Dirk que voltava e desaparecia para dentro do corredor. Mais uma vez, Sam pegou o celular e tentou ligar para Sophie, depois começou a subir lentamente a colina.

Ele se achava a apenas alguns metros da entrada da pedreira quando o conjunto de explosivos detonou. Do seu ponto de observação, o que ouviu foi pouco mais do que um estrondo abafado, seguido de um leve rumor debaixo dos pés. Segundos depois, uma nuvem de fumaça e poeira projetou-se pela abertura estreita.

Aproximando-se da entrada, ele encontrou uma lanterna jogada entre os arbustos e ficou esperando o ar clarear. Acendeu a lanterna e pisou com cuidado através da passagem. Surpreendeu-se ao entrar na caverna principal, chocado com a existência de uma enorme pedreira desconhecida sob o monte do Templo.

O ar ainda estava espesso de fumaça e poeira quando Sam inspecionou o interior da caverna, protegendo o nariz com a manga da camisa. Ele pôs a cabeça em cada um dos quatro túneis e hesitou no último, de onde saía uma nuvem pesada, e então de repente ouviu o som gutural de rocha chocando-se contra rocha vindo de dentro.

Avançando lentamente para dentro do túnel, ele percebeu o brilho de outra lanterna distante por dentro do corredor. Acelerou o passo e encontrou uma pilha de escombros arrancados das paredes pela explosão. Pisando cuidadosamente ao passar pelos destroços, avançou ainda mais para dentro das profundezas da encosta. O túnel escuro seguia reto por vários metros e então Sam conseguiu ver a luz da lanterna acesa à frente.

Um suor nervoso escorria pelo seu rosto enquanto ele tossia a poeira, que endurecia as suas narinas. Abrindo caminho em torno de uma grande pedra irregular, ele cambaleou para fora do túnel e entrou em uma grande câmara iluminada pela lanterna presa a uma pedra caída. A câmara parecia um poço de cascalho subterrâneo, com montes de pedras empilhadas no chão por toda parte. Em consequência da explosão, um buraco grande e irregular havia sido cavado no teto um pouco acima do monte de escombros. Uma névoa espessa e branca ainda pairava sobre tudo, obscurecendo a visibilidade, apesar da luz.

Do lado oposto da câmara, Sam percebeu um movimento fraco.

— Sophie? — chamou, estendendo a mão com insegurança para a coronha da arma.

Como uma aparição, uma figura surgiu através da névoa. Com uma breve sensação de alívio, Sam reconheceu Dirk emergindo da escuridão. O alívio desapareceu quando viu que Dirk segurava o corpo inerte de Sophie nos braços.

— Ela está bem? — perguntou baixinho.

Sam aproximou-se timidamente, observando que Dirk tinha coberto a cabeça e o tronco com uma jaqueta leve. Foi então que percebeu os membros pendentes de Sophie parecerem disformes e revestidos de uma camada grossa de sangue e poeira.

Olhou para Dirk em busca de uma explicação e logo estremeceu. Qualquer esperança quanto ao bem-estar de Sophie foi imediatamente extinta pela aparência desfeita do outro homem. Dirk o fitava com o rosto abatido e sanguinolento, os olhos perdidos e sem ânimo. A vida parecia ter sido arrancada dele e Sam concluiu de uma vez por todas que Sophie estava morta.

50

A EXPLOSÃO SOB O HARAM ASH-SHARIF estava praticamente terminada antes de a fumaça ter baixado. O Domo da Rocha era o alvo principal de Maria e fora lá que ela plantara a maior parte dos explosivos. Mas eles permaneceram sem ser detonados, tornados inofensivos quando Dirk arrancara os detonadores. Fora o segundo grupo de explosivos, menor que o primeiro, colocado sob a mesquita al-Aqsa, que acabara explodindo, embora, em última análise, com um efeito mínimo.

O chão embaixo da mesquita do século oitavo se abalara e as suas janelas tremeram, mas da terra não irromperam bolas de fogo para consumi-la. Segundos antes de os explosivos detonarem, Sophie removera um grande bloco deles e os jogara para baixo do túnel antes de tentar remover os detonadores do material remanescente. A explosão reduzida fizera pouco mais do que rachar a fundação de uma fonte atrás da mesquita. Os zeladores palestinos de Haram inicialmente quase não se preocuparam, acreditando que a explosão tivesse ocorrido em outra região de Jerusalém.

Dentro da pedreira, Sam Levine fora rápido em sua reação. A polícia e os paramédicos chegaram depressa, tratando Dirk ao mesmo tempo que o corpo de Sophie era removido para o necrotério. Os agentes de segurança do Shin Bet foram igualmente rápidos. A pedreira foi minuciosamente revistada e os explosivos remanescentes cuidadosamente protegidos e removidos. Todo o complexo foi então fechado antes que os proprietários de Haram ash-Sharif sequer percebessem o que tinha acontecido.

A notícia da tentativa de ataque rapidamente se espalhou por Jerusalém, criando tumulto. Os muçulmanos locais condenaram o ataque, enquanto os judeus da cidade ficaram horrorizados com a potencial profanação do Monte do Templo. Cada facção culpou a outra e os ânimos se exaltaram por todos os lados. Assumindo publicamente a defensiva, ao mesmo tempo em que nos bastidores reforçava a segurança em torno da cidade, o governo israelense discretamente levou os líderes muçulmanos de Jerusalém à pedreira, onde em conjunto todos concordaram em isolar permanentemente o local contra uma futura intrusão.

Os ânimos nas ruas permaneceram exaltados, mas as explosões foram consideravelmente insignificantes e a violência foi evitada. Em poucos dias, as tensões diminuíram, na medida em que ninguém se apresentou para assumir a responsabilidade pelos ataques, enquanto os verdadeiros causadores da explosão desapareciam sem deixar rastro.

51

O GENERAL BRAXTON LEU o relatório da CIA sem pronunciar uma palavra. Apenas um espasmo esporádico do bigode do diretor da Inteligência Nacional norte-americana revelava uma pitada de emoção. Do outro lado da mesa, o funcionário da Inteligência O'Quinn e um especialista em assuntos israelenses da CIA, sentados, olhavam em silêncio para os próprios sapatos. Eles rapidamente empertigaram-se no assento quando observaram Braxton remover um par de óculos de leitura antiquados da extremidade do nariz.

— Então vamos ver se entendi — disse o general em sua voz grave. — Alguns malucos quase explodiram metade de Jerusalém e nem o Mossad nem o Shin Bet têm uma ideia de quem fez isso? Essa é a verdade ou apenas o que os israelenses estão nos dizendo?

— Os israelenses claramente não têm confiança na investigação — o homem da CIA respondeu. — Eles acreditam que um grupo libanês de contrabandistas de armas e de drogas, conhecidos como os Mulas, são pelo menos parcialmente responsáveis. Os Mulas têm vínculos notórios com o Hezbollah, então é possível que visassem Jerusalém em retaliação pelos contínuos problemas de Israel em Gaza. O americano envolvido no atentado identificou um dos causadores da explosão como ligado a um incidente terrorista recente em uma escavação arqueológica em Cesareia.

— Esse americano é um dos nossos agentes? — perguntou Braxton.

— Não, ele é um engenheiro marinho da NUMA. Está se recuperando de ferimentos leves em um hospital do Exército israelense em Haifa.

— Um engenheiro marinho? O que diabos ele estava fazendo em Jerusalém?

— Aparentemente, tinha um certo envolvimento romântico com a agente das Antiguidades que foi morta na explosão. Ele a acompanhava em uma batida de rotina e foi envolvido no atentado. Uma coisa boa, como se descobriu, na medida em que foi ele quem impediu o grupo principal de explosivos de detonar sob o Domo da Rocha.

— Senhor, realmente marcamos um belo ponto nessa história — disse O'Quinn. — Havia ali explosivos suficientes para destruir facilmente toda a estrutura do Domo, ainda mais uma boa parte da Cidade Velha. Isso teria provocado a animosidade regional como nunca visto. Estou certo de que hoje mesmo estariam voando mísseis sobre Israel se o santuário tivesse sido destruído.

Braxton grunhiu, fixando os olhos em O'Quinn.

— E por falar em explosivos, vejo que você tem algumas conexões domésticas desagradáveis para adicionar à mistura.

— Obtivemos uma amostra do material não detonado com os israelenses e confirmamos em testes de laboratório que se tratava efetivamente de HMX. Foi produzido por um fabricante nacional contratado pelo nosso Exército — O'Quinn informou seriamente.

— São os nossos próprios malditos explosivos? — trovejou o general.

— Receio que sim. Fizemos algumas investigações e parece que a amostra de Jerusalém combina com um carregamento de HMX de alto grau que foi secretamente vendido ao Paquistão para uso em seu programa de armas nucleares no início dos anos 1990. Na época, os paquistaneses confirmaram que um contêiner de HMX desapareceu pouco tempo depois. Acredita-se que agentes do mercado negro no serviço militar o venderam para compradores de fora do país, mas não surgiu nenhuma evidência de sua utilização até este ano.

— Um contêiner inteiro de HMX. Inacreditável! — disse Braxton.

— O contêiner abrigaria cerca de quatro toneladas de explosivos de alta potência. Seria capaz de um poder de destruição significativo.

O general fechou os olhos e balançou a cabeça.

— Presumo que esse ataque esteja ligado aos outros atentados recentes a mesquitas? — perguntou, sem abrir os olhos.

— Sabemos que a mesquita al-Azhar, no Cairo, e a mesquita Yeşil, em Bursa, foram as duas atacadas com HMX. Em ambos os casos, ninguém assumiu a responsabilidade pelos atentados. E não se encontraram evidências ligando as explosões a quaisquer facções locais. Parece que temos um conjunto semelhante de circunstâncias em Jerusalém.

— O que foi feito do palestino morto encontrado no cemitério?

— Era um caçador de artefatos de baixo nível, sem nenhuma associação conhecida com terroristas — o homem da CIA respondeu. — Ele pode ter tido algum envolvimento com a descoberta da pedreira, mas não se acredita que tenha sido um agente no ataque efetivo.

— O que nos leva a perguntas ainda sem resposta sobre quem e por quê.

O'Quinn dirigiu um olhar sofrido ao general.

— Ninguém assumiu a responsabilidade por nenhum dos ataques e receio que simplesmente não temos uma pista firme — disse ele. — Como Joe pode verificar, as agências de Inteligência estão procurando suspeitos de maneira convencional, de seitas marginais cristãs e judaicas à al-Qaeda e outros grupos muçulmanos fanáticos. Estamos dependentes das agências de Inteligência estrangeiras, mas elas não têm nenhuma pista concreta até o momento.

O homem da CIA concordou.

— General, os alvos foram todos locais de importância teológica do mundo muçulmano sunita. Acreditamos que haja uma forte possibilidade de que os ataques sejam provenientes de uma fonte xiita. A possível ligação com o Hezbollah no ataque de Jerusalém reforça a teoria. Tenho de dizer, há um número crescente de pessoas dentro da agência que acredita que sejam os iranianos, tentando desviar a atenção do seu programa de armas.

— É uma motivação viável — Braxton concordou. — Mas eles certamente estariam brincando com fogo se fossem pegos com as mãos na massa.

O'Quinn balançou a cabeça tranquilamente.

— Tenho de discordar, senhor — disse ele. — Esses atentados não têm a marca de iranianos. Certamente, representam um novo nível de extremismo externo que não vimos antes.

— Você não está me dando muito mais com que continuar, O'Quinn — o general rosnou. — E quanto ao turco, o *mufti* Battal, com o que parecia empolgado?

— Ele entrou na corrida presidencial, como temíamos. Ele e seu partido certamente se beneficiam de qualquer indignação na comunidade fundamentalista que esses atentados possam incitar. Isso levanta a questão de que esses ataques possam estar ligados a determinados objetivos políticos, em vez de táticas terroristas gerais. Quanto a Battal, estamos monitorando as suas atividades de perto, mas até agora não encontramos nenhum padrão de táticas coercitivas. Certamente, não temos nenhuma prova concreta da ligação dele até este momento.

— Então você não tem nada. Talvez a pergunta que vocês rapazes precisem se fazer é onde eles pretendem atacar na próxima vez.

— Os objetivos foram claramente crescendo de importância — disse O'Quinn.

— E eles foram impedidos em sua última tentativa. O que deveria preocupar a todos nós é sobre o que poderiam estar planejando em seguida.

— A Kaaba em Meca seria um alvo possível. Vou fazer com que os sauditas sejam aconselhados a aumentar a segurança — disse O'Quinn.

— Temos analistas trabalhando em horas-extras no assunto — o homem da CIA acrescentou. No verdadeiro jargão de desamparo de Washington, ele acrescentou: — Estamos fazendo tudo o que podemos.

Braxton rebateu o comentário com um brilho no olhar.

— Deixe-me dizer a vocês o que fazer — afirmou, inclinando-se com raiva sobre a mesa enquanto encarava os dois homens da Inteligência. — Realmente, trata-se de um exercício simples de pôr um fim a isso. Tudo o que vocês têm a fazer — a sua voz foi subindo para um tom febril — é encontrar para mim o resto daqueles explosivos!

52

O *OTTOMAN STAR* ENTROU NA ENSEADA ao norte de Dardanelos no final da tarde, atracando no longo píer, que agora se achava vazio. Sob as águas agitadas adjacentes, o rebocador afundado ainda se encontrava no fundo da areia à espera do guindaste da praia e uma equipe de mergulho para içá-lo de lá.

De pé no passadiço do navio, Maria ficou surpresa ao notar o Jaguar do irmão estacionado no cais. Celik observou quando o navio se aproximou do píer e, depois que os cabos de amarração foram presos, saiu do banco de trás do Jaguar. Com uma maleta de executivo debaixo do braço, caminhou apressadamente pelo cais e subiu a bordo no navio.

— Não esperava que viesse me encontrar aqui, Ozden — disse Maria à guisa de saudação.

— O tempo é curto — ele respondeu, olhando pelo passadiço com uma expressão intranquila. O comandante e o timoneiro perceberam a deixa e rapidamente saíram dali, deixando Celik sozinho com a irmã.

— Ouvi dizer que a polícia revistou as instalações depois da nossa partida — disse Maria. — Não é perigoso para você aparecer por aqui?

Celik sorriu.

— A polícia local foi bem paga para cuidar dos nossos interesses. Os investigadores fizeram uma visita superficial e foram mantidos longe dos armazéns. — Os agentes da polícia o fizeram lembrar-se do assalto pelos homens da NUMA e, inconscientemente, ele esfregou o local do galo na cabeça onde Pitt o acertara. — Os americanos vão pagar por sua intromissão — continuou em um tom gutural. — Mas temos assuntos mais importantes para resolver primeiro.

Maria se preparou para as críticas em relação ao fracasso em Jerusalém, pois a explosão esperada não se concretizou. Celik olhou calmamente pela janela da frente, contemplando o cais vazio.

— Onde está o *Sultana*?

— Deixei em Beirute para que terminasse o trabalho de reparo. A tripulação vai trazê-lo a Istambul em poucos dias.

Celik balançou a cabeça e depois aproximou-se de sua irmã.

— Agora, me diga, Maria, por que a missão falhou?

— Não tenho certeza — respondeu ela calmamente. — A carga principal não detonou. Foi armada com várias espoletas e detonadores, e tenho certeza de que foi preparada corretamente. Deve ter havido interferência externa. Mesmo a carga secundária deveria ter produzido mais danos. Desconfio que a arqueóloga israelense que foi morta pode ter de alguma forma desativado algumas das cargas.

— Os resultados foram decepcionantes — Celik afirmou, suprimindo o sermão de costume. — Mas sou grato por seu retorno seguro.

— Desembarcamos os contrabandistas libaneses em Trípoli na viagem de volta, assim os israelenses não têm onde investigar e nenhuma pista.

— Você sempre apaga bem os seus rastros, hein, Maria?

Apesar do comportamento invulgarmente calmo, ela podia ver a angústia no semblante do irmão.

— Como é que o *mufti* está se saindo? — perguntou.

— Ele está em campanha como um político profissional e ganhou o apoio público de alguns membros-chave da Grande Assembleia Nacional turca. Mas ainda está se arrastando nas pesquisas em pelo menos cinco pontos percentuais, e temos poucos dias pela frente antes da eleição. — Ele olhou para ela com uma expressão de advertência. — O ataque falho em Jerusalém deixou de nos dar o impulso necessário para vencer.

— Talvez isso esteja além do nosso controle — disse ela.

As palavras de Maria subitamente liberaram a raiva que Celik mantivera contida.

— Não! — ele gritou. — Estamos muito perto. Não devemos deixar de aproveitar a oportunidade. A restauração do império da nossa família está em jogo — disse, como se saboreasse o poder da própria ascensão planejada. Os olhos loucos de repente estavam em chamas e seu rosto vermelho pulsava com fúria. — Não podemos deixar essa chance escapar por entre os nossos dedos.

— O Corno de Ouro?

— Sim — respondeu ele, abrindo a maleta e tirando de dentro um mapa. — A interceptação deve ocorrer amanhã à noite — disse, entregando uma pasta à irmã. — Aqui você tem o horário e a rota do navio alvo. Acha que estará pronta a tempo?

Maria fitou o irmão com ansiedade.

— Sim, acredito que sim — respondeu em voz baixa.

— Bom. Uma equipe de janízaros está pronta para embarcar no navio, para atuar em apoio à operação. Vou contar com você.

— Ozden, você tem certeza de que quer fazer isso? — ela perguntou. — Os riscos são altos. Isso vai significar a morte de um grande número de nossos compatriotas. E temo as consequências se não formos bem-sucedidos.

Celik fitou a irmã com um olhar carregado de ilusões, depois balançou a cabeça com firmeza.

— É o único caminho.

53

Abel Hammet observou os raios do sol poente refletirem como bolas de fogo acima das ondas preguiçosas do Mediterrâneo. Em pé sobre uma porta aberta do passadiço, o comandante do navio israelense esperou até que o sol mergulhasse no horizonte, anunciando uma agradável brisa de início da noite. Sugando o ar fresco em respirações profundas, ele jurava que podia sentir a fragrância emanada dos pinheiros turcos na costa à frente. Observando por cima da proa distante do seu navio, mal podia começar a distinguir algumas poucas luzes cintilantes ao longo da costa meridional turca. Momentaneamente refrescado, voltou para dentro do passadiço do *Dayan* para terminar o seu turno.

Com pouco menos de cem metros de comprimento, o *Dayan* era um navio-tanque relativamente pequeno, com certeza minúsculo em comparação com os superpetroleiros que transportavam o petróleo do golfo Pérsico. Apesar de compartilhar da maioria das características dos navios de transporte de petróleo bruto, o navio na realidade fora deliberadamente projetado para uma carga um pouco diferente: água doce. Incentivado por um acordo comercial recente, o governo israelense tinha três navios idênticos, construídos para transportar água para as suas costas secas e poeirentas.

Situada a quatrocentos quilômetros de Israel, do outro lado do Mediterrâneo, a Turquia era um dos poucos países na região árida que realmente possuía um excedente de água doce. Controlando as cabeceiras dos rios Tigre e Eufrates, bem como de outros caudalosos rios das montanhas, contava com um recurso estratégico que só viria a aumentar de importância nas décadas vindouras. Considerando-a uma nova mercadoria de exportação, o país concordara em vender uma pequena fração da sua água a Israel, por meio de um acordo comercial experimental.

O *Dayan* transportava pouco menos de quatro milhões de litros e Hammet sabia que a sua contribuição para o abastecimento de água de Israel era uma gota no oceano, mas os deslocamentos quinzenais por todo o Mediterrâneo em última análise tinham o seu peso. Para ele, tratava-se de uma tarefa marítima fácil, e tanto ele próprio quanto a sua tripulação de nove homens gostavam do trabalho.

Em pé no centro da casa do leme, ele examinou o avanço do navio em um monitor de navegação.

— Reduzir o motor em dois terços — ordenou ao timoneiro. — Estamos a quarenta milhas de Manavgat. Não adianta chegar antes do amanhecer, uma vez que a estação de bombeamento não estará em atividade mais cedo.

O timoneiro repetiu a ordem e a velocidade foi reduzida no único motor da embarcação. Navegando com a borda alta sobre o mar com os porões vazios, o navio-tanque gradualmente diminuiu de doze para oito nós. Como a meia-noite chegaria poucas horas depois, o imediato apareceu no convés para render o comandante. Hammet tomou uma digitalização final do sistema de radar antes de passar o turno.

— Há um navio vindo pela nossa retaguarda por bombordo, mas fora isso o mar está desimpedido — disse ele ao imediato. — Apenas nos mantenha longe da praia, Zev.

— Sim, comandante — respondeu o homem. — Nada de banhos noturnos esta noite.

Hammet retirou-se para a sua cabine um convés abaixo e adormeceu rapidamente. Mas acordou pouco tempo depois, pressentindo algo errado. Esfregando rapidamente os olhos, ele percebeu que o motor do navio não estava vibrando e fazendo o convés trepidar como de costume quando em marcha normal. Achou estranho que ninguém tivesse vindo acordá-lo em caso de ter havido algum problema de navegação ou avaria mecânica com o navio.

Vestindo apressado um roupão de banho, o comandante saiu da cabine e subiu uma escada para o passadiço. Entrando na casa do leme às escuras, Hammet imobilizou-se em estado de choque. A poucos metros à sua frente, o imediato estava deitado de bruços sobre uma pequena poça de sangue.

— O que está acontecendo aqui? — ele gritou para o timoneiro.

O timoneiro fitou-o em silêncio com os olhos arregalados. Sob as luzes reduzidas do passadiço, Hammet pôde ver que o jovem tinha um corte feio em toda a lateral do rosto. A visão do comandante subitamente desviou-se para fora da janela da frente, onde notou as luzes de outro navio brilhando perigosamente próximas do convés de bombordo do navio-tanque.

— Leme todo à direita — ele gritou para o timoneiro, ignorando um barulho atrás de si.

Uma figura alta surgiu da parede do fundo, vestida de preto e com uma máscara de esqui cobrindo-lhe a cabeça e o rosto. Nas mãos, segurava um fuzil de assalto, que levantou à altura do ombro. O timoneiro ignorou o comando de Hammet, apenas olhando enquanto o homem armado se aproximava. Hammet virou-se bem a tempo de ver o fuzil aproximando-se com violência em direção ao seu rosto. Ele ouviu o impacto da coronha da arma que o golpeara na lateral da mandíbula um instante antes de um clarão de dor atravessá-lo como um raio. Sentiu os joelhos cederem e depois a dor desapareceu quando tudo se tornou preto e ele se juntou a seu imediato sobre o convés.

54

— **Ridley, meu amigo**, entre, entre.

A voz do Gordo soou como areia em um misturador enquanto dava as boas-vindas a Bannister em seu apartamento em Tel Aviv pela segunda vez em outras tantas semanas.

— Obrigado, Oscar — o arqueólogo respondeu, pavoneando-se com um ar de confiança que notavelmente lhe faltara na última visita.

Gutzman conduziu-o a uma área de estar, onde um árabe magro e bem--vestido achava-se sentado junto a uma mesa próxima, analisando alguns documentos. O homem ergueu os olhos dos papéis, fitando Bannister com um ar desconfiado.

— Este é Alfar, um dos meus curadores — disse Gutzman com um gesto de indiferença com a mão. Percebendo a expressão de cautela no semblante de Bannister, acrescentou: — Não se preocupe. Seus ouvidos são seguros.

Gutzman alcançou a sua poltrona favorita e caiu sentado nela sem elegância.

— Agora, o que é de tamanha importância para ter me procurado de novo tão cedo? — indagou.

Bannister falou com calma, amaciando a presa antes do bote fatal.

— Oscar, você sabe tão bem quanto eu que a caça de uma história é, na melhor das hipóteses, um negócio especulativo. Podemos procurar por dias, semanas ou mesmo anos por aquela descoberta monumental e ainda assim sair de mãos vazias. É claro que, ao longo do caminho, pode haver descobertas importantes e, às vezes, a peça emocionante que instiga a imaginação. A maior parte do esforço normalmente acaba dando em nada. Mas existe sempre a possibilidade daquele caso raro em que as estrelas estão em alinhamento e é muita, muita sorte encontrar um presente singular dos céus.

Ele se inclinou em sua cadeira para surtir efeito e olhou nos olhos do Gordo.

— Oscar, creio que eu possa estar à beira de tal achado.

— Bem, de que se trata, meu rapaz? — Gutzman chiou. — Não brinque comigo.

— Eu me encontrava em Londres para uma estada curta e aconteceu de me encontrar com um negociante de antiguidades que conheço há vários anos. Recentemente, ele adquiriu uma provisão de artigos roubados anos atrás dos arquivos da Igreja da Inglaterra — ele mentiu, fazendo uma pausa, de novo para surtir efeito.

— Continue.

— Uma parte do material continha obras de arte originais, joias e artefatos levados da Terra Santa durante as Cruzadas. — Bannister olhou com cautela de um lado para outro por toda a sala e depois acrescentou em voz baixa: — Entre as obras, incluía-se um exemplar original do Manifesto.

Os olhos de Gutzman inflaram-se como balões.

— Você... você está falando sério? — ele indagou asperamente. Tentou conter a emoção, mas seu rosto enrubesceu com a exaltação.

— Estou — respondeu Bannister, apresentando uma fotocópia intencionalmente ruim do documento em papiro. — Não vi o original pessoalmente, mas tenho certeza de que é autêntico.

Gutzman examinou a folha de papel por vários segundos sem dizer uma palavra. Apenas o ruflar do papel em seus dedos instáveis perturbava o silêncio da sala.

— Ele existe — disse ele finalmente em voz baixa. — Não posso acreditar que pelas boas graças de Deus isso possa acontecer. — O homem idoso então olhou com severidade para Bannister. — Esse negociante, ele vai vendê-lo para mim?

Bannister assentiu.

— Dada a natureza da aquisição que fez, ele é forçado a vendê-lo com discrição. É por isso que estabeleceu o preço de apenas cinco milhões de libras esterlinas.

— Cinco milhões de libras! — Gutzman amaldiçoou, levando-se a um ataque de tosse. Quando recuperou o fôlego, olhou nos olhos de Bannister. — Nunca vou pagar isso — disse, encontrando uma voz forte.

Bannister empalideceu ligeiramente, não prevendo a resposta.

— Desconfio que o preço possa ser negociável, Oscar — ele gaguejou. — E o negociante indicou que faria à sua própria custa a datação por carbono do documento.

Acostumado a adquirir artefatos de ladrões de túmulos a políticos, Gutzman sabia como conseguir o seu preço. Mais do que isso, sabia quando estava sendo enganado, e a hesitação na voz de Bannister não passou despercebida.

— Fique aqui — disse o Gordo, levantando-se inseguro da cadeira e saindo da sala.

Voltou um instante depois com um fichário espesso. Sentou-se e abriu-o, revelando uma coleção de fotografias envoltas em envelopes plásticos. Artefatos antigos de idade e estilo variados, grandes e pequenos, apareciam nas fotos. Bannister reconheceu estátuas, esculturas e cerâmicas que sabia valerem centenas de milhares de dólares. Gutzman folheou até o fim do fichário e depois retirou várias fotos que entregou a Bannister.

— Dê uma olhada nisto — o Gordo bufou.

— Parte da sua coleção?

— Sim, do meu armazém em Portugal.

Bannister examinou as fotos. A primeira mostrava uma pequena coleção de espadas enferrujadas e pontas de lanças. A segunda foto mostrava um capacete militar de ferro que Bannister reconheceu como romano do tipo Heddernheim. Um fino painel de bronze contendo a imagem de uma águia, um escorpião e várias coroas apareciam na foto seguinte. A imagem final era de um objeto irreconhecível para Bannister. Parecia ser uma grande massa angular de metal que fora torcida e deformada de um lado.

— Uma coleção rara de armamento romano — disse Bannister. — Imagino que os relevos da águia e do escorpião fazem parte de um estandarte de batalha?

— Muito bem, Ridley. Não se trata de um estandarte qualquer, mas do emblema do *Scholae Palatinae*, os guardas romanos de elite de Constantino, o Grande. O que achou do último objeto, meu amigo?

Bannister examinou a fotografia novamente, mas balançou a cabeça.

— Receio não reconhecê-lo.

Gutzman sorriu em um pequeno triunfo.

— É o esporão de bronze de uma galera imperial. Com base no tamanho, ele provavelmente veio de uma birreme liburniana.

— Sim, agora compreendo. A extremidade da peça foi amassada por contato. Onde é que você encontrou isso?

— Ele se alojou no casco de outro navio, um atacante cipriota do século quarto, se é que se pode dar fé na história. O navio danificado encalhou e afundou em uma área protegida de lodo mole. Um certo número de artefatos estava notavelmente preservado. Não demorou muito para que o naufrágio fosse localizado pelos mergulhadores locais, bem antes de os arqueólogos do Estado chegarem à cena. Um rico colecionador apropriou-se da maioria dos artefatos antes que as autoridades soubessem o que havia sido removido.

— Deixe-me adivinhar quem era o rico colecionador — disse Bannister com um sorriso.

Gutzman soltou uma risada gutural.

— Uma dica afortunada que apareceu no meu caminho, neste caso em particular — disse ele, sorrindo.

— São peças extremamente belas, Oscar. Mas por que você as está mostrando para mim?

— Comprei esses artefatos muitos anos atrás. E durante muitos anos tenho pensado nos boatos sobre o Manifesto. Ele é verdadeiro? Seria possível a carga realmente existir? Então, uma noite, tive um sonho. Sonhei que estava segurando o Manifesto em minhas mãos, bem como segurei a sua cópia hoje. E, na minha mente, vejo armas e artefatos romanos ao meu redor. Mas não apenas artefatos quaisquer. Vejo estes artefatos — disse ele, apontando para as fotos.

— Muitas vezes sonhamos com a realidade que procuramos — disse Bannister. — Você realmente acha que pode haver uma ligação entre o Manifesto e estas relíquias romanas? Elas não poderiam ter vindo de qualquer combate no mar?

— Não exatamente qualquer combate no mar envolveria a *Scholae Palatinae*. Veja, eles foram os sucessores da Guarda Pretoriana, que foi exterminada por Constantino na Batalha da Ponte Mílvia, quando ele derrotou Magêncio e consolidou o império. Não, está claro para mim que o navio cipriota deparou-se com uma galera sob ordens imperiais.

— Será que o navio data da era adequada?

Gutzman sorriu novamente.

— O navio, bem como os armamentos e artefatos, datam todos de forma coerente de aproximadamente 330 d.C. Além do mais, há isto — disse ele, apontando para um desgastado escudo romano em uma das fotos.

Bannister não o notara no primeiro exame, mas agora percebia o escudo ao lado das pontas de lanças, com uma desbotada cruz Chi-Rho no centro.

— A cruz de Constantino — Bannister murmurou.

— Não só isso, mas o papiro de Cesareia acrescenta mais peso à teoria — Gutzman disse. — O sonho é real, Ridley. Se o seu Manifesto for verdadeiro, então já tinha ouvido a voz de Helena através dos meus próprios artefatos.

Os olhos de Bannister se iluminaram, quando ele sentiu-se intrigado com a possibilidade de tudo.

— Diga-me, Oscar — ele perguntou incisivamente —, onde foi descoberto o naufrágio?

— O navio foi encontrado perto da aldeia de Pissouri, na costa sul de Chipre. Talvez não seja impossível que a carga verdadeira do Manifesto tenha sido enterrada na vizinhança? — ele especulou com as sobrancelhas arqueadas. — Agora, *isso* seria um presente dos céus, não seria, Ridley?

— Realmente — concordou o arqueólogo, as engrenagens girando em sua cabeça. — Seria uma das descobertas mais importantes de todos os tempos.

— Mas, ai de mim, estamos nos antecipando. Antes de mais nada, devo analisar o Manifesto para ver se é realmente autêntico. Diga ao seu amigo de Londres que estou disposto a pagar cem mil libras por ele. Mas vou exigir a datação por carbono e um exame pessoal primeiro — disse ele, levantando-se.

— Cem mil libras? — Bannister respondeu, sua voz agora é que soava rascante.

— Sim, e nem um centavo a mais.

O velho colecionador deu um tapinha no ombro de Bannister.

— Obrigado por ter me procurado em primeiro lugar, Ridley. Acredito que estamos no caminho de coisas gloriosas aqui.

Bannister só pôde inclinar a cabeça decepcionado enquanto caminhava para a porta. Depois que ele se encontrava em segurança no elevador, Gutzman caminhou de volta para a sala de estar e se aproximou de Alfar.

— Ouviu a nossa conversa? — perguntou o Gordo.

— Sim, senhor Oscar. Cada palavra — respondeu o árabe com um sotaque aprendido na escola. — Mas não entendo por que não compra esse Manifesto.

— Muito simples, Alfar. Estou certo de que é Bannister quem possui o Manifesto e não um negociante de Londres. Ele está tentando me ludibriar vergonhosamente e ainda poderia se dar bem.

— Então por que contar a ele sobre os seus artefatos romanos?

— Para plantar a semente. Veja, ele tem um dom para a descoberta. Ele saiu daqui agora desiludido com a venda do Manifesto, mas também perplexo, como estou, com a possibilidade de que os artefatos realmente existam. Estou certo de que seu ego irá levá-lo lá imediatamente. Pode ser uma aposta furada, mas por que não tentar? Bannister é engenhoso e sortudo. Se tais coisas puderem ser encontradas, então ele é o homem para fazê-lo. Então, por que não deixá-lo encontrá-las para nós?

— O senhor é um homem inteligente, senhor Oscar. Mas como vai controlar Bannister?

— Quero que você entre em contato com Zakkar. Diga que tenho um trabalho de vigilância simples para ele, pelo qual pagarei muito bem.

— Ele avisou que não quer pôr os pés em Israel durante vários meses, se possível.

— Sentindo a barra pesar, não é? — Gutzman disse com uma risada. — Não importa. Diga-lhe para não se preocupar, o trabalho não será em Israel. Será em Chipre, onde ele terá de merecer o pagamento.

55

Hammet estremeceu sob o brilho das luzes fluorescentes que acolheram os seus primeiros esforços para abrir os olhos. O desconforto não era nada em comparação com a dor lancinante que latejava na parte de trás da cabeça. Forçando para abrir as pálpebras mais uma vez, ele fez um esforço para identificar onde se encontrava. A primeira resposta foi: deitado de costas, olhando para um conjunto de luzes no teto.

— Comandante, como está se sentindo? — soou a voz familiar do imediato do *Dayan*.

— Como se tivesse sido atropelado por uma locomotiva — Hammet respondeu, levantando a cabeça para olhar em torno de si.

Com a visão clareando, ele pôde ver que estava deitado sobre uma mesa do refeitório do navio, uma pilha de guardanapos de tecido servindo de travesseiro improvisado sob a cabeça. Os integrantes da sua tripulação o circundavam, a preocupação e o medo evidentes em seus rostos. Retomando a consciência da sua posição, ele se levantou sobre os cotovelos e escorregou para fora da mesa, ajudado pelo imediato a se acomodar em uma cadeira. Superando uma onda de náusea, olhou para o imediato e acenou em agradecimento.

Pela primeira vez, notou que o imediato usava uma bandagem ensanguentada na cabeça e que a sua pele estava duas tonalidades mais pálida do que o usual.

— Temi que você tivesse morrido — disse Hammet.

— Perdi um pouco de sangue, mas vou superar. Você nos deixou mais preocupados, porque apagou a noite inteira.

O comandante do navio-tanque voltou-se na direção de uma vigia ao lado e percebeu os raios do sol matinal jorrando para dentro. De repente, percebeu que o motor do navio achava-se silencioso e que a embarcação estava atracada, obviamente sem sair do lugar. A poucos metros ao longo da antepara, ele ficou surpreso ao ver um par de homens vestidos de preto sentados de ambos os lados da porta de entrada. Portavam fuzis automáticos sobre o colo, olhando em sua direção com olhares ameaçadores.

— Como eles vieram a bordo? — Hammet perguntou baixinho.

— Não tenho certeza — respondeu o imediato. — Deve ter sido por um escaler daquele cargueiro. Um grupo de homens armados apareceu no passadiço antes que eu soubesse o que estava acontecendo.

— Conseguiu enviar um pedido de socorro?

O imediato balançou a cabeça tristemente.

— Não deu tempo.

Hammet inventariou o efetivo da sua tripulação sentada ao redor, notando que o seu terceiro oficial achava-se ausente.

— Onde está o cozinheiro?

— Foi levado para o passadiço logo no início. Meu palpite é que o obrigaram a pilotar o navio.

Pouco tempo depois, a porta para o refeitório abriu-se e o terceiro oficial foi bruscamente empurrado para dentro por outro homem armado. Exibindo um grande hematoma no rosto, o jovem oficial encaminhou-se para a mesa e aproximou-se de Hammet.

— Que bom que está bem, comandante — disse ele.

— O que tem para nos informar? — perguntou Hammet.

— Senhor, eles me obrigaram a pilotar o navio sob a mira de uma arma. Navegamos para o norte a velocidade máxima durante toda a noite, seguindo um cargueiro negro chamado *Ottoman Star*. Por volta do amanhecer, atracamos ao lado dele em uma pequena enseada protegida. Ainda estamos em águas turcas, a cerca de dezoito quilômetros ao norte de Dardanelos.

— Alguma ideia de quem são essas pessoas?

— Não, senhor. Falavam turco, mas não faziam exigências. Não posso imaginar por que alguém roubaria um navio-tanque de água vazio.

Hammet inclinou a cabeça em resposta, perguntando-se intimamente a mesma coisa.

* *

A TRIPULAÇÃO DO NAVIO-TANQUE israelense foi mantida a bordo do navio por mais vinte e quatro horas, tendo permissão de ir à cozinha e pouco mais do que isso. Várias vezes Hammet aproximou-se dos guardas com perguntas ou pedidos, mas todas as vezes obteve como resposta o silêncio dos canos das armas apontadas em sua direção. Durante todo o dia e a noite, eles podiam ouvir os ruídos de trabalhadores e das máquinas ecoarem no convés de proa. Arriscando uma espiada para fora da vigia, Hammet conseguiu vislumbrar um guindaste balançando caixotes do cargueiro para o navio-tanque.

No final do dia, com a chegada de mais outros guardas, eles foram retirados do navio e obrigados a ajudar a carregá-lo. Depois que desceram todos para o cais, Hammet ficou chocado ao ver o que tinham feito com o seu navio. Os assaltantes tinham aberto dois enormes buracos no convés de proa. Os tanques gêmeos de armazenamento de vante, cada um com capacidade para 570 mil litros de água, achavam-se agora expostos como uma lata de sardinhas semiaberta. O comandante observou que as caixas que tinha visto serem descarregadas do cargueiro agora achavam-se alinhadas às anteparas do perímetro de cada tanque exposto.

— Os idiotas transformaram o nosso navio-tanque em um transporte de cargas — ele praguejou enquanto eram levados para terra.

Seu desânimo só aumentou quando a tripulação foi conduzida para o armazém sul e orientada a transportar pequenas caixas de explosivos plásticos do contêiner do Exército norte-americano. Eles foram guiados de volta ao navio-tanque, onde depositaram os explosivos no centro dos dois tanques abertos. Hammet fez um segundo exame das caixas já carregadas a bordo, vendo que estavam cheias de sacos de cinquenta quilos assinalados com o rótulo: "Ammonium Nitrate Fuel Oil", um explosivo produzido por hidrocarbonetos líquidos (geralmente óleo diesel ou querosene) com nitrato de amônio.

— Eles pretendem explodir o navio — ele sussurrou para o imediato enquanto eram levados de volta para uma segunda carga de HMX.

— Com a gente dentro dele, imagino — respondeu o imediato.

— Um de nós precisa tentar escapar. Precisamos encontrar alguma ajuda para impedir essa loucura.

— Como o comandante, a sua falta será a primeira a ser notada.

— E você, com essa faixa ensanguentada na cabeça, não ficaria muito atrás — disse Hammet.

— Eu vou tentar — disse uma voz atrás deles. Era o timoneiro do navio-tanque, um homem baixinho chamado Green.

— Está escuro no armazém, Green — Hammet disse. — Veja se você consegue desaparecer entre as sombras.

Mas os guardas estavam preparados para evitar uma fuga e mandavam Green voltar para a fila todas as vezes que ele tentava se atrasar ou se afastar dos outros. Relutantemente, ele se juntava à fila de carregadores de explosivos.

A tripulação continuou o trabalho forçado até os explosivos do contêiner diminuírem. Hammet notou com curiosidade uma mulher de olhos escuros, usando um macacão, monitorar seu progresso do convés do navio até que por fim ocupou uma posição no passadiço. Quando voltaram ao depósito para o que ele sabia que seria a última carga, Hammet virou-se para o timoneiro.

— Tente ficar para trás no contêiner — sussurrou.

O comandante passou a ordem para toda a tripulação entrar rapidamente em conjunto no contêiner antes que um guarda gritasse para desacelerarem. Mas isso deu a chance a Green de esgueirar-se para o fundo do contêiner. Ele subiu rapidamente para a prateleira superior e depois esticou-se de lado contra a parede, o seu corpo miúdo pouco visível de baixo. Hammet deixou que os outros tripulantes carregassem o resto dos explosivos para fora e depois saiu do contêiner com as palmas das mãos para cima.

— Não tem mais — disse ao guarda mais próximo e depois seguiu os outros para fora do armazém.

Andando com rapidez, ele não pôde deixar de esticar o pescoço enquanto o guarda se aproximava e espreitava dentro do contêiner. Satisfeito por pensar que estivesse vazio, o guarda virou-se e bateu a porta para fechá-la. Hammet voltou-se, prendendo a respiração enquanto orava pedindo silêncio. Mas as suas esperanças se desvaneceram com o chiado produzido pela lingueta deslizante que foi fechada com um estalido de arrepiar, que Hammet sentiu por todo o corpo, da cabeça até os dedos dos pés.

56

Os pneus do avião da ponte aérea levantaram uma nuvem de poeira ao tocarem a pista seca do aeroporto de Çanakkale, a uma curta distância a sudeste de Dardanelos. O avião virou para o terminal designado, parando lentamente enquanto as suas hélices gêmeas silenciavam. Summer observava atrás de uma barreira quando o seu irmão desceu do avião entre os últimos passageiros. Ele mancava ligeiramente e exibia alguns pequenos curativos, mas fora isso parecia saudável. No entanto, à medida que se aproximava, ela pôde ver que carregava o pior dos seus ferimentos internamente.

— Ainda parece inteiro, pelo que vejo — disse ela, dando-lhe um abraço. — Bem-vindo à Turquia.

— Obrigado — ele respondeu em voz baixa.

Desaparecera a sua energia positiva e a habitual disposição otimista. Até os seus olhos pareciam mais escuros, pensou Summer. Não triste e melancólico, como esperava, mas frio e quase com raiva. Era uma expressão que ela nunca vira no irmão antes. Segurando gentilmente o seu braço, ela o conduziu ao setor de bagagem.

— Lemos a notícia sobre o atentado ao Domo da Rocha, nunca imaginando que você estivesse envolvido — ela disse calmamente. — E depois o papai ficou sabendo pelos seus contatos que você estava lá e impediu a explosão.

— E só impedi uma das cargas de explodir — disse ele amargamente. — As forças de segurança israelenses me mantiveram fora dos noticiários enquanto me tratavam em um hospital do Exército. Acho que não queriam a presença de um americano para turvar ainda mais as questões políticas locais.

— Graças a Deus você não ficou gravemente ferido. — Ela fez uma pausa e olhou para o irmão com preocupação. — Sinto muito sobre a sua amiga israelense.

Dirk inclinou a cabeça, mas não disse nada. Logo chegaram ao setor de bagagem e ele encontrou sua mala. No caminho para uma pequena van emprestada, no estacionamento, Summer disse:

— Temos de pegar mais uma encomenda.

Dirigindo ao lado oposto do aeroporto, ela encontrou um velho prédio de armazém com a placa: "Cargas Aéreas". Solicitando uma encomenda para a NUMA, recebeu dois pacotes de remessa especial e depois dois homens trouxeram sobre um carrinho um caixote pequeno e o carregaram até a parte traseira da van.

— O que há no caixote? — Dirk perguntou enquanto se afastavam.

— Um barco inflável substituto. O *Aegean Explorer* perdeu dois dos seus barcos durante uma disputa sobre um naufrágio.

Summer pôs Dirk a par sobre o que sabia sobre a descoberta do naufrágio otomano, a morte dos dois cientistas da NUMA e o sequestro de Zeibig.

— Os turcos não pegaram os caras do iate? — Dirk perguntou.

Summer balançou a cabeça.

— Papai está furioso com a resposta das autoridades locais. O *Explorer* foi apreendido por alguns dias e culpado pela morte de Tang e Iverson.

— Regras de justiça para aqueles que têm o poder. É uma notícia terrível essa sobre Tang e Iverson. Trabalhei com eles em outros projetos. Os dois eram homens muito bons — ele disse, a voz falhando quando a conversa sobre morte dirigiu seus pensamentos para Sophie.

— Além disso, a pesquisa sobre as algas ficou prejudicada. O nosso representante ambiental turco, que precisa estar a bordo, está ausente com algum tipo de problema de família. Enquanto isso, Rudi e Al estão tendo problemas com o novo AUV. — Ela queria acrescentar que a chegada de Dirk ajudaria a alegrar a todos, mas sabia que não seria o caso em sua condição atual.

Summer dirigiu em direção às docas comerciais de Çanakkale e localizou o *Aegean Explorer* atracado ao lado de alguns pesqueiros grandes. Acompanhou o irmão a bordo e o levou à câmara dos oficiais do navio, onde Pitt, Gunn e Giordino conversavam sobre o planejamento de viagem com o comandante Kenfield. Eles receberam calorosamente o Pitt mais jovem assim que ele entrou com a irmã.

— Seu pai não lhe ensinou a não brincar com explosivos? — Giordino sorriu, sacudindo a mão de Dirk com um aperto esmagador.

Dirk também forçou um sorriso e depois abraçou o pai antes de se sentar à mesa.

— Summer me contou que você encontrou um naufrágio otomano — disse ele. O tom de sua voz deixou claro que a sua preocupação estava em outro lugar.

— O qual já nos causou uma porção de problemas — respondeu Pitt. — Ele remonta a cerca de 1570 e viajava com alguns artefatos romanos incomuns a bordo.

— Infelizmente, tudo o que resta desses artefatos são algumas fotografias — Gunn acrescentou com tristeza.

— É claro que tudo isso perde o brilho em comparação com a descoberta de Summer — disse Pitt.

Dirk voltou-se para a irmã.

— E qual foi essa descoberta? — perguntou ele.

— Quer dizer que ela não lhe contou? — falou Giordino.

Summer dirigiu a Dirk um olhar envergonhado.

— Acho que não tivemos tempo.

— Quanta modéstia — disse Gunn, vasculhando uma pilha de papéis sobre a mesa. — Aqui está, fiz uma cópia do original de Summer — disse, entregando uma folha de papel a Dirk.

Ele levantou a folha de papel e leu com atenção:

Universidade de Cambridge
Departamento de Arqueologia

Tradução (do copta grego):
Navio imperial Argon
Manifesto Especial para Entrega ao Imperador Constantino
Bizâncio

Manifesto:
Itens pessoais de Cristo, incluindo um pequeno guarda-roupa com:
Manto
Mecha de cabelo
Carta de Pedro
Objetos de uso pessoal
Cripta de pedra grande
Altar — da Igreja do Nazareno
Pintura contemporânea de Jesus
Ossuário de J.

Atribuído ao 14º dos Legionários, em Cesareia
Septarius, governador da Judeia

— Isto é verdadeiro? — Dirk perguntou.

— O original está escrito em papiro. Eu o vi brevemente — respondeu Summer inclinando a cabeça —, portanto sei que existe. Essa foi uma tradução feita por um conhecido arqueólogo e etimologista de Cambridge em 1915.

— É incrível — disse Dirk, a atenção totalmente atraída para o documento. — Todos esses itens pessoais relacionados a Jesus. Devem ter sido colhidos pelos romanos após a sua morte e destruídos.

— Não, longe disso — Summer disse. — Eles foram obtidos por Helena, mãe de Constantino, o Grande, em 327 d.C. Os itens do Manifesto eram sagrados e, provavelmente, foram enviados a Constantino para comemorar a conversão do Império Romano ao cristianismo.

— Ainda não acredito que, entre todos os lugares possíveis, você tenha encontrado isso na Inglaterra — Gunn disse finalmente.

— Tudo por causa do nosso mergulho no HMS *Hampshire* — Summer explicou. — O marechal de campo Kitchener aparentemente obteve o documento em papiro durante a realização de um levantamento topográfico da Palestina na década de 1870. Ao que parece, não se sabia do seu significado até a tradução ser feita décadas mais tarde. Julie Goodyear, uma autoridade em Kitchener que ajudou a localizar o Manifesto, acredita que a Igreja da Inglaterra possivelmente teria matado Kitchener por causa desse documento.

— Acho que dá para entender os temores deles — Giordino afirmou. — Encontrar o ossuário de Jesus com certeza levantaria uma série de problemas.

— É uma ligação interessante com os artefatos romanos que encontramos no naufrágio otomano, que também data da época de Constantino e Helena — Gunn observou.

— Quer dizer que esses artefatos de Jesus foram colocados em um navio romano de partida de Cesareia? — Dirk perguntou.

Summer inclinou a cabeça concordando.

— É sabido que Helena fez uma peregrinação a Jerusalém, onde afirmou ter descoberto a Vera Cruz ou Cruz Verdadeira. Existem fragmentos dessa cruz nas igrejas de toda a Europa hoje em dia. Uma história conhecida relata como os pregos da cruz foram derretidos e incorporados em um capacete e um freio de cavalo para Constantino. Assim, Helena e a cruz aparentemente chegaram em segurança a Bizâncio. No entanto, não há menção a esses itens — ela acrescentou, apontando para a lista. — Esses devem ter sido enviados separadamente e parece que estavam perdidos para a história há muitos séculos. Você poderia imaginar o impacto que causaria obter uma imagem contemporânea de Jesus?

A sala ficou em silêncio enquanto todos imaginavam como seria a aparência do homônimo do cristianismo. Todos, isto é, exceto Dirk. Seus olhos permaneceram concentrados na parte inferior do Manifesto.

— Cesareia — disse ele. — Isso indica que a remessa deixou Cesareia sob a guarda de legionários romanos.

— Era lá que você estava trabalhando, não era? — perguntou o pai.

Dirk assentiu.

— Por acaso eles não deixaram por lá um planejamento de viagem gravado na pedra, não é? — Giordino perguntou.

— Não, mas tivemos a sorte de descobrir uma série de documentos em papiro daquela época. O mais interessante deles descrevia a captura e a execução de alguns piratas cipriotas. O mais curioso é que os piratas parecem ter lutado contra uma força legionária no mar em algum momento antes de serem capturados. O doutor Haasis, com quem trabalhei em Cesareia, disse que os legionários romanos eram parte de um grupo chamado *Scholae Palatinae*, liderado por um centurião chamado Platus, se não me engano.

Gunn quase caiu da cadeira.

— Qual... qual você disse que era o nome dele? — ele gaguejou.

— Platus, ou talvez fosse Platius.

— Plautius? — perguntou Gunn.

— Sim, era isso. Como você sabia?

— Esse era o nome no meu marco, quer dizer, no marco que foi encontrado no local do naufrágio. Era um memorial a Plautius, que aparentemente morreu em uma batalha no mar.

— Mas vocês não têm nenhuma pista de onde veio o marco? — Dirk perguntou.

Gunn balançou a cabeça enquanto o semblante de Zeibig de repente se iluminou.

— Dirk, você disse que os piratas eram de Chipre? — ele perguntou.

— Isso é o que estava indicado no registro em papiro.

Zeibig vasculhou alguns papéis, puxando uma página de dados de pesquisa.

— O nome do senador romano inscrito na coroa de ouro, Artrius? O doutor Ruppé mandou uma pesquisa histórica indicando que ele serviu como o governador de Chipre por um período curto.

Um leve sorriso desenhou-se no rosto de Pitt.

— Chipre, essa é a pista que nos faltava. Se os registros históricos de Chipre estiverem intactos, aposto que vocês vão descobrir que Traianus, o nome no monólito, também se encontrava em Chipre. Talvez ele mesmo respondesse ao governador Artrius.

— Claro — concordou Giordino. — Traianus provavelmente recebeu ordens do governador para erigir um memorial depois que a coroa de ouro chegou pelo correio.

— Mas o que a coroa e o marco romano estavam fazendo em um naufrágio otomano? — Dirk perguntou.

— Acho que tenho uma teoria sobre isso — disse Zeibig. — Pelo que me lembro, historicamente Chipre permaneceu sob o domínio veneziano muito tempo depois da queda do Império Romano. Mas os otomanos apareceram e invadiram com êxito a ilha por volta de 1570, que por acaso vem a ser a data aproximada do nosso naufrágio. Eu arriscaria dizer que a coroa de ouro e lápide de pedra eram simplesmente antiguidades tomadas como despojos de guerra que estavam sendo enviados para o sultão reinante em Constantinopla.

— Pelo Manifesto, podemos supor que Plautius foi designado para transportar as relíquias religiosas em nome de Helena — disse Gunn. — A estela do naufrágio, juntamente com o papiro descoberto por Dirk, confirma que ele perdeu a vida lutando contra piratas nas costas de Chipre. É possível que os eventos tenham ocorrido todos na mesma viagem?

— Eu seria capaz de apostar que os integrantes dessa *Scholae Palatinae*, assim como a Guarda Pretoriana, não se afastariam muito da sede do poder do imperador, a não ser em circunstâncias excepcionais — disse Pitt.

— Tal como guardar a mãe dele enquanto ela viajava para Jerusalém — disse Summer.

— O que explicaria a coroa de ouro — disse Giordino. — Ela poderia muito bem ter sido presenteada a Artrius enquanto ele era governador de Chipre, enviada por Constantino como uma forma de agradecimento pela captura dos piratas que mataram Plautius.

— Os mesmos piratas que roubaram as relíquias? — perguntou Gunn. — Essa é a verdadeira pergunta. Quem acabou ficando com as relíquias?

— Fiz uma pesquisa histórica superficial sobre os itens do Manifesto — disse Summer. — Embora haja fragmentos da suposta Cruz Verdadeira distribuídos entre dezenas de igrejas por toda a Europa, não consegui encontrar nenhum registro concreto sobre nenhum dos itens do Manifesto sendo exibidos atualmente ou no passado.

— Então eles desapareceram com Plautius — disse Gunn.

— O registro em Cesareia afirma que os piratas foram capturados e levados ao porto no seu próprio navio — Dirk declarou. — O convés do navio estava ensanguentado e encontraram-se numerosas armas romanas a bordo. Embora aparentemente eles tivessem lutado contra Plautius, não ficou claro o que aconteceu com seu navio. Ou com as relíquias, a propósito.

— O que provavelmente significa que a galera romana de Plautius foi afundada — disse Pitt.

As outras pessoas na sala animaram-se visivelmente com a ideia, cientes de que, se houvesse um homem capaz de encontrar um naufrágio importante, esse era o seu companheiro magro e de olhos verdes sentado à frente deles.

— Pai, poderíamos tentar procurá-lo depois de terminar o projeto turco? — Summer perguntou.

— Isso pode acontecer mais cedo do que você pensa — disse Gunn.

Summer voltou-se e dirigiu-lhe um olhar de quem não estava entendendo nada.

— O ministério turco do Meio Ambiente informou-nos que foi encontrada uma quantidade significativa de descarte de lixo por uma usina química de grande porte em Çiftlik, uma cidade perto de Chios — Pitt explicou. — Rudi pesquisou as correntes marinhas e parece haver uma forte correlação com a zona morta que estávamos mapeando nas proximidades do naufrágio otomano.

— Melhor do que uma probabilidade de noventa e cinco por cento — Gunn confirmou. — Os turcos gentilmente nos pediram para voltar dentro de um ano e fazer alguns testes por amostragem, mas neste momento não temos mais necessidade de estender qualquer um dos nossos trabalhos de pesquisa.

— Isso quer dizer que vamos voltar ao naufrágio otomano? — Summer perguntou.

— O doutor Ruppé está organizando uma escavação formal sob os auspícios do Museu Arqueológico de Istambul — disse Pitt. — Enquanto não conseguir as aprovações necessárias do Ministério da Cultura, ele sugeriu que evitemos qualquer atividade no local.

— Então podemos tentar encontrar a galera romana? — Summer perguntou animadamente.

— Estamos pensando exatamente em avaliar uma pequena região ao sul daqui — disse Pitt. — Devemos conseguir terminar o trabalho em dois ou três dias. Desde que, é claro, o nosso AUV esteja funcionando como deveria — disse ele, lançando um olhar de soslaio a Gunn.

— Isso me faz lembrar de uma coisa — disse Summer. — Trouxe as suas peças de reposição.

Ela jogou os dois pacotes de remessa especial para Gunn, que rapidamente arrancou o lacre do primeiro e examinou o seu conteúdo.

— A nossa placa de circuito para a substituição — ele respondeu alegremente. — Isso deve nos levar de volta à água. – Olhou para o outro pacote e em seguida entregou-o a Pitt. — Este está dirigido a você, chefe.

Pitt inclinou a cabeça, depois olhou ao redor da mesa.

— Se já temos um AUV em condições de funcionar novamente, então vamos terminar o nosso projeto de pesquisa turco — disse com um sorriso irônico —, porque é uma longa viagem até Chipre.

**

Uma hora depois, o *Aegean Explorer* zarpava suavemente da doca de Çanakkale. Pitt e Giordino observavam do passadiço enquanto o comandante Kenfield manobrava o navio para fora da boca do Dardanelos e depois para o sul, ao longo da costa turca. Depois que o *Explorer* saíra em segurança do estreito movimentado, Pitt sentou-se e abriu o pacote de remessa especial.

— Biscoitos de casa? — Giordino perguntou, sentando-se em frente a Pitt.

— Não exatamente. Pedi ao Hiram para fazer algumas pesquisas sobre o *Ottoman Star* e o *Sultana*.

"Hiram" referia-se a Hiram Yaeger, o chefe de recursos de informática da NUMA. Do edifício-sede da NUMA, em Washington, Yaeger gerenciava um sofisticado centro de computação que acompanhava dados oceanográficos detalhados e informações sobre o tempo em todo o planeta. *Hacker* habilidoso, Yaeger tinha um faro para desvendar segredos e não se incomodava em recorrer a fontes de informações autorizadas ou não autorizadas quando surgia a necessidade.

— Duas embarcações que gostaria de encontrar no fundo do mar — Giordino disse. — Yaeger conseguiu encontrar alguma coisa?

— Parece que sim — respondeu Pitt, folheando várias páginas de documentos. — Os dois navios aparentemente estão registrados na Libéria, em uma empresa de fachada. Yaeger conseguiu rastrear a propriedade a uma entidade privada turca chamada Exportações Anatólia, o mesmo grupo mencionado pela polícia. A empresa tem uma longa história de envio de têxteis turcos e outras mercadorias aos parceiros comerciais em todo o Mediterrâneo. É proprietária de um armazém e um prédio de escritórios em Istambul, bem como de instalações portuárias na costa perto da cidade de Kirte.

— Ah, sim, conheço muito bem essas últimas — disse Giordino com um sorriso. — E depois, quem controla esse grupo?

— Os registros de propriedade citam um casal chamado Ozden Celik e Maria Celik.

— Não me diga... Eles dirigem um Jaguar e gostam de atropelar as pessoas de barco.

Pitt passou por uma foto de Celik que Yaeger recolhera de uma conferência da associação comercial turca. Em seguida, conseguira uma série de fotos por satélite das propriedades dos Celiks.

— Esse é o nosso garoto — disse Giordino, examinando a primeira foto. — O que mais sabemos sobre ele e a esposa?

— Maria é, na realidade, a irmã. E as informações são um pouco escassas. Yaeger indica que os Celiks são tipos misteriosos, que não gostam muito de aparecer. Ele diz que precisou investigar a fundo para saber mais sobre os dois.

— E ele fez isso mesmo?

— Ouça esta. Uma ligação genealógica indica que os dois Celiks são bisnetos de Mehmed VI.

Giordino balançou a cabeça.

— Receio não conhecer o nome.

— Mehmed VI foi o último sultão a governar o Império Otomano. Ele e seu clã foram depostos do trono e expulsos do país quando Ataturk assumiu o poder em 1923.

— E agora o pobre menino não tem nada para chamar de seu a não ser um velho cargueiro todo enferrujado. Não é à toa que ele tem tanta mágoa por julgar-se injustiçado.

— Ao que parece, ele tem muito mais do que isso — disse Pitt. — Yaeger acredita que a dupla esteja entre as pessoas mais ricas do país.

— Acho que parte disso explica o fanatismo em relação ao naufrágio otomano.

— E a impetuosidade do roubo de Topkapi. Embora possa ter havido outra motivação.

— Tal como?

— Yaeger encontrou uma possível ligação financeira com uma empresa de marketing de Istambul. A empresa está ajudando a promover a candidatura do *mufti* Battal na próxima eleição presidencial.

Pitt baixou a página que estava lendo.

— Rey Ruppé nos falou em Istambul sobre esse *mufti*. Ele tem um grande número de seguidores fundamentalistas e é considerado uma força perigosa em alguns círculos.

— Nunca é demais ter amigos com bolsos profundos. O que será que ele teria de bom para Celik?

— Uma pergunta que pode ter uma resposta esclarecedora — disse Pitt. Ele terminou de ler a última parte do relatório e ficou pensando sobre o turco abastado e a sua irmã selvagem enquanto Giordino dava uma olhada nas fotos por satélite.

— Estou vendo que o *Ottoman Star* voltou para o seu porto de origem — disse Giordino. — Eu me pergunto o que um navio-tanque grego estaria fazendo ao lado dele.

Ele escorregou a foto por cima da mesa para que Pitt examinasse. Pitt deu uma olhada na foto aérea da enseada agora familiar, avistando o cargueiro na doca. No lado oposto da doca estava um navio-tanque pequeno, a sua bandeira azul e branca pouco visível sobre o mastro. A bandeira chamou a atenção e Pitt a examinou por um momento antes de pegar uma lupa de trás da mesa de mapas.

— Esta não é uma bandeira grega — disse ele. — O navio-tanque é de Israel.

— Não me diga que Israel tem a sua própria frota de navios-tanque — disse Giordino.

— Vocês disseram algo sobre um navio-tanque israelense? — perguntou o comandante Kenfield, ouvindo a conversa do outro lado do passadiço.

— Al encontrou um atracado na enseada dos nossos amigos turcos — disse Pitt.

Kenfield empalideceu.

— Enquanto estávamos no porto, havia um alerta circulando sobre um navio-tanque israelense que desapareceu na costa perto de Manavgat. Na verdade se tratava de um navio-tanque de água.

— Lembro de ter visto um algumas semanas atrás — comentou Pitt. — De que tamanho é o navio desaparecido?

— O navio chamava-se *Dayan*, se não me engano — disse ele, aproximando-se de um computador e fazendo uma busca rápida. — Tem oitocentas toneladas brutas e noventa e três metros de comprimento.

Ele virou o monitor do computador para Pitt e Giordino, para que pudessem ver uma fotografia do navio. Era exatamente o mesmo.

— As fotos têm menos de vinte e quatro horas — Giordino disse, observando um carimbo de data sobre a imagem.

— Comandante, o seu telefone via satélite está funcionando? — perguntou Pitt.

— Funcionando perfeitamente. Quer fazer uma ligação?

— Quero — Pitt respondeu. — Acho que está na hora de ligarmos para Washington.

57

— O'QUINN, BOA IDEIA sua passar por aqui. Por favor, entre e puxe uma cadeira.

O funcionário da Inteligência ficou surpreso que o vice-presidente dos Estados Unidos o cumprimentasse no saguão do segundo andar do Eisenhower Executive Office Building e o convidasse pessoalmente a entrar em seu escritório. O protocolo de Washington certamente determinava que um ser inferior fosse acompanhado por um secretário ou assessor à toca santificada do Número Dois. Mas James Sandecker era daquele tipo raro de pessoa que não via muito sentido em seguir esse cerimonial.

Um almirante da Marinha aposentado, Sandecker fora o responsável décadas antes pela fundação da Agência Nacional Marítima e Subaquática americana (NUMA) e por transformá-la em uma dinâmica e poderosa instituição oceanográfica. Surpreendera a todos ao passar o comando a Pitt e aceitar a nomeação para a Vice-Presidência, na qual esperava promover a causa da proteção dos oceanos de todo o mundo. Um homem baixo, mas entusiasmado, com o cabelo e o cavanhaque vermelho flamejante, Sandecker era conhecido na capital do país como um homem direto e sincero que, não obstante, era grandemente respeitado. O'Quinn muitas vezes divertira-se durante as reuniões de informações de Inteligência ao ver como o vice-presidente era capaz de analisar rapidamente um problema, ou um indivíduo, a fim de chegar ao cerne da questão.

Entrando no escritório espaçoso, O'Quinn admirou a coleção de raras pinturas a óleo de navios antigos e veleiros de regatas que cobria as paredes. Ele acompanhou Sandecker à sua mesa e tomou um assento na frente dele.

— Sente muito a falta do mar, senhor vice-presidente?

— São raros os dias em que não preferiria estar navegando em alguma embarcação qualquer do que em uma escrivaninha — Sandecker respondeu, enfiando a mão em uma gaveta e encaixando um grande charuto entre os dentes. — Você está acompanhando os acontecimentos na Turquia? — perguntou incisivamente.

— Sim, senhor. Isso faz parte do meu trabalho voltado para a região.

— O que sabe sobre um maluco chamado Ozden Celik?

O'Quinn precisou pensar por um momento.

— É um homem de negócios turco ligado a integrantes da família real saudita. Achamos que pode estar envolvido no auxílio ao financiamento do Partido da Felicidade, uma instituição fundamentalista do *mufti* Battal. Por que o senhor quer saber?

— Ao que parece, está também envolvido em algumas outras coisas. Você está sabendo do navio-tanque israelense que desapareceu há dois dias?

O'Quinn assentiu, recordando-se de uma menção ao incidente em um relatório diário de informações.

— O navio foi observado em uma pequena instalação portuária controlada por Celik poucos quilômetros ao norte de Dardanelos. Tenho uma informação de confiança de que esse Celik esteve por trás do recente roubo de artefatos muçulmanos em Topkapi. — Sandecker adiantou uma foto por satélite do navio-tanque sobre a sua mesa.

— Topkapi? — repetiu O'Quinn, as sobrancelhas subindo como um par de pontes levadiças. — Acreditamos que possa haver uma ligação entre o roubo de Topkapi e os ataques recentes à mesquita al-Azhar e do Domo da Rocha em Jerusalém.

— O presidente está ciente dessa possibilidade.

O'Quinn estudou a fotografia por satélite.

— Se me permite perguntar, senhor, como obteve essas informações?

— Dirk Pitt, da NUMA. Dois dos seus cientistas foram mortos por homens de Celik e um terceiro sequestrado e levado para as mesmas instalações portuárias — Sandecker respondeu, apontando para a foto. — Pitt conseguiu resgatar o seu homem e descobriu um contêiner de explosivos plásticos nas instalações. Parte do suprimento de HMX do nosso Exército, para ser exato.

— O HMX foi o composto explosivo identificado nos atentados contra as mesquitas — disse O'Quinn, empolgando-se.

— Sim, lembro-me disso no seu relatório de informações à Presidência.

— Celik deve estar agindo em favor do *mufti* Battal. Está claro para mim que os atentados anônimos às mesquitas, utilizando os nossos explosivos, foram uma tentativa de incitar a revolta fundamentalista no Oriente Médio e particularmente na Turquia. Seu objetivo deve ser o de influenciar a opinião pública, a fim de conduzir Battal ao cargo.

— É um motivo lógico. É por isso que esse navio-tanque israelense sequestrado é motivo de preocupação.

— Já entramos em contato com o governo turco?

— Não — respondeu Sandecker, balançando a cabeça. — O presidente está preocupado que qualquer ação de nossa parte possa vir a ser interpretada como uma intromissão americana no resultado da eleição. Francamente, não sabemos até que ponto os tentáculos de Battal podem alcançar no governo existente. Os riscos são simplesmente altos demais e a corrida eleitoral está muito próxima para nos arriscarmos a uma reação que poderia entregar a eleição ao partido dele.

— Mas os nossos analistas nos dizem que o *mufti* ainda tem uma chance de ganhar de qualquer maneira.

— O presidente entende isso, mas, assim mesmo, proibiu qualquer envolvimento dos Estados Unidos até depois da eleição.

— Podemos usar outros canais menos ostensivos — observou O'Quinn.

— Isso também foi considerado muito arriscado. — Sandecker tirou o charuto de entre os dentes e examinou a extremidade mastigada. — Essa foi uma ordem do presidente, O'Quinn, não minha.

— Mas não podemos simplesmente ficar indiferentes.

— Foi por isso que chamei você aqui. Você tem contatos de Inteligência no Mossad, eu presumo? — perguntou Sandecker.

— Sim, claro — concordou O'Quinn.

Sandecker inclinou-se sobre a mesa, demorando os olhos azuis-claros sobre o funcionário da Inteligência.

— Então sugiro que considere entrar em contato com eles e dizer-lhes onde foi localizado o seu navio desaparecido.

58

Ao anoitecer, pouco antes de o *Aegean Explorer* chegar ao local da sua grade de pesquisa, a pouco menos de quarenta quilômetros a sudeste de Çanakkale, Rudi Gunn terminara os reparos nos sensores defeituosos do veículo subaquático autônomo. O AUV fora lançado e a tripulação do navio retomara a programação de rastreamento ininterruptamente. No começo do turno da meia-noite, o passadiço estava ocupado apenas pelo segundo oficial do navio e um timoneiro.

O navio navegava em baixa velocidade rumo ao norte quando o timoneiro virou-se vivamente para a tela do radar.

— Senhor, surgiu de repente uma embarcação pelo nosso bombordo, a menos de quinhentos metros — falou, excitado. — Sou capaz de jurar que não estava ali um minuto atrás.

O oficial do passadiço olhou para a varredura do radar, notando uma pequena mancha de luz amarela quase fundir-se com o ponto central, que representava o *Aegean Explorer*.

— Mas de onde diabos veio esse barco? — ele exclamou. — Mantenha o leme a vinte graus — ordenou rapidamente, com receio de que o navio desconhecido estivesse em uma orientação perpendicular.

Enquanto o timoneiro manobrava o leme do navio, o oficial aproximou-se da janela de bombordo do passadiço e olhou para fora. A lua e as estrelas achavam-se escondidas pelas nuvens baixas, cobrindo o mar de escuridão. Na expectativa de ver claramente as luzes do navio nas proximidades, o oficial surpreendeu-se em avistar apenas o negrume.

— O idiota não está com as luzes de navegação acesas — disse ele, procurando em vão uma sombra no mar. — Vou tentar fazer contato pelo rádio.

— Eu não recomendaria isso — gritou uma voz seca com um traço de sotaque hebraico.

O oficial voltou-se chocado para encontrar dois homens vestidos em trajes de camuflagem escura entrar no passadiço pela amurada de boreste. O mais alto dos dois homens adiantou-se, expondo um rosto magro que terminava em uma mandíbula quadrada. O intruso parou a poucos metros do oficial, apontando uma metralhadora leve contra o seu peito.

— Mande o seu timoneiro retomar o curso — disse o militar de elite, a expressão severa nos seus olhos escuros reforçando a sua vontade. — Não há perigo para a sua embarcação.

O oficial concordou com relutância, inclinando a cabeça para o timoneiro.

— Retome o curso original — disse. Virando-se para o militar de elite, gaguejou: — O que está fazendo em nosso navio?

— Estou procurando por um homem chamado Pitt. Traga-o para o passadiço.

— Não tem ninguém a bordo com esse nome — o oficial mentiu.

O militar deu mais um passo na direção dele.

— Nesse caso, vou retirar os meus homens e afundar o seu navio — ameaçou em voz baixa.

O oficial pensou que fosse uma ameaça vazia. Mas a expressão nos olhos do militar, endurecidos em batalhas, não deixava dúvidas de que aquela era uma possibilidade. Concordando de mau humor, o oficial substituiu o timoneiro na roda do leme para que fosse buscar Pitt. O segundo militar imediatamente saiu nos calcanhares do timoneiro quando este saiu por uma escada aos fundos.

Minutos depois, Pitt era trazido ao passadiço, uma expressão de raiva ardendo nos olhos sonolentos.

— Senhor Pitt? Sou o tenente Lazlo, das Forças Especiais da Marinha israelense.

— Desculpe-me se não lhe dou as boas-vindas a bordo, tenente — respondeu Pitt secamente.

— Peço desculpas pela intromissão, mas precisamos da sua ajuda em uma missão delicada. Fui informado de que fontes do mais alto nível do seu governo aprovaram a sua cooperação.

— Compreendo. Se esse fosse o caso, então seria realmente necessária esta encenação no meio da noite?

— Estamos atuando em águas turcas sem autorização. É essencial mantermos o sigilo sobre a nossa presença.

— Tudo bem, tenente, abaixe as armas e me diga de que se trata tudo isso.

O militar relutantemente baixou a arma, indicando para o parceiro fazer o mesmo.

— Recebemos ordens de efetuar o resgate da tripulação do navio-tanque israelense *Dayan*. Foi relatado que você está a par do local onde o navio vem sendo mantido.

— Sim, uma enseada ao norte de Dardanelos. Será que ele ainda está lá?

— Os relatórios da Inteligência nas últimas dez horas confirmam isso.

— Por que não usam os canais diplomáticos para conseguir a sua libertação? — perguntou Pitt, testando o homem.

— O seu governo forneceu informações de que pode haver uma ligação entre os sequestradores e o recente atentado contra o Domo da Rocha em Jerusalém. O relato sobre a presença de um estoque de explosivos nas instalações fez com que os nossos especialistas em informações temam outro ataque.

Pitt concordou, entendendo que a busca a Celik pelos canais oficiais poderia implicar um atraso perigoso. O turco claramente tinha as piores intenções e o que Pitt mais gostaria era colocá-lo fora de atividade.

— Muito bem, tenente, terei o maior prazer em ajudar. — Ele se voltou e encarou o segundo oficial.

— Rogers, por favor, informe ao capitão que deixei o navio. A propósito, tenente, como chegou a bordo?

— Temos um pequeno inflável amarrado no bordo de boreste. Será mais fácil a nossa partida se o seu navio temporariamente diminuir a marcha.

Rogers atendeu à solicitação, então postou-se no alambrado ao lado do passadiço e observou Pitt e diversas sombras escorregarem sobre a balaustrada e sumirem de vista silenciosamente na noite. Minutos depois, o timoneiro chamou-o para observar a tela do radar.

— Ele não está em lugar algum — disse o homem, olhando para a tela.

Rogers observou a tela azul do radar sem nenhum sinal registrado e balançou a cabeça. Em algum lugar no mar aberto, Pitt desaparecera da superfície, juntamente com a embarcação misteriosa. Era, ele esperava com fervor, apenas um desaparecimento temporário.

59

O *TEKUMAH* NÃO PERDEU TEMPO em retornar às profundezas furtivas. Um submarino da classe Dolphin construído nos estaleiros HDW em Kiel, na Alemanha, era um dos operados pela Marinha israelense. Movido a diesel e relativamente pequeno, no entanto era equipado com uma série sofisticada de aparelhos eletrônicos e armamentos que o tornavam um formidável inimigo subaquático.

O inflável mal tinha tocado o lado do seu casco quando os tripulantes à espera içaram Pitt e os militares para o convés e os conduziram para baixo por uma escotilha, enquanto o inflável era acondicionado em um compartimento estanque. Pitt acabara de tomar um assento no refeitório dos oficiais apinhado do submarino quando o comando de submergir ecoou por toda a embarcação.

Lazlo guardou as suas armas e em seguida trouxe dois cafés para a mesa e sentou-se à frente de Pitt. Estendendo a mão para uma pasta ao lado, ele exibiu uma foto por satélite das instalações portuárias de Celik, semelhante à que Pitt recebera de Yaeger.

— Vamos em dois grupos pequenos — o israelense explicou. — Um vai dar busca no navio-tanque e o outro nas instalações em terra. Pode me falar sobre os prédios?

— Desde que possa ir com você — respondeu Pitt.

— Não tenho autorização para isso.

— Olhe, tenente — disse Pitt, olhando friamente para o militar — não vim com você só para dar uma volta de submarino. Os homens de Celik mataram dois dos meus cientistas e sequestraram um terceiro. A irmã dele sequestrou a minha esposa à mão armada. E lá dentro das instalações dele encontra-se um carregamento de altos explosivos com a capacidade de provocar a Terceira Guerra Mundial. Entendo que queira os tripulantes do *Dayan* de volta, mas potencialmente há muito mais coisas em jogo aqui.

Lazlo ficou em silêncio por um momento. Pitt não era o homem que esperava encontrar a bordo do navio de pesquisas. Longe de ser algum cientista genial e inseguro, Pitt era um homem totalmente decidido.

— Muito bem — respondeu calmamente o militar.

Pitt pegou a foto e explicou detalhadamente a disposição interna dos dois armazéns e do prédio administrativo de pedra.

— Sabe me dizer alguma coisa sobre os dispositivos de segurança? — perguntou Lazlo.

— Antes de mais nada, trata-se de uma instalação portuária em funcionamento, mas nós encontramos diversas pessoas armadas. Desconfio que a grande maioria era integrante de uma guarda de segurança pessoal de Celik, mas vários deles provavelmente trabalhavam no local. Eu esperaria encontrar uma força de segurança pequena, mas fortemente armada. Tenente, os seus homens têm treinamento em demolições?

O militar de elite sorriu.

— Somos do Shayetet 13. Demolições são uma parte importante da nossa formação.

Pitt ouvira falar da unidade de forças especiais israelenses, que tinha uma função semelhante à dos comandos de elite dos Fuzileiros Navais da Marinha norte-americana. Eles eram chamados de "Homens-Morcegos", recordou-se, por causa da insígnia contendo uma asa de morcego que usavam no uniforme.

— Os representantes do meu governo estão muito preocupados com um contêiner de explosivos plásticos HMX que encontramos guardado neste armazém — Pitt disse, apontando para a foto.

Lazlo assentiu.

— As ordens sobre a nossa missão são apenas para o resgate, mas a eliminação desses explosivos seria de interesse mútuo. Se ainda estiverem lá, cuidaremos deles — ele prometeu.

Um homem baixo em uniforme de oficial entrou no refeitório e olhou para os dois homens com um semblante inexpressivo.

— Lazlo, chegaremos à zona de desembarque em quarenta minutos.

— Obrigado, comandante. A propósito, este aqui é Dirk Pitt, do navio de pesquisas americano.

— Bem-vindo a bordo, senhor Pitt — o comandante respondeu sem emoção. Ele rapidamente voltou a sua atenção para Lazlo. — Vocês terão aproximadamente duas horas de escuridão para completar a sua missão. Estou lhe avisando, não quero estar na superfície ao amanhecer.

— Comandante, posso lhe prometer — o militar de elite respondeu com arrogância fria. — Se não estivermos de volta em noventa minutos, então pode zarpar sem nós.

60

Lazlo estava enganado quanto à duração da missão, mas não da maneira como esperava.

Emergindo a cerca de quatro quilômetros a noroeste da enseada, o *Tekumah* desembarcou o comando de elite pela segunda vez naquela noite. Vestido com um uniforme preto sem características especiais, Pitt juntou-se à equipe de resgate de oito homens que embarcou em um par de barcos infláveis e afastou-se rapidamente do submarino. Parando em frente à entrada para a enseada, os pilotos dos barcos desligaram o motor de popa e retomaram a propulsão com um motor silencioso movido a bateria elétrica.

Entrando na enseada, Pitt lançou um olhar decepcionado em direção ao cais, então sussurrou para Lazlo.

— Ele se foi.

O militar israelense praguejou em voz baixa quando viu que Pitt estava certo. Não só o navio havido desaparecido, como todo o cais estava vazio. Os edifícios em terra achavam-se às escuras e também pareciam desertos.

— Equipe alfa, preparar para fazer o reconhecimento da costa — ele passou um rádio para o outro barco. — O alvo designado é o armazém a leste.

Ainda havia a possibilidade de que a tripulação do navio-tanque estivesse mantida em cativeiro em terra, mas ele sabia que isso era um otimismo falso. O sucesso de qualquer operação secreta, sabia depois de anos de experiência, era sempre a qualidade do serviço de informações. E, dessa vez, o serviço de informações parecia ter falhado.

Os dois barcos chegaram simultaneamente a terra a poucos metros do cais, seus ocupantes desembarcando como fantasmas silenciosos. Pitt seguiu o esquadrão de Lazlo enquanto eles se aproximavam do edifício de pedra e em seguida o invadiam com fúria. Observando do pátio da frente, Pitt poderia dizer pelos ruídos que o edifício fora abandonado, assim como o restante das instalações portuárias. Ele se encaminhou em direção ao oeste do armazém, ouvindo os passos leves da aproximação de Lazlo quando chegou à porta.

— Não liberamos este edifício ainda — sussurrou o israelense em um tom duro.

— Está vazio como os outros — disse Pitt, abrindo a porta e entrando.

Lazlo viu que as palavras de Pitt eram verdadeiras quando acendeu as luzes internas, revelando um edifício cavernoso que estava vazio, a não ser por um grande contêiner metálico na extremidade oposta.

— Seus explosivos? — perguntou o militar.

Pitt concordou.

— Vamos esperar que ainda esteja cheio.

Atravessaram o armazém até o contêiner, e Pitt correu o ferrolho para abri-lo. Ao puxar a alça, de repente foi confrontado por uma figura que se projetou de dentro brandindo um pedaço de caixote quebrado. Pitt conseguiu esquivar-se do golpe, em seguida virou-se para dar um soco. Mas, antes que pudesse atacar, a ponta da bota de Lazlo apareceu do nada, enterrando-se no estômago do atacante. O assaltante assustado ofegou quando foi atirado para o alto e bateu na lateral do contêiner. Humildemente ele largou a arma improvisada quando o cano do fuzil de assalto de Lazlo foi pressionado contra a sua bochecha.

— Quem é você? — gritou Lazlo.

— Meu nome é Levi Green. Sou marinheiro do navio-tanque *Dayan*. Por favor, não atire — suplicou ele.

— Idiota — Lazlo murmurou, afastando o fuzil. — Estamos aqui para salvá-lo.

— Eu... Sinto muito — disse ele, voltando-se para Pitt. — Pensei que você fosse um estivador.

— O que está fazendo aqui neste contêiner? — perguntou Pitt.

— Fomos obrigados a carregar o que tinha aqui dentro, caixas de explosivos, para o *Dayan*. Me escondi aqui na esperança de escapar, mas eles trancaram a porta, então fiquei preso.

— Onde estão os outros tripulantes? — perguntou Lazlo.

— Não sei. Voltaram para o navio, acho.

— O navio não está mais aqui.

— Eles modificaram o navio — disse Green, os olhos ainda arregalados de medo. — Cortaram os tanques da proa e os encheram com sacos de óleo combustível. Fomos obrigados a colocar os explosivos encaixotados ali dentro.

— O que quer dizer com "sacos" de óleo combustível? — perguntou Pitt.

— Havia caixotes e caixotes do material em sacos de vinte quilos. Eles tinham o rótulo de uma espécie de mistura de óleo combustível. Alguma coisa de amônio ou parecido.

— Nitrato de amônio? — perguntou Pitt.

— Sim, era essa a coisa.

Pitt virou-se para Lazlo.

— Óleo combustível de nitrato de amônio. É um agente barato, mas altamente eficaz de explosivo — disse ele, lembrando-se do efeito devastador que um caminhão de material semelhante tivera sobre o Edifício Federal Murrah, na cidade de Oklahoma em 1995.

— Quanto tempo ficou aí dentro do contêiner? — Lazlo perguntou ao marinheiro.

Green olhou para o relógio.

— Pouco mais de oito horas.

— O que significa que eles podem ter uma vantagem de cem milhas marítimas, ou uns cento e oitenta quilômetros — Pitt calculou rapidamente.

Lazlo abaixou-se e pegou Green pelo colarinho, então puxou-o para que ficasse de pé.

— Você vem com gente. Vamos andando.

A uns três quilômetros dali no mar, o comandante do *Tekumah* ficou aliviado ao ver os Homens-Morcegos aproximarem-se do ponto de encontro menos de uma hora depois de terem partido. Mas o seu sentimento mudou quando Lazlo e Pitt relataram o desaparecimento do *Dayan*. Apressadamente, reviram os registros de radar do submarino e acessaram o sinal do Sistema Automático de Identificação do *Dayan*, mas nenhum dos dois forneceu alguma indicação sobre o paradeiro do navio-tanque. Os três homens sentaram-se e examinaram um mapa do Mediterrâneo oriental.

— Vou alertar o comando naval — disse o comandante. — Eles já podem estar a algumas horas de Haifa ou de Tel Aviv.

— Acredito que essa seja uma suposição errada — disse Pitt. — Se a história se repetir, eles estão querendo detonar o navio em um local muçulmano, para fazer parecer que foi um ataque de Israel.

— Se pretendesse atingir estritamente um grande centro populacional, Atenas parece ser o mais próximo — Lazlo observou.

— Não, Istambul é um pouco mais perto — disse Pitt, olhando o mapa. — E é uma cidade muçulmana.

— Mas eles não atacariam seu próprio povo — disse o comandante com desdém.

— Celik não mostrou falta de crueldade até o momento — Pitt rebateu. — Se já bombardeou mesquitas em seu país e em toda a região, não há razão para duvidar de que mataria milhares de seus conterrâneos.

— O navio-tanque é assim tão perigoso? — perguntou o comandante.

— Em 1917, um navio-cargueiro francês carregado de explosivos de guerra pegou fogo e explodiu no porto de Halifax. Mais de dois mil moradores foram mortos na explosão. O *Dayan* pode estar transportando dez vezes o poder explosivo do cargueiro francês. E, se está indo para Istambul, estará navegando em um centro urbano de mais de doze milhões de pessoas.

Pitt apontou para a aproximação de Istambul por mar no mapa.

— A uma velocidade de doze nós, ele ainda estaria a duas ou três horas da cidade.

— Muito fora do alcance para nós ou os nossos barcos alcançá-lo — disse o comandante. — Não que eu fosse navegar pelo Dardanelos de qualquer maneira. Receio que o melhor que podemos fazer é alertar as autoridades gregas e turcas, enquanto nos retiramos das suas águas territoriais. Nesse ínterim, podemos deixar para os satélites dos serviços de informações descobrirem exatamente para onde o navio está indo.

— E quanto aos tripulantes? — indagou Lazlo.

— Tenente, receio não haver nada mais que possamos fazer — respondeu o comandante.

— Três horas — Pitt murmurou baixinho, enquanto analisava a rota para Istambul. — Comandante, eu teria uma chance de pegar o navio-tanque, mas preciso voltar para o meu navio imediatamente.

— Pegar o navio-tanque? — perguntou Lazlo. — Como? Não vi um helicóptero a bordo do seu navio.

— Não um helicóptero — Pitt respondeu com uma voz determinada. — Mas algo que é quase tão rápido quanto uma bala.

61

O *Bullet* rasgava a superfície da água como um hidroavião de alta velocidade. Dirigindo com o manete firmemente seguro na mão enquanto as turbinas a diesel gemiam alto a toda potência atrás dele, Pitt lançou a Giordino um olhar rápido do assento do piloto.

— Você estava enganado sobre a velocidade máxima dele — disse, quase gritando para ser ouvido.

Giordino esticou a cabeça para a tela de navegação, onde uma rápida leitura indicou que estavam navegando a quarenta e três nós.

— É sempre melhor prometer menos e entregar mais — respondeu com um sorriso.

Sentado no banco do passageiro atrás deles, o tenente Lazlo não achava a menor graça. O forte militar se sentia como se estivesse dentro de um liquidificador, enquanto o *Bullet* arfava e rolava sobre as ondas. Lutando seguidamente para se manter em seu lugar, ele finalmente descobriu as alças do cinto de segurança e afivelou-se fortemente, esperando ser capaz de superar um ataque de enjoo.

Pitt aproveitara a parada quando o *Tekumah* o retornara ao *Aegean Explorer*. O *Bullet* já fora totalmente abastecido e preparado para o lançamento.

Depois de acordar Giordino, eles rapidamente acionaram o submersível. Quando Lazlo percebeu que Pitt tinha uma chance real de alcançar o navio-tanque, no mesmo instante insistiu em acompanhá-los.

Em pouco tempo eles estavam gritando entre si ao longo do movimentado estreito de Dardanelos na calada da noite, esquivando-se dos navios, em uma corrida desesperada em direção a Istambul. Pitt precisou recorrer a todo o seu poder de concentração para manter o *Bullet* equilibrado enquanto se projetava entre os petroleiros e outros navios mercantes que navegavam nas duas direções. O conjunto de faróis de xenônio de alto brilho ajudava a melhorar a visibilidade enquanto Giordino representava um segundo par de olhos para detectar embarcações pequenas ou detritos na água.

Não era o caminho que Pitt teria preferido percorrer pela histórica hidrovia. Afeito à história, ele sabia que tanto Xerxes quanto Alexandre, o Grande, haviam conduzido os seus exércitos em direções opostas através do estreito antes conhecido como Helesponto. Não muito longe de Çanakkale, na costa sudoeste, ficava Troia, local de uma das mais famosas guerras da Antiguidade. E mais ao norte, na margem oposta, situavam-se as praias de desembarque onde se originara a fracassada campanha aliada de Gallipoli na Primeira Guerra Mundial. As praias e encostas áridas eram simplesmente um borrão para Pitt, cujos olhos corriam entre a tela de navegação e as ondas negras à frente, que rapidamente desapareciam embaixo da proa em alta velocidade.

A estreita passagem de Dardanelos logo se abriu para as águas mais amplas do Mar de Mármara. Pitt relaxou um pouco, agora que tinha mais margem de manobra entre as fileiras dispersas de navios, e sentiu-se grato ao ver que o mar aberto mantinha-se calmo. Passando pela extremidade norte da ilha chamada Mármara, teve a atenção atraída pelo som da voz calma de Rudi Gunn chamando pelo rádio.

— *Aegean Explorer* chamando *Bullet* — disse Gunn.

— Aqui fala *Bullet*. O que tem para me dizer, Rudi? — respondeu Pitt através do fone de ouvido.

— Posso lhe dar uma confirmação aproximada. Hiram localizou uma imagem por satélite atualizada que parece mostrar o navio em questão entrando no Dardanelos.

— Sabe a que horas foi isso?

— Parece que foi por volta das 23 horas, horário local — Gunn respondeu.

— Talvez seja o caso de dar um retorno a Sandecker.

— Já dei. Ele disse que vai acordar algumas pessoas por aqui.

— Pode ser melhor mesmo. Talvez não haja muito tempo. Obrigado, Rudi.

— Tenha cuidado e mantenha-se à tona. *Explorer* desliga.

— Vamos só esperar que Celik não seja dono também da Marinha e da Guarda Costeira turcas — murmurou Giordino.

Pitt perguntou-se até que ponto alcançaria a influência corruptora de Celik, mas podia fazer pouca coisa a respeito disso no momento. Olhou de relance para a tela de navegação, notando que estavam a quarenta e sete nós, o *Bullet* alcançando mais velocidade à medida que a sua carga de combustível era queimada.

— Podemos pegá-los se for preciso? — perguntou Lazlo.

Pitt olhou para o relógio. Eram quatro horas da manhã. Depois de um rápido cálculo mental, concluiu que, nas respectivas velocidades máximas, as duas embarcações se aproximariam de Istambul em cerca de uma hora.

— Sim — respondeu ele.

Mas sabia que estaria perto disso. Muito perto.

62

Não haveria a repetição de Jerusalém desta vez, Maria pensou consigo mesma. Trabalhando sob o brilho das luzes de convés do navio-tanque, ela inseriu cuidadosamente uma dúzia de detonadores do explosivo plástico HMX isolados em blocos separados. Em seguida, ligou o fio de cada cápsula detonadora às espoletas com temporizador eletrônico. Depois de lançar um olhar para o relógio, ela se levantou e observou além da proa do navio. À frente, no horizonte, estendia-se um manto de pontinhos brancos em camadas cintilantes debaixo de um negro céu nublado. As luzes de Istambul achavam-se no momento a menos de dez quilômetros à frente. Ajoelhando-se sobre o convés, ela acionou cada temporizador para um intervalo de duas horas, então ativou as espoletas.

Colocou as cargas em uma caixa pequena e desceu para a seção dianteira do tanque de água aberta a bombordo. O assoalho do tanque estava totalmente forrado com caixas de óleo combustível de nitrato de amônio e ela teve de esgueirar-se pelo meio de um labirinto de paletas para chegar ao centro. Em um canto apertado, encontrou uma larga pilha de caixas de madeira que guardavam três mil quilos de HMX. Começou a enterrar uma das cargas no fundo do caixote do meio, depois encaixou mais quatro cargas nas caixas vizinhas e no óleo combustível. Encaminhando-se para o tanque de boreste, repetiu o processo com as cargas restantes, assegurando que todas ficassem escondidas em segurança.

Estava subindo de volta ao passadiço do navio quando o celular tocou. Viu sem nenhuma surpresa que era uma ligação do irmão.

— Ozden, você acordou cedo — ela respondeu.

— Estou a caminho do escritório para testemunhar pessoalmente a ocasião.

— Não fique muito perto da janela, não dá para saber até que ponto a explosão será forte.

Maria ouviu o riso do irmão.

— Tenho certeza de que não haverá decepção desta vez. Você está no horário?

— Sim, estamos dentro do planejado. As luzes de Istambul já estão à vista. Providenciei para que o evento aconteça em pouco menos de duas horas.

— Excelente. O iate está a caminho, deve chegar aí em breve. Pretende vir até aqui comigo?

— Não — respondeu Maria. — Acho melhor a tripulação e eu desaparecermos com o *Sultana* por algum tempo. Vamos levar o barco para a Grécia por segurança, mas estarei de volta a tempo para a eleição.

— Nosso destino está próximo de se concretizar, Maria. Logo vamos saborear os frutos do nosso trabalho. Adeus, minha irmã.

— Adeus, Ozden.

Ao desligar o telefone, ela refletiu brevemente sobre o seu estranho relacionamento. Haviam crescido juntos em uma ilha grega isolada e, muito próximos como irmãos, unindo-se ainda mais após a morte da mãe ainda jovem. O pai exigente alimentara grandes expectativas em relação aos dois, mas sempre tratara Ozden com a expectativa de que reassumisse a realeza. Talvez por isso ela sempre fora a mais dura dos dois, nunca se poupando e superando as dificuldades sozinha durante a juventude, sendo mais um segundo filho do que uma filha para o pai. Mesmo agora, enquanto o irmão esperava sentado em seu escritório dourado, era ela quem comandava o navio e conduzia a missão. Fora sempre ela quem lutara nas sombras, enquanto o irmão ocupava o lugar da frente. Mas, a seu ver, estava tudo bem, pois sabia que Ozden não seria nada sem a sua presença. De pé no passadiço e olhando por cima da ampla proa do navio-tanque, sentiu-se absoluta no poder naquele momento, e desfrutaria cada segundo disso.

Mas a casca da sua armadura rachou ligeiramente quando o rádio do navio soou inesperadamente.

— Guarda Costeira de Istambul para navio-tanque *Dayan*. Guarda Costeira de Istambul para navio-tanque *Dayan*. Responda, por favor.

Seu rosto fechou-se em uma carranca de irritação e ela voltou-se e bradou para o piloto.

— Reúna os janízaros.

Ignorando a chamada pelo rádio, ela se virou calmamente e estudou a tela de radar do navio-tanque, preparando-se mentalmente para o combate iminente.

* *

As advertências diplomáticas de emergência de Israel e dos Estados Unidos à meia-noite foram finalmente direcionadas para a Guarda Costeira turca, cuja base de comando de Istambul deu garantias de que todos os navios-tanques que se aproximassem seriam parados e revistados muito antes de se aproximarem da cidade. Uma embarcação rápida de patrulha local foi ativada, seguida por um barco da polícia de Istambul, para montar um piquete ao sul do Bósforo.

As tensões aumentaram quando um grande navio não identificado apareceu na tela do radar, aproximando-se do norte. Imediatamente cresceram as suspeitas quando se constatou que o transponder do Sistema Automático de Identificação do navio encontrava-se desativado. Quando as repetidas chamadas de rádio ficaram sem resposta, o barco policial menor e mais rápido foi despachado para investigar.

Correndo em direção ao navio, a polícia viu logo pela sua silhueta e luzes de navegação que se tratava claramente de um navio-tanque do tamanho do *Dayan*. O barco da polícia passou em torno dos bordos elevados da embarcação, depois circulou em torno da sua popa. O comandante da polícia tomou ciência da bandeira de Israel tremulando no mastro de popa enquanto lia o nome pintado em letras brancas do outro lado da popa.

— É o *Dayan* — disse ele, transmitindo para o barco de patrulha da Guarda Costeira.

Essas deveriam ser as últimas palavras que ele diria em toda a vida.

63

As luzes de convés e de navegação do *Dayan* foram apagadas um instante antes de irromper o tiroteio. Uma fileira de janízaros armados apareceu na balaustrada de popa do navio-tanque e no mesmo momento começou a disparar sobre o pequeno barco da polícia lá embaixo. O comandante do barquinho foi o primeiro a morrer, atravessado por uma rajada direta através do para-brisa do passadiço. Outro policial no convés foi morto um instante depois, com um tiro nas costas, antes de saber o que o atingira. Outro homem no convés, um veterano sargento da polícia, reagiu mais rápido, mergulhando atrás da amurada e devolvendo o fogo com a sua automática de serviço. Mas foi morto quando o barco derivou para o lado e ele perdeu a sua cobertura, os janízaros concentrando todo o fogo sobre ele.

O tiroteio silenciou por um momento enquanto o quarto e último homem a bordo do barco da polícia subiu de baixo. Vendo os companheiros mortos, apareceu no convés de popa com as mãos para o alto. Era um jovem recruta, novo na força policial, e a sua voz tremia enquanto ele implorava que os pistoleiros não atirassem. Mas seu pedido foi recebido com uma pequena explosão de fogo, e ele caiu sobre o convés, juntando-se aos companheiros na morte.

Como um cachorrinho perdido, o barco da polícia cabeceou sem vida atrás do navio-tanque por vários minutos. Na sua casa do leme, o rádio estalou várias vezes com chamados repetidos do navio da Guarda Costeira, as ligações caindo sobre ouvidos mortos. A esteira do grande navio-tanque finalmente empurrou de leve a sua proa de lado e o necrotério flutuante navegou sem rumo em direção ao horizonte ocidental.

* *

O SOM DE TIROS FOI o chamado à ação para Hammet. O comandante do navio-tanque israelense achava-se em um estado de angústia por horas, desde que ele e sua tripulação tinham sido forçados a voltar para o refeitório depois de carregar os explosivos plásticos a bordo do navio e zarpar. Ele sabia que os turcos armados, quem quer que fossem, tinham transformado a sua embarcação em um navio-bomba suicida e que a tripulação israelense provavelmente seria consumida na explosão.

O comandante e seu imediato discretamente discutiram planos de fuga, mas as suas opções eram poucas. A dupla de guardas vigiando-os à porta parecia em maior estado de prontidão do que antes e eram rendidos por uma nova dupla a cada duas horas. A comida havia sido cortada aos cativos e eles já não estavam autorizados a aproximar-se da antepara e espiar pela vigia.

Naquela hora, a tripulação do navio-tanque encontrava-se principalmente esparramada no chão, dormindo. Hammet estava deitado entre os seus homens, embora o sono fosse a coisa mais distante de sua mente. Ele fingiu dormir, porém, quando a porta se abriu e um homem sussurrou animadamente com os guardas. Os dois homens levantaram-se imediatamente e saíram, deixando a equipe israelense temporariamente sem vigilância. No mesmo instante, Hammet levantou-se.

— Todo mundo de pé — disse ele baixinho, sacudindo para acordar o imediato e os que se encontravam em torno dele. Depois que a tripulação ainda grogue levantou-se cambaleante, Hammet reuniu todos perto da porta e formulou um plano em voz baixa.

— Zev, leve os homens e veja se consegue tirá-los pelo escaler traseiro sem ser notado — ordenou a seu imediato. — Vou fazer uma visita à sala de máquinas e ver se consigo desativar o navio. Você tem a minha ordem para abandonar o navio sem mim se eu não conseguir alcançá-los em dez minutos.

O executivo começou a manifestar um protesto quando o som de tiros ecoou pela popa do navio.

— Aproveite a deixa — disse Hammet apressado. — Leve os homens pelo convés e tente ocupar o inflável de bombordo. Pode ser que só precise atirá-lo pela balaustrada, já que estamos em velocidade.

— Vai ser um salto difícil ao mar para alguns homens.

— Pegue alguns cabos e coletes salva-vidas do escaninho de serviço e eles podem reduzir a velocidade de descida. Agora, ande!

Hammet sabia que tinham apenas alguns minutos, senão segundos, e rapidamente apressou os homens a sair do refeitório. Depois que o último homem passou, ele saiu para o convés e fechou a porta atrás de si. Eles se encontravam próximos da base da alta superestrutura à popa, de frente para a amura de boreste. O imediato rapidamente conduziu a tripulação para frente da superestrutura, cada homem seguindo colado à parede para não ser detectado do passadiço acima. Hammet virou-se e seguiu por outra direção, rumo a uma passagem de popa para a sala de máquinas.

O som das armas automáticas ainda rasgava o ar e, quando Hammet atingiu a traseira da superestrutura, avistou uma dezena de homens armados debruçados sobre a balaustrada da popa, disparando em direção à água. Ele se abaixou e atravessou correndo o vão de uma porta lateral que dava para uma escadaria. Com o coração batendo forte, desceu apressadamente as escadas, passando por três conveses antes de sair para um corredor largo. Uma das portas para a sala de máquinas ficava logo à frente, e ele se aproximou com cautela antes de abri-la com cuidado. Foi atingido por uma rajada de ar quente e um estrondo mecânico gutural quando entrou e olhou ao redor com atenção.

Sua esperança era que os sequestradores não tivessem recrutado um maquinista provisório para a viagem só de ida, e estava certo. A sala de máquinas encontrava-se vazia. Sem perda de tempo, ele desceu por uma escada gradeada, em seguida parou ao lado do enorme motor a diesel do navio-tanque, pensando no que fazer. Poderia usar diversos meios para desligar o motor, mas uma súbita falha de energia daria o alarme de imediato.

Precisava de um efeito retardado que desse tempo para a tripulação escapar em segurança primeiro. Então olhou além do motor para dois reservatórios de combustível de grande porte que se situavam à frente como um par de silos horizontais de grãos.

— Mas é claro — murmurou para si mesmo, avançando rapidamente com um brilho nos olhos.

64

Em menos de dez minutos, Hammet estava de volta ao topo da escada, olhando através do convés de popa. Havia algum tempo que o tiroteio parara e Hammet não avistava nenhum dos janízaros por ali, o que lhe produziu uma sensação desagradável. Além da balaustrada de popa, identificou a sombra de um barquinho afastando-se do navio--tanque em diagonal, o qual ele suspeitou corretamente que fosse o alvo dos tiros.

Andando com rapidez, passou pela parede traseira da superestrutura até o convés de bombordo. Espiando pelo canto da superestrutura, ficou aliviado ao encontrar o convés desocupado. Um par de cabos amarrados à balaustrada e pendendo para fora deu-lhe a esperança de que a tripulação já tivesse fugido. Mas seu coração congelou quando viu o bote salva-vidas inflável ainda preso aos seus ganchos ao lado da antepara. Aproximou-se cautelosamente, olhando pela borda, para ver se alguém estava pendurado aos cabos, mas viu apenas a água vazia abaixo.

O disparo ecoou antes que ele o sentisse, um único estampido de uma pistola nas proximidades. Um filete de sangue desceu quente pela sua perna antes que uma dor ardente pulsasse na coxa. A perna imediatamente perdeu a firmeza e ele caiu sobre o outro joelho enquanto uma figura emergia das sombras da antepara.

Maria veio caminhando calmamente, mantendo a pistola apontada para o peito de Hammet, enquanto se aproximava.

— Está um pouco tarde para sair para dar um passeio, comandante — disse ela friamente. — Talvez seja melhor juntar-se aos seus camaradas.

Hammet olhou para ela com a decepção nos seus olhos.

— Por que faz isso? — gritou.

Ela ignorou a pergunta enquanto uma dupla de janízaros se aproximava, alertada pelo disparo. A uma ordem sua, eles agarraram Hammet e o arrastaram pelo convés, depositando-o de volta no refeitório. Lá, encontrou a sua tripulação desesperada, sentada no chão com o semblante abatido, um guarda andando para frente e para trás com seu fuzil de prontidão.

Os janízaros largaram com brutalidade o comandante no chão, em seguida tomaram posição de ambos os lados da porta. O imediato do *Dayan* correu para ajudar Hammet a se sentar, enquanto um médico da tripulação cuidava da sua perna ferida.

— Não esperava encontrar vocês aqui — disse Hammet, estremecendo.

— Desculpe, comandante. Aqueles homens na popa pararam de atirar assim que lançamos os cabos pela borda. Fomos vistos antes mesmo de ter uma chance de soltar o inflável.

Embora o sangramento da perna ferida tivesse sido interrompido, Hammet sentiu que o seu corpo entrava em choque. Respirou fundo várias vezes, tentando relaxar.

— Alguma sorte do seu lado? — perguntou o imediato.

O comandante olhou para a perna ferida, então inclinou a cabeça com um esforço em meio à dor.

— Acho que você mesmo pode responder — disse ele, os olhos tornando-se vidrados enquanto a sua voz vacilava. — De uma forma ou de outra, acredito que a nossa viagem esteja perto do fim.

65

A MENOS DE SEIS QUILÔMETROS AO NORTE, o barco de patrulha da Guarda Costeira turca repetidamente chamava tanto o *Dayan* quanto o barco da polícia, mas sem resultado. Quando o avistamento dos clarões repetidos a distância foi informado ao passadiço, o comandante do barco de patrulha ordenou a interceptação imediata do navio-tanque.

Enquanto o barco da Guarda Costeira acelerava em direção ao navio maior, uma guarnição ocupou a torre do seu canhão 30 milímetros montado à proa ao mesmo tempo em que um pequeno grupo de abordagem entrava em prontidão. O barco fez uma varredura rápida em torno do navio-tanque, em seguida aproximou-se do seu flanco de boreste, não se avistando nenhum sinal do barco da polícia. O comandante então chamou o *Dayan* pelo alto-falante.

— Aqui é o barco SG-301 da Guarda Costeira. Interrompam imediatamente o seguimento e preparem-se para a abordagem — ele gritou.

Enquanto o comandante da Guarda Costeira esperava para ver se o *Dayan* reduzia a marcha, seu segundo oficial o chamou.

— Senhor, há uma outra embarcação aproximando-se pelo nosso boreste.

O comandante observou enquanto um iate de luxo de cor escura manobrava paralelamente ao barco da Guarda Costeira e em seguida recuava pela sua popa.

— Diga-lhe para se afastar, se não quiser ser explodido para fora da água — o comandante ordenou irritado. A sua atenção foi atraída rapidamente de volta para o navio, onde uma figura surgiu de repente sobre eles na balaustrada.

O comandante ficou surpreso ao ver que se tratava de uma mulher, acenando para o barco como se tentasse gritar algo. O comandante deu um passo para a ala lateral do passadiço, então chamou de volta o seu timoneiro.

— Leve-nos mais para perto, não consigo ouvi-la.

Maria sorriu para si mesma quando o barco da Guarda Costeira aproximou-se a poucos metros do casco do navio-tanque. Em pé junto à balaustrada, ela se elevava acima da embarcação menor, ainda que fosse facilmente capaz de olhar diretamente para o passadiço.

— Preciso da sua ajuda — ela gritou para a dupla de oficiais, que agora se encontravam em pé na ala lateral.

Sem esperar por uma resposta, ela estendeu a mão para uma sacola de pano a seus pés e rapidamente jogou-a sobre a balaustrada. O lançamento foi quase perfeito, a sacola fazendo um arco em direção a um dos oficiais, que facilmente a amparou no ar. Ela esperou um segundo para assistir o oficial abrir a sacola, então agachou-se sobre o convés e cobriu a cabeça.

A explosão que se seguiu iluminou o céu noturno com um clarão seguido de um estrondo. Maria esperou que os destroços que voavam pelo ar pousassem antes de espreitar sobre a balaustrada lateral. O passadiço do barco da Guarda Costeira era um cenário de aniquilação. A explosão destruíra toda a superestrutura, vaporizando todos os homens que se encontravam lá. Subia para o céu a fumaça de uma dúzia de pequenos incêndios que iam consumindo os componentes eletrônicos da embarcação. Em todo o resto do barco, os marinheiros atordoados e queimados tentavam se levantar depois de ter sido atirados ao convés pelo abalo.

Maria avançou agachada pelo corredor da sua própria embarcação, em seguida bradou através de uma porta aberta.

— Agora! — ordenou.

A sua pequena equipe de homens armados irrompeu pela porta e correu para a balaustrada, imediatamente disparando com as suas armas automáticas sobre os marinheiros atordoados abaixo. O tiroteio foi de curta duração, uma vez que a guarnição do canhão de 30 milímetros foi rapidamente erradicada, seguida pela tripulação de bordo. Alguns marinheiros recuperaram-se rapidamente e responderam ao fogo. Mas eram obrigados a atirar em um ângulo desajeitado, que os privava de cobertura. Em poucos minutos eles foram esmagados e o convés do barco de patrulha converteu-se em uma massa de mortos e feridos.

Maria gritou aos seus atiradores para que parassem e em seguida falou por um rádio portátil. Segundos depois, o iate azul aproximou-se em velocidade pelo bordo do barco de patrulha, em seguida reduziu a marcha e começou a empurrar cuidadosamente a proa do navio da Guarda Costeira. Foram precisos apenas alguns empurrões até que o barco de patrulha estivesse raspando e batendo contra a lateral do navio-tanque. Sem energia, começou a perder impulso e deslizou de volta para o lado do navio-tanque.

Reduzindo a marcha também, o iate pouco a pouco deslizou ao lado do barco de patrulha, mantendo-o pressionado contra o *Dayan* até que a popa deste avultou. Segurando firme, o iate esperou até que a extremidade da proa do barco cruzasse o través, em seguida deu-lhe um cutucão de proa com os propulsores a toda força. O barco girou para a esquerda e atravessou as águas calmas à popa do navio-tanque. Um estrondo abafado ouviu-se sob a superfície quando a gigantesca hélice propulsora de bronze do navio-tanque entranhou-se no casco do barco.

Com os conveses ensanguentados pelos mortos e feridos e a sua casa do leme vomitando fumaça, o barco da Guarda Costeira de repente deu uma guinada e inclinou-se fortemente para boreste. Apenas alguns gritos dispersos atravessaram o ar da noite quando a sua proa elevou-se no ar e em seguida todo o navio balançava de volta para a sua popa, desaparecendo sob as ondas como se nunca tivesse existido.

66

A FADIGA TANTO FÍSICA QUANTO mental começava a pesar sobre Pitt depois de duas horas de corrida em alta velocidade no meio da noite. Eles tinham atravessado a área central do Mar de Mármara, onde se depararam com ondas maiores, que fizeram o *Bullet* voar pelos ares a intervalos de alguns segundos. No banco traseiro, Lazlo finalmente acalmara o estômago, mas ficara todo dolorido com as incessantes batidas no casco do submersível.

As suas esperanças cresceram quando captaram as transmissões de rádio do barco de patrulha da Guarda Costeira no canal de socorro internacional.

— Acho que ouvi chamarem o *Dayan* — Giordino disse, aumentando o volume do rádio VHF para conseguir escutar acima do ronco dos motores do *Bullet*.

Eles ouviram atentamente durante os minutos seguintes enquanto as ligações repetidas para o *Dayan* ficavam sem resposta. Depois, o rádio ficou em silêncio completo. Passados poucos minutos, Giordino avistou um clarão esbranquiçado no horizonte.

— Você viu isso? — perguntou a Pitt.

— Tive o vislumbre de um clarão bem à nossa frente.

— Para mim pareceu mais uma bola de fogo.

— Uma explosão? — Lazlo perguntou, esticando o pescoço para frente. — Será que é o navio?

— Não, acho que não — respondeu Pitt. — Não pareceu tão grande. Mas estamos muito longe para saber com certeza.

— Pode ter sido a mais de dezoito quilômetros de distância — Giordino concordou. Observando a tela de navegação, ficou de olho na entrada do Bósforo na parte superior do seu mapa digital. — Isso indica que estariam muito perto de Istambul.

— O que significa que ainda estamos uns quinze minutos atrasados — disse Pitt.

A cabine ficou em silêncio juntamente com o rádio. Pitt, assim como os outros, só podia supor que as autoridades turcas não haviam conseguido parar o navio. No momento, poderia muito bem ser que coubesse a eles evitar uma explosão catastrófica capaz de matar dezenas de milhares de pessoas. Mas o que três homens em um submersível poderiam esperar fazer?

Pitt afastou o pensamento ao mesmo tempo em que adiantava as alavancas de aceleração, garantindo que avançassem sem interrupção, enquanto avistava um caminho direto para as luzes acesas de Istambul.

67

Maria andava de um lado para outro no passadiço do navio-tanque, com uma raiva que convertia as suas feições em pedra fria.

— Não esperava ser interceptada pela Guarda Costeira — disse ela. — Como eles souberam que estávamos nos aproximando?

Um homem baixo e de rosto acinzentado que pilotava o navio-tanque balançou a cabeça.

— Todo mundo já sabe que o *Dayan* está desaparecido. É possível que um navio de passagem tenha nos identificado e informado à Guarda Costeira. Talvez seja uma coisa boa. As autoridades saberão agora de uma vez que os responsáveis pelo ataque foram os israelenses.

— Acho que pode ser verdade. Ainda assim, não podemos permitir nenhuma outra interferência.

— O rádio está silencioso. Não acredito que tiveram a oportunidade de alertar mais alguém — disse o piloto. — Acima de tudo, o radar indica claramente os navios à nossa frente.

Ele relanceou o olhar pela janela lateral, observando as luzes do iate azul visíveis a apenas alguns metros além do través do navio-tanque.

— O pessoal do *Sultana* informou sobre alguns danos secundários durante o contato com o navio da Guarda Costeira — disse ele —, mas está tudo pronto para nos tirar a qualquer momento.

— Quanto tempo até podermos sair daqui?

— Vou reduzir a velocidade do navio quando entrarmos no canal oriental do Bósforo. Você pode se preparar para desembarcar quando eu alinhar o navio na direção do Chifre de Ouro e acionar o piloto automático. Calculo que o navio estará em posição em cerca de quinze minutos.

Maria olhou para o relógio. As espoletas eletrônicas haviam sido programadas para detonar em pouco mais de uma hora.

— Muito bem — disse calmamente. — Não vamos nos atrasar.

68

ESTRIAS ROSADAS RISCAVAM O CÉU cinza-escuro enquanto o sol preparava a sua aparição diária acima do horizonte oriental. Em toda Istambul, os muçulmanos devotos iam aparecendo cedo para participar de uma grande refeição coletiva antes da alvorada. Em instantes, os muezins começariam a entoar os seus brados melodiosos, conclamando os fiéis às mesquitas para a oração do amanhecer. As salas de oração estariam mais lotadas do que o habitual, já que de acordo com o calendário islâmico aquela era a última semana do Ramadã.

O nome Ramadã referia-se ao nono mês do calendário islâmico, durante o qual, segundo ditava a tradição, Maomé recebera a revelação dos primeiros versos do Alcorão. Durante o mês inteiro, os crentes preocupavam-se em alcançar uma relação mais próxima com Deus, que era propiciada mediante a adesão estrita ao jejum à luz do dia. O ato de purificação pessoal era fomentado não só pelo jejum, mas por uma ênfase nas boas ações em relação aos outros. Alimentos e presentes especiais eram oferecidos aos amigos e parentes, ao mesmo tempo em que entre os pobres distribuíam-se a caridade e o auxílio. No entanto, a poucos quilômetros das mesquitas históricas da cidade, Maria Celik preparava-se para desencadear a sua própria espécie de caridade.

O navio-tanque israelense navegava pela boca do Bósforo, aproximando-se cada vez mais da costa asiática. Quando o Corno de Ouro entrou no campo de visão através do estreito, o piloto do navio-tanque reduziu a potência do motor.

— Está na hora — disse a Maria.

A rápida correnteza do Bósforo, fluindo para o sul proveniente do Mar Negro, desacelerou rapidamente o grande navio até fazê-lo arrastar-se na água. Maria reuniu vários homens ao longo do flanco de boreste e baixou uma escada de aço pela borda. O iate adiantou-se imediatamente e posicionou-se ao pé da escada.

— Tranquem os prisioneiros e depois mandem o resto dos homens saírem — ela ordenou a um dos janízaros, em seguida pisou na escada abaixada.

Ela desceu com cuidado pelos degraus metálicos e foi logo ajudada por um tripulante à espera, ao pisar a bordo do iate. Subindo para a casa do leme, foi recebida pelos seus dois mercenários iraquianos. Mesmo na escuridão da madrugada, o que se chamava Farzad estava usando os óculos escuros que eram a sua marca registrada.

— Você fez os preparativos na Grécia? — ela lhe perguntou.

— Sim — respondeu Farzad. — Podemos entrar tranquilamente através de Thios. Reservamos um cais coberto seguro para o *Sultana* e providenciamos transporte para você até Atenas. O seu voo de regresso a Istambul está marcado para daqui a três dias.

Maria inclinou a cabeça enquanto observava os janízaros remanescentes descerem pela escada e embarcarem no iate. Os guardas que vigiavam a tripulação do navio-tanque haviam sido recolhidos discretamente e a porta do refeitório fora trancada com correntes.

No passadiço do *Dayan*, o piloto acompanhou a descida do último dos janízaros, então fez sinal para o iate de que estava mudando de curso. Quando o *Sultana* se afastou temporariamente da lateral do navio-tanque, o piloto aumentou as revoluções do motor na metade da velocidade e guinou a proa em direção ao oeste. Tomando um rumo em direção à mesquita Süleymaniye, ele programou o piloto automático e em seguida acionou-o.

Estava prestes a sair do passadiço quando notou uma luz piscar no console. Olhando para a luz de aviso, ele simplesmente balançou a cabeça.

— Não posso fazer nada sobre isso agora — murmurou, então encaminhou-se para a balaustrada, desceu pela escada e saltou para bordo do iate à espera, deixando o imenso *Dayan* por seus próprios aparelhos.

69

O *BULLET* EXPELIA UMA CAUDA branca de água de sua popa à medida que abria caminho em alta velocidade na entrada do estreito de Bósforo. Alguns pescadores madrugadores olhavam com admiração para o híbrido submersível-lancha de velocidade enquanto ele chispava à sombra da madrugada.

Pitt observava o horizonte à frente quando viu um barco que se aproximava em alta velocidade.

— Aquele perfil tem algo de familiar — ele comentou com Giordino.

Enquanto o iate italiano acelerava direto para o sul, as duas embarcações cruzaram-se em alta velocidade, passando a uma curta distância um do outro.

— É o iate do Celik, sem dúvida — Giordino confirmou.

— Deixando a cena do crime, muito provavelmente.

— Talvez seja uma indicação de que não resta muito tempo na contagem regressiva do relógio — Giordino respondeu, lançando a Pitt um olhar de advertência.

Pitt não disse nada, pondo de lado a sensação de suicídio ao se aproximar do navio-bomba, enquanto formulava um plano para impedir a explosão.

— Deve ser o navio ali à frente.

Fora Lazlo, levantando o braço e apontando para a extensão de água à proa. A menos de quatro quilômetros à frente, eles podiam ver a popa de um grande navio-tanque desaparecendo por trás de um promontório na costa ocidental.

— Eles o mandaram para o Corno de Ouro — disse Pitt, eliminando completamente qualquer dúvida sobre a missão do navio-tanque.

O centro aquático de Istambul havia mais de dois mil anos, o famoso porto era rodeado por alguns dos bairros mais populosos da cidade. Navegando em direção à mesquita Süleymaniye, situada a apenas dois quarteirões do mar, a detonação do navio-tanque não só destruiria o prédio histórico, mas também devastaria o meio milhão de pessoas que vivia ao alcance de quase dois quilômetros da zona de impacto.

Mas o *Dayan,* sem o piloto a bordo, ainda não chegara lá. Por pouco não colidira com uma das primeiras balsas da manhã quando o *Bullet* aproximava-se por trás. Pitt observou o comandante da balsa agitar um punho e buzinar com raiva para o navio-tanque, alheio ao fato de que a sua casa do leme encontrava-se deserta.

— Nenhum sinal de alguma pessoa a bordo — Giordino disse, esticando o pescoço para o convés e a superestrutura do navio lá no alto.

Pitt contornou o flanco de bombordo do *Dayan*, procurando um meio de acesso, então disparou em torno da proa do navio para boreste. Giordino apontou para a escada que se estendia por fora do flanco traseiro.

— É melhor do que tentar subir por um cabo — Giordino disse.

Pitt manobrou o submersível para perto do início dos degraus.

— O leme é seu, Al — disse ele. — Fique por perto ... mas não demasiado perto.

— Tem certeza de que quer ir a bordo?

Pitt concordou com um olhar firme.

— Lazlo — disse ele, voltando-se para o militar de elite. — Com a sua experiência, vamos nos dividir para desarmar os explosivos. Se isso falhar, vou tentar fazer com que o navio se vire em direção ao Mar de Mármara, e então poderemos pular fora.

— Não façam nenhum passeio desnecessário — disse Giordino enquanto se dirigiam à escotilha traseira.

— Vou chamar no canal 86, caso precise — disse Pitt antes de sair.

— Ficarei com as antenas ligadas — Giordino respondeu.

Pitt equilibrou-se pela saída da escotilha até chegar aos primeiros degraus da escada, agarrando com facilidade o seu corrimão e erguendo--se. Lazlo seguiu colado em seus calcanhares. Pitt subiu o mais rápido que pôde até o topo da escada, em seguida saltou para o navio, olhando para frente no enorme convés de proa. Imediatamente viu os dois grandes recortes no aço que Green mencionara, onde se abrigava a mistura de materiais explosivos.

— Deem-nos tempo — ele disse para si mesmo enquanto Lazlo o acompanhava em uma corrida em direção aos tanques de armazenamento. — Só nos deem algum tempo.

70

O janízaro aproximou-se timidamente de Maria, relutante em se intrometer em sua conversa com o comandante do iate. Percebendo a sua aproximação cautelosa, ela se virou e partiu para cima dele.

— O que foi?

— Senhorita Celik, viu o barco que acabou de passar viajando na direção oposta? Eu… eu acredito que possa ser o mesmo usado pelos intrusos nas instalações portuárias de Kirte.

O queixo de Maria caiu, mas apenas por um instante. Fazendo meia--volta, ela espiou pela janela traseira, conseguindo obter apenas um vislumbre do *Bullet* enquanto ele contornava o penhasco arredondado à entrada do Corno de Ouro. Voltando-se para o comandante do iate, seus olhos brilharam com fúria.

— Dê a volta imediatamente — gritou. — Vamos retornar.

* *

Pitt mal sabia por onde começar. O paiol dianteiro de bombordo parecia um labirinto de ratos ao nível dos olhos. As paletas de quase dois metros de altura estavam cheias de pesados sacos de óleo combustível de nitrato de amônio empilhados por toda parte, ao que parecia carregados com pressa. Em algum lugar no meio de tudo aquilo estavam escondidos os potentes suprimentos de HMX. E ligado a esses, Pitt esperava, achava-se uma espoleta e uma cápsula de detonador imediatamente visíveis.

Pitt dissera a Lazlo que tinham cinco minutos para localizar e desarmar os explosivos. Após ter-lhe dado uma explicação resumida sobre o que procurar, o militar saíra ao mesmo tempo que ele para investigar o porão de boreste. Metade do tempo considerado já fora gasta quando Pitt conseguiu chegar ao centro do porão e descobrir dezenas de blocos do explosivo plástico empilhados em várias caixas de madeira. Com os segundos tiquetaqueando dentro da cabeça, Pitt abriu apressadamente as caixas, uma a uma, jogando os explosivos de lado ao não encontrar nenhuma espoleta visível no interior. Só depois de chegar à última caixa foi que achou um temporizador elétrico ligado a uma pequena cápsula de detonador pressionada dentro de um bloco do explosivo plástico. Com uma inclinação esperançosa de cabeça, ele rapidamente puxou o mecanismo do HMX, depois regressou pelo mesmo caminho que percorrera naquele labirinto.

Cinco minutos já haviam decorrido quando ele subiu a escada para fora do porão e subiu ao convés. Lazlo estava saindo do porão de boreste e correu até Pitt, carregando um par de temporizadores na mão. Pitt levantou a sua cápsula de temporizador e detonação, entregando-a Lazlo.

— Encontrei esta no grupo principal de HMX — disse Pitt.

— Isso não é bom — respondeu Lazlo abanando a cabeça com seriedade. — Colocaram várias cargas escondidas no porão. Sem querer encontrei esta, escondida em um caixote do óleo combustível — disse, segurando um dos temporizadores. — Tenho certeza de que há mais.

O militar olhou para temporizador de Pitt, depois comparou com os dois que segurava.

— Quatorze minutos até a explosão — disse, voltando-se e atirando os temporizadores sobre a balaustrada lateral. — Não há como encontrar todos.

Pitt assimilou as suas palavras.

— Tente encontrar a tripulação — ele ordenou. — Vou manobrar de volta para o estreito.

Sem esperar resposta, Pitt saiu em disparada para o passadiço. O convés sob seus pés rugiu e vibrou, e de repente ele sentiu todo o navio estremecer. Chegando a uma escada lateral, ele deu uma rápida olhada à popa, então desejou não ter feito isso.

Projetando-se contra o navio-tanque vindo do leste achava-se o iate azul de Ozden Celik.

71

Navegando na esteira da popa do navio-tanque, Giordino já avistara o potente iate manobrar em sua direção. Ligou o rádio marítimo no canal 86 e tentou enviar um aviso para Pitt, mas não houve resposta do passadiço do *Dayan*. Acelerando o submersível, ele manobrou para longe do navio, dirigindo-se para o centro do canal, procurando seguir paralelamente à superestrutura do *Dayan*. Achava-se em uma posição muito baixa na água para ver alguém no passadiço, mas conseguiu avistar Lazlo caminhando pelo convés.

Olhando para trás, surpreendeu-se ao notar que o iate alterara seu curso e aproximava-se rapidamente do *Bullet*. Concluiu que não deviam tê-lo visto desembarcar Pitt e Lazlo no navio-tanque. Apesar da semiobscuridade matinal, ele conseguiu avistar duas figuras subindo para a balaustrada dianteira do iate. Em seus braços, ele sabia, estavam as armas automáticas apontadas para ele.

Giordino imediatamente adiantou os manetes do submersível. O *Bullet* quase pulou para fora da água, aumentando rapidamente de velocidade. Giordino passou rasgando a superfície da água junto à proa do navio-tanque, depois guinou para perto da costa norte. A uma curta distância à frente achava-se a Ponte de Gálata, que ele imaginou poderia fornecer alguma cobertura. Mas uma rápida olhada para trás revelou que o rápido iate encontrava-se a menos de cinquenta metros da sua popa, tendo diminuído a distância enquanto o *Bullet* ganhava aceleração. Giordino praguejou em voz alta quando viu um pequeno clarão de luz amarela brilhar na proa do iate.

A rajada de tiros atingiu a água a poucos centímetros do casco do submersível, embora Giordino não pudesse nem ver nem ouvir a trajetória final das balas. De qualquer maneira, ele chicoteou os manetes para a esquerda, fazendo uma curva acentuada para a direita. O submersível ágil respondeu imediatamente, ziguezagueando através da água. A ação foi suficiente para interromper temporariamente a precisão dos atiradores do iate.

A Ponte de Gálata de repente começou a se aproximar e, como um raio, Giordino passou por baixo dela. Ele guinou violentamente uma vez mais, depois olhou para trás, para ver o barco passar em velocidade acelerada por baixo da ponte e fazer o mesmo. Mais rápido e mais manobrável, o *Bullet* finalmente foi mostrando as suas qualidades, e a distância entre as duas embarcações gradualmente começou a aumentar. Mas isso provocou uma nova saraivada proveniente do iate.

Giordino manteve o padrão de ziguezague enquanto olhava para uma outra ponte, a de Atatürk, a menos de oitocentos metros à frente. Uma sequência súbita de golpes acima da sua cabeça obrigou-o a se encolher involuntariamente, então ele levantou a cabeça para ver que um trio de buracos de bala perfurara a bolha de acrílico do submersível. Qualquer ideia de se esconder em algum momento atrás de um obstáculo e tentar submergir de repente desapareceu, então ele voltou suas atenções para a ponte.

Vários pilares volumosos erguiam-se do canal para sustentar a Ponte de Atatürk e Giordino os escolheu como cobertura. Circulando para dentro e para fora dos pilares, ele sabia que poderia distrair o iate, evitando uma linha de fogo direta. Mas sua preocupação com a autopreservação diminuiu quando pensou em Pitt e no navio-tanque carregado de explosivos.

A pouco menos de dois quilômetros atrás, o *Dayan* certamente se encontrava em sua marcha final para a destruição. Ele precisava estar disponível para receber os dois homens do navio-tanque e muito provavelmente logo. No exato momento, não havia como saber se Pitt e Lazlo tinham ainda alguma esperança.

Então ele se voltou e olhou para trás, vendo que o iate em perseguição de repente desaparecera.

72

Lazlo só precisou seguir os ruídos que lhe chegavam aos ouvidos para localizar os tripulantes cativos do navio-tanque.

No momento em que os guardas deixaram o refeitório, o comandante Hammet, embora enfraquecido em consequência do ferimento à bala, mandara os seus homens procurar uma rota de fuga. A porta de entrada, bloqueada por uma corrente grossa, logo foi considerada intransponível, e os homens voltaram os olhos para outras direções. Estavam cercados por anteparas de aço e assim só havia na verdade um caminho a seguir, ou seja, para cima. Usando facas de açougueiro da pequena cozinha, a tripulação começou a abrir caminho pelos painéis do teto, passando por um duto de ventilação, na esperança de romper o pavimento superior.

Lazlo ouviu os ruídos quando fora procurar em um depósito de um compartimento adjacente e imediatamente correu para a porta do refeitório. Desatando rapidamente a corrente, que fora amarrada em um nó simples, ele deu um forte chute para abrir a porta. Vários tripulantes, em pé sobre as mesas e com facas nas mãos, pararam o que estavam fazendo e o olharam com surpresa.

— Quem está no comando aqui? — Lazlo gritou.

— Eu sou o comandante do *Dayan* — disse Hammet. Ele se achava sentado em uma cadeira próxima, com a perna apoiada sobre um banquinho.

— Comandante, temos apenas alguns minutos antes que o navio exploda. Qual é a maneira mais rápida de você e a sua tripulação saírem?

— O bote salva-vidas de emergência de popa — Hammet respondeu, levantando-se com uma careta. — Você não consegue desativar os explosivos?

Lazlo balançou a cabeça.

— Todos para o bote salva-vidas — ordenou Hammet. — Mexam-se!

Os tripulantes rapidamente saíram em fila pela porta, Lazlo e o imediato ajudando Hammet a ir por último. Subindo ao convés, Hammet sentiu uma vibração anormal sob os pés, em seguida olhou por cima da balaustrada. O comandante israelense ficou chocado ao ver os minaretes da mesquita Süleymaniye subindo a uma curta distância à frente deles.

— Estamos no meio de Istambul? — ele gaguejou.

— Sim — respondeu Lazlo. — Venha, temos pouco tempo.

— Mas precisamos fazer com que o navio vire e saia daqui — ele protestou.

— Tem alguém no passadiço tentando isso.

Hammet retomou o caminho junto com os outros em direção à popa, então hesitou, quando o convés estremeceu novamente.

— Oh, não — ele gemeu com uma careta. — Fiz com que o navio ficasse sem combustível.

73

Pitt acabara de descobrir esse mesmo fato. Correndo dentro do passadiço, ignorara um par de luzes vermelhas piscando no console principal, enquanto procurava e encontrava o controle que desativava o piloto automático. O navio estava se aproximando da Ponte de Gálata, navegando para o seu vão central, quando Pitt recuperou o controle do leme. Olhando para uma pilastra de sustentação da ponte além da proa, percebeu que não havia espaço suficiente para contorná-lo com o grande navio. Primeiro teria de cruzar por baixo da ponte, depois fazer uma curva fechada por trás e sair do Corno de Ouro.

No momento em que a proa começou a passar por debaixo da ponte, Pitt viu que a extensão à frente parecia estar quase ao nível dos olhos e se perguntou se a alta superestrutura do navio caberia debaixo dela. Esperando que se aproximasse, olhou finalmente para as luzes vermelhas. Com espanto, constatou que eram os indicadores mostrando o nível baixo de combustível, tanto no tanque principal quanto no auxiliar. Quando entrara furtivamente na sala de máquinas, Hammet abrira as válvulas de liberação dos tanques, com o objetivo de esvaziá-los para o porão, onde o combustível seria bombeado para fora. No momento, os tanques estavam secos, concluiu Pitt, o que era evidenciado pelas falhas no motor vacilante que sugava as últimas gotas de combustível restantes.

Com uma certeza repentina, Pitt soube que não tinha chance de guiar o navio de volta para o Mar de Mármara, onde poderia explodir sem perigo. Simplesmente, navegar em segurança para longe da cidade era agora uma esperança perdida. Em pé sobre o passadiço, com uma bomba-relógio prestes a explodir, a maioria dos homens entraria em pânico. O único sentimento que teriam seria uma descarga de adrenalina acompanhada da vontade de fugir dali, abandonar o navio fatídico e tentar salvar a própria pele.

Pitt, no entanto, não era como a maioria dos homens. A sua pulsação mal se alterou para acima do normal, ao mesmo tempo em que pesquisava friamente o litoral circundante. Embora os seus nervos se mantivessem calmos, a mente corria acelerada, estudando toda e qualquer alternativa para resolver a crise imediata. Então uma solução potencial apareceu do outro lado do porto. Por mais arriscada e imprudente que parecesse, ele pensou, ainda assim essa seria uma solução. Ajustando o rádio marítimo do passadiço para o canal 86, pegou o transmissor.

— Al, onde você está? — chamou.

Imediatamente, a voz de Giordino respondeu através do alto-falante.

— Estou a menos de dois quilômetros à sua frente. Fiquei brincando de gato e rato com o iate, mas acho que eles se cansaram de mim. Mantenha os olhos abertos, porque eles dispararam de volta em sua direção. Você e o Lazlo estão prontos para eu ir tirá-los desse navio?

— Não, preciso que vá para outro lugar — respondeu Pitt. — Uma grande draga, ancorada no canto sudeste da ponte.

— Estou indo para lá. Desligo.

A superestrutura do navio-tanque tinha acabado de passar sob a extensão da ponte quando o motor voltou a estremecer. Regressando sob a luz da manhã, Pitt viu o iate azul aproximando-se do navio a não mais de cem metros à frente. Ignorando o iate, ele virou o leme todo para a esquerda, em seguida aproximou-se da janela traseira, pensando em como o tenente Lazlo estava se saindo.

74

O MILITAR DE ELITE ISRAELENSE AJUDAVA a carregar o comandante Hammet para o barco salva-vidas quando o som de disparos de armas de fogo explodiu a curta distância. Um segundo depois, cacos de vidro começaram a cair sobre o convés provenientes de cima. Lazlo levantou a cabeça, vendo que o fogo se concentrava nas janelas do passadiço. Ele só conseguiu avistar as antenas de rádio do iate enquanto este passava ao longo do través de boreste do navio-tanque.

— Rápido, para dentro do barco — Lazlo apressou os marinheiros.

Seis dos tripulantes já tinham subido no bote salva-vidas de fibra de vidro coberto. A pequena embarcação achava-se posicionada sobre um encaixe em uma inclinação pronunciada acima da balaustrada de popa, a proa apontando para a água abaixo. O imediato e um outro homem auxiliaram Hammet quando ele tropeçou ao subir para dentro do barco através da entrada traseira. Ele se atrapalhou com o cinto de segurança e ordenou aos seus tripulantes para prender os seus. Então olhou para a entrada, no instante em que Lazlo estava prestes a fechá-la pelo lado de fora.

— Você não vem com a gente? — Hammet perguntou com um olhar chocado.

— Meu trabalho não está terminado — Lazlo respondeu. — Lance o barco imediatamente e vá direto para a praia. Boa sorte.

Hammet tentou agradecer ao militar, mas Lazlo fechou rapidamente a porta e saltou para fora do barco. Vendo que a tripulação estava toda segura em seus assentos, o comandante voltou-se para o seu imediato.

— Solte o bote, Zev.

O imediato puxou uma alavanca que soltava um grampo externo, permitindo que o barco salva-vidas escorregasse. O barco deslizou pela rampa, depois mergulhou na água cerca de quarenta metros abaixo, a proa abrindo caminho por vários metros sob a superfície. O barco mal teve tempo de endireitar-se na superfície quando o iate azul apareceu nas proximidades e ouviu-se o som de rajadas de metralhadora. Só que dessa vez os disparos não se originavam do iate.

Escondido na popa do navio-tanque, Lazlo fizera duas séries de disparos rápidos com o seu fuzil de assalto M-4. Destinados aos dois homens armados agachados na proa do iate, a descarga matara um deles de imediato, o seu corpo mole rolando para o lado. O segundo atirador escapara por pouco de ser atingido e rapidamente batera em retirada para a cabine principal.

Em pé na cabine de comando do iate, Maria assistira ao incidente com raiva. Olhando para o relógio, ela gritou para o comandante do iate.

— Ainda há tempo! Leve-nos para o lado da escada.

— E quanto ao barco salva-vidas? — perguntou ele.

— Esqueça. Cuidaremos deles mais tarde.

O iate avançou, escapando da vista de Lazlo enquanto corria até a escada de acesso ao navio-tanque. Sem perda de tempo, Maria mandou dois de seus janízaros subirem os degraus.

— Eu cuido do passadiço — ofereceu-se o iraquiano Farzad. Pegou uma pistola Glock de um coldre escondido ao mesmo tempo em que dava um passo em direção à porta da cabine.

Maria concordou.

— Providencie para que o navio vá para a costa. Rápido!

Lazlo tinha cruzado a popa e mal espiara por cima da balaustrada quando o iate se afastou da escada. Uma saraivada de balas de um atirador a bordo do iate salpicou a balaustrada, forçando-o a mergulhar sobre o convés. Levantando a cabeça, ele soltou uma imprecação quando avistou os dois janízaros aparecerem no alto da escada e entrar no navio, procurando cobertura atrás de um anteparo perto da superestrutura.

Permanecendo de bruços, Lazlo rolou contra a balaustrada, depois esgueirou-se para trás até um grande embornal, uma abertura lateral que permitia o escoamento da água do mar do convés. Ele se encolheu no seu interior, conseguindo alguma cobertura por trás de uma flange de superfície plana na frente do embornal. Estava longe de encontrar-se em uma posição defensiva ideal, mas achou que não fora visto e poderia surpreender os invasores.

Ele estava certo. O militar de elite treinado esperou pacientemente até que os dois janízaros tentassem seguir para a popa lado a lado. Quando os dois se revelaram sobre o convés, Lazlo levantou o fuzil e disparou.

Seu alvo inicial estava na mira, quando o fuzil lançou quatro disparos na direção do peito do primeiro homem, que caiu morto no mesmo instante. O segundo homem imediatamente caiu e rolou por trás de uma escora antes que a mira de Lazlo pudesse localizá-lo.

Os dois atiradores viam-se no momento presos às suas posições defensivas. Uma salva prolongada irrompeu de um lado para o outro, cada um esperando que um disparo afortunado subjugasse o adversário.

No passadiço, Pitt tentava ignorar o fogo cruzado, procurando segurar o leme do navio-tanque completamente virado. Mas ainda assim ele mantinha um olhar atento sobre o iate, acompanhando as suas mudanças de posição. Foi quando dava uma espiada furtiva pela janela traseira que avistou um terceiro homem subir a bordo por trás dos janízaros e desaparecer em direção ao convés de proa, vários segundos antes de Lazlo começar a atirar.

Enquanto o tiroteio irrompia abaixo, Pitt procurou no passadiço uma possível arma com que pudesse se defender, revirando o conteúdo de uma caixa de emergência fixada acima da mesa de cartas. Enfiando a cabeça brevemente para fora da janela lateral, ele viu que o janízaro sobrevivente comprometido com Lazlo estava posicionado quase diretamente abaixo dele. Correu rapidamente de volta para a caixa de emergência e voltou com um extintor de incêndio de grandes dimensões. Pendurado para fora da janela, apontou depressa e deixou-o cair.

O míssil vermelho improvisado errou a cabeça do janízaro por poucos centímetros, atingindo-o de qualquer maneira na parte posterior do ombro.

O atirador ofegou em consequência do golpe de surpresa, mais com o choque do que com a dor e, instintivamente, virou-se e esticou a cabeça para cima, procurando identificar a origem do ataque.

A vinte metros de distância, Lazlo encaixou o homem na alça de mira do seu fuzil e apertou o gatilho. A rápida explosão não produziu nenhum grito violento ou projeção de sangue. O janízaro simplesmente caiu em frente, morto, deixando um silêncio súbito e desconfortável sobre o navio.

75

O PASSADIÇO DO NAVIO-TANQUE parecia estar deserto quando Farzad entrou vagarosamente ao sair da escada traseira. Percebendo a costa do Sultanahmet deslizando horizontalmente pela proa, deu um passo à frente para impedir a guinada radical. Baixou a pistola quando localizou e depois pegou os controles do leme.

— Não vamos mexer nisso agora.

A voz de Pitt soou inesperadamente enquanto ele se levantava de trás de um console ao lado da antepara da porta. Na mão, segurava uma pistola sinalizadora de bronze que tirara da caixa de emergência.

Farzad olhou para Pitt com a surpresa do reconhecimento, o que no mesmo instante evoluiu para uma expressão de raiva. Mas sua ira transformou-se em alegria quando olhou para a arma de Pitt.

— Estava ansioso para encontrar você de novo — Farzad disse com um forte sotaque.

Quando ele sutilmente tentou levantar a arma, Pitt puxou o gatilho da pistola de sinalização. O artifício pirotécnico inflamado atravessou com um clarão o passadiço, atingindo Farzad no peito em meio a uma nuvem de faíscas. A roupa dele incendiou-se rapidamente enquanto a carga caía no chão e depois saía girando para um canto como um roedor em chamas. Um segundo depois, a carga estrelada se inflamou, lançando uma chuva de fogo e fumaça por toda a casa do leme.

Pitt já mergulhara para o chão, cobrindo a cabeça, enquanto as faíscas explodiam velozmente. Farzad reagira com menos rapidez, batendo nas roupas incineradas enquanto a carga de estrelas lançava uma segunda salva de chamas em sua direção. Ele foi envolvido por uma nuvem de fumaça e faíscas antes de conseguir se afastar da erupção, tossindo com falta de ar. Sem perda de tempo, Pitt levantou-se e pulou para frente, esperando atacar o homem antes que ele conseguisse voltar a ver para disparar. Mas o mercenário continuava consciente da presença de Pitt e virou a Glock em sua direção.

O ruído de um disparo trovejou ensurdecedoramente no passadiço, mas Pitt percebeu que Farzad não puxara o gatilho. O corpo do pistoleiro foi imediatamente lançado de volta ao leme, em seguida escorregou para o chão, deixando um rastro de sangue ao lado do console.

Lazlo entrou apressado no passadiço, o fuzil enfumaçado apontado para o corpo de bruços e inerte de Farzad.

— Você está bem? — Lazlo perguntou, olhando de lado para Pitt.

— Estou, curtindo um espetáculo luminoso — respondeu Pitt, tossindo por causa da densa fumaça que pairava no ar. — Obrigado pela chegada oportuna.

Lazlo entregou-lhe o extintor de incêndio agora amassado, que trouxera debaixo do braço.

— Tome, achei que gostaria de receber de volta. Agradeço pelo apoio aéreo há pouco.

— Você acabou de retribuir o favor — disse Pitt, em seguida, direcionou o extintor para uma dispersão de pequenos incêndios que o sinalizador provocara.

— Não percebi este aí subir a bordo — Lazlo disse, assegurando-se de que Farzad estivesse realmente morto.

— Ele entrou depressa por trás dos dois primeiros.

— Imagino se vão tentar mais uma vez.

— O tempo está acabando — respondeu Pitt. — Mas você poderia subir aquela escada assim mesmo.

— Boa ideia. E quanto a nós?

— Acho que estamos perto de acabar. Espero que saiba nadar...

Lazlo revirou os olhos, depois assentiu.

— A gente se vê lá embaixo — disse ele e depois desceu pela escada traseira.

A fumaça do sinalizador esvaía-se rapidamente pelas janelas quebradas do passadiço enquanto Pitt dava um passo à frente para verificar a posição do navio. O *Dayan* já fizera mais da metade da ampla curva em "U", a proa avançando lentamente em direção ao trecho sul da Ponte de Gálata. Pitt girou o leme para guiar o grande navio perigosamente próximo da costa, enquanto completava a volta, depois tentou aumentar as rotações do motor. As falhas e interrupções nos conveses abaixo estavam piores do que antes e Pitt fez o máximo esforço para arrancar algum seguimento do motor vacilante.

Correu rapidamente os olhos pelas águas da costa em busca de sinais do *Bullet*, mas o submersível não estava à vista. Depois da chamada anterior de Pitt pelo rádio, Giordino correra a toda velocidade em direção à draga e já passara sob a Ponte de Gálata. Como se soubesse que Pitt o procurava, a sua voz soou de repente no alto-falante do rádio do navio-tanque.

— Aqui fala o *Bullet*. Acabei de passar pela ponte e estou ao lado da draga de sucção verde. O que é para eu fazer?

Pitt contou-lhe o seu plano e Giordino deu um assobio.

— Espero que o seu café da manhã tenha sido reforçado hoje — acrescentou. — Quanto tempo você tem?

Pitt olhou para o relógio.

— Cerca de seis minutos. Devemos estar perto da metade desse tempo.

— Obrigado por trazer o barril de pólvora para cá. Só não se atrase — Giordino acrescentou, depois cortou o rádio.

Nesse momento, o *Dayan* tinha completado a volta e o vão sul da Ponte de Gálata assomava à frente a menos de quatrocentos metros de distância. Pitt desejou que o navio fosse mais depressa, enquanto sentia os segundos correrem, a ponte parecendo permanecer à mesma distância. A hora estava chegando, ele sabia, mas havia pouco que pudesse fazer quanto a isso agora.

Então um indesejado silêncio de repente tomou conta das entranhas do navio-tanque. O rumor e os solavancos sob seus pés cessaram enquanto o console à sua frente se iluminou como uma árvore de Natal. Carente de combustível, o motor do *Dayan* finalmente dera o último suspiro.

76

Acompanhando os movimentos do *Dayan* a algumas dezenas de metros do seu flanco de boreste, Maria o observava através do binóculo. Para sua decepção, o grande navio-tanque continuara a se desviar da costa e se aproximava rapidamente de uma passagem de retorno sob a Ponte de Gálata. Ela compreendeu por que quando focalizou a casa do leme do navio e teve um vislumbre de Pitt ao leme.

— Eles fracassaram — ela disse, a voz quase rouca de raiva. — Ponha os meus últimos homens a bordo rapidamente.

O comandante do iate olhou para ela com nervosismo.

— Não deveríamos sair daqui? — ele se apressou a dizer.

Maria aproximou-se de modo que ninguém mais no passadiço ouvisse.

— Partiremos depois que os homens estiverem a bordo — ela sussurrou friamente.

Os seus últimos três janízaros reuniram-se no convés enquanto o iate acelerava em direção ao flanco do *Dayan*. Quando o iate se aproximou do acesso ao navio-tanque para desembarcar os pistoleiros, a escada foi repentinamente levantada fora da água. Atrás da balaustrada no alto, Lazlo achava-se ao lado dos controles hidráulicos.

— Atirem! — gritou Maria, apontando para o militar.

Os janízaros surpresos rapidamente apontaram as suas armas contra Lazlo e dispararam. O militar israelense vinha observando a reação dos homens e virou-se para se afastar da balaustrada. Mas ele se demorara um instante a mais nos controles, querendo manter a escada fora de alcance. A hesitação revelou-se cara, quando um projétil de uma das armas o atingiu no ombro.

Imediatamente, ele perdeu o equilíbrio, caindo para frente sobre os controles, antes de escorregar para o convés para evitar outros disparos. Seu braço esquerdo estava paralisado e ele sentiu uma dor aguda no ombro, mas seus sentidos permaneciam intactos, quando ouviu um estrondo vindo de baixo. Segurando o fuzil com uma das mãos, ele deslizou para a balaustrada, depois se levantou e olhou rapidamente para o lado.

Para sua decepção, viu que a extremidade inferior da escada balançava para fora do navio-tanque e posicionava-se logo acima do iate. Olhando melhor, percebeu que na verdade ela ficara encaixada no iate. Ao cair sobre os controles, ele inadvertidamente baixara o cabo retrátil. A pesada plataforma de aço disparara em direção ao mar como uma flecha. Só que, em vez de atingir a água, ela caíra sobre a parte superior da proa do iate, penetrando vários centímetros através do convés.

Apesar dos danos e do ângulo elevado, dois dos janízaros já haviam saltado para a escada e tentavam subir rapidamente até o alto. Lazlo alinhou a sua arma na balaustrada e disparou uma rajada contínua, mandando os dois homens para o lado e para dentro da água.

De repente, sentindo-se atordoado com a perda de sangue, Lazlo curvou-se de volta ao convés e tateou à procura de um estojo médico na mochila de combate. Lutando contra a vontade de se deitar e dormir, dizia a si mesmo que só precisava manter o iate a distância por mais alguns minutos. Então olhou em direção o passadiço no alto e imaginou de quanto mais tempo Pitt realmente precisava.

* *

O TEMPO ERA TUDO MENOS um aliado de Pitt no momento. A última vez em que verificara, faltavam menos de seis minutos para a detonação, mas ele tentava não pensar nisso. Sua única preocupação era conduzir o navio a uma curta distância além da ponte.

Desde que o motor parara, o navio-tanque seguia navegando por puro impulso. Os diversos geradores de bordo forneciam alimentação auxiliar para Pitt girar o leme, mas a enorme hélice propulsora já dera a sua última volta. Apenas a suave corrente do Chifre de Ouro empurrava ligeiramente a embarcação pela popa e Pitt esperava que fosse suficiente para manter a velocidade por mais alguns minutos. Se houvesse tempo suficiente, a corrente acabaria por carregar o navio em segurança para o Mar de Mármara. Mas o tempo estava se esgotando assim como o combustível do navio.

Com lentidão agonizante, o vão sul da Ponte de Gálata avultava contra a janela de vante do passadiço e Pitt sentiu-se aliviado ao notar que o *Dayan* ainda deslizava a sete nós. Tiros esporádicos chamaram a sua atenção novamente e ele arriscou uma rápida olhada pela janela. O iate estava tão próximo ao lado do navio-tanque que ele só conseguia ver uma parte do barco. Avistou Lazlo, deitado perto do começo da escada e sentiu-se confiante de que o navio permanecia seguro no momento.

O lado inferior da ponte logo entrou no campo de visão, lançando uma breve sombra sobre o convés e a casa do leme. Pitt assumiu o leme e tocou os seus controles com dedos nervosos. O resto seria por conta de Giordino, pensou consigo mesmo.

— Só espero que consiga manter a sua parte do acordo, parceiro — ele murmurou em voz alta, então observou a sombra da ponte distanciar-se gradualmente.

77

Com quase cento e quarenta metros de comprimento, o *Ibn Battuta* era um dos maiores navios de dragagem que Giordino já vira. Operado pela empresa belga Jan De Nul, também a sua proprietária, era uma das poucas dragas de sucção cortadora e autotransportadora existentes. Ao contrário de uma draga de sucção aspiradora convencional, que sugava a lama e o lodo do fundo usando um longo tubo parecido com um aspirador de pó, a draga cortadora dispunha de um mecanismo de escavação com uma cabeça de corte, além do rotor aspirador, para desagregar o material. No caso do *Ibn Battuta*, a cabeça de corte era uma bola de quase dois metros de diâmetro, equipada com dentes de carboneto de tungstênio em rotação contrária, capazes de desintegrar a rocha sólida. Afixada na haste de um guindaste montado sobre o casco que podia ser baixada ao fundo do mar, a cabeça de corte assemelhava-se às mandíbulas abertas de um tubarão megalodonte à espera de morder.

A draga vinha operando a quinze metros da costa e encontrava-se atracada apoiada em um par de pontaletes enormes ou pernas de apoio, chamados "charutos", que se projetavam da parte de vante do casco. A embarcação estava perpendicular à costa, com a popa de frente para o canal, diretamente à mercê dos comandos de Pitt.

Giordino aproximou-se da draga pela popa e avistou uma corrente pesada e comprida pendurada sobre a balaustrada de boreste. Ele manobrou o *Bullet* ao lado da draga, depois cortou o motor. Saindo rapidamente, enlaçou a corrente e a prendeu ao *Bullet* antes que o submersível pudesse se afastar. Subindo pela própria corrente, agarrou-se à balaustrada da draga e impulsionou-se para dentro do convés.

Como um perigo potencial no canal, o *Ibn Battuta*, batizado com o nome de um explorador marroquino do século XIV, achava-se ostensivamente iluminado por dezenas de luzes no alto. Giordino olhou de uma extremidade a outra do convés da embarcação e achou-o completamente desértico, a tripulação ainda dormindo em seus beliches. Apenas um marinheiro solitário guardava o turno matinal no passadiço, alheio à sua abordagem e embarque.

Giordino moveu-se rapidamente em direção à popa, à procura dos controles da draga, que rezou para que não estivessem localizados na casa do leme. No centro do convés de popa, adiante de uma grande moldura em forma de "A" e tendo à frente o aparelho de corte, ele avistou uma casinha no alto, provida de janelas amplas. Subindo uma escada até a casinha, entrou e sentou-se na cadeira do operador, que se voltava para trás. Ficou extremamente grato ao descobrir que o mecanismo de dragagem podia ser operado por um único homem, mas encolheu-se quando viu que o painel de controle era identificado em holandês.

— Bem, pelo menos não é turco — murmurou, examinando rapidamente o teclado.

Encontrando uma chave assinalada como "Dynamo", acionou-a para a posição "Macht". Um estrondo abalou profundamente o convés quando o gerador de energia da enorme draga despertou para a vida. No passadiço, o marinheiro de guarda ouviu o barulho e correu para a janela traseira, imediatamente avistando a figura de Giordino na casinha dos controles. A sua voz ampliada logo soou no rádio intercomunicador fixado à parede da casinha. Calmamente, Giordino estendeu a mão e desligou o rádio, antes de olhar para a esquerda. A proa alta do navio-tanque acabava de sair debaixo da Ponte de Gálata, a pouco mais de uma centena de metros de distância. Giordino desistiu de tentar decifrar o console holandês e começou freneticamente a apertar os botões. Uma série deu início a um som de moedor à sua frente e ele ergueu a cabeça, vendo com satisfação que os dentes da cabeça de corte rodavam com um gemido ameaçador. A haste de apoio esticou-se horizontalmente para fora da popa da draga, mantendo a cabeça a cerca de seis metros acima da água. Era muito alto para o que Pitt tinha em mente.

— *Wat doe jij hier?* — uma voz grossa de repente bradou para Giordino.

Giordino virou-se e viu um homem atarracado com cabelos despenteados que subia para a casinha dos controles. O maquinista da bomba do *Ibn Battuta*, ainda de pijama sob um casaco sujo, aproximou-se e pousou a mão com força sobre o ombro de Giordino. Giordino calmamente levantou um dedo e apontou para a janela.

— Olhe! — disse.

O maquinista olhou para o lado e ficou paralisado, chocado com a visão do *Dayan* projetando-se sobre o navio de dragagem. Ele voltou-se para trás para Giordino e ia começar a dizer alguma coisa quando recebeu um cruzado de direita com o punho fechado. As juntas dos dedos de Giordino acertaram-no no meio do queixo e ele desabou como macarrão cozido. Sem perda de tempo, Giordino amparou o homem nos braços e deitou-o suavemente no chão.

— Desculpe, amigo. Não é o momento para brincadeiras — disse ao maquinista inconsciente antes de voltar para o console.

Sentiu a sombra alta do navio-tanque cobrir os controles da casinha enquanto examinava apressadamente o console. Percebendo uma pequena alavanca ao lado, esticou o braço e empurrou-a para baixo. Com grande alívio, viu o fim da haste cair de repente em direção à água. Manteve a alavanca para baixo até que a cabeça de corte ficasse quase submersa, os dentes rotativos produzindo uma espuma agitada sobre a superfície.

Soltando a alavanca, Giordino olhou para o canal. A proa do enorme navio-tanque encontrava-se agora a menos de seis metros de distância. Com um sentimento de impotência, levantou-se e observou enquanto a embarcação enorme se aproximava, sabendo que não havia mais nada a ser feito.

78

Pitt sabia que se tratava de um lance desesperado, mas praticamente não tinha outra opção. Simplesmente, não houvera tempo para levar o navio-tanque em segurança para o alto-mar e no momento, com o motor apagado, não lhe restara nenhuma chance de fugir das praias habitadas de Istambul. Mesmo que o navio-tanque explodisse no centro do Chifre de Ouro, milhares de pessoas morreriam. A única esperança era tentar submergir pelo menos parte dos explosivos e minimizar a sua força destrutiva.

E era aí que o *Ibn Battuta* entraria em cena. Com a cabeça de corte capaz de triturar rocha bruta, Pitt sabia que a draga tinha capacidade de cortar o navio-tanque como um abridor de latas. Mas precisava colocar o navio na posição certa para que o plano funcionasse. Se chegasse perto demais, romperia a haste projetada dos fundos da draga. Caso se aproximasse com muita folga, perderia completamente o contato com a cabeça de corte.

Deslocando-se impotente sob a Ponte de Gálata, Pitt olhava fixamente para a draga adiante da proa. Apesar de a cabeça de corte ainda se encontrar acima da água, podia ver os seus dentes rotativos e sabia que Giordino entrara em ação. Bateu de leve no controle do leme, em seguida aproximou-se da janela de boreste e colocou a cabeça para fora. Navegando muito acima da água, não conseguia ver as paredes laterais do navio-tanque em contato com a superfície, o que dificultava ainda mais o alinhamento. Tentou não se preocupar com o fato de que tinha uma, e apenas uma, chance de sucesso.

Aproximando-se rapidamente da draga belga, Pitt ficou aliviado ao ver a haste da cabeça de corte cair à popa, baixando os dentes rotativos à superfície da água. Segundos depois, viu Giordino de pé próximo à balaustrada de popa, acenando para que aproximasse o navio. Pitt correu de volta ao timão e virou mais alguns graus a boreste, então esperou a proa reagir. Quando o navio avançou para a draga, Giordino ergueu os braços no ar, acenando para Pitt com os polegares levantados.

Pitt deixou o leme e voltou à janela lateral para observar o impacto. Atrás dele, de repente, percebeu o som de um motor de alta rotação acompanhado de gritos estridentes de uma mulher. Inclinou a cabeça para o convés lá embaixo, vendo Lazlo ainda deitado à frente da escada. Dessa vez, notou uma pequena poça de sangue sobre o convés ao lado do seu peito. Além de Lazlo, viu o iate próximo do navio, agitando-se de um lado para outro furiosamente, até mesmo batendo uma vez contra o costado do navio-tanque.

Inutilmente, Pitt se perguntou por que razão o iate continuava ali. Mas não valia a pena refletir sobre isso no momento, pensou, quando se virou e encarou a draga — e o momento da verdade.

* *

— Tire-nos daqui! — gritava Maria, no mínimo pela terceira vez.

A tirana normalmente controlada estava tomada de pânico e olhava repetidamente para o relógio. Restavam apenas alguns minutos.

O suor escorria da testa do comandante do iate, enquanto ele girava a roda do leme de um lado para o outro, em um esforço para se libertar da escada de embarque encravada no convés. Esperara até passarem pela Ponte de Gálata antes de inverter os motores, lutando contra o impulso do navio-tanque. No entanto, a escada alojara-se no casco do iate como um anzol farpado na boca de um marlim enraivecido.

Os motores do iate uivavam enquanto o comandante dava a potência reversa máxima e tentava guinar o barco para o largo. Sem que soubesse, as rodas inferiores da escada e o seu eixo tinham travado em torno da corrente da âncora no paiol do iate e agora toda aquela massa metálica achava-se irremediavelmente enredada em razão dos movimentos desesperados do barco.

Naquele momento, a escada mais parecia um *pretzel* de aço retorcido e ainda assim se recusava a se romper. Com as hélices propulsoras produzindo uma ebulição de água enlouquecida pela popa, o barco era arrastado junto com o navio-tanque como um cachorrinho em coleira curta. O comandante olhou para a draga à frente, esperando que o *Dayan* desviasse do navio belga. Mas, à medida que se aproximavam, chegou à sombria conclusão de que o navio não pretendia se afastar.

Com uma pressa desesperada, ele girou o iate de um lado para outro, contra a lateral do navio-tanque, antes de manobrar para fora. Mas a escada, teimosamente, recusou-se a se desprender. No momento, a proa do *Dayan* encontrava-se a contrabordo da draga, mas ele podia ver que havia um espaço estreito entre os navios, apesar de uma haste pendurada embaixo da água.

Com Maria ainda o olhando intensamente, ele balançou a cabeça em direção à draga.

— A haste vai quebrar a nossa ligação com a escada da rampa de acesso — disse. — Ficaremos livres daqui a pouco.

79

O ALINHAMENTO CONSEGUIDO por Pitt era quase perfeito. Quase.

A proa do *Dayan* passou raspando pela cabeça de corte antes que os dentes rotativos tomassem contato com o casco do navio-tanque. Embora um tanto abafado pela água, o cortador emitiu um gemido estridente quando os seus dentes encontraram as placas de aço do costado. Por alguns metros, a cabeça produziu sem dificuldade uma profunda endentação no costado do navio-tanque. Então, a fileira interminável de dentes pegou uma costura de chapa e rasgou um grande buraco no casco.

Uma vez violado o casco, não havia como voltar atrás. A bola de corte rotativa estraçalhou as chapas de aço como um castor faminto, movida pelo impulso de avanço do navio de 8 mil toneladas. Os dentes de tungstênio atravessaram mastigando tudo o que compunha o casco e os tanques de aço inoxidável que mantinham a água fresca quando o navio estava carregado. Mas, em vez de fresco, o líquido era agora verde-escuro, à medida que as águas do Bósforo rapidamente começavam a inundar os tanques.

De seu ponto de observação superior, Pitt podia ver a água girando no fundo do tanque dianteiro de boreste. Só esperava que a água que subia sem parar inundasse todo o tanque de bombordo e diluísse a força explosiva das duas pilhas de cargas. Mas o tempo não estava do seu lado.

Correndo os olhos pelo convés do *Ibn Battuta*, avistou Giordino já se esgueirando para o submersível da NUMA. Na balaustrada de popa da draga, ele fora substituído por um punhado de tripulantes. Acordados pelo barulho, eles olhavam estupefatos para a carnificina metálica que o seu navio infligia ao enorme navio-tanque poucos metros à sua frente.

No momento em que a cabeça de corte alinhou-se verticalmente com o passadiço, Pitt deu um passo à frente e, em um gesto final, girou o leme a quinze graus para bombordo. Já desacelerado pela entrada de água, o navio-tanque poderia navegar por mais uns oitocentos metros, calculou Pitt, antes de explodir, e ele queria garantir que estivesse se dirigindo para o centro do canal. A cabeça ainda moía o casco com um barulho metálico ensurdecedor quando Pitt abandonou o passadiço, descendo a escada às pressas para pegar Lazlo e abandonar o navio.

Não esperaria para ver o destino do iate. A bordo do *Sultana,* o comandante ainda com Maria gritando ao seu ouvido, enfiou o iate contra o casco do navio-tanque, na esperança de evitar uma colisão direta com a draga. No mesmo instante, percebeu a manobra sutil do navio-tanque quando esse guinou para bombordo, o que lhe deu uma tênue esperança de escapar. A guinada permitiu que o iate passasse um pouco ao largo da haste da draga quando a cabeça de corte se soltou do *Dayan*. Mas não havia espaço para fugir da cabeça em si.

A bola mastigadora alcançou a proa do iate, atingindo o casco por boreste. O iate, que continuava a ser arrastado como uma boneca de pano, foi erguido sobre a parte superior da cabeça de corte. O cortador facilmente mastigou uma faixa de dois metros em toda a parte inferior do casco de fibra de vidro, antes de decapitar as suas hélices ainda em movimento giratório. Os motores até então em funcionamento silenciaram quando o seu compartimento foi inundado e o iate começou a afundar pela popa.

O comandante imobilizou-se em estado de choque, as mãos coladas à roda do leme. Mas Maria não exibiu tal contenção. Retirando uma pistola Beretta da bolsa, aproximou-se do comandante, apertou a boca do cano contra a sua orelha e puxou o gatilho.

Em seguida, sem esperar que o corpo atingisse o chão, ela correu para a proa do iate, para tentar libertá-lo do navio-tanque de uma vez por todas.

80

No momento em que Pitt chegou ao convés principal, o navio-tanque já sofrera um adernamento visível. A cabeça de corte rasgara uma abertura de sessenta metros ao longo do comprimento, abrindo os dois tanques de armazenamento de boreste. Toda uma tripulação completa de homens com bombas por muito tempo não conseguiria impedir a inundação. Exatamente o efeito que Pitt esperava, mas agora precisava encontrar uma saída dali para Lazlo e para si mesmo.

Com o navio inclinando-se rapidamente para boreste, Pitt imaginou que seria um salto pequeno se descesse pela escada ou, se necessário, um salto da balaustrada. Quando se aproximou de Lazlo, surpreendeu-se ao ver o iate ainda agarrado ao lado. Da posição inclinada do convés do navio, conseguiu ter uma visão completa do iate lá embaixo, com a escada entranhada em seu casco. Mais interessante ainda era a figura de Maria, de pé na proa, empunhando uma pistola. Ela fez vários disparos contra a ligação de aço trançado que prendia a escada, então avistou Pitt a curta distância acima dela.

— Morra com o navio! — ela gritou, apontando a arma para Pitt e puxando o gatilho.

Pitt foi uma fração de segundo mais rápido, mergulhando no convés ao lado de Lazlo enquanto a bala passava zunindo sobre sua cabeça.

— Vamos, tenente, está na hora de encontrarmos outra saída — disse ele ao militar.

Lazlo fez um esforço para virar-se na sua direção, fitando Pitt com os olhos vidrados, que mal se abriam. De imediato, Pitt compreendeu a gravidade do ferimento, ao ver o ombro ensanguentado que Lazlo conseguira envolver com uma atadura. No momento, porém, como cada segundo contava, Pitt aproximou-se e segurou firmemente o corpo de Lazlo por trás do pescoço.

— Aguente firme, parceiro — disse.

Ignorando Maria, Pitt agachou-se e começou a escalar o convés inclinado, arrastando Lazlo atrás de si. Maria atirou novamente, disparando um punhado de tiros em sua direção. Os tiros chegaram perto, mas erraram os dois homens, enquanto Pitt se afastava em segurança para fora da vista dela. Recuperando um pouco as forças, Lazlo pediu que Pitt o ajudasse a se levantar. A jaqueta do militar estava saturada de vermelho e um rastro de sangue espalhava-se atrás deles por todo o convés.

O navio-tanque de repente oscilou debaixo dos seus pés, adernando cerca de trinta graus para boreste. De imediato, Pitt percebeu que o perigo mais imediato não era a detonação iminente dos explosivos.

— Você consegue subir comigo? — perguntou a Lazlo.

O duro militar balançou a cabeça e, com um braço em torno de Pitt para se apoiar, deu uns passos vacilantes pelo convés.

Atrás deles, Maria continuava atirando, seu alvo novamente a escada quase destruída. Depois de vários disparos bem direcionados, o metal da articulação da escada finalmente cedeu, dobrado fortemente em razão do deslocamento do navio. Afastando a escada com o pé, soltou finalmente a sua articulação, o que a lançou para cima, onde ficou oscilando com força contra o costado do navio.

Livre, afinal, na proa do iate, Maria sorriu para o navio que afundava lentamente. O navio-tanque derivaria para bem longe antes de explodir e ela teria tempo de voltar à ponte em segurança. No mínimo, pensou, Pitt e Lazlo morreriam com o navio.

Ela poderia estar certa, só que não levou em conta a ira vingativa do próprio *Dayan*.

81

Do vigésimo andar do seu escritório no arranha-céu erguido na margem oriental do Bósforo, Ozden Celik acompanhava o desenrolar dos acontecimentos com um temor crescente. Sob a fraca luz do levante, ele mal fora capaz de notar a sombra do navio-tanque quando a embarcação começara a se aproximar de Istambul. Mas o céu pouco a pouco acinzentado permitira que expandisse a sua visão panorâmica, até que os imponentes minaretes da mesquita Süleymaniye fossem claramente visíveis do outro lado das águas do estreito.

Com um binóculo de longo alcance montado sobre um tripé, ele focalizou o *Dayan,* assim como o barco salva-vidas de emergência que fora lançado pela popa. Assistira consternado quando o navio-tanque passara sob a Ponte de Gálata, enquanto o *Sultana* aparecia ao seu lado em um aparente tiroteio. Celik sentiu o coração bater mais forte quando viu o navio completar uma grande volta e ressurgir sob a extremidade da ponte.

— Não! Você deve seguir para a praia até a mesquita — ele amaldiçoou em voz alta o navio lento.

A sua frustração aumentou quando as repetidas ligações para Maria ficaram sem resposta. Perdeu o iate de vista quando o navio fez a curva, seu perfil elevado ocultando a embarcação menor. Prendendo o fôlego, Celik esperou que o iate tivesse se virado e fugido do Corno de Ouro para escapar da explosão, que sabia ser já iminente. Mas arregalou os olhos horrorizado quando o *Dayan* passou rente ao navio de dragagem e em seguida virou-se para o canal, revelando o iate ainda ao lado do seu flanco de boreste.

Focalizando o binóculo, viu a irmã na proa do iate, disparando uma arma primeiro contra o navio-tanque, depois contra a escada metálica. Celik não pôde deixar de notar o navio-tanque adernar precariamente acima dela.

— Saia daí! Saia daí! — Celik gritou para a irmã a mais de três quilômetros de distância.

As oculares entraram ainda mais sob as suas sobrancelhas enquanto ele observava a cena, horrorizado. Maria finalmente conseguira libertar o iate do engate com a escada, mas o barco não se mexera muito. Celik não fazia ideia de que ele fora despojado das duas hélices propulsoras e afundava. Intrigado com a visão, não conseguia entender por que o iate continuava pendurado perto do navio-tanque que adernava ameaçadoramente.

Do seu ponto de vista privilegiado do outro lado do estreito, Celik não podia ouvir a sinfonia de rangidos e gemidos que partia das entranhas do navio enquanto o seu centro de gravidade se deslocava. A inundação completa de todos os comprimentos do *Dayan* aumentava o adernamento de boreste até o convés se elevar como uma montanha íngreme. Sons de esmagamento irrompiam de todo o navio-tanque enquanto pratos, móveis e equipamentos perdiam a luta contra a gravidade e caíam contra as anteparas.

Quando a amurada de boreste tocou a água, o enorme navio revolveu-se completamente de lado, mantendo a estranha posição por vários segundos. O *Dayan* poderia ter-se partido ou simplesmente afundado de lado, mas, em vez disso, manteve-se inteiro e retomou a ondulação de morte com um floreado.

Ainda de pé na proa do iate, Maria sentiu a sombra do navio passar por cima do seu corpo quando este começou a virar. Flutuando a poucos metros do *Dayan*, o iate muito menor achava-se bem dentro do seu alcance. Não haveria como escapar do golpe destruidor.

Maria ergueu a cabeça e levantou um braço, como se para conter o golpe do gigantesco navio-tanque quando este rolou por cima. Em vez disso, foi achatada como um inseto. O moribundo *Dayan* bateu contra a superfície da água, envolvendo o iate ao mesmo tempo em que produzia uma onda de três metros que foi quebrar contra a margem, jogando o *Ibn Battuta* para os lados como um barco a remo. O casco escuro e incrustado de cracas de navio-tanque tomou conta do horizonte, a sua gigantesca hélice de bronze girando preguiçosamente no céu da manhã. Estrondos abafados de anteparas desmoronadas misturadas à água que corria internamente ecoaram por todo o casco enquanto o navio emborcado começava lentamente a afundar pela proa.

Celik agarrou-se ao binóculo com as mãos trêmulas, observando a irmã morrer sob o peso do navio emborcado. Imobilizado, em estado de choque, olhou sem piscar até as emoções transbordarem. Atirando o tripé para o outro lado do escritório com um gemido alto, ele caiu sobre o tapete, em seguida cobriu os olhos com as mãos e chorou, soluçando descontroladamente.

82

Celik não foi o único que assistiu horrorizado quando o navio naufragou. Giordino mal acabara de entrar no *Bullet* quando ouviu um som de esmagamento atrás de si e virou-se para ver o *Dayan* emborcar sobre o iate como o casco de uma tartaruga gigante. Sem perda de tempo, trancou a escotilha traseira, quando a onda resultante rolou contra o *Ibn Battuta*, elevando e empurrando o submersível para longe do navio de dragagem.

Giordino ligou rapidamente os motores a diesel e manobrou em direção ao navio-tanque. Pensava em Pitt com ansiedade, depois que ele lhe acenara minutos antes do passadiço do navio-tanque. No momento, o passadiço encontrava-se completamente submerso e tudo o que via era o ventre frio e sem vida do navio-tanque israelense.

Ignorando o perigo de que o navio poderia explodir a qualquer momento, ele acelerou ao longo do seu costado mais próximo. Surpreendentemente, pequenos detritos tinham flutuado para longe quando o navio emborcara e ele conseguiu acelerar ao longo do seu comprimento à procura de corpos no canal. Sabia que Pitt era como um golfinho na água. Se de algum modo sobrevivesse ao naufrágio, haveria pelo menos uma chance de que tivesse nadado para longe dali.

Aproximando-se da proa submersa, Giordino deu uma guinada e voltou para perto do casco, sem saber ou pouco se importando se os explosivos estariam cronometrados para detonar em menos de dois minutos. As águas à frente permaneciam desertas quando passou pelo través do navio-tanque e aproximou-se da popa. Com o coração pesado, considerou com relutância a ideia de que o velho amigo não tivesse escapado com vida.

Empurrando com força os manetes, começou a afastar-se, quando notou um par de cabos esticados sobre o casco. Estranhamente, os cabos corriam da balaustrada de bombordo submersa até o casco e passando sobre a quilha, a uma curta distância à frente da hélice. Com um brilho de esperança nos olhos, Giordino acelerou bruscamente, varrendo toda a área em torno da ampla popa do navio-tanque, que começava a se elevar da água.

Alcançando o lado oposto do navio, viu os cabos pendurados no alto a partir da quilha, mas o casco estava deserto. Em seguida, a pouco mais de cinquenta metros na água, avistou dois objetos. Fazendo a volta de imediato, aproximou-se em aceleração, para ver com alegria que Pitt rebocava Lazlo ferido para longe do navio.

Giordino aproximou-se deles, depois habilmente inverteu os motores para derivar de lado. Pitt içou Lazlo por um pontão, em seguida acenou para Giordino, que se apressava a abrir a escotilha.

— Não há tempo — Pitt gritou. — Tire-nos daqui.

Giordino inclinou a cabeça e depois, antes de acelerar, esperou até que Pitt subisse a bordo e passasse um braço em torno de Lazlo. Os dois homens foram agitados e varridos pela água enquanto o *Bullet* acelerava rapidamente à frente, saltando sobre a superfície do porto. Giordino virou-se e manobrou em direção à Ponte de Gálata, concluindo que as suas pilastras eram o abrigo mais próximo.

O *Bullet* encontrava-se a uns cem metros da ponte quando um baque profundo soou através do canal. Embora uma parte do material explosivo tivesse caído no fundo do mar quando o *Dayan* emborcara, cerca de metade do óleo combustível e a maior parte do HMX permaneceram alojados nos dois tanques de armazenamento dianteiros. Mas, com o navio afundando pela proa, os tanques submersos foram quase inteiramente inundados, diluindo consideravelmente o impacto da explosão.

Uma rápida série de baques sucessivos soou enquanto as espoletas temporizadas eram detonadas e depois uma enorme explosão rasgou o casco do navio-tanque. O abalo ecoou sobre as colinas e as ruas de Istambul como um estrondo sônico. Um imenso jorro de água branca explodiu vindo debaixo do navio-tanque, arremessando pedaços de aço e detritos a mais de cem metros no ar. Os pedaços irregulares caíram por terra ao longo de uma faixa de uns quatrocentos metros, chovendo do céu como uma cascata mortal.

No entanto, a terrível explosão revelou-se em grande parte inofensiva. Em razão do ângulo do navio-tanque afundado, a principal força da explosão centrara-se à sua frente e em direção ao Bósforo. O ajuste de curso que Pitt fizera no último segundo desviara o impacto para longe da costa e em direção a uma vasta extensão de água deserta.

Quando o aço e os detritos espalharam-se sobre a baía, um rangido alto ecoou do navio-tanque quando a seção do casco perfurado cedeu. A proa dizimada soltou-se e rapidamente afundou para o leito do canal, enquanto o restante do casco permaneceu sobre a superfície por alguns instantes, antes de seguir para o fundo.

Sacudindo embaixo de um vão da Ponte de Gálata, Giordino saiu da cabine do *Bullet* para verificar os seus passageiros.

— Obrigado pela carona — disse Pitt, aproximando-se de Lazlo.

— Vocês, rapazes, escaparam por pouco daquele inferno — respondeu Giordino.

— Tivemos sorte. Maria Celik quis nos usar para praticar tiro ao alvo na amurada de boreste, então subimos para o convés. Aconteceu de encontrarmos um par de cabos que tinham baixado para o lado de bombordo e descemos por eles quando o navio emborcou. Conseguimos passar por cima da quilha e depois escorregamos para o outro lado para evitar o iate.

— Não precisa se preocupar — Giordino disse com um sorriso. — Ele foi achatado como uma panqueca.

— Algum sobrevivente?

Giordino balançou a cabeça.

— Lazlo precisa de cuidados médicos — disse Pitt. — É melhor levá-lo para a praia.

Ele e Giordino ajudaram o militar a entrar no submersível, depois navegaram em direção à costa sul.

— Foi uma bela explosão — Giordino disse a Pitt. — Poderia ter sido muito pior.

Em silêncio, Pitt simplesmente balançou a cabeça, olhando pela janela da cabine.

À frente deles, os restos enormes do navio-tanque israelense elevavam-se pela popa. O navio ainda permaneceu quase na vertical de uma maneira desafiadora e depois mergulhou rapidamente sob as ondas. Em algum lugar não muito longe do outro lado do estreito, os sonhos retorcidos de uma nova dinastia otomana naufragaram com ele.

83

A EXPLOSÃO DO NAVIO-TANQUE abalou Istambul mais política do que fisicamente. A confirmação das perdas do barco da polícia e do navio da Guarda Costeira, complementada pela notícia sobre o atentado, colocaram as forças militares do país em alerta máximo. Quando o navio foi identificado como *Dayan*, seguiu-se uma enxurrada de acusações inflamadas entre Turquia e Israel pelos canais diplomáticos. Os protestos dos moradores em pânico da cidade quase levaram a uma resposta militar. Mas as ameaças de um conflito turco-israelense se diluíram quando as autoridades encontraram os tripulantes resgatados do *Dayan*.

Entrevistados publicamente, eles detalharam o sequestro e o cativeiro nas mãos dos pistoleiros desconhecidos. O sentimento turco rapidamente se transformou quando os homens descreveram o carregamento dos explosivos sob a mira das armas e contaram como quase morreram a bordo do navio, não fosse pelo resgate de última hora. Em uma entrevista reservada, Pitt e Giordino, depois de visitar Lazlo no hospital, informaram às autoridades turcas sobre o seu papel no afundamento do navio-tanque.

Quando a Inteligência dos Estados Unidos secretamente forneceu evidências de que os mesmos explosivos HMX haviam sido usados nos ataques às mesquitas em Bursa, Cairo e Jerusalém, as forças turcas não perderam tempo em agir. Buscas em segredo foram imediatamente executadas na residência, no escritório e nas instalações portuárias de Celik, ao mesmo tempo em que o *Ottoman Star* era localizado em águas gregas e apreendido. Com a pressão pública aumentando no sentido de identificar quem cometera os atentados e quais os seus motivos, a investigação oficial não conseguiu permanecer em segredo por muito tempo.

Com a divulgação dos seus nomes, Ozden e Maria Celik tornaram-se publicamente párias e uma fonte de vergonha nacional. Quando se descobriu posteriormente que os dois haviam orquestrado a invasão de Topkapi, a raiva e a vergonha nacional transformaram-se em fúria total. Investigadores e jornalistas mergulharam no passado oculto da dupla, revelando os seus laços com a última família governante da oligarquia otomana, assim como as suas relações com traficantes de drogas e mafiosos do submundo, que impulsionaram originalmente os negócios dos Celiks.

Inevitavelmente, descobriram-se as relações financeiras dos Celiks com a realeza árabe, levando à revelação de que milhões de dólares haviam sido canalizados para o *mufti* Battal. O objetivo dos atentados promovidos por Celik tornou-se facilmente evidente e o furor público direcionou-se para o *mufti* e o seu Partido da Felicidade. Embora não se tivesse encontrado nenhuma evidência de que Battal estivesse envolvido ou mesmo tivesse conhecimento dos ataques terroristas, o estrago estava feito.

A confirmação final da culpa dos Celiks confirmou-se quando enviaram-se mergulhadores ao fundo do Chifre de Ouro. Os restos mutilados do *Sultana* foram localizados não muito longe do casco estraçalhado do navio-tanque. O resgate trouxe o naufrágio à superfície, deixando-se a cargo de uma equipe da polícia forense remover o corpo esmagado de Maria Celik do convés do iate achatado.

Com o nome arruinado, os bens confiscados e o corpo da irmã morta guardado no necrotério municipal de Istambul, nada mais restava do império de Ozden Celik, a não ser o homem em si.

Ele, no entanto, aparentemente desaparecera no nada.

84

A ORAÇÃO DO MEIO-DIA de sexta-feira, chamada *khutbah*, era tipicamente o serviço muçulmano de mais alto comparecimento da semana. Era a ocasião em que o imame residente da mesquita oferecia um sermão individual e inspirador da fé antes de liderar a assembleia em oração.

Na mesquita de Fatih, em Istambul, a sala de oração permanecia estranhamente vazia, apesar do recente chamado do muezim à oração. A *khutbah* em geral ficava completamente apinhada, com dezenas de pessoas do lado de fora da sala de oração e no pátio, na esperança de conseguir um vislumbre do *mufti* Battal e de ouvir as suas palavras de esperança. Mas esse não era o caso nessa sexta-feira.

Apenas uns cinquenta seguidores fervorosos encontravam-se no salão aberto quando o *mufti* Battal entrou e subiu para uma plataforma elevada ao lado do *mihrab*. O *mufti* outrora vigoroso na última semana parecia ter envelhecido vinte anos. Seus olhos estavam afundados e frios, a pele pálida e sem vida. A arrogância e a vaidade que alimentaram a sua ascensão ao poder achavam-se completamente ausentes. Olhando para a plateia escassa, ele estremeceu ligeiramente, reprimindo a sua única emoção, a raiva.

Falando em voz contida, ele principiou a sua homilia atacando os perigosos poderes descontrolados do sistema oficial. De modo incomum, logo divagava de maneira incoerente, visando uma litania de males e ameaças percebidos. A consternação dos semblantes sombrios que o fitavam em desilusão finalmente o levaram a pôr fim à diatribe. Encerrando o sermão de repente, ele recitou uma breve passagem do Alcorão sobre a redenção e em seguida liderou o público minguado na oração.

Sem querer confraternizar com os irmãos, Battal rapidamente encaminhou-se para o lado da sala de oração e entrou em uma antessala onde mantinha um pequeno escritório. Surpreendeu-se ao encontrar ali um homem barbado, sentado à frente da sua escrivaninha. Estava vestido com uma camisa desbotada e calças brancas de trabalhador, usando um chapéu de abas largas que lhe encobriam parcialmente o rosto.

— Quem o deixou entrar? — trovejou Battal para o homem.

O estranho levantou-se e ergueu a cabeça para fitar Battal nos olhos, em seguida puxou a barba falsa.

— Entrei por conta própria, Altan — respondeu Ozden Celik em voz abatida.

Sob o disfarce mais comum, sua aparência não estava muito distante da de Battal. Ele tinha o mesmo rosto magro e contraído, a mesma pele pastosa. Apenas os olhos denotavam um fervor mais intenso, quase insano.

— Você me põe em risco vindo aqui — sibilou Battal. Rapidamente encaminhou-se para a porta de trás e abriu-a com cautela, enfiando a cabeça para espiar. — Venha comigo — disse a Celik, saindo pela porta.

Conduziu-o por um corredor, depois entrou em um depósito raramente usado nos fundos da mesquita. A um canto, via-se uma máquina de lavar, tendo à frente um jogo de toalhas velhas deixadas para secar em um varal de arame. Depois que Celik entrou, Battal fechou a porta atrás de si e trancou-a.

— Por que veio aqui? — perguntou, impaciente.

— Preciso da sua ajuda para sair do país.

— Sim, a sua vida está acabada na Turquia. Quase como a minha.

— Sacrifiquei tudo por você, Altan. A minha riqueza, as minhas propriedades. Até mesmo a minha irmã — ele acrescentou com a voz trêmula. — Tudo com o objetivo de torná-lo presidente.

Battal olhou para Celik com nada além de desprezo.

— Você me destruiu, Ozden — disse, o rosto vermelho de raiva. — Fui arrasado na eleição. Os meus benfeitores desapareceram. A minha congregação me abandonou. Tudo isso porque você manchou a minha reputação. E agora mais esta.

Ele puxou uma carta do bolso e atirou-a contra Celik. O turco a ignorou, simplesmente balançando a cabeça enquanto o papel caía ao chão.

— É do Diyanet. Fui exonerado como *mufti* de Istambul. — Battal fuzilou Celik com o olhar em escarninho. — Você me destruiu completamente.

— Fizemos tudo para alcançar o nosso destino — Celik respondeu em voz baixa.

Battal não pôde mais controlar as emoções. Agarrando Celik pela camisa, atirou-o para o outro lado da sala. Celik caiu contra as roupas penduradas, arrancando o arame enquanto ia ao chão, coberto pelas toalhas. Fez um esforço para se levantar, mas Battal já estava em cima dele. Agarrando uma ponta solta do arame do varal, Battal rapidamente passou-a em torno do pescoço de Celik e apertou-a. Celik reagiu ferozmente, dando socos e batendo no *mufti*. Mas Battal era muito maior e mais forte, além de mais empenhado na vingança. Dominado pela raiva até então reprimida, ele ignorou os golpes de Celik e apertou ainda mais o arame.

Celik não se esquecera do horror de ser estrangulado. Lutando para respirar, à medida que a vida se esvaía lentamente do seu corpo, viu desfilar diante dos seus olhos o cortejo das suas próprias vítimas garroteadas. Falhando em uma última tentativa desesperada para se libertar, olhou para o *mufti* com um misto de medo e desafio, antes de seus olhos rolarem para trás e o corpo ceder inerte.

Battal manteve o aperto de morte sobre Celik por mais cinco minutos, menos por garantia do que por uma fúria psicótica. Soltando-o por fim, afastou-se lentamente do homem morto, cambaleando para fora do depósito com as mãos trêmulas e a mente permanentemente incapacitada.

No final da manhã seguinte, o corpo de Celik foi descoberto por um pescador do Bósforo. Despejado furtivamente no porto, ele flutuara pelo Corno de Ouro durante a maior parte da noite até enroscar-se no Cabo do Serralho.

O corpo expirado de Ozden Celik, o último otomano do mundo, foi encontrado a poucos passos das muralhas de Topkapi, à sombra da glória dos seus ancestrais lendários.

85

Pitt e Giordino foram se encontrar com Lazlo no terceiro andar do Hospital de Istambul, instalado em um quarto agradável, mas fortemente vigiado, com vista para o Bósforo. O militar achava-se deitado na cama, lendo um exemplar três dias atrasado do *Haaretz,* um jornal diário israelense, quando os dois homens foram autorizados a entrar.

— Não me diga que continua na primeira página do noticiário do seu país? — Pitt perguntou depois que entrou e eles apertaram as mãos.

— É bom ver vocês, meus amigos — Lazlo respondeu, meio acanhado, deixando o jornal de lado. — Sim, ainda somos uma grande notícia em Israel. No entanto, lamento informar que pareço estar recebendo todo o crédito. Foi você quem neutralizou o navio-tanque — disse para Pitt. — E nada disso teria sido possível sem o *Bullet* — acrescentou para Giordino.

— Acho que o mais certo é dizer que foi um trabalho de equipe — respondeu Pitt.

— Entre outras coisas, nós três melhoramos umas dez vezes as relações do meu país com a Turquia — anunciou Lazlo.

— Para não dizer que ajudamos a manter válida por mais alguns anos a visão de Atatürk de um governo secular na Turquia — observou Pitt.

— Acho que deveriam nos indicar para um Prêmio Nobel — Giordino disse com um sorriso.

— Ouvi falar que encontraram o corpo de Celik esta manhã — disse Lazlo.

— Sim, ao que parece, foi estrangulado e depois jogado no Corno de Ouro — disse Pitt.

— Você deu conta do recado em meu lugar?

Pitt sorriu.

— Não desta vez. Um detetive da polícia nos contou que é quase certo que o *mufti* Battal tenha sido o responsável. Um policial disfarçado na mesquita de Battal informou ter visto um homem que correspondia à descrição e ao porte de Celik no prédio, mais ou menos na hora estimada da sua morte.

— Uma dupla de demônios, na minha opinião — Lazlo disse.

Uma enfermeira atraente entrou no quarto por um instante para verificar a medicação de Lazlo, depois saiu, seguida pelo seu olhar vigilante.

— Ansioso para voltar para casa, tenente? — perguntou Giordino.

— Não muito — Lazlo respondeu com um sorriso. — E pelo jeito, agora sou o capitão Lazlo. Recebi a notícia da minha promoção.

— Quero ser o primeiro a cumprimentá-lo — disse Giordino, escorregando-lhe uma garrafa de uísque introduzida às escondidas no hospital. — Talvez encontre alguém por aqui com quem possa compartilhá-la — acrescentou com uma piscadela.

— Vocês americanos são legais — Lazlo respondeu com um sorriso largo.

— Qual é o prognóstico? — perguntou Pitt.

— Estou com uma cirurgia marcada para a semana que vem em Tel Aviv, depois passarei por várias semanas de fisioterapia. Mas devo me recuperar completamente e espero me apresentar para o serviço antes do final do ano.

Eles foram interrompidos pela entrada de um homem com a perna engessada em uma cadeira de rodas.

— Abel, aí está você — Lazlo cumprimentou. — Chegou bem na hora de conhecer os homens que ajudaram a salvar a sua vida.

— Abel Hammet, o comandante do *Dayan*. Ou ex-comandante, devo dizer — disse ele, cumprimentando Pitt e Giordino calorosamente. — O

Lazlo aqui me contou tudo o que vocês fizeram. Vocês se arriscaram de verdade e a minha tripulação e eu seremos eternamente gratos.

— Sinto pela perda do seu navio-tanque — respondeu Pitt.

— O *Dayan* era um bom navio — disse Hammet com uma certa melancolia. — Mas a boa notícia é que vamos receber um barco novo. O governo turco se comprometeu a nos construir um substituto, aparentemente utilizando os devidos bens de um tal Ozden Celik em pagamento.

— Quem disse que não há justiça no mundo? — Giordino brincou.

Enquanto os homens riam, Pitt olhou para o relógio.

— Bem, o *Aegean Explorer* deve zarpar em cerca de uma hora — disse. — Lamento, mas precisamos ir andando.

Ele apertou a mão de Hammet, em seguida virou-se para Lazlo.

— Capitão, ficaria feliz em contar com a sua companhia qualquer dia desses — disse.

— Seria uma honra — Lazlo respondeu.

Enquanto Pitt e Giordino encaminhavam-se para a porta, Lazlo os chamou.

— Para onde vão agora? De volta ao seu naufrágio?

— Não — respondeu Pitt. — Vamos para Chipre.

— Chipre? O que os espera por lá?

Pitt dirigiu ao capitão um sorriso enigmático.

— Uma revelação divina, espero.

PARTE IV

O DESTINO DO MANIFESTO

86

ST. JULIEN PERLMUTTER ACABARA de se instalar em uma poltrona de couro de tamanho exagerado quando o telefone tocou. O seu posto de leitura favorito fora fabricado sob encomenda, nas devidas proporções para acomodar a sua compleição de mais de cento e oitenta quilos. Ele olhou para o relógio de pêndulo antiquado na parede vizinha, constatando que era quase meia-noite. Então estendeu o braço por cima de uma taça de vinho do Porto sobre a mesinha ao lado e atendeu ao telefone.

— Julien, como vai? — soou uma voz familiar do outro lado da linha.

— Ora, se não é o salvador de Constantinopla — Perlmutter respondeu com a voz estrondosa. — Li com alegria sobre as suas façanhas no Corno de Ouro, Dirk. Espero que não tenha se ferido no processo.

— Não, estou bem — respondeu Pitt. — E, a propósito, atualmente chama-se Istambul.

— Besteira. Foi Constantinopla por mil e seiscentos anos. Ridículo mudar agora.

Pitt teve de rir do velho amigo, que passava a maior parte das horas de vigília vivendo no passado.

— Espero não tê-lo surpreendido na cama — disse ele.

— Não, de maneira alguma. Estava aqui sentado com uma cópia das memórias do comandante Cook sobre a sua primeira viagem ao Pacífico.

— Um dias desses, vamos ter de encontrar o que sobrou do *Endeavor* — disse Pitt.

— Sim, seria uma nobre missão — respondeu Perlmutter. — Então, onde está agora, Dirk, e por que me ligou, afinal?

— Acabamos de atracar em Limassol, Chipre, e estou com um mistério em que poderia usar a sua ajuda.

Os olhos do homenzarrão barbudo brilharam ao ouvir essas palavras. Um historiador marítimo mundialmente famoso, Perlmutter tinha um gosto por enigmas náuticos que excedia o seu apetite por alimentos e bebidas. Trabalhando com Pitt havia anos, ele sabia que, quando o amigo ligava, geralmente era por algo sedutor.

— Vamos, diga — pediu Perlmutter com a sua voz profunda de fagote.

Pitt contou-lhe sobre o naufrágio otomano e os artefatos da época romana, depois passou para a história do Manifesto e a lista de pertences.

— Na minha opinião, trata-se de uma carga épica — disse Perlmutter. — É uma pena que pouca coisa dela, ou quase nada, sobreviveria depois de dois milênios sob o mar.

— Sim, o ossuário talvez fosse o melhor que se poderia esperar.

— Vocês com certeza vão agitar um vespeiro com isso — disse Perlmutter.

— Se algum dos itens ainda existir, merece ser encontrado — respondeu Pitt.

— Sem dúvida nenhuma. Mesmo sem a carga, uma galera romana intacta seria uma joia de descoberta. Você tem um ponto de partida para a pesquisa?

— Esse é o propósito da minha chamada — disse Pitt. — Espero que possa saber sobre antigos naufrágios não identificados na costa sul de Chipre. Quaisquer informações sobre rotas de comércio históricas em torno da ilha também seriam úteis.

Perlmutter pensou por um instante.

— Tenho algumas fontes de informações na estante que poderiam ajudar. Dê-me umas duas horas e verei o que posso fazer.

— Obrigado, Julien.

— Me diga uma coisa, Dirk — Perlmutter acrescentou, antes de desligar. — Você sabia que a ilha de Chipre ficou famosa por produzir os melhores vinhos do Império Romano?

— Não fale.

— Uma taça de Commandaria, ouvi dizer, conserva o mesmo sabor de dois mil anos atrás.

— Vou lhe encontrar uma garrafa, Julien.

— Você é um bom sujeito, Dirk. Até logo.

Desligando o telefone, Perlmutter tomou um longo gole do vinho do Porto, apreciando o seu sabor profundo e doce. Em seguida, impulsionando o corpo enorme para se levantar, deu um passo na direção de uma estante alta que transbordava de livros náuticos e começou a cantarolar para si mesmo enquanto vasculhava os títulos.

* *

Menos de duas horas mais tarde, o telefone por satélite do *Aegean Explorer* tocou com a chamada de retorno de Perlmutter.

— Dirk, encontrei apenas um bocadinho até agora, mas pode ser um começo — disse o historiador.

— Cada pedacinho ajuda — respondeu Pitt.

— Trata-se um naufrágio do século quarto. Foi descoberto por mergulhadores amadores nos anos sessenta.

— Romano?

— Não estou certo. O relatório arqueológico que tenho aqui é muito antigo, mas indica que algumas armas romanas encontravam-se entre os artefatos recuperados. Como sabe, Chipre nunca foi considerada de muita importância militar entre os romanos, mas mais como uma fonte comercial de cobre e grãos. E, é claro, vinho. Assim, a existência de armas entre os destroços pode ser interessante.

— Uma tentativa improvável ou não, parece que vale a pena dar uma olhada. Onde se localiza o naufrágio?

— Foi encontrado nas imediações de uma cidade chamada Pissouri, perto de você aí na costa sul. O naufrágio foi encontrado a cerca de quatrocentos metros ao largo da praia pública de lá. Localizei uma referência posterior de que o local foi parcialmente escavado na década de noventa e os artefatos colocados em exposição no Museu Arqueológico Regional de Limassol.

— Muito conveniente — disse Pitt. — O local tem alguma relação com as rotas comerciais romanas?

— Na realidade, os navios mercantes provenientes da Judeia na época costumavam seguir pela costa levantina a caminho de Constantinopla. O mesmo se aplica às galeras romanas, que geralmente seguiam perto da costa para navegar em águas mais calmas. Mas o nosso conhecimento das práticas marítimas naqueles dias é limitado.

— É bem possível que nunca tivessem a intenção de navegar para Chipre — respondeu Pitt. — Obrigado, Julien, vamos dar uma olhada nos destroços.

— Continuarei farejando mais informações. Nesse meio-tempo, boa caçada.

Quando Pitt desligou o telefone, os seus dois filhos entraram no passadiço com mochilas nos ombros.

— Vão deixar o navio antes de começarmos a nossa pesquisa? — perguntou Pitt.

— Você tem um ponto de partida? — Summer perguntou.

— O bom senhor Perlmutter acabou de me ajudou a traçar uma grade de pesquisa.

— Pedi a Dirk para me ajudar a investigar os arquivos locais — ela respondeu. — Pensei se conseguiríamos encontrar referências locais ao Manifesto, ou quem sabe alguma história de pirataria. Você se importa se o alcançarmos em um dia ou dois?

— Não, essa parece uma boa ideia. Qual será a sua primeira parada?

Summer dirigiu ao pai um olhar indiferente.

— Para ser sincera, não sabemos de uma fonte de informações local para visitar. Você não teria alguma sugestão, não é?

Pitt não pôde deixar de sorrir do pedido, olhando para uma página de anotações que escrevera enquanto conversava com Perlmutter.

— Acontece — disse com uma piscadela — que sei exatamente onde vocês devem ir.

87

Summer e Dirk encontraram o Museu Arqueológico Regional de Limassol alojado em um moderno edifício a leste do centro da cidade, não muito longe do pitoresco jardim municipal. Uma grande variedade de objetos de cerâmica e artefatos da opulenta história de Chipre, algumas peças datando de 2000 a.C., era exibida em caixas de vidro simples ao longo das três alas do edifício. Summer admirava uma exposição de estatuetas de animais de terracota do Período Arcaico enquanto aguardava a chegada do curador do museu.

— Sou Giorgos Danellis. Em que posso ajudá-la? — perguntou um homem de rosto redondo com sotaque grego.

Summer apresentou-se e ao irmão.

— Estamos interessados em um naufrágio do século quarto que foi descoberto perto de Pissouri — explicou ela.

— Sim, o naufrágio de Pissouri — Danellis respondeu inclinando a cabeça. — A mostra está na sala três.

Enquanto os conduzia à outra sala, ele perguntou:

— Vocês são do Museu Britânico?

— Não, trabalhamos para a Agência Nacional Marítima e Subaquática americana — Dirk respondeu.

— Ah, desculpe — disse o curador. — Apareceu um sujeito aqui há alguns dias perguntando sobre a mesma exposição. Achei que vocês poderiam ter alguma ligação.

Ele se adiantou na direção de uma grande caixa de vidro que continha dezenas de artefatos. Summer observou que a maioria eram recipientes cerâmicos, juntamente com alguns fragmentos de madeira deteriorada com ferragens enferrujadas.

— O que poderia nos dizer sobre o navio? — ela perguntou.

— Ele remonta à primeira metade do século quarto — disse o curador, apontando para uma moeda de prata corroída na prateleira inferior do expositor. — Este denário romano encontrado nos destroços retrata o imperador Constantino com louros, o que indica que o navio afundou em torno de 330 d.C.

— Era uma galera romana? — Dirk perguntou.

— Houve alguma especulação nesse sentido, logo depois da descoberta, mas a maioria dos especialistas acredita que se trate de uma galera mercante. As amostras de madeira mostram que foi construída com pinho do Líbano, o que tende a sustentar a hipótese. — Ele apontou para uma representação artística de uma galera com remos altos e velas quadradas gêmeas que se achava pendurada na parede. — Os arqueólogos acreditam que provavelmente fosse uma embarcação mercante, transportando grãos e óleo de oliva.

Dirk apontou para um cabo de espada corroído pelo mar que se achava atrás de um pote de barro.

— Tinha algum tipo de armamento a bordo? — perguntou.

O curador concordou.

— Supostamente, havia muito mais, mas receio que esse resto de uma espada seja tudo o que recuperamos. Os arqueólogos foram forçados a realizar uma escavação apressada quando se descobriu que o local do naufrágio vinha sendo sistematicamente saqueado por ladrões. Ouvi histórias de que retiraram um grande número de armas do local antes da chegada dos arqueólogos.

— Como explica tantas armas em um navio mercante? — Summer perguntou.

O curador pareceu indiferente.

— Realmente, não sei. Talvez fosse parte de sua carga. Ou, talvez, um alto funcionário viajasse a bordo.

— Ou há uma outra possibilidade — disse Dirk.

Danellis e Summer olharam para ele com curiosidade.

— Estou achando — disse ele — que essa embarcação poderia ter sido um navio pirata. Isso me lembra um relato que li em Cesareia sobre um navio pirata cipriota capturado, encontrado com armas romanas a bordo.

— Sim, bem poderia ser o caso — respondeu o curador. — Alguns dos pertences da tripulação eram muito luxuosos para a época — ele acrescentou, apontando para um prato de vidro e uma taça de cerâmica estilizada.

— Senhor Danellis, existem outros naufrágios conhecidos dessa época em águas cipriotas? — Summer perguntou.

— Não. Existe um suposto naufrágio da Idade do Bronze na costa norte, mas este seria o mais antigo naufrágio de que estou ciente. Em que exatamente estão interessados?

— Estamos pesquisando uma galera romana que navegava em nome de Constantino e que pode ter-se perdido em águas cipriotas. Ela estaria navegando mais ou menos na mesma época do naufrágio de Pissouri.

— Não sei nada sobre isso — ele respondeu, balançando a cabeça. — Mas talvez queiram fazer uma visita ao mosteiro de Stavrovouni.

Summer dirigiu-lhe um olhar cético.

— Por que um mosteiro?

— Bem, além da sua bela localização — Danellis respondeu —, o mosteiro acolheu a mãe de Constantino, Helena, em sua viagem de volta da Terra Santa com a Vera Cruz.

88

O *AEGEAN EXPLORER* NAVEGAVA próximo à costa, então de repente guinou e dirigiu-se para o mar em ritmo lento. Um cabo fino estendia-se para além da sua popa, desaparecendo abaixo da superfície. Cinquenta metros além, o cabo puxava a reboque um cilindro esguio e comprido, com a forma de um charuto, que deslizava submerso alguns metros acima do fundo do mar. Um par de transdutores no cilindro enviava ondas sonoras que se refletiam no fundo, depois registrava regularmente a sua taxa de retorno. Os processadores a bordo do navio convertiam os sinais do sonar em um perfil visual, fornecendo uma imagem simulada dos contornos do leito do oceano.

Sentado diante de um monitor de vídeo no passadiço do navio, Pitt examinava as imagens do sonar, observando o fundo ondulado e pedregoso de passagem. Atrás dele, Giordino parou de acompanhar por cima dos seus ombros e voltou-se com seu binóculo para a praia em frente.

— Está gostando do cenário? — perguntou Gunn.

— Poderia ser melhor — respondeu Giordino. — Mas até que não está ruim, graças a uma dupla adorável de jovens senhoras em busca de refúgio contra o sol em uma caverna marinha.

A praia próxima de Pissouri era uma estreita faixa de areia embaixo de altas falésias, sobre as quais se assentava a sua aldeia homônima. Apesar de muito frequentada pelos militares britânicos estacionados na base vizinha de Akrotiri, a praia continuava sendo um dos lugares mais sossegados da costa sul.

— Parece que logo estaremos longe dos imóveis à beira-mar — Giordino observou enquanto o navio seguia lentamente o seu caminho para leste, de acordo com a grade de pesquisa.

— Então isso só pode significar que estamos nos aproximando do naufrágio — Pitt respondeu com otimismo.

Como se confirmando a sua profecia, o naufrágio de Pissouri apareceu na tela alguns minutos depois. Giordino e Gunn aproximaram-se enquanto uma imagem ia se formando no monitor. Longe de se parecer com um navio de verdade, o sítio era pouco mais que um monte alongado de destroços, com pequenas seções da quilha e cavernas expostas entre as areias movediças. Assim mesmo, ainda era praticamente um milagre restarem tantos vestígios de uma embarcação naufragada havia mais de mil e setecentos anos.

— Sem dúvida é uma imagem de um naufrágio antigo — disse Gunn.

— É o único naufrágio que descobrimos na costa de Pissouri, por isso deve ser o navio do século quarto de que Perlmutter falou — Giordino disse. — Mas estou surpreso por não se encontrar mais próximo da costa — acrescentou, notando que se achavam a quase oitocentos metros da praia.

— Você precisa lembrar que o Mediterrâneo era um pouco mais raso há dois mil anos — disse Gunn.

— Isso explicaria a posição dos destroços — ele respondeu. — Vamos mergulhar nele? — perguntou, voltando-se para Pitt.

Pitt balançou a cabeça.

— Não será preciso. Primeiro, o local já foi explorado e retiraram tudo o que tinha. E segundo, não é o nosso naufrágio.

— Como pode ter tanta certeza? — perguntou Gunn.

— Summer ligou. Ela e Dirk viram os artefatos em exposição no museu de Limassol. Os arqueólogos que exploraram este naufrágio tinham certeza de que não se trata de uma galera romana. Dirk acredita que poderia ser um navio pirata secundário envolvido no ataque aos romanos. Pode ser que valha a pena um mergulho mais tarde, mas Summer comentou que o local já tinha sido saqueado muito antes de os arqueólogos o examinarem.

— Então vamos usá-lo como ponto de partida? — perguntou Gunn.

— É o melhor que temos — Pitt respondeu inclinando a cabeça. — Se o navio pirata se aproximou da costa aqui e naufragou, só podemos esperar que a embarcação romana esteja em algum lugar nas vizinhanças.

Giordino sentou-se perto do monitor e relaxou.

— Bem, então vamos continuar procurando — observou. — Como disse o homem, Roma não foi construída em um dia.

89

Summer dirigiu rumo ao leste pela principal rodovia costeira de Limassol, tendo Dirk desistido das funções de motorista desde que chegara da Inglaterra. Uma colônia da Coroa da Grã-Bretanha até a primeira metade do século XX, Chipre ainda guardava lembranças visíveis do governo anterior. O inglês era o idioma mais falado em todos os lugares, a moeda na metade grega ao sul do país era denominada em libras e o tráfego rodoviário corria pelo lado esquerdo.

Summer virou o carro alugado em direção ao interior, seguindo pela estrada bem pavimentada em direção a Nicósia. A estrada começou a apresentar um aclive suave quando se aproximaram dos extremos orientais dos Montes Troodos. Depois de passar por várias colinas, na maioria desertas, em uma encruzilhada pegaram uma saída estreita, mas asfaltada. A estrada tornou-se cada vez mais íngreme, subindo por uma pequena montanha em sucessão de curvas fechadas. No alto da montanha, construído em uma posição impressionante no topo, ficava o mosteiro de Stavrovouni.

Summer parou o carro em um pequeno estacionamento à frente do conjunto de prédios. Passando por um posto de recepção vazio à entrada, os dois se aproximavam de uma longa escada de madeira até o alto. Um mendigo vestido com roupas esfarrapadas e um chapéu de abas largas achava-se sentado próximo dali, com a cabeça inclinada, parecendo adormecido. Os irmãos passaram na ponta dos pés, depois subiram a escada até a base do mosteiro, que oferecia vistas impressionantes de toda a região sudeste da ilha. Atravessando um pátio aberto, aproximaram-se de um monge com expressão carrancuda e um hábito de lã, parado à entrada do mosteiro.

— Bem-vindos a Stavrovouni — ele disse muito severo, em seguida olhou para Summer. — Talvez não saibam, mas aqui somos partidários da ortodoxia atonita. Receio que não seja permitida a entrada de mulheres no mosteiro.

— Pelo que sei, vocês não estariam aqui não fosse por uma mulher — ela respondeu asperamente. — O nome "Helena" lhe lembra alguma coisa?

— Sinto muito.

Summer revirou os olhos para o monge, em seguida voltou-se para Dirk.

— Acho que vou ficar admirando os afrescos — disse, apontando para as paredes pintadas do pátio. — Aproveite a visita.

Dirk inclinou-se e cochichou para a irmã.

— Se eu não voltar em uma hora, significa que decidi me juntar a eles.

Deixando a irmã indignada, ele se virou e acompanhou o monge por uma porta de madeira.

— Poderia me contar sobre o papel de Helena em relação ao mosteiro e um pouco da história do lugar? — Dirk perguntou.

— Antigamente, esta montanha abrigava um templo grego. O templo permaneceu abandonado por vários anos e encontrava-se em estado precário quando Santa Helena chegou a Chipre de volta da sua peregrinação a Jerusalém. Conta-se que a boa santa pôs fim a uma seca de trinta anos que assolava a terra. Em Chipre, ela teve um sonho em que lhe foi dito para construir uma igreja em nome da cruz venerável. Stavrovouni, caso não saiba, significa "montanha da Cruz". Foi então que construiu a igreja, deixando aqui a cruz do ladrão arrependido que trouxe de Jerusalém, junto com um fragmento da Cruz Verdadeira.

O monge conduziu Dirk para dentro de uma pequena igreja, guiando-o por uma grande iconóstase de madeira antes de chegar ao altar. Nesse, via-se uma grande cruz de madeira, engastada em prata. Uma minúscula moldura dourada dentro da cruz protegia um pequeno fragmento de madeira.

— A igreja sofreu muita destruição e a ação de vândalos ao longo dos séculos — o monge explicou — inicialmente pelos mamelucos e depois pelos otomanos. Receio que, além deste pedaço sagrado da Vera Cruz, reste bem pouco do legado de Helena — ele disse, apontando para o fragmento engastado em ouro.

— Sabe alguma coisa sobre outras relíquias de Jesus que Helena possa ter deixado em Chipre? — Dirk perguntou.

O monge esfregou o queixo por um instante.

— Não, nada, mas converse com o irmão Andros. Ele é o nosso historiador residente. Vamos ver se está em seu escritório.

O monge guiou Dirk por um corredor à esquerda, que abrigava numerosos quartos austeros. O final do corredor era ocupado por dois pequenos escritórios, em um dos quais Dirk avistou um homem magro que apertava a mão de um monge e depois se voltou para seguir seu caminho.

Quando se cruzaram, Dirk disse:

— Ridley Bannister?

— Ora, sim — respondeu Bannister, olhando para Dirk, surpreso e desconfiado.

— Meu nome é Dirk Pitt. Acabei de ler o seu último livro sobre as suas escavações na Terra Santa. Reconheci-o pela sobrecapa. Preciso lhe dizer, gostei muito de ler sobre as suas descobertas.

— Ora, obrigado — respondeu Bannister, estendendo a mão e apertando a de Dirk. Em seguida, sua expressão mudou para a de curiosidade. — Você disse que seu sobrenome é Pitt? Por acaso tem uma parente chamada Summer?

— Tenho, é minha irmã. Ela está esperando lá na frente, a propósito. Você a conhece?

— Acho que nos conhecemos em uma conferência sobre arqueologia há algum tempo — ele gaguejou. — Então, o que o traz a Stavrovouni? — perguntou, mudando rapidamente de assunto.

— Não faz muito tempo, Summer encontrou evidências de que Helena poderia ter despachado mais coisas de Jerusalém do que apenas a Cruz Verdadeira e que essas relíquias poderiam ter-se perdido em Chipre. Temos esperança de encontrar pistas sobre o paradeiro de uma galera romana que navegava a mando dela.

A luz fraca do corredor mascarou a palidez súbita de Bannister.

— Uma perspectiva fascinante — disse ele. — Você faz alguma ideia sobre onde as relíquias poderiam estar?

— Estamos começando com um naufrágio conhecido, perto de um lugar chamado Pissouri. Mas você sabe, é difícil encontrar pistas de dois mil anos de idade.

— É verdade. Bem, acho que devo ir andando. Foi um prazer conhecê-lo, senhor Pitt, e boa sorte com a sua pesquisa.

— Obrigado. E não se esqueça de dar um alô a Summer no caminho para a saída.

— Pode deixar.

Bannister, é claro, não tinha essa intenção. Seguindo rapidamente pelo corredor, ele passou pela igreja e encontrou uma saída lateral na parede oposta. Saindo para a luz do sol, andou cautelosamente em direção ao pátio até avistar Summer examinando um afresco em uma parede. Esperando que ela lhe desse as costas, esgueirou-se calmamente pelo terreno, chegando à escada sem ser observado.

Descendo rapidamente pelos degraus, quase tropeçou no mendigo na base antes de encaminhar-se para o carro. Dirigiu apressado pela descida sinuosa até chegar à rodovia, onde tomou uma passagem lateral, estacionando atrás de um bosquete de alfarrobeiras. Ali, sentou-se e ficou olhando para a estrada, à espera de Dirk e Summer.

Segundos depois de ter deixado o estacionamento do mosteiro, um outro carro começou a subir. O motorista manobrou ao lado da base da escada, depois parou e esperou que o mendigo sarnento se levantasse e entrasse no carro, sentando-se no banco do passageiro. Tirando o chapéu, o mendigo revelou uma longa cicatriz na mandíbula direita.

— Depressa — Zakkar virou-se para o motorista. — Não vamos perdê-lo de vista.

90

Summer estava caminhando pelo pátio quando Dirk saiu do mosteiro.

— Como foram as coisas no Clube do Bolinha? — ela perguntou com um toque de sarcasmo.

— Não é o tipo de confraria que você pode estar pensando.

— Teve sorte?

Dirk contou o que descobrira sobre a história da igreja e a exibição da relíquia da Vera Cruz.

— Conversei com o historiador local, mas ele acrescentou pouca coisa sobre a estada de Helena em Chipre. O local foi saqueado tantas vezes que não restaram informações de arquivo. Basicamente, ninguém tem conhecimento de outras relíquias além da Vera Cruz.

— E ele sabia alguma coisa sobre a frota de Helena?

Dirk balançou a cabeça.

— Tanto quanto qualquer um sabe, que Helena chegou a Chipre e partiu sem maiores incidentes.

— Então Plautius e a sua galera devem ter sido atacados antes da chegada dela.

Summer pegou o braço do irmão e puxou-o para uma das paredes do pátio.

— Venha dar olhada nisto — disse.

Ela o conduziu até três grandes afrescos pintados em uma área plana de uma parede sombreada. Os afrescos estavam desbotados, a ponto de serem quase indistinguíveis em uma olhada rápida. Dirk aproximou-se e examinou o primeiro painel. Era uma costumeira Madona com o filho, o menino Jesus com um halo nos braços de Maria. As imagens de olhos grandes e dimensões planas indicavam que pertenciam a um estilo de arte muito antigo. O painel seguinte mostrava uma cena da Crucificação, Jesus na cruz, a cabeça baixa em agonia. Um tanto incomum para o gênero, Dirk observou, os dois ladrões mendigos eram ilustrados pendurados em cruzes vizinhas.

Em seguida, ele se aproximou do terceiro painel, onde Summer o esperava com uma expressão de satisfação no rosto. O afresco mostrava uma mulher coroada, de perfil, apontando para o canto superior do afresco. Seu dedo indicava uma montanha verde imponente encimada por um par de cruzes. As características geológicas de Stavrovouni eram claramente visíveis na representação do topo da montanha.

— Helena? — perguntou Dirk.

— Tem de ser — Summer respondeu. — Agora, olhe a parte inferior.

Dirk examinou mais de perto a parte inferior do afresco, observando um área azul desbotada que representava o mar. A imagem de três navios na água era pouco visível sob o perfil de Helena. Desenhados toscamente, os navios tinham o mesmo tamanho aproximado e eram movidos tanto a vela quanto por remos. Na perspectiva correta, Dirk notou que dois dos navios pareciam estar perseguindo o terceiro. Examinando a imagem desbotada, ele apontou para as duas embarcações em perseguição.

— Este parece estar afundando pela popa — disse —, enquanto o outro está virando para o mar.

— Olhe para a vela do navio da frente — Summer disse.

Semicerrando os olhos, Dirk conseguiu ver um símbolo fraco na vela do navio. Parecia ser um “X” com um “P” de haste comprida traçado através do seu centro.

— É o monograma Chi-Rho que era usado por Constantino — explicou ela. — O símbolo divino que supostamente lhe ocorreu em um sonho antes da sua vitória na Batalha da Ponte Mílvia. Ele o usava em seu estandarte de batalha e como um emblema do seu governo.

— Então a imagem é de Helena chegando a Chipre com uma escolta... — disse ele.

— Ou é a galera de Plautius fugindo de dois navios piratas de Chipre — disse ela, completando seu pensamento.

Uma falha no afresco obscurecia o caminho da galera, mas a continuação de uma linha costeira ao fundo informava que ela seguia em direção à terra. Ligeiramente acima do horizonte, via-se outra imagem pequena de uma mulher nua emergindo do mar, um par de golfinhos ao seu lado.

— O significado disto não me ocorre — disse Summer enquanto Dirk examinava a imagem.

Nesse exato momento, o monge sisudo passou por ali, acompanhado de uma dupla de turistas franceses que saíam da igreja. Dirk fez sinal para ele e perguntou sobre os afrescos.

— Sim, são muito antigos — disse o monge. — Os arqueólogos acreditam que datam da Era Bizantina. Alguns alegaram que essas paredes faziam parte da igreja original, mas ninguém sabe ao certo.

— Este último afresco — Summer perguntou — é uma imagem de Helena?

— Sim — confirmou o monge. — Ela chegou por mar e imaginou a igreja aqui sobre o Stavrovouni.

— Sabe o que significa esta figura? — ela perguntou, apontando para a mulher nua.

— Essa seria Afrodite. Veja, o mosteiro foi construído sobre as ruínas de um templo de Afrodite. O artista devia estar fazendo uma homenagem ao local antes de Helena contratar a construção da igreja.

Ela agradeceu ao monge, depois o observou enquanto encaminhava-se de volta à porta do mosteiro.

— Bem, chegamos perto — disse ela. — De qualquer modo, agora sabemos que havia dois navios piratas.

— A imagem faz parecer que o navio romano continuava à tona após lutar contra os piratas. Ele estava indo a algum lugar — Dirk murmurou, olhando para a imagem até os seus olhos ficarem borrados. Finalmente, ele se afastou do painel e juntou-se a Summer, que se encaminhava para a saída.

— Acho que conseguimos tudo o que podíamos daqui — disse ele. — A propósito, você falou com Ridley Bannister?

— Ridley quem? — ela perguntou, enquanto desciam a escada para o estacionamento.

— Ridley Bannister, o arqueólogo britânico. Ele disse que conhecia você.

Recebendo um olhar vazio, Dirk contou sobre o encontro no mosteiro.

— Não o vi — disse ela. Em seguida, uma sombra de suspeita insinuou-se em seus pensamentos. — Como ele é?

— Magro, de compleição mediana, cabelo cor de areia. Acho que as mulheres podem considerá-lo bonito.

Summer parou de repente entre dois degraus.

— Você notou se ele usava um anel?

Dirk pensou por um momento.

— Sim, acho que sim. No dedo anular direito. Notei o anel quando apertamos as mãos. Era de ouro maciço, com um desenho engraçado, como algo saído da Idade Média.

Summer enrubesceu de raiva.

— Esse é o sujeito que roubou o Manifesto de mim e de Julie à mão armada. Ele disse que seu nome era Baker.

— Ele é um arqueólogo conhecido e respeitado — disse Dirk.

— Respeitado? — Summer assobiou. — Aposto que também está aqui procurando a galera.

— Um dos monges comentou que estaria trabalhando em um livro sobre Helena.

Summer fungava de raiva no momento em que chegou ao carro. A imagem de Bannister apoderando-se do Manifesto no porão da mansão de Kitchener saturava os seus pensamentos. Ela dirigiu de forma agressiva na estrada sinuosa do mosteiro, a raiva refletida no seu modo de conduzir o carro. Entrando na estrada principal, ela jamais imaginaria que, nesse mesmo momento, a causa de sua raiva encontrava-se dentro de outro carro, seguindo-a logo atrás.

Seu humor amainou ao chegarem aos arredores de Limassol. No momento em que se encaminhavam para as docas comerciais da cidade, ela na verdade sentia-se animada.

— Se Bannister está aqui, então a galera deve existir — disse a Dirk.

— Ele com certeza não a encontrou ainda — respondeu ele.

Summer concordou com satisfação. "Quem sabe", pensou, "talvez estejamos mais perto do que pensamos."

91

— JÁ VAMOS ZARPAR? — Summer perguntou.

Ela se encontrava no passadiço do *Aegean Explorer*, observando uma dupla de tripulantes recolher e enrolar o cabo de amarração pela proa. Fazia menos de uma hora desde que o navio tocara a doca de atracação de Limassol e ela e Dirk tinham subido a bordo.

Pitt achava-se próximo do leme, bebericando uma caneca de café.

— Precisamos voltar para o lado ocidental da península de Akrotiri, para manter o controle sobre o AUV do Rudi — ele disse.

— Pensei que estivessem pesquisando com o sonar a reboque.

— E estamos. Na verdade, completamos a nossa primeira grade ao largo de Pissouri e começamos uma nova grade de pesquisa para o oeste. Mas Rudi reconfigurou o AUV com a tarefa de escanear lateralmente, por isso o pusemos para funcionar. No momento, está varrendo uma grade extensa a leste de Pissouri. Vamos continuar navegando a oeste com o *Explorer* e assim cobrir o dobro de área.

— Faz sentido — ela respondeu. — Por quanto tempo mais o AUV ficará submerso?

— Vai ficar lá embaixo por mais dezoito horas antes de subir à superfície. Isso nos dará uma boa margem de pesquisa antes de recuperá-lo.

— Pai, sinto não ter apresentado um resultado da pesquisa mais promissor para prosseguirmos.

— O afresco parece confirmar o papel do naufrágio de Pissouri como um dos navios piratas. Se a galera existe, temos uma boa chance de estar em campo.

O *Aegean Explorer* começou a navegar para o sul, contornando a acidentada península de Akrotiri, depois guinou para noroeste em direção a Pissouri, a pouco mais de trinta quilômetros dali. Os sensores do navio de pesquisa logo fizeram contato com um par de boias transdutoras flutuantes, que transmitiam os dados do AUV enquanto o robô percorria o fundo do mar a sessenta metros abaixo da superfície. Com Gunn e Giordino analisando os resultados do AUV, Pitt lançou o sonar a reboque pela popa do *Explorer*, dividindo as tarefas de controle com Dirk e Summer.

Eram nove horas da manhã seguinte quando Summer apareceu no passadiço com uma caneca de café quente, pronta para substituir o pai à frente da tela.

— Alguma novidade no cinema? — ela perguntou.

— Só filme repetido, lamento — respondeu Pitt, levantando-se e alongando o corpo. — A mesma configuração de pedra e areia que passou a noite inteira. Fora um pequeno pesqueiro naufragado que Dirk localizou, a colheita tem sido escassa.

— Acabei de verificar com Al no compartimento de pesquisas — disse ela, acomodando-se no assento de Pitt. — Ele disse que conseguiu resultados semelhantes com o AUV.

— Estamos quase no final desta grade — disse Pitt. — Será que devemos continuar pesquisando a oeste?

Summer sorriu para o pai.

— Quando se trata de encontrar um naufrágio, sei bem que não devo questionar as suas intuições.

— Então, que seja a oeste — respondeu ele com uma piscadela.

O comandante Kenfield afastou-se do leme e abriu uma carta náutica da região sobre a mesa.

— Onde exatamente gostaria de configurar a próxima grade? — perguntou a Pitt.

— Vamos simplesmente ampliar a grade atual, chegando o mais próximo da costa que pudermos. Vamos varrer mais uns três quilômetros a oeste, até este ponto aqui — disse ele, apontando para um pequeno promontório costeiro no mapa.

— Tudo bem — disse Kenfield. — Vou introduzir as coordenadas de Petra tou Romiou, como diz a carta, ou a Rocha de Afrodite.

Summer enrijeceu na cadeira.

— Você disse a Rocha de Afrodite? — ela perguntou.

Kenfield inclinou a cabeça, depois pegou em um arquivo atrás da mesa de cartas um guia de viagem de Chipre, gasto e com orelhas.

— Estava lendo justamente sobre isso ontem à noite. Petra tou Romiou, ou Rocha de Romios, leva o nome de um herói do povo bizantino que supostamente teria atirado pedras enormes no mar para afastar os piratas. As grandes formações rochosas ainda são visíveis na arrebentação. No entanto, o local também é conhecido desde a Antiguidade como o lugar onde Afrodite, a deusa padroeira de Chipre, emergiu do mar em uma onda de espuma.

— Pai, é isso — disse Summer, saltando do assento. — A imagem de Afrodite encontrava-se no afresco. Ele não representava o templo de Stavrovouni, onde fica o mosteiro. Era para onde a galera romana se dirigia. Alguém em terra, ou talvez os próprios piratas, viu a galera fugindo em direção às rochas.

— Fica mais ou menos à vista do local do naufrágio de Pissouri — Kenfield observou.

— Vou comprar a ideia — Pitt disse, sorrindo do entusiasmo da filha. — Que seja a Rocha de Afrodite. Vamos ver se a deusa nos mostra um pouco de amor.

Pouco tempo depois, eles chegavam ao fim do faixa de pesquisa e puxavam a sonda a reboque. Enquanto o navio mudava de rumo para continuar a sua busca pela costa, o otimismo crescia em todo o passadiço. Em meio à expectativa, ninguém percebeu um pequeno barco que avançava a uns oitocentos metros atrás deles, onde Ridley Bannister seguia o navio turquesa por meio de um binóculo colado aos olhos.

92

Seis horas mais tarde, nada de a deusa Afrodite demonstrar algum amor pelos pesquisadores da NUMA. O fundo do mar em torno da Petra tou Romiou revelara-se desprovido de quaisquer tipos de objetos artificiais. Dirk assumira o turno de pesquisa seguinte, observando o desenrolar interminável de pedras e areia no monitor, enquanto Summer e Pitt perambulavam ao redor à espera de um golpe de sorte. Giordino entrou no passadiço, surpreso ao ver o entusiasmo de Summer reduzido à frustração.

— Devemos içar o AUV em cerca de quarenta e cinco minutos — disse a Pitt.

— Estamos a apenas alguns minutos de terminar esta faixa — Dirk observou.

— Tudo bem, interrompa quando cruzarmos o ponto final e então vamos puxar o peixe grande — disse Pitt.

— Alguma novidade? — perguntou Giordino.

— Se você for do tipo que tem um fetiche por jardins de pedra, iria gostar do fundo do mar aqui — disse Dirk.

Giordino aproximou-se do leme e olhou pela janela da frente. Vendo que estavam perto da costa, pegou um binóculo e deu uma busca na praia forrada de seixos que se estendia a oeste da grande formação rochosa.

— Nenhuma deusa grega à vista? — Summer perguntou com uma pitada de desdém.

— Não, os deuses parecem ter abandonado a praia nesta tarde ensolarada. Até mesmo as cavernas marinhas sombreadas estão vazias de espíritos.

Pitt aproximou-se dele com uma expressão curiosa.

— Importa-se se eu der uma olhadinha?

Enquanto Pitt observava a costa, Dirk anunciou que chegara ao fim da faixa de pesquisa.

— Al, você poderia me ajudar a segurar a sonda? — perguntou ele, desligando o sistema de sonar.

— A seu serviço — Giordino respondeu, e os dois homens se dirigiram à popa.

Pitt manteve os olhos colados a terra, então virou-se para Kenfield.

— Comandante, poderia nos levar um pouco mais para perto da costa, em um rumo de vinte graus? — pediu.

— O que foi, pai? — Summer perguntou.

— Só estou considerando a possibilidade de que o rei Al tenha encontrado ouro mais uma vez.

Quando o *Aegean Explorer* aproximou-se das águas rasas, Pitt teve uma visão melhor da costa. A partir da praia baixa de seixos em torno da Petra tou Romiou, o terreno subia drasticamente a leste, elevando-se em altas falésias calcárias com várias dezenas de metros de altura. As ondas constantes do Mediterrâneo quebravam na base das falésias com estrondo, espirrando espuma para o alto sobre as rochas à beira da água. Em toda a face inferior do penhasco, reentrâncias dispersas haviam se formado no calcário onde o mar cavava buracos, ou cavernas marinhas, como dissera Giordino. Eram as cavernas que tinham chamado a atenção de Pitt e ele examinou cuidadosamente cada uma delas. Finalmente, concentrou-se em uma em particular, uma pequena abertura baixa e escura acima do nível da água, com pedras roladas em torno do seu perímetro.

— A sonda está a bordo — Dirk anunciou, retornando ao passadiço com Giordino.

Pitt baixou o binóculo.

— Comandante, em que fase da maré estamos? — perguntou.

— A maré acabou de encher — respondeu Kenfield. — A amplitude das marés é mínima aqui, uns sessenta centímetros, mais ou menos.

Pitt concordou com um leve sorriso, em seguida virou-se para Gunn.

— Rudi, você fez alguns trabalhos sobre a acomodação dos oceanos. Por quantas mudanças no nível do mar você diria que o Mediterrâneo passou nos últimos mil e setecentos anos?

Gunn coçou a cabeça.

— O nível do mar, hoje, está provavelmente dois a três metros acima do que há dois mil anos. Posso lhe dar uma estimativa precisa se verificar o banco de dados da NUMA.

— Não será preciso — respondeu Pitt, olhando de novo para a caverna marinha. — Acho que o que temos já é o bastante — murmurou.

— Agora, precisamos mesmo recolher o AUV — lembrou Gunn.

— Tudo bem, mas, antes de ir, você precisa baixar o Zodiac na água, para mim e Summer. Dirk também, se quiser vir junto.

— Não, obrigado, pai — respondeu Dirk. — Já tive a minha quota de pesquisa frustrada com Summer. Vou ajudar com o AUV.

— Mas para onde vamos? — Summer perguntou.

— Ora, para aquele penhasco — disse Pitt, apontando para a praia com um sorriso. — Onde mais encontraríamos uma galera romana?

93

Enquanto o *Aegean Explorer* navegava para leste para recuperar o AUV, Pitt acelerou o motor de popa do novo Zodiac em direção à praia. Enquanto se aproximavam da caverna marinha, Summer sentara-se na proa, a comprida cabeleira ruiva ao vento e uma expressão esperançosa no rosto. A abertura baixa à beira da água refletia pouca luz, o que indicava a Pitt que a caverna de fato penetrava bem fundo no precipício.

Ao se aproximar, Pitt notou que a entrada era ampla o bastante para o Zodiac passar. No entanto, mesmo que a maré estivesse mais baixa no momento, a ação das ondas tornava a travessia por aquela passagem uma proposta traiçoeira. Ele avistou um ajuntamento de rochas planas expostas à direita e então posicionou o Zodiac de lado e esperou que uma onda o carregasse. Summer rapidamente saltou para as rochas e passou um cabo ao redor de uma pedra, prendendo o bote.

— Parece que vamos ter de nos molhar — disse Pitt, pegando uma lanterna e saltando do Zodiac.

Summer seguiu-o enquanto ele escalava as rochas, até ser forçado a passar por dentro da água perto da entrada da caverna. Uma camada de pedras submersas formava uma borda irregular na entrada, que Pitt acompanhou até a abertura, quando uma onda baixa passou por ele à altura do pescoço. Acendendo a lanterna acima da cabeça, observou que a caverna aprofundava-se como se fosse um túnel por pelo menos seis metros antes de se continuar em direção à escuridão além.

Ele parou e esperou enquanto Summer seguia pelo mesmo caminho através das pedras escorregadias, segurando-se com a mão a ponto de quase cair.

— Talvez fosse mais fácil nadar — ela ofegou.

— Estou vendo uma borda seca logo mais à frente — respondeu Pitt, espalhando a luz ao redor.

Apoiando-se na parede lateral, eles avançaram até descobrir que a borda submersa subia gradualmente, até sair completamente da água. Acima de suas cabeças, o teto elevava-se a alturas enormes à medida que o túnel se abria em uma grande caverna. A água fluía através de um canal curvo em forma de um grande "U", o que indicava que se virava de volta para o mar. Pitt notou que a água não parecia estagnada, mas fluía com uma leve correnteza.

Eles seguiram pela borda por mais alguns metros, o que os levou em direção a uma grande elevação de areia. Pitt surpreendeu-se ao ver que uma luz suave e fraca banhava o interior da caverna. Erguendo a cabeça, viu por onde alguns raios de luz solar penetravam escassamente através de uma fissura na face do penhasco.

Pitt sentiu a mão de Summer apertar o seu braço de repente.

— Pai! — ela exclamou.

Ele a viu fitando com os olhos arregalados à frente. Virando-se naquela direção, ele esperava ver um morcego voando ou talvez uma cobra no chão. Em vez disso, avistou o casco de um navio antigo.

A embarcação estava assentada sobre uma borda de areia, parecendo pouco danificada sob a luz fraca. Aproximando-se, Pitt notou que fora construída segundo um projeto antigo. A proa angular elevava-se em um grande arco, que se enrolava para trás sobre o convés. Dezenas de pequenos furos redondos pontilhavam os bordos acima da linha d'água, que Pitt reconheceu como os orifícios para os remos. Não havia remos à vista, apenas numerosos tocos desgastados, que pendiam de algumas das aberturas.

Aproximando-se do navio coberto de pó, eles viram que o seu único mastro fora destruído perto da base, o poste grosso caído sobre todo o convés em direção à popa. Direcionando o feixe de luz para a elevação da popa, Pitt viu os restos do esqueleto de um homem estendido sobre o leme de madeira.

— É uma galera — Pitt disse com um sorriso. — E bem antiga, a julgar pela aparência. Provavelmente quebrou o mastro quando atravessou a entrada da caverna.

Summer mantinha-se em um silêncio reverente. Caminhando para a proa, ela finalmente encontrou palavras para chamar o pai.

— Pai, venha ver isto.

Na linha de flutuação, a proa da galera era uma massa confusa de madeira. Olhando mais de perto, eles notaram várias pontas de cobre salientes dobradas em uma faixa horizontal de ambos os lados.

— O único dano de verdade é no casco — Summer observou. — Ele deve ter sido jogado algumas vezes contra o penhasco antes de se esgueirar para dentro desta gruta.

— Parece que existiu um esporão montado aqui na época — ponderou Pitt.

Usando as pontas de cobre como escada, ele subiu para a proa, em seguida passou pela lateral. A visão a bordo era quase de tirar o fôlego. O convés inteiro estava cheio de restos de esqueletos vestidos de túnicas ou roupas desbotadas, alguns com espadas ainda seguras entre os ossos da mão. Numerosos escudos e lanças de batalha também achavam-se espalhados, pintando um quadro sombrio de um combate sangrento até a morte.

— Algum sinal de que seja uma galera romana? — perguntou Summer em voz baixa.

— Claro que é.

Summer imobilizou-se ante o comentário. Não pelo tom frio com que as palavras foram ditas, mas sim porque não partiram de Pitt.

Ela se voltou, para se ver de frente à figura de Ridley Bannister, que se aproximava, vindo da escuridão, as roupas molhadas do peito para baixo. Em suas mãos, ele trazia uma pequena câmera de vídeo, que ligou, banhando a caverna em uma luz azul enevoada.

— Bem, se não é o famoso arqueólogo Bannister "Baker" Ridley — Summer zombou quando ele se aproximou. — Trouxe a arma desta vez?

— Ah, não. Na verdade, aquele era um revólver do marechal de campo Kitchener. E nem balas tinha, envergonho-me em dizer. — Ele levantou a câmera de vídeo para que ela visse. — É bom vê-la novamente, senhorita Pitt. Agora, se fizer a gentileza de sair do caminho, vou continuar documentando a minha descoberta.

— Sua descoberta? — disse ela, o sangue começando a ferver. — Ora, você está mentindo, seu sujo, pois não encontrou nada.

— É perfeitamente minha agora. Devo dizer-lhe que tenho excelentes relações com o diretor de Antiguidades de Chipre. Até já registrei os direitos exclusivos do filme e do livro, em caso de descoberta, a qual você gentilmente ajudou. Não me esquecerei de incluir uma nota sobre as suas generosas contribuições.

Bannister levou a câmera ao olho e começou a filmar o exterior da galera.

— A propósito, a carga do Manifesto está a bordo? — ele perguntou, filmando o costado da embarcação.

Focalizando a lente da câmera na proa danificada, ele não percebeu Summer correr em sua direção até que fosse tarde demais. Esticando o braço, Summer arrancou a câmera das suas mãos e atirou-a contra as rochas. Seguiu-se o ruído de estilhaços voando quando a lente foi esmagada, embora a luz azulada no exterior da câmara continuasse acesa.

Bannister olhou para a câmera danificada, então progressivamente foi se enfurecendo. Agarrando a mulher mais alta pela gola da camisa, começou a chacoalhá-la com raiva. Uma aluna de judô, Summer preparava-se para se livrar com um golpe quando uma sequência de estampidos secos irrompeu na caverna. Os disparos ainda ecoavam no ar quando Summer sentiu os dedos de Bannister soltarem a sua camisa. O arqueólogo dirigiu-lhe um olhar triste, depois caiu lentamente ao chão. Enquanto ele afundava de bruços, Summer viu que em suas calças cáqui haviam brotado manchas de sangue em vários pontos.

Olhando além do arqueólogo, Summer avistou três homens de pé na subida. Mesmo sob a fraca luminosidade, viu que pareciam ser árabes. O mais alto dos três encontrava-se no centro, a fumaça subindo de uma pistola-metralhadora compacta Uzi embalada nos braços. Bem devagar, ele deu um passo à frente, mantendo a arma apontada para Summer enquanto corria o olhar pela galera.

— Muito bem — disse Zakkar em um inglês impreciso. — Quer dizer então que você encontrou o tesouro.

94

Summer permaneceu imóvel enquanto os três homens se aproximavam. Aos seus pés, Bannister apertava as suas feridas, uma expressão mista de choque e incompreensão estampada no rosto. Mais perto deles, Zakkar abaixou a Uzi, voltando a atenção para a galera.

— Gutzman vai ficar contente — disse em árabe para o comparsa mais próximo, o pistoleiro barbudo do ataque ao Domo da Rocha chamado Salaam.

— E quanto a estes dois? — Salaam perguntou, apontando uma pequena lanterna para Summer e Bannister.

— Mate-os e jogue os corpos no mar — Zakkar respondeu, correndo a mão pelo casco do navio antigo.

Tendo entendido a conversa, Bannister tentou levantar-se do chão, gemendo de dor e arrastando-se para trás de Summer. Salaam ignorou-o, enquanto se aproximava de Summer, depois levantou uma pistola para a cabeça dela.

— Corra!

O grito de Pitt soou alto do convés da galera, pegando os árabes de surpresa. Summer viu o atirador à sua frente levantar a cabeça em direção ao navio, seus olhos instantaneamente luzindo de horror.

Assobiando no ar na direção dele aproximava-se um *pilum,* uma lança de arremesso romana com ponta de ferro. Salaam não teve chance de se mover antes que a lança afiada o atingisse no peito. A arma finamente trabalhada atravessou-lhe o corpo completamente, a ponta saindo pelas costas abaixo do rim. Atordoado, o homem cuspiu um bocado de sangue, em seguida caiu no chão já morto.

No instante em que Salaam foi atingido, Summer já calculava as suas opções. Imediatamente, concluiu que poderia ou saltar sobre a pistola do atirador, ou correr e mergulhar na água, ou procurar a companhia do pai no navio. A adrenalina subia por suas veias, exigindo uma resposta do cérebro. Summer, porém, deixou a lógica correr o seu curso antes de fazer um movimento. Rapidamente, calculou que a arma de mão não seria páreo para a Uzi de Zakkar. E embora seu coração lhe dissesse para correr para o pai, a razão ditava que a água estava muito mais próxima.

Reprimindo os impulsos emocionais, ela deu um grande passo para a direita e depois saltou. O som de tiros já rasgava o ar quando as mãos estendidas romperam a superfície da água e o resto do corpo acompanhou-as em seguida. A inclinação do banco de areia afundava bruscamente, e ela mergulhou completamente sem quebrar o pescoço.

Instintivamente, ela nadou para o fundo, seguindo a fraca correnteza, que a levava para a entrada da caverna. Acima de tudo, Summer era uma boa nadadora e a adrenalina a levou mais fundo, até roçar com a mão o chão do canal a uma profundidade de cinco metros. A água estava escura como breu, então ela usou a correnteza para guiá-la à saída, às vezes roçando contra as paredes de pedra.

Nadou com força por uma dezena de braçadas, deslocando-se suavemente sob a água. Quando o ar começou a faltar, subiu à superfície, confiante de que tinha colocado uma distância suficiente entre si e os pistoleiros para respirar rapidamente. Com os pulmões começando a doer, ergueu um punho sobre a cabeça, na postura de subida segura do mergulhador, e bateu os pés em direção à superfície. Elevou-se vários metros, quando a mão erguida esbarrou de repente em uma rocha. Uma sensação desconfortável tomou conta do seu íntimo enquanto tateava ao longo da superfície dura. Lentamente, chegou o rosto para o lado da mão até a bochecha estar rente à pedra em cima, a corrente da água ondulando contra seu rosto.

Seu coração deu um salto quando percebeu que o canal de água se transformara em um túnel submerso e não havia ar para respirar.

95

A Uzi de Zakkar abrira fogo no instante em que Summer mergulhara na piscina da gruta. Seu objetivo fora a galera, deixando uma costura de chumbo ao longo do costado um segundo depois de Pitt ter se abaixado atrás da balaustrada. Rapidamente, Pitt correu alguns metros agachado sobre o convés, pegando um escudo redondo de madeira caído aos seus pés. Levantando-o brevemente, lançou o escudo contra Zakkar como um disco de Frisbee, na esperança de distrair a sua atenção em relação a Summer. Evitando o disco, Zakkar abriu fogo outra vez, quase acertando Pitt na balaustrada com uma pequena rajada.

Na olhada rápida que dera sobre a balaustrada, Pitt vira Summer mergulhar no canal e ouvira quando caíra na água. A superfície da água permaneceu quieta e os atiradores não desperdiçaram tiros naquela direção, o que lhe deu a confiança de que a filha conseguiria nadar para longe do perigo.

Bannister também se mostrara habilidoso em se esquivar das balas. Na confusão causada pelo ataque de Pitt com a lança, ele se arrastara por trás de algumas rochas baixas, escondendo-se, enquanto a consciência ia e vinha, em consequência dos ferimentos. De qualquer modo, os árabes prestaram-lhe pouca atenção. Estavam mais preocupados em vingar a morte do comparsa.

— Suba a bordo pela popa — Zakkar gritou para o cúmplice, após verificar o pistoleiro atravessado pela lança. — Vou entrar pela frente.

O árabe tomou a lanterna do morto, em seguida encaminhou-se à proa da galera, mantendo cautelosamente o olhar na direção de Pitt no convés acima.

Pitt vira apenas os três homens armados entrarem juntos na caverna e esperava que não houvesse outros. Não fazia ideia de quem seriam, mas a sua disposição de matar era mais do que evidente. Com certeza, isso significava que teria de vencê-los com as próprias mãos.

Sob a luz fraca, examinou o convés principal da galera, avistando em cada extremidade escadas que desciam para o convés dos remadores. Encaminhando-se para a escada de popa, pegou uma espada e outro escudo entre os restos de batalha espalhados sobre o convés. O escudo parecia estranhamente pesado e ele o virou, encontrando três setas curtas presas pelo lado de trás. Os soldados usavam setas de arremesso, que passaram a ser fornecidas à tropa no final do Império. Cada seta tinha cerca de trinta centímetros de comprimento, com um peso de chumbo no centro e uma ponta de bronze farpada na extremidade. Pitt prendeu o escudo debaixo do braço e em seguida escalou o mastro caído que atravessava o convés em direção à popa.

Enquanto avançava em direção à elevada seção de popa, ouviu os ruídos dos dois homens armados tentando embarcar pelas extremidades do navio. Caminhando pelo eixo central, tropeçou nos restos do esqueleto de um legionário romano e quase caiu para o convés inferior sobre a escada aberta. Praguejou contra si mesmo pelo barulho que causara, mas o acidente deu-lhe uma ideia.

Segurando a espada, atirou-a de ponta contra o tabuado do convés para que permanecesse ereta. Então ergueu o tronco do esqueleto e encravou-o no punho da espada. Em seguida, envolveu-o com o manto desgastado que jazia sob os ossos e, nesse momento, avistou uma lança quebrada nas proximidades. Prendeu a lança através das costelas do esqueleto, depois escondeu a sua base sob o manto, deixando a extremidade aguçada projetada à frente de maneira ameaçadora. À luz fraca, o antigo guerreiro parecia quase vivo.

No convés acima, Pitt ouviu um baque surdo quando o pistoleiro que subira pelo costado saltara para o castelo de popa da embarcação. Em silêncio, Pitt retirou-se para o mastro caído, escalando a grossa peça de madeira e escondendo-se em suas sombras. Sem o menor ruído, desprendeu as três flechas de arremesso do escudo, então vasculhou dentro do bolso à procura de uma moeda. Encontrando uma de bom tamanho, guardou-a na mão e esperou.

O pistoleiro avançava com cautela. Olhando por todo o convés principal em busca de algum movimento antes de deixar o convés do leme, desceu por uma das duas escadas que levavam por ambos os lados para o convés dos remadores. Para a sorte de Pitt, o pistoleiro desceu pela escada próxima de onde ele se encontrava.

Pitt manteve-se oculto nas sombras até ouvir os sapatos do homem atingirem o piso do convés. Então levantou a mão e girou o pulso, lançando a moeda para o ar. A moeda caiu bem onde Pitt apontara, perto da base do esqueleto, tilintando alto no porão silencioso.

Assustado, o pistoleiro instantaneamente virou-se na direção do ruído, avistando a figura encapuzada que segurava uma lança. Imediatamente, disparou dois tiros com a pistola automática na direção do esqueleto, observando com espanto que ele se desintegrava em uma pilha de detritos. Sua surpresa foi de curta duração, pois Pitt já estava de pé, atirando a primeira seta a seis metros de distância.

Considerando a arma antiga surpreendentemente bem equilibrada, Pitt acertou no alvo no primeiro lance, atingindo o homem perto do quadril. O pistoleiro grunhiu de dor e girou de lado quando o projétil farpado penetrou sua pele, então a segunda seta passou zunindo pelo seu peito. Tateando para remover a primeira seta, ele olhou para Pitt a tempo de ver a terceira seta voando em sua direção. Abatido e atrapalhado demais para atirar, ele instintivamente deu um passo para o lado para evitar a entrada da farpa. Só que não havia mais convés sob os seus pés.

Caindo onde Pitt não viu, ele mergulhou pela escada aberta com um som sufocado. Um segundo depois, o ruído repugnante de ossos quebrados ecoou pelo convés dos remadores, seguido por um silêncio mórbido.

— Ali? — gritou Zakkar da proa.

Mas não haveria resposta ao seu chamado.

96

Pela segunda vez em outros tantos minutos, Summer enfrentou uma escolha de vida ou morte. Voltar ou continuar? Não fazia ideia da distância a que o teto submergira. Poderia ser de um metro e meio ou cinquenta metros. Mas nadar contra a corrente, por mais fraca que fosse, faria cinquenta metros parecerem um quilômetro. Seguindo os instintos dessa vez, tomou uma decisão rápida. Continuaria em frente.

Batendo os pés e impulsionando-se com os braços, avançou através do túnel, às vezes batendo os braços e a cabeça contra o revestimento de pedra. A cada braçada, levantava o braço acima da cabeça, na esperança de romper a superfície em um bolsão de ar. Mas em todas essas ocasiões a mão arrastava-se contra o teto de pedras submersas. Sentindo o coração bater mais forte, lutou contra um reflexo repentino de expirar, quando uma sensação arrepiante de pânico começou a dominá-la. "Por quanto tempo estive debaixo da água?", perguntou a si mesma. "Um minuto? Dois minutos?" Parecia ter transcorrido uma eternidade. Mas, fosse qual fosse a resposta, sabia que a pergunta mais importante era: quantos segundos mais conseguiria suportar?

Tentou bater os pés com mais força ainda, mas começou a sentir como se estivesse nadando em câmara lenta, ao mesmo tempo em que o cérebro implorava por oxigênio. Os braços e as pernas davam uma estranha sensação de queimação à medida que os efeitos da hipóxia minavam os músculos. A água negra pareceu tornar-se ainda mais escura diante dos seus olhos e ela já não os sentia arder por causa da água salgada. Uma voz interior gritou-lhe para manter-se forte, mas ela sentia-se amolecer.

Foi então que viu. Um fraco brilho verde apareceu na água bem à sua frente. Talvez fosse apenas um truque dos olhos ou os primeiros estágios do desmaio, mas ela não se importou. Exalando o pouco ar que lhe restava no peito, reuniu as últimas reservas de energia e bateu os pés em direção à luz.

Os membros ardiam em chamas enquanto os ouvidos apitavam em um tom ensurdecedor. O coração parecia bater fora do peito e os pulmões doíam a ponto de explodir. Mas ela ignorou a dor, as dúvidas e a vontade de se abandonar e continuou se impulsionando através da água.

O brilho verde pouco a pouco expandiu-se em uma luz quente, brilhante o suficiente para mostrar as partículas e os sedimentos da água do mar. Logo acima, um brilho prateado chamou a sua atenção, parecido com uma tigela de mercúrio. Com a energia se esgotando rapidamente, bateu os pés para cima, em um último esforço desesperado.

Summer emergiu da água como um golfinho em um espetáculo do Sea World, projetando-se para o alto antes de cair sobre a superfície com uma pancada que respingou água por todos os lados. Sufocando e arquejando em uma sofreguidão por ar, nadou até uma rocha próxima e agarrou-se à sua superfície coberta de cracas enquanto o corpo carente de oxigênio tentava restaurar o equilíbrio. Descansou por quase cinco minutos antes de recuperar as forças para se mover. Então, ao longe, ouviu tiros abafados e lembrou-se do pai.

Procurando orientar-se, descobriu que se encontrava em uma pedra semissubmersa que aflorava a uns cem metros a oeste da caverna. Em seguida, avistou o Zodiac da NUMA, amarrado às pedras ao lado de dois outros barcos pequenos. Mergulhando de volta à água, contornou as rochas e começou a nadar em direção aos barcos.

Os braços pareciam dois pesos de chumbo e várias vezes a arrebentação quase a arremessou de encontro às pedras, mas conseguiu atingir os barcos sem entrar em colapso. O Zodiac não tinha rádio, por isso subiu ao convés do primeiro dos dois outros barcos, uma traineira de madeira de que Zakkar apropriara. Dentro da minúscula casa do leme aberta, encontrou um rádio de banda marítima e imediatamente chamou o *Aegean Explorer*.

Dirk, Giordino e Gunn encontravam-se no passadiço quando a voz frenética de Summer soou no rádio.

— Summer, aqui é o *Aegean Explorer*. Prossiga — Gunn respondeu calmamente.

— Rudi, encontramos a galera dentro da caverna. Mas apareceram três homens armados. Eu escapei, mas meu pai ficou lá e eles estão tentando matá-lo.

— Calma, Summer. Estamos a caminho. Tente se esconder e manter-se fora de perigo até chegarmos aí.

No instante em que Gunn desligou o transmissor, Kenfield já guinara o *Aegean Explorer* para a costa e acelerava em velocidade máxima. Dirk adiantou-se e olhou pela janela do passadiço.

— Estamos a uns nove a onze quilômetros de distância — ele lamentou para Gunn. — Nunca chegaremos a tempo.

— Ele está certo — disse Giordino. — Pare o barco.

— O que quer dizer: parar o barco? — gritou Gunn.

— Dê-nos dois minutos para lançar o *Bullet* e chegaremos lá em um instante.

Gunn considerou o pedido por um momento. Mesmo para ele, Pitt era mais do que um chefe, era como um irmão. Se a situação fosse a inversa, sabia exatamente qual seria a atitude dele.

— Tudo bem — disse um tanto relutante. — Só não se deixem matar.

Dirk e Giordino correram imediatamente para a porta.

— Al, encontro você no convés — disse Dirk para ele. — Preciso pegar uma coisa no caminho.

— Só não perca o ônibus — Giordino respondeu e depois desapareceu em direção à popa.

Dirk disparou para o convés inferior do navio, que abrigava os alojamentos da tripulação. Correndo à cabine do pai, entrou afobado e aproximou-se de uma pequena mesa de trabalho embutida. Em uma prateleira de livros acima da mesa, Dirk rapidamente percorreu seus títulos nas lombadas enfileiradas. Seus olhos pararam quando avistou um volume grosso, uma edição de *Moby Dick*, de Herman Melville, com a capa gravada em dourado. Arrancando o livro da prateleira, abriu a capa por um instante.

— "Para a grande besta branca, Ismael", ele murmurou, em seguida enfiou o livro debaixo do braço e correu para fora da cabine.

97

PITT QUASE SE ESQUECERA de Zakkar, que finalmente subira à proa e agora gritava para o parceiro. Encontrando apenas o silêncio, o árabe acendeu a lanterna de Salaam e apontou para a extremidade traseira do convés. O feixe de luz parou sobre a figura de Pitt, que esperava com um escudo na mão e um sorriso no rosto voltado para cima.

Mas Pitt já mergulhara para o outro lado do mastro quando a Uzi de Zakkar estourou, enviando uma rajada acima da sua cabeça e sobre o convés elevado do leme. Pitt não esperou que o árabe corrigisse a pontaria e esgueirou-se rapidamente pelo convés, atirando-se para baixo da escada enquanto Zakkar o perseguia.

O corpo de Ali era pouco visível à réstia de luz que alcançava o convés inferior proveniente de cima. Pitt notou que a cabeça do árabe inclinara-se em um ângulo esquisito, o pescoço preso na queda. Sem perda de tempo, ajoelhou ao lado do corpo, buscando a arma dele na superfície ao redor, mas não a encontrou. Solta durante a queda, devia ter caído em uma das estações de remo próximas. Como deixara a lanterna no convés superior quando arremessara o *pilum,* não tinha como localizar a arma naquela escuridão.

Zakkar avançava em direção à popa. Pitt moveu-se para frente, tateando o caminho na passarela que dividia as estações de remo de ambos os bordos da galera. Deixara todas as armas romanas no convés superior e agora se encontrava indefeso naquele espaço às escuras. Sua única esperança era chegar à escada da proa quando Zakkar descesse pela da popa.

Mas Zakkar tinha pressa em encontrar sua presa e não hesitou descer pela escada de popa. Pitt ouviu-o pisar os degraus e apressou o passo. Um tênue raio de luz à frente informou-o de que a escada estava próxima.

Ao pousar os pés no convés inferior, Zakkar gastou apenas um segundo examinando a figura de Ali morto antes de correr o feixe da pequena lanterna por todo o convés. Detectou um movimento no outro extremo, em seguida focalizou a luz sobre Pitt, que se esforçava para alcançar a escada para a proa. Sem perder um segundo, o árabe apontou e disparou uma rajada.

Pitt mergulhou para o convés enquanto as balas perfuravam a madeira ao redor. Havia várias caixas empilhadas perto da base da escada e ele se arrastou para lá, abaixando-se atrás delas para se esconder. Zakkar aproximou-se e disparou novamente, abrindo uma das caixas a apenas alguns centímetros da cabeça de Pitt.

Desarmado, Pitt encontrava-se em uma situação desesperadora. Sua única chance real era de algum modo conseguir subir pela escada antes que Zakkar se aproximasse mais. Voltou a procurar a arma, mas só viu outro esqueleto deitado nas proximidades. O corpo havia muito extinto pertencera a outro legionário romano, os ossos vestidos com uma couraça blindada e um capacete. O soldado devia ter caído pela escada ao ser morto na batalha, Pitt supôs. Examinando a couraça por um segundo, esticou o braço e arrancou-a dos ossos secos.

No século quarto, os soldados romanos passaram a usar o ferro em grande parte do seu equipamento, como forma de proteção. Apesar do peso, era capaz de suportar as lanças mais afiadas e as espadas mais cortantes. E quem sabe, Pitt considerou, resistisse às balas de uma submetralhadora Uzi de 9mm. Pitt vestiu o pesado capacete circular, cuja base era contornada por uma peça larga projetada para fora, para proteger o pescoço. Em seguida examinou a couraça blindada. Conhecida como *cuirass*, era uma folha de ferro moldada na forma do peito de um homem, com uma placa traseira correspondente. Pitt concluiu que, obviamente, fora feita para um homem mais baixo do que ele.

Sem perder tempo em tentar se encaixar na couraça, simplesmente jogou as placas gêmeas sobre as costas, prendendo-as em torno do pescoço com uma tira de couro. Em seguida, rastejou até a base da escada, olhou para o convés, respirou fundo, então subiu pela escada o mais rápido que seus braços e pernas conseguiram impulsioná-lo.

Zakkar ainda se encontrava a uns quinze metros de distância, avançando pelo corredor com a lanterna apontada para a escada, quando viu Pitt surgir à frente. O assassino experiente imediatamente parou e levantou a arma. Segurando a lanterna debaixo do cano com a mão esquerda, mirou cuidadosamente em Pitt e puxou o gatilho.

A madeira em torno de Pitt explodiu em uma chuva de estilhaços, enquanto as balas pulverizaram a antepara de apoio da escada. Ele sentiu três impactos duros às costas, que o derrubaram para frente como golpes de uma marreta, mas, apesar disso, conseguiu manter-se em movimento. Com os braços e pernas bombeando, saltou para o convés aberto enquanto uma segunda saraivada arrancava farpas do topo da escada, exatamente onde seus pés tinham acabado de pisar.

Pitt seguiu para a balaustrada lateral, surpreso por ter escapado ileso na escada. Ainda vestido com a armadura romana, preparava-se para pular para o lado quando notou outro *pilum* no convés, idêntico ao que atirara no primeiro pistoleiro. Decidido a tomar a ofensiva, pegou a lança e avançou em direção à escada aberta.

Zakkar já alcançara o pé da escada e espertamente desligara a lanterna. De repente, a galera mergulhara em um silêncio mortal, com os dois homens imobilizados nos seus lugares. Então começou lentamente a subir a escada estilhaçada, movendo-se silenciosamente centímetro por centímetro. Incapaz de segurar tanto a lanterna quanto a arma enquanto subia, encaixou a lanterna entre os dentes, depois apontou a Uzi para o alto.

Apenas a sua cabeça aparecera no convés quando avistou Pitt movendo-se a poucos metros de distância. O *pilum* deixou a mão de Pitt rapidamente, girando em espiral como um projétil contra o árabe. Mas o alvo era pequeno demais e Zakkar facilmente abaixou a cabeça, e o *pilum* atingiu inofensivamente o apoio da escada. Sem olhar, antes de subir a escada, Zakkar segurou a Uzi no alto e disparou contra Pitt, esvaziando o carregador.

Pitt já se encontrava na balaustrada e se jogava sobre a borda quando as balas voaram loucamente. Mas o salto de lado prejudicou seu equilíbrio e ele caiu desajeitadamente na areia, uns quatro metros e meio abaixo. Quando se levantou e deu um passo, uma explosão de dor ardeu em seu tornozelo direito e ele logo se apoiou no outro pé. Com a torção no tornozelo, o canal de água de repente parecia estar a quilômetros de distância. Mas muito mais próximo encontrava-se o corpo de Salaam. O pistoleiro jazia a poucos metros de distância e Pitt sabia que estava armado com uma pistola.

Aproximando-se mancando, Pitt inclinou-se sobre o homem morto e vasculhou ao redor das suas mãos.

— Procurando por isto? — veio uma provocação súbita da galera.

Olhando hesitante por cima do ombro, Pitt avistou Zakkar voltado em sua direção, com a pistola do comparsa morto apontada diretamente para a sua cabeça.

98

PITT NÃO SOUBE POR QUE o árabe não o matou imediatamente. Zakkar ficou imóvel por alguns segundos, antes que Pitt percebesse que olhava além dele. Cautelosamente, Pitt acompanhou o olhar em direção ao canal, onde uma perturbação incomum apareceu na água.

Um brilho opaco era visível sob a superfície, ficando gradualmente mais luminoso à medida que uma grande quantidade de bolhas agitava-se nas águas acima. Um grupo ofuscante de luzes de xenônio foi a primeira coisa a emergir das profundezas, seguido de uma cabine de acrílico e, em seguida, um casco branco alongado. Pitt deu um sorriso triste para o *Bullet* quando o submersível rompeu a superfície e depois subiu pelo canal da gruta.

Sentados nos comandos, Dirk e Giordino olharam para fora da cabine em reverência ao avistar a grande caverna e a galera romana encalhada no centro. Então viram Pitt de pé sob o cano da arma de Zakkar, os dois homens banhados pelas luzes ofuscantes do submersível. Olhando para o árabe, Dirk quase engasgou ante o reconhecimento.

— Aquele é o terrorista de Jerusalém — gaguejou para Giordino. — Mantenha as luzes sobre ele.

Antes que Giordino pudesse responder, Dirk já fugira do assento e abria a porta traseira. Em um instante, subiu para o tanque de lastro lateral, ainda com o livro de Herman Melville na mão. O submersível achava-se a quase três metros da margem quando Giordino o guinou de frente para a galera, mas Dirk não esperou que se aproximasse. Dando um salto apressado, pulou para dentro do canal e nadou até a praia, segurando o livro sobre a cabeça.

Do convés da galera, Zakkar observava a cena com agitação. Virando a pistola na direção de Pitt, disparou um tiro rápido, vendo-o cair de frente sobre a areia. Depois concentrou a atenção no submersível. Apesar de ter ouvido o ruído de Dirk saltando para a água, não conseguia vê-lo emergir em terra, por causa das luzes ofuscantes do *Bullet*. Fazendo uma pontaria cuidadosa, disparou contra uma delas, em seguida salpicou a bolha de acrílico com vários disparos antes de apagar a segunda luz. Em seguida, notou uma figura alta emergir em terra com os braços esticados para fora à sua frente.

Zakkar atirou primeiro, errando o disparo, e a bala passou zunindo a uma distância mínima da orelha esquerda de Dirk, que continuou avançando, seguindo sem vacilar diretamente para o árabe. Uma onda de emoções percorria seu corpo, de pensamentos amorosos em relação a Sophie até tórridos clarões de raiva e vingança. Mas visivelmente ausentes estavam quaisquer sentimentos de medo.

Colocando Zakkar na mira da Colt .45 segura com as duas mãos estendidas, ele calmamente apertou o gatilho. Nem o estouro nem o recuo da .45 diminuíram o seu ímpeto e ele caminhou para mais perto, apertando o gatilho a cada passo, como um soldado robótico.

O primeiro disparo de Dirk dividiu a balaustrada à frente de Zakkar, que recuou soltando uma saraivada em resposta. As balas erraram o alvo e ele não teve outra chance de disparar. O projétil seguinte da .45 de Dirk rasgou-lhe o ombro, quase lhe arrancando o braço. Ele girou e depois caiu de volta contra a balaustrada, onde foi atingido novamente de lado.

De bruços sobre a balaustrada enquanto a vida se esvaía do seu corpo, Zakkar não teve uma morte lenta. Dirk aproximou-se, disparando mais cinco tiros nele, até que uma feia massa vermelha de tecido massacrado escorreu pelo casco da galera. Dirk ficou olhando para o terrorista morto enquanto a caverna silenciou por um momento, então virou-se ao som de salpicos de água à sua retaguarda.

Summer ajudara a guiar o *Bullet* pela entrada da caverna marinha e vinha cambaleando até a borda submersa. Alcançando a terra seca, ela correu até Dirk, ofegante:

— Onde está o papai?

Dirk acenou tristemente em direção à figura que usava um capacete e uma couraça romana caída de bruços ao lado do primeiro pistoleiro morto. Giordino, que encostara o submersível na margem e pulara para fora, apressou-se a juntar-se a Dirk e Summer à frente de Pitt.

O chefe do NUMA agitou-se devagar, em seguida olhou para cima e dirigiu aos filhos um sorriso cansado.

— Pai, você está bem? — Summer perguntou.

— Estou bem — ele garantiu. — Só fiquei um pouco atordoado com o golpe. Ajudem-me aqui.

Enquanto Dirk e Summer o auxiliavam a se levantar, Giordino examinou a armadura e sorriu.

— Ave, César — disse, batendo no peito com o punho fechado.

— Gostaria de agradecer a César — Pitt respondeu, tirando o capacete. Depois ergueu-o, mostrando um vinco perto da têmpora, arranhado pela bala de Zakkar.

— Isto vai lhe fazer lembrar-se de uma coisa — Giordino disse.

Pitt soltou a couraça das costas e examinou-a. Três impactos de bala perfeitamente redondos tinham perfurado o peitoral, mas apenas deixaram marcas na placa traseira. Ao dobrar a armadura às costas Pitt salvara a própria vida.

— Há que se elogiar a engenharia romana — disse ele.

Deixando cair a armadura no chão, ele olhou para a .45 que Dirk ainda segurava na mão.

— Esta Colt me parece familiar.

Relutantemente, Dirk passou a arma ao pai.

— Uma vez você me contou que Loren lhe mandou uma arma à Mongólia escondida em um recorte dentro de um exemplar de *Moby Dick*.

Tive o palpite de procurar na sua cabine e o encontrei na prateleira. Espero que não se importe.

Pitt balançou a cabeça, depois olhou para a gosma sangrenta que escorrera de Zakkar.

— Você acertou várias vezes nele — disse.

— Esse infeliz liderou os ataques de Cesareia e Jerusalém — Dirk respondeu friamente, deixando implícito o fato de que Zakkar fora indiretamente responsável pela morte de Sophie.

— É muito estranho ele ter vindo parar aqui — Summer disse.

— Desconfio que o seu amigo britânico possa saber algo sobre isso — disse Pitt, apontando para Bannister.

O arqueólogo conseguira se levantar, apoiado nas rochas, e olhava para eles com uma expressão confusa.

— Vou ver como ele está — ofereceu-se Giordino. — Por que vocês não descobrem o que tem a bordo?

— Você achou a carga do Manifesto? — Summer perguntou esperançosamente.

— Estava ocupado demais para achar — respondeu Pitt. — Venha, alguém precisa ajudar um débil ancião a subir a bordo.

Com a ajuda de Dirk e Summer, Pitt subiu mancando para a galera, em seguida desceu a escada para o convés às escuras. Caminhou com dificuldade até a pilha de caixas que usara como escudo.

— Sugiro que comecemos por aqui — disse ele.

Pegando uma das caixas menores, ele afastou para o lado uma camada de poeira, em seguida direcionou uma lanterna para a caixa. O símbolo Chi-Rho em um vermelho desbotado tornou-se visível sobre a madeira.

— Summer, aí está a sua cruz de Constantino — Dirk observou.

Summer tirou a lanterna da mão do pai e examinou a imagem, balançando a cabeça em uma empolgação silenciosa.

A caixa exibia danos na lateral, onde ricocheteara um disparo da Uzi de Zakkar. Pitt pegou a coronha da sua .45 e bateu-a com cuidado contra a junção danificada para abrir a caixa. A peça estreita facilmente desprendeu-se e a tampa da frente caiu. Um par de sandálias bem-feitas de couro desprendeu-se da caixa aberta, caindo sobre o convés. Summer localizou as sandálias com o facho de luz da lanterna, observando um pequeno pedaço de pergaminho amarrado a um dos calçados. Chegando a luz mais para perto, ela iluminou um rótulo manuscrito em latim:

Sandalii Christus

Ninguém duvidou da tradução. Estavam olhando para as sandálias de Jesus.

EPÍLOGO

OS SALVADORES

99

Uma multidão reunia-se diante das portas da igreja de Santa Sofia, formando uma fila imensa, que se estendia por mais de seis quarteirões. Cristãos devotos acotovelavam-se com fiéis muçulmanos enquanto os peregrinos das duas religiões esperavam ansiosamente pela abertura da mostra exibida no interior. Durante os mil e quatrocentos anos em que permanecera como um marco destacado na paisagem de Istambul, o venerado edifício histórico testemunhara incontáveis dramas históricos. No entanto, poucos eventos no passado provocaram o tipo de excitação que percorria a multidão clamando por uma chance de ingressar nos seus espaços.

As pessoas da multidão prestaram pouca atenção ao antigo conversível verde Delahaye estacionado em frente à entrada. Se olhassem mais de perto, notariam uma fileira de buracos de bala distribuídos por toda a carroceria, que o novo proprietário do carro ainda não reparara.

Dentro do prédio, um pequeno grupo de VIPs circulava reverentemente pela Praça da Coroação, admirando a dupla exposição embaixo do imponente domo principal de Santa Sofia, que se elevava cinquenta e três metros acima das suas cabeças. À direita, via-se uma mostra dedicada à vida de

Maomé, contendo o estandarte de batalha roubado, uma recitação parcial manuscrita do Alcorão e outros artefatos recolhidos da coleção pessoal de Ozden Celik. No lado esquerdo do salão estavam as relíquias de Jesus, descobertas na galera em Chipre. Dezenas de guardas armados perfilavam-se em torno dos expositores das duas mostras, preparando-se para a abertura oficial do museu ao público.

Giordino e Gunn conversavam com Loren e Pitt perto de um ossuário em uma caixa de vidro quando o doutor Ruppé juntou-se a eles.

— Isto é magnífico! — exclamou Ruppé. — Não posso acreditar que tenham conquistado tanto. Uma exposição conjunta com as relíquias da vida de Jesus e de Maomé. E em um espaço como este.

— Com o seu legado histórico, tanto como uma igreja quanto como uma mesquita, Santa Sofia parecia o lugar perfeito para a exibição dos artefatos — disse Pitt. — Acho que se poderia dizer que o prefeito de Istambul me deve uma também — acrescentou com um sorriso.

— Com certeza, foi muito conveniente que as instituições de Chipre concordassem com a mostra itinerante dos artefatos de Jesus, enquanto constroem o local de exposição permanente para as relíquias e a galera — disse Gunn.

— Não se esqueça das contribuições do falecido senhor Celik — Giordino disse.

— Sim, todas as relíquias de Maomé reencontraram o seu lugar junto ao bom povo da Turquia — observou Pitt.

— Outro trabalho bem-feito — disse Ruppé. — O público vai se emocionar. É realmente uma lição inspirada na tolerância, essa combinação das histórias religiosas. — Ele olhou para Pitt com uma sobrancelha arqueada. — Sabe, se eu fosse um jogador, diria que vocês estão bancando as suas apostas na vida após a morte.

— Nunca é demais ter um seguro — respondeu Pitt com uma piscadela.

Do outro lado da praça, Julie Goodyear olhava encantada para uma pequena caixa de vidro contendo várias folhas de papiro desbotadas.

— Summer, você acredita em uma coisa destas? É uma carta de verdade escrita por Jesus a Pedro.

Summer sorriu da expressão de entusiasmo da historiadora.

— Pois é, e a tradução está aí embaixo. Ao que parece, são instruções para Pedro fazer os preparativos para um grande encontro. Alguns arqueólogos bíblicos acreditam que possa ser uma referência ao Sermão da Montanha.

Depois de apreciar o documento por algum tempo, Julie virou-se para Summer e balançou a cabeça.

— É simplesmente inacreditável. O fato de estes artefatos estarem relacionados em um documento concreto que sobreviveu até hoje por si só já é surpreendente. Mas, depois, ter realmente descoberto todos os artefatos, e em excelente estado de conservação, é nada menos do que um milagre.

— Com um certo trabalho e um pouco de sorte pelo meio — Summer respondeu com um sorriso. Avistando Loren e Pitt do outro lado, ela disse: — Venha, quero que conheça o meu pai.

Enquanto Summer a conduzia através do espaço, Julie fez uma breve parada diante do primeiro item na mostra sobre Jesus. Alojado em um estojo de vidro grosso para a sua proteção, encontrava-se o Manifesto original. Embaixo, uma pequena etiqueta informava: "Cedido por empréstimo por Ridley Bannister".

— É bom ver o original de novo. Mas, francamente, que surpresa o senhor Bannister ter concordado em emprestá-lo para a mostra! — disse Julie.

— Ele quase morreu lá na gruta em Chipre e acho que saiu da experiência como um homem mudado. Na verdade, foi sugestão dele a inclusão do Manifesto na exposição, e ele já concordou em deixá-lo em exibição permanentemente, junto com as outras relíquias, em Chipre. É claro, ele conseguiu produzir um livro e um documentário sobre o Manifesto — Summer acrescentou com um sorriso.

Elas se aproximaram de Pitt e dos outros, a quem Summer apresentou a amiga.

— É um prazer conhecer a jovem responsável por todos estes tesouros históricos — Pitt disse gentilmente.

— Por favor, tive um papel minúsculo — Julie respondeu. — Foram você e Summer que descobriram as verdadeiras relíquias. Especialmente o item mais intrigante — acrescentou, apontando por cima do ombro de Pitt para o ossuário em pedra calcária.

— Sim, o ossuário de "J" — respondeu Pitt. — Isso criou uma grande celeuma a princípio. Mas depois de uma análise cuidadosa, os epigrafistas decifraram a inscrição em aramaico encontrada à frente como sendo relativa a "José", e não a "Jesus". Um certo número de especialistas postulou que se trate de José de Arimateia, mas acho que nunca saberemos com certeza.

— Pode ser que sim. Ele era rico o suficiente para ter um túmulo elaborado e um ossuário. Por que outra razão Helena o teria incluído na coleção? É uma pena que os ossos tenham desaparecido.

— Esse é um mistério que vou deixar para vocês — disse Pitt. — Falando nisso, Summer me disse que você encontrou uma nova pista sobre Lorde Kitchener e o *Hampshire*.

— Sim, é verdade. Acho que Summer lhe contou como encontramos as cartas de um bispo chamado Lowery, que perseguia Kitchener para que entregasse o Manifesto pouco antes do naufrágio do *Hampshire*. Lowery ficou inválido em um acidente de automóvel pouco depois e acabou por tirar a própria vida em um acesso de depressão. Encontrei um bilhete de suicídio nos documentos da família, no qual ele admite o papel que desempenhou no desastre do *Hampshire*. O navio foi afundado intencionalmente por medo de que Kitchener estivesse levando o Manifesto para a Rússia, para divulgação ao público. Em um momento em que a Primeira Guerra Mundial achava-se em um impasse, aparentemente a Igreja da Inglaterra temia o seu conteúdo, em especial no que diz respeito ao ossuário de "J" e ao paradoxo que representaria quanto à Ressurreição.

— Acho que a Igreja terá de dar uma explicação.

Enquanto eles conversavam, Loren encaminhou-se até uma pequena pintura exibida atrás de cordões de veludo. Destinada a ser o item facilmente mais popular da exposição, era um retrato contemporâneo de Jesus sobre um painel de madeira, pintado por um artista romano. Apesar da falta da destreza de um Rembrandt ou de um Rubens, o artista, no entanto, criara um retrato impressionantemente realista de um homem circunspecto. Com o rosto magro, cabelo e barba escuros, o retratado projetava do painel um olhar com uma aura impressionante. Eram os olhos, concluiu Loren. As orbes cor de azeitona quase saltavam do painel, brilhando com um misto de intensidade e compaixão.

Loren examinou a pintura por alguns minutos, depois chamou Summer para o seu lado.

— A única imagem contemporânea de Jesus conhecida — disse Summer reverentemente enquanto se aproximava. — Não é admirável?

— Sim, bastante.

— A maioria das pinturas romanas da época que sobreviveram são em forma de afrescos, então um retrato independente é bastante raro. Um dos especialistas acredita que possa ter sido criado pelo mesmo artista que pintou um afresco bem conhecido em Palmira, na Síria. O artista provavelmente pintava afrescos nas casas dos ricos da Judeia e complementava a sua renda com os retratos. Os historiadores parecem pensar que captou Jesus no auge do seu ministério, pouco antes de ser preso e crucificado.

Ela seguiu o olhar de Loren e examinou a imagem do retratado.

— Ele tem um ar verdadeiramente mediterrâneo, não acha? — disse Summer. — Um homem real, marcado pela ação do sol e do vento.

— Com certeza, não é nada parecido com as imagens criadas pelos pintores medievais, que retrataram Jesus como se tivesse nascido na Suécia — disse Loren. — Será que lembra alguém? — ela perguntou, hipnotizada pela imagem.

Summer inclinou a cabeça ao estudar a pintura, depois sorriu.

— Agora que mencionou, há uma semelhança.

— Semelhança com quem? — perguntou Pitt, aproximando-se.

— Ele tem os cabelos pretos ondulados, o rosto magro e a pele bronzeada — disse Loren. — Os mesmos traços seus.

Pitt olhou para a pintura, depois balançou a cabeça.

— Não, os olhos não são tão verdes. E, a julgar pelo fundo, não poderia ter mais de um metro e sessenta e pesava não muito mais de quarenta e cinco quilos. Acima de tudo, existe uma outra grande diferença entre nós — acrescentou com um sorriso leve.

— E qual seria? — perguntou Loren.

— Ele caminhava sobre as águas. Eu nado nelas.

100

O CALOR DA TARDE PASSARA do seu auge e o sol lançava sombras compridas sobre o edifício do Tribunal Distrital de Jerusalém quando o veredicto final do júri foi lido. Os repórteres de televisão e da mídia impressa foram os primeiros a sair do prédio, ansiosos por publicar as suas reportagens sobre o julgamento. Os frequentadores habituais do tribunal e os curiosos que haviam lotado a galeria saíram em seguida, trocando comentários sobre o resultado. Por último, saíram as testemunhas e os advogados, aliviados que o longo julgamento finalmente tivesse terminado. Visivelmente ausente, no entanto, achava-se o réu. Oscar Gutzman não passaria em liberdade pela porta da frente do tribunal. Algemado e sob forte vigilância, foi discretamente escoltado para fora pela porta traseira e em seguida para dentro de um furgão da polícia à espera, que o transportaria ao presídio de Shikma, onde cumpriria a sentença.

Dirk Jr. e Sam Levine demoraram-se no saguão, agradecendo aos promotores pelo trabalho benfeito, antes de sair para o lusco-fusco do poente. Os dois exibiam uma expressão amarga em face da justiça, sabendo que o veredicto nunca compensaria totalmente a morte de Sophie e do seu colega agente de antiguidades.

— Quinze anos por incitação ao crime e cumplicidade na morte do agente Holder em Cesareia — disse Sam. — Não poderíamos ter conseguido muito mais do que isso.

— Isso deve garantir que ele morra na prisão — respondeu Dirk, impassível.

— Em sua má condição de saúde, eu ficaria surpreso se sobrevivesse ao primeiro ano.

— Então é melhor se apressar, se pretende que seja julgado pelas demais acusações na área das antiguidades — disse Dirk.

— Na verdade, já fizemos um acordo judicial com os advogados dele. Muito embora, mesmo que tenhamos um caso concreto contra ele por tráfico de antiguidades roubadas, que acrescentaria alguns anos à sua sentença, isso seria um mero exercício acadêmico.

— Então o que conseguiu afinal?

— Todas as acusações foram suspensas em troca de ele colaborar no inquérito em andamento sobre as fontes dos artefatos roubados em sua coleção. Além disso — Sam acrescentou com um sorriso —, Gutzman concordou em legar toda a sua coleção para o Estado de Israel após a sua morte.

— Esse foi um lance muito bom.

— Nós achamos que sim — respondeu Sam quando chegavam ao alto das escadarias do tribunal. — Isso aliviará um pouco a dor pelas nossas perdas.

— É bom saber que sairá algo bom de tudo isso — Dirk respondeu. Ele estendeu a mão e apertou a de Levine. — Continue na luta, Sam. Sophie gostaria que fizesse isso.

— Deixe comigo. Quanto a você, cuide-se bem, Dirk.

Enquanto Sam se afastava em direção ao estacionamento, Dirk ouviu alguém chamar o seu nome. Voltando-se, avistou Ridley Bannister, descendo os degraus com a ajuda de uma bengala elegante.

— Sim, Bannister — Dirk respondeu.

— Se tiver um momento... — disse o arqueólogo, mancando até Dirk. — Só queria lhe dizer que, antes do julgamento, não sabia que estava envolvido com a senhorita Elkin. De certo modo, ela era uma colega de profissão, embora nem sempre pensássemos do mesmo modo. No entanto, quero lhe dizer que sempre a considerei uma mulher admirável.

— Sinto o mesmo que você — Dirk disse em voz baixa. — Obrigado, a propósito, por participar do julgamento. Seu testemunho foi fundamental para definir a sorte de Gutzman.

— Eu sabia que ele comprava artefatos roubados, mas nunca imaginei que chegasse ao ponto de contratar terroristas profissionais para aumentar a sua coleção. Não é difícil deixar-se fascinar pelos artefatos, e eu mesmo carrego os meus próprios pecados a esse respeito. Mas é preciso agir direito, afinal de contas. Você e sua família me mostraram o caminho, além de salvar a minha vida. Por isso, serei sempre grato.

— Por mais quanto tempo vai precisar disto? — Dirk perguntou, apontando para a bengala.

— Só por mais algumas semanas. Os médicos de Chipre fizeram um excelente trabalho.

— Foi bom concordar em emprestar o Manifesto para o novo museu.

— O lugar dele é entre os outros artefatos concedidos pela NUMA — Bannister respondeu. — Talvez isso compense um pouco a sua irmã. Por sinal, Summer é uma jovem bastante valorosa. Por favor, diga-lhe que me sentiria honrado em jantar com ela em alguma ocasião.

— Darei o recado. E o que pretende pesquisar agora?

— A Arca da Aliança. Descobri uma pista sugerindo que poderia estar escondida em uma caverna no Iêmen. Acho que a pesquisa promete. E quanto a você?

— Acho que continuarei trabalhando no Mediterrâneo por um tempo — Dirk disse em voz baixa.

— Bem, felicidades para você, aonde quer vá. E dê as minhas lembranças ao seu pai e a Summer.

— Boa sorte, Bannister. E até logo.

Dirk observou o arqueólogo seguir mancando até um ponto de táxi e fazer sinal para um carro que chegava. Seu hotel ficava a apenas alguns quarteirões dali, então Dirk decidiu prosseguir a pé. Caminhando pelas ruas de Jerusalém ocidental, logo ignorou o trânsito intenso e as calçadas lotadas, os pensamentos imersos em uma névoa emocional.

Chegando em frente ao hotel, continuou andando por mais um quilômetro e entrou na Cidade Velha pela Porta de Herodes. Passeou distraidamente pelas ruas estreitas, atraído para o leste por uma bússola invisível.

Depois de seguir uma freira atravessando descuidadamente uma rua lateral, ergueu os olhos para constatar que se encontrava sobre os fundamentos da Igreja de Santana. Uma grande calma o envolveu quando deu a volta e aproximou-se do Tanque de Betesda.

O banco onde almoçara com Sophie achava-se vazio e ele sentou-se ali, à sombra dos plátanos. Perdido em pensamentos, ficou por muito tempo fitando os tanques vazios, até depois de o sol mergulhar no horizonte. Continuava sentado em contemplação silenciosa quando uma brisa fresca atravessou o céu noturno, trazendo suavemente o doce aroma de jasmim às terras antigas.

Leia também:

A CAÇADA

Uma aventura de Isaac Bell

DE

CLIVE CUSSLER

UM FANTASMA DO PASSADO

15 de abril de 1950
Lago Flathead, Montana

Ela se ergueu das profundezas como um terrível monstro em um mar mesozoico. Uma camada de lodo cobria a cabine e a caldeira, enquanto a lama marrom-acinzentada do fundo do lago deslizava e caía das rodas motrizes de mais de dois metros, esparramando-se na água fria do lago. Surgindo lentamente na superfície, a velha locomotiva a vapor ficou pendurada, por um momento, pelos cabos de um imenso guindaste montado sobre uma barcaça de madeira. Ainda visíveis na sujeira que respingava, abaixo das janelas abertas dos lados da cabine, estava o número 3025.

Construída pela Fábrica de Locomotivas Baldwin da Filadélfia, Pensilvânia, a 3025 saíra da fábrica em 10 de abril de 1904. A classe Pacific era um tipo comum de máquina a vapor, grande e com rodas motrizes altas, capaz de puxar dez vagões de passageiros, feitos de aço, por longas distâncias a velocidades acima de 140 quilômetros por hora. Era conhecida como 4-6-2 por causa de seu truque de quatro rodas-piloto, logo atrás do limpa-trilhos, as seis grandes rodas motrizes abaixo da caldeira e as duas rodas portantes, pequenas, posicionadas abaixo da cabine.

A equipe da barcaça observou, admirada, enquanto o operador do guindaste articulava suas alavancas e baixava gentilmente a velha 3025 no deque principal, o peso da máquina fazendo a barcaça afundar mais sete centímetros na água. Ela ficou lá por quase um minuto até que seis homens superassem seu assombro e viessem tirar os cabos.

— Ela está numa boa forma impressionante para algo que ficou debaixo d'água por quase 50 anos — murmurou o superintendente de recuperação de objetos da barcaça velha e alquebrada, quase tão antiga quanto a locomotiva. Desde a década de 1920, vinha sendo usada em operações de dragagem no lago e nos afluentes próximos.

Bob Kaufman era um homem grande e amigável, pronto para rir ao menor sinal de um comentário jovial. Com a face corada pelas longas horas que passava ao sol, ele trabalhava na barcaça há 27 anos. Agora com 75, poderia ter se aposentado havia muito tempo, mas enquanto a empresa de dragagem quisesse mantê-lo ele continuaria trabalhando. Ficar em casa montando quebra-cabeças não era sua ideia de uma boa vida. Ele estudou o homem a seu lado, que era, até onde podia notar, ligeiramente mais velho.

— O que acha? — perguntou Kaufman.

O homem se virou, alto e ainda esbelto em seus 70 e poucos anos, cabelos fartos e prateados. Seu rosto era gasto feito couro. Ele olhou para a locomotiva com olhos pensativos que ainda não precisavam de óculos. Eles brilhavam azuis com um toque de lavanda. Um grande bigode prateado cobria seu lábio superior, como se tivesse sido plantado ali muitos anos antes. Combinava com suas sobrancelhas, que tinham se tornado espessas com a idade. Ele ergueu um caro chapéu panamá da cabeça e tocou a testa com um lenço.

Caminhou até a locomotiva recuperada, agora solidamente assentada no deque, e focou sua atenção na cabine. Água e imundície pingavam de sua escada, espirrando e espalhando-se pelo deque da barcaça.

— Apesar da sujeira — disse ele, afinal —, ela ainda é esteticamente agradável aos olhos. É só uma questão de tempo até um museu ferroviário aparecer com recursos para restaurá-la para exposição.

— Foi sorte um pescador local ter perdido o motor de seu barco e mandado dragar o fundo do lago para encontrá-lo. Senão, a locomotiva poderia ter ficado lá embaixo por mais meio século.

— É, foi um golpe de sorte — o homem alto de cabelos prateados disse lentamente.

Kaufman aproximou-se e passou a mão sobre uma das grandes rodas motrizes. Uma expressão sentimental cruzou seu rosto.

— Meu pai foi engenheiro da Union Pacific — disse em voz baixa. — Ele sempre dizia que a locomotiva do tipo Pacific era a melhor que ele já pilotara. Ele costumava me deixar sentar na cabine quando trazia um trem para o pátio. A classe Pacific era usada principalmente para puxar vagões de passageiros porque era muito rápida.

Uma equipe de mergulhadores, vestindo trajes de lona entremeada com camadas de borracha, apareceu de pé em uma plataforma que se erguia de sob a superfície da água fria. Usavam o capacete de metal Mark V, grandes cintos de lastro em torno do peito e botas de mergulho com canos de lona, ponteiras de latão e solas de chumbo que pesavam 16 quilos. Ao todo, os mergulhadores carregavam quase 68 quilos de equipamento. Eles puxaram seus tubos de ar, que chegavam à bomba de mergulho, alimentada com ar da superfície, enquanto a plataforma se elevava e descia oscilante sobre o deque. Mal eles subiram a bordo, outro time desceu as escadas e ficou sobre a plataforma enquanto ela baixava para as águas do lago, ainda geladas do longo inverno de Montana.

O homem alto observou silenciosamente, parecendo deslocado em meio à equipe da barcaça em seus trajes de trabalho manchados de graxa e todo o resto. Ele vestia calça marrom habilmente passada e um caro suéter de tricô sob uma jaqueta de caxemira. Seus sapatos estavam muito polidos e tinham mantido o brilho no deque encharcado de óleo e cheio de cabos enferrujados.

Ele fitou as pesadas camadas de limo nos degraus da cabine e virou-se para Kaufman.

— Vamos colocar uma escada ali para podermos subir na cabine — disse.

Kaufman deu uma ordem a um funcionário que estava próximo e uma escada logo apareceu, sendo apoiada na borda do piso da cabine, atrás do acento do maquinista. O superintendente subiu primeiro, seguido pelo observador idoso. A água descia do teto feito um lençol, enquanto carvão dissolvido se misturava ao lodo que fluía da porta aberta da fornalha para o chão de metal.

Primeiro, a cabine pareceu vazia. O labirinto de válvulas, tubos e alavancas por cima da caldeira estava coberto por camadas de lodo e os tentáculos de algas verdes cresciam ali. A sujeira no chão da cabine estava na altura dos tornozelos, mas o observador alto e silencioso pareceu não notar que ela cobria seus sapatos. Ele se ajoelhou e estudou três corcovas que se erguiam do lodo como pequenas montanhas.

— O maquinista e o bombeiro — ele anunciou.

— Tem certeza?

— Tenho — ele assentiu. — O maquinista era Leigh Hunt. Ele tinha mulher e dois filhos, ambos hoje na meia-idade. O bombeiro era Robert Carr. Ele ia se casar depois dessa viagem.

— Quem era o terceiro homem?

— O nome era Abner Weed. Um cliente durão. Ele forçou Hunt e Carr a operarem a máquina com uma arma apontada para suas costas.

— A aparência deles não é boa — murmurou Kaufman, enojado com o que via. — Estou surpreso que não tenham virado esqueletos.

— Não teria restado nada deles se tivessem morrido em água salgada, mas as águas frias e frescas do Lago Flathead os preservaram. O que você vê é o tecido adiposo, no qual a gordura se acumula. Com o tempo, se ficar submerso, ele se rompe e dá ao corpo um aspecto de cera e sabão, conhecido como saponificação.

— Precisamos chamar o xerife e trazer um médico legista aqui.

— Isso vai atrasar a operação? — perguntou o estranho.

— Não. — Kaufman balançou a cabeça. — Não deve atrasar nada. Assim que a equipe de mergulhadores prender os cabos de suspensão, nós vamos trazer o vagão-reboque para cima.

— É importante que eu veja que está no carro anexo.

— Vai ver. — Kaufman olhou para o homem, tentando em vão ler os pensamentos dele. — É melhor cuidarmos do vagão-reboque primeiro para simplificar as coisas. Se nos concentrarmos no carro antes que ele seja separado do vagão-reboque, pode acabar sendo um desastre. Ele pode não ser tão pesado quanto a locomotiva, mas, se não tomarmos muito cuidado, pode se partir em pedaços. É uma operação bem mais delicada. Além disso, a parte da frente do vagão bagageiro está meio enterrada debaixo do vagão--reboque.

— Não é um vagão bagageiro. É um vagão de carga fechado.

— Como você sabe?

O observador ignorou a pergunta.

— Suba o vagão-reboque primeiro. Você é o encarregado.

Kaufman olhou para baixo, para as feias protuberâncias que já tinham sido humanas.

— Como é que eles foram parar lá? Como é que um trem pode ter ficado perdido no meio do lago por todos esses anos?

O homem alto fitou o lago calmo e azul.

— Há 44 anos, havia uma balsa que levava vagões carregados de madeira de um lado do lago para o outro.

— Com certeza, é estranho — Kaufman disse lentamente. — Os jornais e os oficiais da Southern Pacific informaram que o trem tinha sido roubado. Se me lembro bem, foi em 21 de abril de 1906.

— Um acobertamento da empresa. — O velho sorriu. — O trem não foi roubado. Um despachante ferroviário foi subornado para fretar a máquina.

— Devia haver algo muito valioso no vagão de carga para valer essas mortes — disse Kaufman. — Como um carregamento de ouro.

— Circularam rumores de que o trem carregava ouro — assentiu o velho. — Verdade seja dita, não era ouro, mas dinheiro vivo.

— Quarenta e quatro anos — Kaufman disse lentamente. — Um longo tempo para um trem ficar perdido. Talvez o dinheiro ainda esteja dentro do vagão.

— Talvez — disse o homem alto, observando, no horizonte, algo que só ele podia ver. — E talvez nós encontremos as respostas quando entrarmos nele.

O ASSALTANTE AÇOUGUEIRO

1

10 de janeiro de 1906
Bisbee, Arizona

QUEM QUER QUE VISSE UM BEBERRÃO desamparado descendo a Avenida Moon lentamente, oscilando, naquela tarde em Bisbee, o teria confundido com algo que ele não era: um homem que envelhecera antes do tempo trabalhando nas minas que passavam por dentro das montanhas ricas em minerais sob a cidade. Sua camisa estava imunda e ele cheirava mal. Um suspensório estava rasgado e a calça esfarrapada estava metida em botas gastas e esgotadas, que deveriam ter sido jogadas no lixão muito tempo atrás.

O cabelo emaranhado e oleoso descia solto até os ombros, misturando-se à barba não aparada que chegava a meio caminho de seu estômago saliente. Ele enxergava através de olhos de um castanho tão escuro que era quase negro. Não havia expressão neles; pareciam frios, quase perversos. Um par de luvas de trabalho cobria suas mãos, que nunca haviam segurado pá ou picareta.

Debaixo de um braço, ele carregava um velho saco de aniagem que parecia vazio. No tecido sujo estava gravado em estêncil, quase caprichosamente, o nome COMPANHIA DOUGLAS DE ALIMENTOS & GRÃOS, OMAHA, NEBRASKA.

O velho parou por um minuto e encostou-se a uma cerca na esquina da Avenida Moon com a Tombstone Canyon Road. Atrás dele havia um *saloon*, quase vazio por ainda ser meio-dia e seus clientes habituais estarem trabalhando duro nas minas. As pessoas andando e fazendo compras na pequena cidade mineradora não lhe lançaram mais que um olhar rápido, enojado. Quando passavam, ele tirava uma garrafa de uísque de um bolso da calça e bebia um grande gole antes de recolocar a tampa e guardá-la. Ninguém poderia saber que aquilo não era uísque, mas chá.

Para um dia de junho, estava quente; ele imaginou que a temperatura deveria estar acima dos 32 graus. Sentou-se de novo e viu um bonde passar por toda a rua, puxado por um velho cavalo. Os bondes elétricos ainda não haviam chegado a Bisbee. A maior parte dos veículos nas ruas ainda eram carroças e diligências. A cidade tinha apenas um punhado de automóveis e caminhões de entrega, e nenhum estava em evidência.

Ele conhecia o suficiente sobre o lugar para saber que fora fundado em 1880 e nomeado em homenagem ao juiz DeWitt Bisbee, um dos investidores por trás da Mina de Cobre Queen. Uma comunidade razoavelmente grande; sua população de 20 mil pessoas fazia dela a maior cidade entre São Francisco e St. Louis. Apesar das muitas famílias dos mineiros que viviam em casas de madeira, a economia se baseava principalmente nos *saloons* e em um pequeno exército de senhoras moralmente ambíguas.

A cabeça do homem pendia sobre seu peito. Parecia um bêbado cochilando. No entanto, era uma farsa. Ele estava consciente de cada movimento a seu redor. Ocasionalmente, olhava pela rua em direção ao Banco Nacional de Bisbee. Ele observou com interesse, através dos olhos semicerrados, enquanto um caminhão com acionamento por corrente e pneus bem sólidos chacoalhou em direção ao banco. Havia somente um guarda, que saiu do caminhão carregando um grande saco de notas recém-impressas. Alguns minutos depois, o homem teve ajuda do caixa do banco para passar pela porta carregando um pesado cofre e levá-lo até o caminhão.

O homem sabia que era um carregamento de ouro, uma parte dos 84 mil quilos de ouro que tinham sido produzidos nas minas locais. Entretanto, não era o ouro que atraía seu interesse. Era pesado demais e arriscado demais para um único homem lidar. Era o dinheiro que o trazia a Bisbee, não o precioso metal amarelo.

Observou enquanto o caminhão se afastou e dois homens, que ele identificara como os seguranças da gigantesca Companhia Mineradora Phelps

Dodge, saíram do banco. Entregaram o dinheiro para cumprir a folha de pagamento da companhia no dia seguinte. Ele sorriu, sabendo que os bens do Banco Nacional de Bisbee tinham subido a um novo nível.

Tinha visto quem entrava e saía do banco por quase duas semanas até conseguir identificar todos de vista. Também tinha anotado a hora em que entravam e saíam. Satisfeito por saber que agora não havia ninguém no banco exceto o caixa e o proprietário/gerente, ele olhou para o relógio e assentiu.

Preguiçosamente, o velho indigente se levantou, espreguiçou-se e caminhou a passos lentos pela rua de paralelepípedos e pelos trilhos do bonde até o banco, carregando o saco de aniagem grande e vazio sobre um dos ombros. Quando estava prestes a entrar, uma mulher passou por ele inesperadamente. Ela lançou-lhe um olhar de aversão, contornou-o e entrou. Ela não estava em seus planos, porém ele decidiu lidar com a questão em vez de esperar. Checou a rua e entrou no banco atrás dela.

Fechou a porta. O caixa estava no cofre e a mulher esperou até que ele reaparecesse. O indigente tirou da bota um Colt automático calibre .38 de 1902 e acertou a mulher na nuca com o tambor da arma, olhando com desinteresse quando ela desabou devagar no chão de madeira. Foi tão repentino e silencioso que o proprietário do banco não viu nem ouviu nada de seu escritório.

Então, o mineiro bêbado, subitamente transformado em ladrão de banco, saltou o balcão com leveza, entrou no escritório do dono e colocou o cano da arma em sua cabeça.

— Resista e eu atiro — disse em tom baixo e autoritário. — Agora, mande o caixa entrar aqui.

O calvo, gordo e chocado dono do banco olhou para ele com olhos castanhos arregalados de medo. Sem discutir, ele chamou:

— Roy, venha até aqui.

— Já vou, senhor Castle — Roy respondeu de dentro do cofre.

— Mande-o deixar o cofre aberto — sussurrou o assaltante com voz afiada.

— Roy, não feche a porta do cofre — Castle obedeceu, ficando vesgo quando seus olhos se focaram na arma pressionada contra sua testa.

Roy saiu do cofre, um livro de registro contábil debaixo do braço. Não pôde ver a mulher inconsciente deitada debaixo do balcão. Sem suspeitar de nada, ele entrou no escritório de Castle e ficou petrificado quando viu o assaltante com uma arma na cabeça de seu chefe. O ladrão afastou o cano da cabeça de Castle e agitou-o em direção ao cofre.

— Vocês dois — disse calmamente —, entrem no cofre.

Nem pensaram em resistir. Castle ergueu-se da mesa e foi na frente, enquanto o ladrão passava rapidamente junto da janela para ver se não havia ninguém na rua dirigindo-se ao banco. Exceto por umas poucas mulheres fazendo compras e um carro de cerveja que passava, a rua estava tranquila.

O interior do cofre estava bem iluminado, com uma lâmpada de latão Edison pendurada no teto de aço. Exceto pelo baú contendo o ouro, muitas pilhas de notas, em sua maioria parte da folha de pagamento das companhias mineradoras, cobriam as prateleiras. O assaltante jogou o saco de aniagem para o caixa.

— Ok, Roy, encha isso com todas as verdinhas que tiver.

Roy fez como ele dizia. Com mãos trêmulas, começou a varrer as pilhas de notas de diversos valores para dentro do saco. Quando terminou, o saco estava esticado até o limite de suas fibras de juta e parecia ter o tamanho de um saco de lavanderia bem cheio.

— Agora, deitem no chão — mandou o assaltante.

Castle e Roy, acreditando que o ladrão estava agora prestes a empreender sua fuga, esticaram-se no chão com as mãos estendidas sobre a cabeça. O bandido tirou uma pesada echarpe de lã de um de seus bolsos e enrolou-a no bocal de sua automática. Então, sistematicamente atirou na cabeça dos dois homens. O som foi mais parecido com o de duas pancadas fortes do que com disparos de uma arma de fogo. Sem hesitar por um segundo, ele colocou o saco por cima do ombro e saiu do cofre sem olhar para trás.

Infelizmente, não havia terminado. A mulher debaixo do balcão gemeu e tentou se apoiar nos cotovelos. Com total indiferença, ele se inclinou, baixou a arma e acertou-a na cabeça, como tinha feito com o dono do banco e o caixa. Não houve remorso, nem o menor sinal de emoção. Ele não se importava se algum deles deixara uma família para trás. Matara três pessoas indefesas a sangue frio com o mesmo interesse que teria demonstrado ao pisotear uma fila de formigas.

Parou para procurar um dos cartuchos de bala que pensou ter ouvido cair de dentro da echarpe enrolada na arma, mas não conseguiu encontrá-lo. Desistiu e caminhou casualmente para fora do banco, notando, satisfeito, que ninguém tinha ouvido os disparos abafados.

Com o saco de aniagem inchado de dinheiro, o homem seguiu pelo beco que ficava atrás do banco. Entrando em um vão sob uma escadaria, onde não poderia ser visto, tirou as roupas encardidas, removeu a peruca e a barba cinzentas e jogou tudo em uma pequena valise. Revelando-se agora em um caro terno feito sob medida, colocou um chapéu-coco em um ângulo garboso sobre a cabeça e o cabelo vermelho, agora muito bem escovado. Passou uma gravata pelo pescoço e deu-lhe um nó antes de jogar as botas gastas na valise. Era um homem baixo e as solas e saltos das botas tinham uma elevação de quase cinco centímetros. Depois, tirou um par de sapatos de couro inglês com saltos para fazê-lo parecer mais alto, antes de voltar sua atenção para uma grande maleta de couro que escondera sob uma lona, junto com uma motocicleta Harley-Davidson. Olhando de um lado para o outro do beco a cada instante, ele transferiu o imenso monte de dinheiro do saco de juta para a maleta, que prendeu com uma correia ao porta-bagagem sobre a roda traseira da moto. A valise contendo seu disfarce ele amarrou no bagageiro frontal.

Nesse momento, ouviu gritos pelo beco, vindos da Tombstone Canyon Road. Alguém tinha descoberto os corpos no Banco Nacional de Bisbee. Despreocupado, ele empurrou a moto adiante e ligou o motor de um cilindro de 63 centímetros cúbicos e três cavalos-força. Jogou uma perna por cima do assento e partiu por becos desertos até o pátio de manobras. Moveu-se sem ser visto por um ramal ferroviário onde um trem de carga tinha parado para apanhar água.

Ele chegou na hora certa.

Mais cinco minutos e o trem de carga voltaria para os trilhos principais, partindo em direção a Tucson. Sem ser notado pelo maquinista e pelo brequista, enquanto estes puxavam um grande tubo do tanque de madeira para dentro do vagão-reboque para criar vapor de água, o homem pegou uma chave do bolso de seu colete e abriu o cadeado da porta de um vagão de carga, no qual estava pintado um logotipo onde se lia Fábrica de Móveis

O'Brian, Denver. Ele empurrou a porta corrediça, abrindo-a. A presença de tal vagão nessa hora e lugar não era coincidência. Agindo como um representante fictício da igualmente fictícia Fábrica de Móveis O'Brian, ele tinha pagado para que esse vagão fosse incluído no trem de carga que passava por Bisbee, saindo de El Paso, no Texas, para Tucson, no Arizona.

Ele pegou uma grande tábua, ligada por colchetes à lateral do vagão, e usou-a como rampa para colocar a Harley-Davidson a bordo. Então, fechou a porta corrediça rapidamente e passou a mão por uma pequena abertura com dobradiças para fechar o cadeado quando o assobio da locomotiva soou e o trem começou a se mover, saindo do ramal para os trilhos principais.

Do lado de fora, o vagão de carga se parecia com qualquer outro que tivesse sido usado por muitos anos. A pintura estava desbotada e as laterais de madeira estavam entalhadas e lascadas. Mas sua aparência era enganosa. Até a tranca da porta era falsa, fazendo parecer que o carro estava bem fechado. Mas era o interior que mais enganava. Em vez de vazio ou apinhado de móveis, era luxuoso, ornamentado e pomposamente mobiliado, como um vagão particular de um presidente de ferrovia. Painéis de mogno espalhavam-se pelas paredes e teto. O chão estava coberto por um grosso carpete. A decoração e a mobília eram extravagantemente magníficas. Havia uma sala de estar opulenta, uma cama palaciana e uma eficiente cozinha com as mais recentes inovações para a preparação de refeições sofisticadas.

Não havia criados, cabineiros ou cozinheiros.

O homem trabalhava sozinho, sem cúmplices que pudessem revelar seu verdadeiro nome e ocupação. Ninguém sabia de suas operações clandestinas como ladrão de bancos e assassino em massa. Até o vagão tinha sido construído e decorado no Canadá antes de ser transportado em segredo pela fronteira até os Estados Unidos.

O assaltante relaxou em um sofá de couro macio, desarrolhou uma garrafa de Château La Houringue Bordeaux 1884, resfriado em um balde, e serviu-se de uma taça.

Sabia que o xerife da cidade logo montaria um pelotão. No entanto, eles procurariam por um mineiro velho e nojento que matara em estado embriagado. Os policiais se espalhariam, revirando a cidade, quase certos de que ele era pobre demais para ter um cavalo. Nenhum dos cidadãos o vira chegar e sair montado em um cavalo ou dirigindo uma diligência.

Imensamente satisfeito consigo mesmo, ele bebericou o vinho em uma taça de cristal e estudou a maleta de couro. Era seu décimo primeiro ou décimo sexto assalto bem-sucedido?, refletiu. Os 38 homens e mulheres e as duas crianças que ele matara nunca entravam em sua mente. Estimava ter tirado de 325 mil a 330 mil dólares da folha de pagamento das mineradoras. A maioria dos ladrões nem teria chegado perto de adivinhar a quantia dentro da maleta.

Mas era fácil para ele, já que era também um banqueiro.

O xerife, os delegados e o pelotão nunca encontrariam o assaltante e assassino. Era como se tivesse desaparecido no ar. Ninguém jamais pensaria em conectá-lo ao homem asseado cruzando a cidade em uma motocicleta.

O crime hediondo se tornaria um dos mistérios mais duradouros de Bisbee.

Continua...